D0240078

J'attends un enfant

Laurence Pernoud
Lauréate de l'Académie de Médecine

J'attends un enfant

Mise à jour Septembre 1979

Pierre Horay Éditeur, 22 bis passage Dauphine, Paris 6e

En tête de cette édition, je tiens à adresser des remerciements tout particuliers au Docteur Guy Chevallier, ancien interne des Hôpitaux de Paris, chef de clinique gynécologique et obstétricale, qui a bien voulu assurer la supervision de cette nouvelle mise à jour.

L.P.

© *Éditions Pierre Horay, 1979. I.S.B.N. 2-7058-0091-3*

1. J'attends un enfant

Suis-je enceinte ? **19**
Les signes de la grossesse **19**
Si vous avez hâte de savoir **22**
Le médecin a dit non **24**
C'est oui : vous êtes enceinte **27**
Quand accoucherai-je ? **31**

2. Ce qui va changer dans votre vie

Votre travail **38**
Le sommeil **39**
Les rapports sexuels **40**
Bains et douches **41**
Les cigarettes **41**
Les voyages **42**
Vous avez besoin d'exercice physique **43**
Les sports **44**

3. Le régime

Faut-il manger plus **49**
Que faut-il manger ? **55**
Menus types **62**
Les aliments à éviter **67**
Le régime sans sel **68**

4. La beauté

Comment vous habiller **74**
La ceinture de grossesse **75**
Le soutien-gorge **76**
Le teint **77**
La peau **78**
Les dents **78**
Les cheveux **79**
Les ongles **80**

5. Les malaises courants

Nausées et vomissements **84**
Salivation excessive **85**
Aérophagie, douleurs et brûlures d'estomac **85**
Constipation **86**
Hémorroïdes **87**
Varices **87**
Troubles urinaires **90**
Vergetures **90**
Démangeaisons **91**
Pertes blanches **91**
Tendance aux syncopes et aux malaises **92**

L'essoufflement 93
Les douleurs 95
Troubles du sommeil 95
Troubles du caractère 96

6. La surveillance médicale de la grossesse

La surveillance habituelle de la femme enceinte 100
Médicaments, vaccins, radios 104
Les grossesses à risques 108

7. Et si une complication survient

Table

Les complications tenant à la grossesse elle-même 115.
Avortements 116
Grossesse extra-utérine 120
Les anémies 121
Les infections urinaires 121
Toxémie gravidique 122
Insertion basse du placenta 123
Quand une maladie survient 124
Rubéole 125
Toxoplasmose 127
Listériose 129
Si vous étiez malade avant 130
Tuberculose 130
Syphilis 130
Diabète 131
Obésité 132
Maladies cardiaques 132
Insuffisance rénale et hypertension artérielle 132
Le facteur rhésus 133
Tableau : Attention, danger 139

8. L'histoire de votre enfant avant sa naissance

Comment la nature crée un être humain 143
Mois par mois, l'histoire de votre enfant 157
Comment votre enfant vit en vous 165
Comment votre corps devient maternel 169
Les jumeaux et les grossesses multiples 175

9. Les trois questions que vous vous posez

Fille ou garçon 183
Peut-on connaître le sexe de l'enfant avant la naissance ? 185
Peut-on choisir le sexe de l'enfant ? 187
A qui ressemblera notre enfant ? 188
Mon enfant sera-t-il normal ? 192
Quelques notions fausses sur l'hérédité 194
La consultation de génétique 196

10. L'accouchement

D'abord quelques explications techniques 201
Le film de l'accouchement 206
Comment débute un accouchement 214
Quand partir pour la maternité 216
La dilatation 218
L'expulsion 220
Le premier cri 222
La délivrance 223
La « naissance sans violence » 225
Les accouchements avec intervention 228
Présentation par le siège 228
Forceps 228
Césarienne 229
Vacuum extractor 232
Déclenchement artificiel du travail 233

11. L'accouchement sans douleur

La vérité sur la douleur 237
Les cours de préparation 241
L'accouchement sous anesthésie 242

12. Comment préparer votre accouchement

Préparation psychologique 247
Gymnastique 249

13. Accouchement prématuré, grossesse prolongée

L'accouchement prématuré 263
Pourquoi ? 264
Les risques pour l'enfant 266
Que faire 267
Comment prévenir 267
La grossesse prolongée 268

14. Votre enfant est né

Le nouveau-né 271
Faut-il allaiter 276
Les suites de couches 280
Vous rentrez chez vous 284

15. La contraception

La contraception masculine 292
La contraception féminine 293
Le choix d'un moyen de contraception dans la période des suites de couches 299
Après le retour de couches 299

16. Un enfant s'attend à deux

La future mère **305**
Le futur père **309**
Les mères célibataires **315**
Le face à face **316**
Vous pensez déjà à son éducation **318**

Mémento pratique

Ce dont votre enfant aura besoin **325**
Layette **325**
Lit **328**
Chambre **329**
Toilette, nourriture **331**
Voiture **333**
Comment choisir l'hôpital ou la clinique **335**
Les deux valises que vous emporterez **336**
Sécurité sociale et prestations familiales **338**
Tableau résumant vos droits **340**
Le congé de maternité **344**
Les allocations : prénatales **349**
postnatales **350**
complément familial **351**
familiale **353**
logement **354**
déménagement **354**
d'éducation spéciale pour mineurs handicapés **354**
de parent isolé **355**
en faveur des orphelins **355**
Si vous êtes seule **358**
Nourrices et crèches **361**
La retraite des mères de famille **364**
Aide-mémoire de la grossesse **365**
Index **372**

Préface

Les mœurs ont changé et les mentalités: aujourd'hui les bébés conçus sont des bébés voulus, pas tous bien sûr, mais la majorité, et plus qu'il y a dix ans.
Conséquence d'une certaine éducation sexuelle, d'un nouvel état d'esprit, résultat de la contraception, d'une diminution du nombre des enfants qui les rend plus précieux? Il est difficile d'analyser brièvement un fait si complexe et fragile à la fois. Un certain féminisme, qui n'a d'ailleurs pas tant en vue l'enfant que la mère, n'est pas étranger au changement d'attitude : fierté de la femme de créer, découverte d'un plaisir exclusivement féminin?
Toujours est-il que je me réjouis: il est désormais plus facile de dire à une future mère les joies qu'elle se prépare, même si au début elle a quelques soucis en tête.
Jusqu'à maintenant je n'osais trop parler du bonheur qu'apporte le nouveau-né, trop de femmes attendaient encore sans le désirer, et cette description des joies maternelles pouvait choquer celles qui ne voyaient dans cette promesse d'enfant qu'un drame. Comment savoir qui vous lit?
Je n'en consacrerai pas pour autant les 350 pages de ce livre à la psychologie du couple qui attend un enfant, ni au bonheur d'être parent.
Même s'il est parfois rassurant ou intéressant de les voir décrits chez les autres, ce bonheur et ces sentiments sont affaire individuelle. Mais surtout dans un livre pour futurs parents, il est malheureusement obligatoire de parler toxoplasmose, listériose, monitoring, amnioscopie. Vous ne connaissez pas ces mots? Précisément, je suis là pour vous expliquer ce qu'ils représentent.
Des parents heureux sont des parents qui ont un enfant qui pourra mener la même vie que les autres et chanter et courir et rire. Ce n'est pas toujours le cas : certaines fois le nouveau-né est différent, il le reste parfois toute sa vie. A l'origine souvent une simple ignorance, souvent une petite négligence. Vous devez être avertis, tous les deux, et le père et la mère. J'ai écrit ce livre pour vous aider à avoir un beau bébé, pour que vous puissiez goûter cette joie sans ombre. La sécurité passe par la médecine, et plus qu'on ne le voudrait parfois. Elle passe par des examens, des analyses, des visites, des médecins et des sages-femmes, et parfois des régimes et des obligations contraignantes. Ces mesures ont fait faire en 20 ans à la sécurité de la naissance des progrès importants. Il en reste à faire. Ce n'est pas le moment de relâcher l'attention.
Mais certaines femmes ressentent ces contraintes, elles se plaignent d'une médicalisation excessive de la grossesse et de l'accouchement, qui envahit et leur personne et leur féminité. Quoi de plus naturel

que d'attendre un enfant et de le mettre au monde? Pourquoi ne pas laisser faire la nature? Et quel besoin d'avoir recours à une science si élaborée, disent-elles?

Et comme pour illustrer ces propos, régulièrement paraissent dans les magazines des articles aux titres accrocheurs : « je me suis accouchée moi-même », « j'ai accouché dans l'eau », « mon enfant est venu au monde en famille et sans médecin ».

On comprend que des jeunes femmes à l'époque de l'écologie et du retour à la nature regrettent, pour mettre leur enfant au monde, de se voir prises en main par des appareils et programmées et monitorées dans une atmosphère qui souvent manque par trop de chaleur humaine. Mais si l'on pense qu'un accouchement peut se faire entre amis et loin de toute aide médicale, les accidents guettent.

Le problème aujourd'hui est d'allier la technique et les connaissances qui ont contribué à la sécurité de la naissance avec le désir des femmes de mettre leur enfant au monde dans une atmosphère plus humaine. On est sur la bonne voie, cela ne va pas sans heurts. Déjà l'accouchement sans douleur avait complètement modifié la psychologie de la femme enceinte, sa manière de vivre l'accouchement, la considération qu'on lui témoignait. En vingt ans l'atmosphère des maternités a changé.

Aujourd'hui la « naissance sans violence » propose un nouvel accueil pour le nouveau-né, de nouveaux gestes, un nouveau regard. Peu à peu, ce nouvel art de naître prend dans l'histoire de la naissance une importance aussi grande que l'accouchement sans douleur. On peut espérer qu'un jour il sera aussi agréable d'accoucher à la maternité que si l'on mettait au monde son enfant chez soi.

Chère lectrice, avant que vous ne tourniez la page, il me reste quelque chose d'important à vous dire.

Vous avez peut-être acheté ce livre pour l'avoir vu il y a un an ou deux chez une amie, et peut-être vous êtes-vous demandée, en voyant la même couverture, si son texte était toujours valable aujourd'hui.

Soyez rassurée: la couverture ne change pas, mais à chaque édition J'attends un enfant *est un livre nouveau, écrit pour vous. Car, chaque année, je le remets à jour soigneusement.*

Ce faisant, je tiens compte du présent, mais aussi de l'expérience acquise: cette expérience m'est apportée par mes lecteurs. Des centaines de milliers de femmes et d'hommes ont lu J'attends un enfant *et beaucoup m'ont écrit. Leurs lettres, reflets de leurs intérêts, de leurs interrogations et de leurs soucis, maintiennent ainsi l'indispensable dialogue entre l'auteur et son public. Je dois ajouter que ces lettres donnent vie au dialogue : écrire en pensant aux lecteurs imaginaires et soudain les découvrir, c'est prendre conscience que le but projeté a été atteint, que les paroles ont été reçues.*

Outre ces lettres, témoignage indispensable pour la vie du livre, le travail est assuré par une équipe permanente : deux psychologues, une conseillère familiale, une diététicienne, un dermatologiste, un généticien, une assistante sociale, une acheteuse dans un magasin pour futures mères, et bien sûr : un obstétricien, un spécialiste du nouveau-né et un pédiatre. Ainsi chaque année J'attends un enfant *tient compte, soit pour les exposer soit pour les discuter, de l'évolution des mœurs, des changements dans la mentalité et dans les préoccupations des futurs parents, des nouvelles découvertes de l'obstétrique ou de la génétique, des progrès dans la surveillance de la* grossesse, des changements si fréquents dans la législation sociale, aussi bien que de la mode pour les futures mères ou pour les nouveau-nés.

Pour avoir une idée de ce que recouvrent trois petits mots mis en tête du livre et qui passent souvent inaperçus : « Mise à jour », il suffirait de comparer les index des différentes éditions de J'attends un enfant pour voir les textes nouveaux — monitoring, présence du père à l'accouchement, anesthésie péridurale, sérodiagnostic, etc. —, mais aussi les textes supprimés et qui témoignent souvent de victoires de la médecine, et sans oublier qu'il est des changements importants qui ne figurent pas à l'index, car ils ne portent pas de nom. Je pense par exemple au changement de mentalité dont je parlais au début de cette préface : cette maternité aujourd'hui plus désirée et plus consciente.

Il reste pour l'avenir à souhaiter que la future mère soit mieux accueillie (il n'est pas bien vu aujourd'hui d'attendre un enfant quand on a un employeur : cela gêne la vie de l'entreprise) ; que la mère qui met son enfant au monde puisse partout bénéficier, si elle le désire, d'une anesthésie : actuellement l'anesthésie dite de confort, est encore payante dans bien des maternités ; que les mères de famille soient mieux aidées ; que des solutions leur soient offertes pour qu'elles puissent concilier leur vie de mère de famille et leur vie professionnelle ; que si elles le désirent, elles puissent rester chez elles sans complexe, mais avec des ressources suffisantes pour élever leur enfant ; que le congé de maternité soit allongé ; que le père puisse garder un enfant malade si nécessaire et cela se dessine ; qu'en un mot la société accueille mieux ses enfants. Je pense qu'elle le fera, ne fût-ce que par intérêt, étant donné la diminution régulière du nombre des naissances.

Maintenant je vous laisse à votre lecture en vous souhaitant bonne chance. Les mois qui s'ouvrent devant vous sont parmi les plus importants et les plus riches de la vie d'une femme.

Post-scriptum 1979

Depuis un an ou deux, l'allaitement est à la mode, il est devenu le sujet de thèses, de congrès, de colloques, de brochures et de livres. Quel changement !
Le cap des 50 % est franchi, une femme sur deux peut dire aujourd'hui : « J'ai allaité », psychologiquement c'est important. Et surtout allaiter ne devient plus un exploit comme il l'était encore trop souvent dans bien des maternités. Mais il ne faudrait pas que cette nouvelle tendance mène à un nouvel excès, que la tyrannie du sein remplace celle du biberon. L'important, comme dans tous les domaines qui la concernent si intimement, est que la femme puisse choisir librement.

1.

J'attends un enfant

Suis-je enceinte ?

C'est sans doute un calendrier qui vous a donné la plus grande émotion de votre vie. Vous l'avez regardé, sceptique ou anxieuse. Vous avez fait un calcul rapide, puis vous avez refait ce calcul minutieusement : 28... 29... 30... Deux, trois jours vous séparent déjà de la date régulière. Et, à mesure que cette date s'éloigne, votre espoir se rapproche : « J'attends peut-être un enfant. » Quelle hâte vous avez d'en être sûre !
Lorsque l'hypothèse sera devenue réalité, ce calendrier qui vous a donné l'éveil ne vous quittera plus. Pendant neuf mois, il va être votre guide : le premier mois, voir le médecin ; le troisième, m'inscrire à la maternité ; le quatrième, tricoter ; le huitième, faire ma valise.
Ce calendrier sera aussi votre ami, puisqu'il vous racontera la vie de votre enfant : il a quatre semaines, son cœur bat ; il en a huit, son visage se dessine ; il en a seize, vous allez le sentir bouger. Et ce n'est que vers la fin que votre fidèle calendrier vous semblera hostile. Car vous n'arriverez pas à lui arracher son secret : cette date que vous voudriez tant connaître, celle du jour où naîtra votre enfant.
Mais vous n'en êtes pas encore là. Pour l'instant, ce qui vous importe le plus, c'est d'avoir une certitude, de savoir si, cet enfant, vous l'attendez vraiment. Pour cela, il faut que vous connaissiez les signes de la grossesse. Certains se manifestent très tôt et seront faciles à reconnaître par vous-même. D'autres ne seront manifestes que pour le médecin. Je vous parlerai d'abord des premiers.

Les signes de la grossesse

La grossesse s'annonce par certains signes. Le plus important, et en général le premier, est l'arrêt des règles, ou aménorrhée en terme médical. Mais ce signe n'a pas de valeur absolue. Si vos règles ne sont pas apparues deux jours après la date normale, vous ne pouvez pas en conclure que vous êtes enceinte, mais seulement le présumer, à condition :
- que vous ayez un cycle régulier. Sinon, il peut s'agir d'un retard de quelques jours ;
- que vous soyez en bonne santé. En effet, certaines maladies infectieuses (diphtérie, scarlatine, typhoïde), ainsi qu'une grande fatigue, suffisent parfois à provoquer un arrêt des règles; de même pour le surmenage, l'anémie, ou un déséquilibre endocrinien (c'est-à-dire un déséquilibre dans le fonctionnement des hormones qui règlent la vie génitale).

● que vous ne soyez pas dans des circonstances particulières telles que période de surmenage, voyage, changement, vacances ;
● que vous soyez en pleine période d'activité génitale. Chez une femme approchant de la ménopause, un arrêt des règles peut être l'annonce de cette dernière. A l'âge de la puberté, en revanche, les règles sont souvent irrégulières.
On peut affirmer : une femme qui a ses règles n'est pas enceinte.*
En revanche, on ne peut dire : une femme qui n'a pas ses règles est *sûrement* enceinte.
La présomption de grossesse sera renforcée si l'arrêt des règles s'accompagne de certains symptômes ou malaises :
● simples nausées s'accompagnant, dans cinquante pour cent des cas, par des vomissements bilieux au réveil, alimentaires dans la journée ;
● manque d'appétit pour tous les aliments ou dégoût pour certains ;
● parfois, au contraire, boulimie, ou goût très prononcé pour certains mets ;
● sécrétion inhabituelle de salive ;
● aigreurs d'estomac, lourdeurs après les repas donnant une grande envie de dormir dans la journée ;
● constipation ;
● envies fréquentes d'uriner ;
● augmentation précoce du volume des seins qui deviennent lourds et tendus. L'aréole, partie brune et concentrique qui entoure le bout du sein, gonfle. Le mamelon lui-même est plus gros et plus sensible. Enfin, signe important mais qui ne sera peut-être visible que pour le médecin, sur l'aréole apparaissent de petites saillies, qu'on appelle les tubercules de Montgomery;
● modification de l'odorat : certaines odeurs deviennent insupportables.

Signes visibles par le médecin

Vous venez de voir les signes qui annoncent une grossesse.
Il ne faut pas que cette énumération vous effraie. Je vous énumère les principaux troubles ou malaises qui *peuvent* accompagner le début d'une grossesse, mais la grossesse peut aussi débuter et se poursuivre sans qu'aucun de ces petits malaises n'apparaisse ; ou bien ceux-ci peuvent être si atténués qu'ils passeront inaperçus.
Mais même si vous avez remarqué un ou plusieurs de ces symptômes, vous ne pouvez avoir la certitude que vous recherchez. *La seule idée que vous êtes peut-être enceinte* a pu les faire naître. Car la plupart des malaises — comme vous le verrez plus loin — sont d'origine nerveuse. Dites-vous seulement que vos chances augmentent, que l'hypothèse se renforce, et allez voir un médecin ou une sage-femme. (Dans ce livre, j'emploierai le mot « médecin » pour désigner la personne que vous consulterez ou qui vous assistera dans votre accouchement. Cette personne — j'en reparlerai plus loin — pour tous les cas normaux peut aussi bien être une sage-femme **. Cependant pour la commodité du texte, je ne répéterai pas chaque fois : le médecin ou la sage-femme.)

*. Il y a des exceptions : certaines femmes tout en étant enceintes, continuent d'avoir une ou deux fois (mais le cas est rare) des pertes de sang aux périodes où elles auraient dû être réglées. Mais ces pertes, le plus souvent, diffèrent des règles, soit par leur durée, soit par leur abondance, soit par leur aspect.

**. Notons toutefois comme vous le verrez page 100, que le premier examen prénatal doit être fait par un médecin.

En vous examinant, le médecin vous dira, suivant le moment où vous le consulterez, si vraiment vous attendez un enfant. Nous disons : « suivant le moment », car un médecin ne peut être affirmatif avant la sixième semaine de la grossesse, c'est-à-dire au moment où, pour la deuxième fois consécutive, les règles n'apparaissent pas* . Vous allez comprendre pourquoi.
Le médecin va procéder à un examen gynécologique pour voir si votre utérus s'est modifié. L'utérus d'une femme enceinte est bien différent de celui d'une femme qui ne l'est pas. Il a changé de forme (il est devenu rond alors qu'il était triangulaire), de consistance (ramolli au lieu de résistant), et surtout de volume. Ce changement de volume, insensible pour vous au début, est perceptible pour le médecin. Dès la sixième semaine, l'utérus a la taille d'une petite orange et cette augmentation régulière de volume va se poursuivre progressivement. C'est elle qui permettra au médecin d'établir son diagnostic. Mais cela demande quelques semaines. C'est pourquoi, après un retard de seulement huit jours, le médecin ne peut vous donner une réponse définitive.
Vous êtes peut-être suivie régulièrement par un gynécologue. Dans ce cas, un seul examen vers la sixième semaine qui suit la date des dernières règles lui suffira pour se rendre compte si votre utérus s'est modifié, et pour vous donner une réponse. Par contre, si le médecin que vous avez l'intention d'aller consulter ne vous a jamais vue, il faudra qu'il procède à deux examens pour apprécier l'augmentation du volume de l'utérus. Vous irez le voir une première fois après un retard de huit à dix jours, une deuxième fois quinze jours plus tard. N'essayez pas d'obtenir une réponse avant cette deuxième visite. Le médecin ne peut vous la donner sans avoir une certitude. Comprenez sa prudence. Mais, si pour une raison ou une autre, vous êtes vraiment pressée, vous verrez plus loin que certains examens permettent d'établir précocément un diagnostic de grossesse.

Suis-je enceinte ?

Vous avez intérêt à être fixée rapidement

Il est important de savoir de bonne heure si vous êtes enceinte, car il y a des précautions à prendre pendant les trois premiers mois, ceux où l'œuf a le plus besoin d'être protégé car il est le plus fragile. C'est pourquoi le médecin vous soumettra à un examen complet pour savoir si rien dans votre état actuel — diabète, par exemple —, ou même dans votre état antérieur (car la grossesse réveille certaines maladies), ne risque de compromettre la suite de votre grossesse. Le médecin fera peut-être faire un dosage des hormones pour vérifier si leur taux est normal.
Et puis, il y a une autre raison très importante : tous les organes de votre futur bébé vont s'ébaucher dans les deux premiers mois de la grossesse. Il faut donc être particulièrement prudente pendant cette période.

*. La grossesse commence le jour de la conception. Or, vous le verrez au chapitre 8 la conception a lieu à peu près au milieu du cycle menstruel. Par conséquent, au premier jour de retard des règles, si vous êtes enceinte, votre grossesse a déjà deux semaines. Elle en aura six, quatre semaines plus tard, au moment où, pour la deuxième fois, vos règles manqueront.

En attendant d'être fixée, dès le premier jour de retard des règles, stoppez tout médicament. Si vous suivez un traitement, demandez au médecin si vous devez le poursuivre. Fuyez tout malade contagieux. Evitez les vaccinations. Au cas ou une radiographie vous serait prescrite, signalez que vous êtes peut-être enceinte. Evitez les viandes crues ou peu cuites. Lavez soigneusement les salades et les fruits. Vous verrez plus loin pourquoi.

Si vous avez hâte de savoir...

Lorsqu'une femme a hâte de savoir si elle est enceinte, elle croit souvent que seul un test acheté en pharmacie peut lui donner une certitude. C'est oublier qu'il s'agit en fait d'une possibilité récente réservée, auparavant, aux seuls laboratoires. D'ailleurs, pour que vous compreniez mieux le principe des tests à faire soi-même, je vais vous parler d'abord des tests faits par les laboratoires.

Les tests de laboratoire

Ces tests reposent tous sur le même principe : rechercher dans les urines ou le sang de la femme supposée enceinte une hormone * sécrétée par l'œuf (donc caractéristique de la grossesse) et appelée gonadotrophine chorionique.

Il existe deux types de tests : biologiques et immunologiques.

Dans la réaction biologique de grossesse, on injecte le sang ou l'urine de la femme à un animal de laboratoire. En cas de grossesse, on observe des modifications caractéristiques au niveau de l'appareil génital de l'animal. Actuellement on utilise surtout des souris et des rats. La lapine et les batraciens (grenouilles et crapauds) sont progressivement abandonnés. La réponse demande des délais variables selon l'animal : ils sont en moyenne de l'ordre de 24 heures. L'exactitude du test est excellente, de l'ordre de 96 à 98 %.

Dans la réaction immunologique, l'urine de la femme n'est plus injectée à un animal mais simplement mise au contact de sérums spécialement préparés, « sensibilisés » à l'hormone de grossesse. C'est, pourrait-on dire, une simple réaction « en tubes » qui demande moins de personnel et de matériel que la précédente. De plus, la réponse est beaucoup plus rapide (quelques minutes pour certains tests). Pour ces raisons, le test immunologique a connu un essor extraordinaire depuis dix ans. En même temps

* . Les hormones sont des substances chimiques sécrétées par les glandes dites *endocrines ou à sécrétion interne* parce qu'elles déversent leurs produits non pas en dehors de l'organisme, mais à l'intérieur, dans la circulation sanguine. Elles coopèrent au fonctionnement régulier de l'organisme. Certaines hormones sont communes aux hommes et aux femmes, d'autres sont propres à chaque sexe, ce sont les hormones sexuelles.

on a réussi à en améliorer la fidélité qui est maintenant la même que celle de la réaction biologique.

Les tests à faire soi-même

Sous différentes marques, les tests vendus en pharmacie reposent tous sur le même principe, celui des tests immunologiques décrits plus haut. Leur manipulation est simple. Ils donnent une réponse en quelques heures. Les indications pratiques sur la manière de faire le test sont données dans chaque boîte. Je vous signale en plus qu'il vaut mieux utiliser les urines du matin en ayant peu bu la veille.

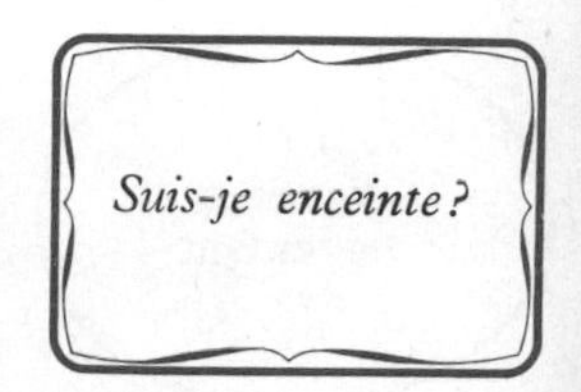

Si votre test est positif, il signifie presque certainement que vous êtes enceinte (les fausses réponses positives sont très rares). Par contre, s'il est négatif, l'hypothèse de la grossesse ne peut être formellement éliminée. C'est le cas, par exemple, si le test est fait trop tôt avec un retard de règles trop court, donc avec une grossesse trop « jeune ». Ces tests ne sont, en effet, pas très « sensibles » : ils restent négatifs au-dessous d'un certain taux d'hormone de grossesse et ne deviennent positifs que vers le 10e jour de retard de règles.

En pratique

Si vous n'avez pas de problème financier, le plus simple est de commencer par faire un test acheté en pharmacie. L'avantage est que vous n'avez pas besoin d'ordonnance, ni d'aller dans un laboratoire. L'inconvénient est que ces tests (qui coûtent entre 35 et 37 francs) ne sont pas remboursés par la Sécurité sociale, alors que le test fait par un laboratoire est remboursé s'il est prescrit par un médecin.

Mais, peut-on se fier entièrement au résultat d'un test qu'on a fait soi-même ?

— s'il est positif, vous pouvez considérer la grossesse comme quasi certaine ;

— s'il est négatif et si votre retard de règles se prolonge, il est préférable de consulter le médecin, qui fera probablement faire un examen de laboratoire. Souvent, pour éviter les erreurs, on pratique simultanément une réaction biologique et une réaction immunologique qui se contrôlent mutuellement.

Il y a enfin un moyen plus simple et plus rapide encore de connaître une grossesse à son début, mais il n'est à la portée que des femmes qui connaissent la méthode de la température (expliquée page 25), et l'appliquent régulièrement. En effet, lorsqu'il y a grossesse, au lieu de baisser, la température reste haute. Et c'est ainsi que la persistance de la température haute en l'absence de règles est un signe précoce de grossesse. Elle permet de reconnaître celle-ci dès les premiers jours de retard : dès le 16e jour de température élevée, il y a présomption de grossesse, et, au 20e jour, c'est-à-dire après une semaine de retard, cette présomption devient une certitude.

Dans l'éventualité (bien improbable) où vous ne vous soumettriez à aucun examen au cours des trois premiers mois, d'autres événements physiologiques viendront renforcer plus tard la présomption de grossesse : vers trois mois, apparition d'un liquide blanchâtre sécrété par le mamelon des seins si on le presse, le *colostrum* ; augmentation progressive du volume de l'utérus qui devient visible vers le quatrième mois ; enfin mouvements perceptibles de l'enfant vers quatre mois et demi. Mais nous ne saurions trop vous déconseiller d'attendre aussi longtemps. Il est d'ailleurs bien rare aujourd'hui, où un premier examen médical est obligatoire avant la fin du troisième mois pour bénéficier de la Sécurité sociale et des Allocations familiales (voir *Mémento pratique*, à la fin de ce livre), qu'une femme attende que son enfant remue pour aller consulter un médecin.

Le médecin a dit non

Vous venez d'apprendre que vous n'êtes pas enceinte. Le retard de règles qui vous avait fait croire à une grossesse n'était que la conséquence d'un des phénomènes dont je vous ai parlé plus haut : maladie infectieuse aiguë, surmenage, changement de climat, etc... Avec le retour de vos règles et la reprise de cycles normaux reviendra la possibilité d'une grossesse.

Si vous êtes déçue de ne pas être enceinte, sachez que la maternité est moins facile ou se fait attendre plus longtemps chez certaines femmes que chez d'autres. C'est pourquoi il peut être important pour vous de connaître la période la plus propice à la fécondation, celle que l'on appelle la période fertile. Vous verrez plus loin (chapitre 8) que la fécondation ne peut avoir lieu qu'au moment où un événement important se produit dans l'organisme : l'ovulation, c'est-à-dire la « ponte » du germe féminin ou ovule. Cette ovulation se produit généralement, chez les femmes qui ont un cycle de 28 jours, vers le 14e jour (en comptant à partir du premier jour des règles).

Mais cette ovulation ne se produit pas toujours à date fixe ni chez une même femme, ni d'une femme à l'autre (elle varie par exemple avec la longueur du cycle). Vous pouvez en connaître précisément le moment (donc la période où vous êtes fertile) grâce à la méthode de la température.

Vous en avez peut-être entendu parler comme d'un moyen de contraception : il est possible, c'est vrai, de s'en servir dans ce but. Mais la température permet avant tout de se connaître, de connaître son cycle, donc de pouvoir déterminer avec précision le moment où se produit l'ovulation, et, par là, de savoir les jours où l'on est féconde et ceux où l'on est stérile. Et c'est ainsi que la méthode de la température peut aussi bien être utile à celle qui veut un enfant qu'à celle qui n'en veut pas. Cette méthode vous la trouverez exposée ci-dessous.

Le médecin a dit non

Si, malgré cela, une grossesse ne survient pas rapidement, ne vous hâtez pas de parler de stérilité. On ne peut parler de stérilité dans un couple qu'après deux ans de rapports sexuels sans précautions anticonceptionnelles.

Et si le médecin lui-même parlait de stérilité, ne pensez pas que tout espoir soit perdu. La stérilité peut avoir de nombreuses causes dont beaucoup sont guérissables* .

Et l'âge, quelle influence a-t-il sur la conception ? Théoriquement, la conception est possible tant qu'il y a ovulation, c'est-à-dire jusqu'à la ménopause. Pratiquement la fertilité de la femme diminue après 30 ans.

La méthode de la température

Prenez votre température rectale tous les matins, à jeun, avec le même thermomètre, à la même heure, avant de vous lever (une activité même minime peut faire monter la température de quelques dixièmes. Si vous vous êtes levée, puis recouchée, laissez passer une heure avant de prendre votre température). Gardez le thermomètre trois minutes, et notez la température sur un graphique spécial que vous aurez demandé au pharmacien et non sur une feuille ordinaire.

A mesure que les jours passent, vous constatez des hauts et des bas dans votre tracé : ils sont minimes. Mais, un jour, vous remarquerez une nette élévation de niveau : si, par exemple, jusqu'alors la courbe se situait aux alentours de 36° 5, vous verrez que le tracé est monté à 37°, même s'il y a des hauts et bas minimes autour de ce chiffre. Puis, un jour, la température redescend à son niveau initial (36° 5 dans l'exemple choisi). Ce jour est celui des nouvelles règles** .

En regardant maintenant la courbe que dessine la température au long du cycle, vous verrez qu'il y a une période de température basse, puis une période de température haute.

C'est ce décalage de la température qui permet de repérer le moment où a lieu l'ovulation : le décalage de la température peut se produire en 24 heures, mais parfois aussi en quelques jours. Dans le premier cas, l'ovulation se situe le dernier jour de la température basse. Dans le second cas, elle se situe le premier jour où la température commence à monter.

* . Nous vous recommandons le livre du Dr Guy Chevallier, *Je veux un enfant,* véritable guide des couples stériles, ou qui croient l'être. Stock éditeur.

** La température redescend sauf en cas de grossesse, comme vous l'avez vu p. 23. La persistance de température haute en l'absence de règles est même un des premiers signes de grossesse.

Connaissant le moment où se produit l'ovulation, vous saurez les jours où les rapports peuvent être fécondants. Ce sont :

- le jour de l'ovulation, bien sûr,
- les deux ou trois jours qui précèdent cette ovulation.

Pourquoi les jours qui précèdent? Parce que les spermatozoïdes ont un pouvoir fécondant dont la durée est discutée, mais en tout cas pas inférieure à deux ou trois jours. L'ovule, quant à lui, meurt au bout de 24 heures s'il n'est pas fécondé.
Vous entendrez peut-être dire par des femmes se servant de la température comme méthode contraceptive que la période féconde est plus longue : c'est parce que si l'on veut vraiment éviter une grossesse, il faut compter plus large.
Comment distinguer une élévation de température due à une maladie d'une élévation due à l'ovulation? C'est très différent car, en cas de maladie avec fièvre, la température s'élève nettement plus haut que la normale. En outre, elle ne se maintient pas au niveau supérieur, mais elle continue à monter, ou bien elle redescend : on n'observe pas sur la courbe les deux niveaux caractéristiques. Puis, d'autres symptômes surviennent : la fièvre est rarement l'unique symptôme d'une maladie. Il n'y a donc pas de risque de confusion.

Cette méthode peut sembler un peu contraignante. Mais si, dans les premiers temps, vous avez intérêt à noter la température tout au long du cycle afin de vous familiariser avec l'allure générale de votre courbe, au bout de quelques mois, il vous suffira de noter la température seulement le temps nécessaire pour reconnaître le décalage thermique, c'est-à-dire au maximum dix jours par mois.
Les courbes peuvent présenter différentes anomalies. Les plus importantes sont : absence de décalage de la température ; au cours de la deuxième phase : baisse prématurée de la température, celle-ci devant normalement se maintenir au-dessus de 37° pendant 10-12 jours. Comme ces anomalies révèlent un mauvais fonctionnement des hormones, si votre courbe est anormale, signalez le fait au médecin. De toute manière, vous avez intérêt à montrer vos courbes à un médecin si vous avez un problème quelconque : il y trouvera de précieuses indications sur la manière dont se déroule votre cycle. Il faut ajouter que certaines courbes sont difficiles à lire. *

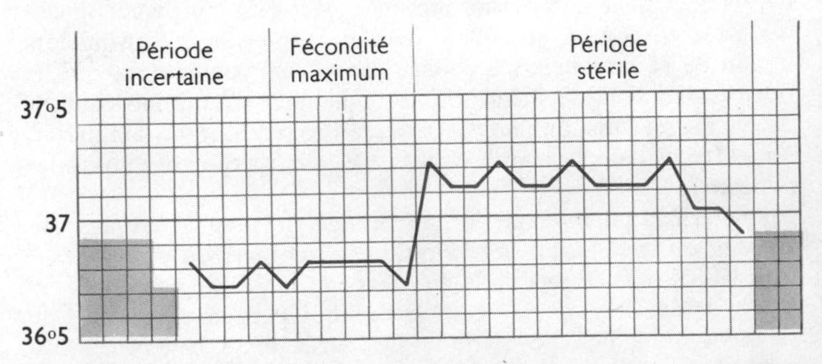

Exemple de courbe de température. Dans ce cas, la température a décalé en 24 heures : l'ovulation se situe au dernier point de température basse. (Horizontalement, chaque carreau représente un jour.)

* Pour en savoir plus sur la méthode de la température, lisez « La température, guide de la femme », par le Dr S. Geller, Éditions Julliard.

C'est oui : vous êtes enceinte

« J'attends un enfant » : il est peu de mots qui ont autant de résonances dans l'esprit d'une femme. Dès le moment où elle est sûre d'être enceinte, des sentiments nombreux et contradictoires l'envahissent.
Ce n'est jamais tout simplement « Je suis très heureuse » ou « Je suis très déprimée ». Même à la joie se mêle la crainte devant l'inconnu, même à la déception se mêle la fierté d'être capable d'avoir un enfant.
Et à ces différents sentiments s'ajoutent mêlés : l'émotion d'être en face d'un événement lourd de conséquences, l'excitation, car l'on devine que l'on ira de découverte en découverte, le désarroi devant une situation inconnue si c'est un premier enfant, la curiosité de vivre à son tour l'aventure de la maternité, l'inquiétude de voir son corps se déformer, la crainte de moins plaire à son mari, etc, etc. Mais, dans tous les cas, une certitude : rien ne sera plus comme avant.

C'est oui :
vous êtes enceinte

Il est difficile, même avec beaucoup d'imagination, de prévoir le bouleversement qu'amènera dans la vie d'un couple la venue d'un enfant. Alors, en attendant, on fait des projets, on tâche d'intégrer matériellement la grossesse dans la vie à deux ; et c'est le moment où se pose la question : « Qu'est-ce qui *va* changer dans ma vie de tous les jours, qu'est-ce qui *doit* changer ? »
A cette question, je réponds dans le prochain chapitre, où je vous parlerai travail, voyage, sport, etc. En attendant de voir en détail ce qui changera dans votre vie, je voudrais vous signaler tout de suite une nouveauté très importante.
Vous devrez prendre l'habitude d'aller régulièrement consulter le médecin, même si vous vous sentez en parfaite santé, même si vous avez l'impression que vous ne vous êtes jamais si bien portée.
Pourquoi aller voir le médecin ? La grossesse serait-elle une maladie ? Pas du tout, c'est tout le contraire.
La maladie est un état anormal (pathologique) que le corps n'a pas prévu, qui l'attaque par surprise, qui l'oblige à lutter, et qui le laisse souvent amoindri, du moins pour un temps.
La grossesse, au contraire est un état normal, un état prévu, auquel l'organisme, tous les mois, se prépare ; vous le lirez au chapitre 8 : chaque mois, un ovule s'attend à rencontrer un spermatozoïde pour former un œuf, la première cellule d'un nouvel être humain*. Et dès le moment où l'œuf est formé, où l'enfant a été conçu, l'organisme se modifie ; mois après mois le corps s'adapte à son nouvel état et prépare l'accouchement. C'est cela la grossesse, elle entre dans le processus normal de la vie d'une

*. Aussi les règles ne sont-elles jamais que la preuve d'un rendez-vous manqué.

femme. Ce n'est donc pas une maladie. Et contrairement à la maladie, la grossesse laisse souvent l'organisme en meilleur état qu'elle ne l'avait trouvé.
Alors pourquoi voir le médecin? Parce qu'aujourd'hui, en 1978, on a des connaissances très précises sur le développement de l'enfant avant la naissance, sur l'influence de l'état de la mère sur ce développement de l'enfant. Et lorsqu'on connait le fonctionnement intime d'un mécanisme, lorsqu'on connait tous ses rouages, on peut mieux en surveiller la marche, on sait s'il est nécessaire d'intervenir et comment.
Aujourd'hui, une grossesse se surveille : allez voir le médecin le plus tôt possible, retournez le consulter régulièrement, comme un sportif, qui, au mieux de sa forme, et pour la garder, se fait régulièrement suivre par un médecin.

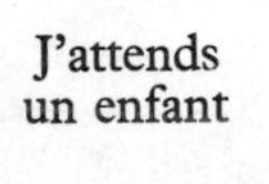

Vous serez peut-être inquiète

Passée la première émotion, cette certitude « J'attends un enfant » va mettre un certain temps à s'imposer dans votre vie. C'est peu à peu que vous allez vous habituer à cette idée, vivre avec elle.
Puis l'idée prendra forme, et deviendra un visage : vous essaierez d'imaginer cet enfant. Sera-t-il blond ou brun, aura-t-il les yeux bleus ou gris, vous l'imaginerez déjà dans vos bras, vous vous verrez déjà l'entourant de tous vos soins.
Mais pourquoi attendre? Mettez tout ce futur au présent, il est là, votre enfant, il est déjà blond ou brun, tous ses caractères physiques ont été déterminés dès l'instant de la conception. Et la couleur de ses yeux, et la taille qu'il aura, et la couleur de ses cheveux.
Il est en vous, il vit. Les Chinois ne s'y trompent pas, qui comptent l'âge de l'enfant à dater du jour où il a été conçu : deux mois après sa naissance, un enfant est âgé de onze mois.
L'enfant est vivant dès la conception : c'est dès cet instant qu'il a besoin de vos soins. En ce moment, il édifie ses os, ses muscles. Il dépend de vous qu'il construise du solide. Car la nourriture et l'oxygène dont il a besoin pour son développement, c'est vous qui les lui apportez. Mais vous risquez aussi, faute de certaines précautions, de lui transmettre le microbe ou l'intoxication qui le rendraient malade ou l'affaibliraient.

Et puis je vous signale un chiffre que vous devez connaître : 50 % des naissances prématurées (il y en a 80 000 par an) pourraient être évitées si les futures mères suivaient soigneusement les recommandations faites pendant la grossesse, recommandations que vous trouverez tout au long de ce livre (et notamment, p. 263 et suivantes). Or, un prématuré peut se développer très bien, mais il peut aussi souffrir gravement d'être né avant terme. Je ne dis pas cela pour vous inquiéter, mais seulement pour que vous vous rendiez compte de votre responsabilité. Vous verrez que les précautions à prendre sont simples et précises.
D'ailleurs, vous allez peut-être être inquiète — beaucoup de futures

mères le sont — surtout si c'est la première fois que vous êtes enceinte. C'est pour vous rassurer que j'ai écrit ce livre, pour vous rassurer, mais pas à n'importe quel prix :
je vous promets la vérité sur toutes les questions qui peuvent vous inquiéter ;
je vous signalerai les symptômes alarmants ;
je vous parlerai des grossesses à risques ;
je vous alerterai pour que vous preniez au sérieux tel signe qui vous paraît anodin.
En revanche, chaque fois que vos craintes seront injustifiées, chaque fois que vous serez inquiète pour avoir cru un des innombrables préjugés qui entourent encore la grossesse, je vous rassurerai.
Mais, n'attendez pas de moi des affirmations péremptoires, du genre :
rien n'est plus facile que de connaître le sexe de l'enfant ;
rien n'est plus aisé que de fixer la date de son accouchement ;
rien n'est plus simple que d'accoucher sans rien sentir (et sans anesthésie).
C'est faire peu d'honneur à une lectrice que de la tromper juste pour le plaisir d'un titre alléchant, qu'aussitôt la vérité médicale démentira.

C'est oui :
vous êtes enceinte

Votre mari : partagez votre attente avec lui

Bien que, aujourd'hui, de plus en plus de pères participent à chaque étape de l'attente d'un enfant, je vous en parle plus loin d'ailleurs, il y a encore des femmes qui, dès le moment où elles sont enceintes, se considèrent comme la seule personne importante du couple. Elles relèguent leur mari au deuxième plan et ne parlent jamais que de « mon » enfant, comme si elles étaient seules à l'attendre, sous les yeux d'un spectateur passif, le futur père *. A ces mères, je voudrais dire deux mots : partagez votre joie avec votre mari, parlez de « notre » enfant, vous l'avez conçu ensemble ; pour l'instant, vous avez la plus grande part (plus tard, en maintes circonstances, le premier rôle reviendra à votre mari), mais ces neuf mois sont aussi pour lui une attente ; pour être moins visible, elle n'en est pas moins réelle et profonde ; parfois même, elle est plus préoccupante pour lui que pour vous ; qu'il doive, par dignité ou par délicatesse, cacher ses préoccupations ne fait que lui rendre cette attente plus lourde à supporter seul. Seul ? Ce serait injuste : c'est votre enfant, à tous les deux, que vous attendez. Le futur père se pose d'ailleurs aussi des questions, peut aussi avoir ses « problèmes ». Je vous en parle au chapitre 16.

Vos amies : ce qu'elles peuvent vous apprendre

Vous allez maintenant vous poser mille questions :
Est-il normal d'avoir des nausées ? Que doit comprendre la layette ? Comment va se passer mon accouchement ? Vaut-il mieux acheter un berceau ou un petit lit dès le début ? etc., etc.

* La nature n'offre qu'un exemple parmi les 822 765 espèces vivantes de vertébrés d'un père portant et nourrissant ses enfants avant leur naissance, et les mettant au monde après une grossesse de deux mois : l'hippocampe. (La femelle pond dans une poche ventrale du mâle.)

Pour les questions qui concernent la santé et surtout l'accouchement, je crois qu'il faut écouter ses amies avec une oreille... sélective. La jeune femme qui vient d'accoucher peut raconter très utilement comment s'est passé la naissance, ce qu'elle a ressenti, son expérience en un mot. Et d'ailleurs on cherche de plus en plus à animer les réunions de préparation à l'accouchement en y faisant participer des mères qui viennent d'avoir un enfant. Mais il est vrai aussi qu'il y a pas mal de femmes qui racontent leur grossesse et leur accouchement avec exagération : tout a été difficile, long et pénible. Je ne voudrais pas les critiquer ; dans la vie d'une femme attendre un enfant et le mettre au monde est une telle expérience que quelquefois, la femme la voit à travers un miroir grossissant, l'exalte, et éprouve à en parler une complaisance excessive. Parfois il faut savoir faire la sourde oreille, même avec ses amies...

Bien sûr, pour ce qui est pratique toutes les conversations sont utiles, je pense en particulier au moment de prendre la difficile décision : faut-il s'arrêter de travailler pendant un temps, ou sinon comment résoudre le problème de la garde du bébé.

Quand accoucherai-je ?

Maintenant que vous êtes sûre d'être enceinte, vous avez hâte de connaître la date de votre accouchement.
Vous saviez bien sûr qu'une grossesse durait 9 mois, mais aujourd'hui il vous faut des précisions : est-ce 9 mois tout juste, et à partir de quelle date faut-il faire le calcul ?
Si l'on pouvait répondre d'une manière précise sur ces deux points : date du premier jour de la grossesse — c'est-à-dire date de la conception — et durée exacte de la grossesse, il serait facile de connaître la date de l'accouchement. Or ces deux éléments sont variables.

La date de la conception correspond à la date de l'ovulation puisque, comme vous le verrez au chapitre 4, l'ovule ne vit que quelques heures. Pour une femme réglée régulièrement, tous les 28 jours, on admet que l'ovulation se situe au 14e jour du cycle.

Mais il y a tout de suite des restrictions à cette estimation : lorsque le cycle est plus court, l'ovulation a lieu plus tôt, lorsque le cycle est plus long, l'ovulation se situe plus tard. La date de l'ovulation peut aussi varier en fonction de différents facteurs : changements de climat (vous l'avez sûrement remarqué en voyage ou en vacances), choc affectif, maladies, etc.
Pour ces différentes raisons, il est bien difficile de connaître la date de la conception. Ce n'est possible que dans deux cas : lorsqu'on prend régulièrement sa température (voir page 25 ce qui est dit de la méthode des températures), lorsque à l'origine de la grossesse il y a eu un seul rapport.

Devant cette difficulté de connaître la date exacte de la conception, on a pris l'habitude pour calculer la durée de la grossesse, de partir d'une date toujours connue, enfin en principe, celle des dernières règles.
Mais à partir de cette date, la durée de la grossesse n'est pas la même chez toutes les femmes et dans tous les cas. Comme de nombreux autres phénomènes biologiques, la grossesse a une durée variable. Ainsi les statistiques montrent que la durée moyenne est de 280 jours (comptés donc à partir du dernier jour des dernières règles). Mais il ne faut pas s'hypnotiser sur ce chiffre, il n'est qu'une moyenne :
4 % seulement des femmes accouchent le 280e jour ;
42 % avec un retard ou une avance de 5 jours ;
25 % avec une avance ou un retard de 5 à 10 jours ;
29 % avec un retard ou une avance supérieurs à 10 jours.

Vous voyez ainsi que près de la moitié des grossesses durent de 275 à 286 jours, et que près d'un tiers sont réduites à 260 jours ou se prolongent jusqu'à 294 jours. Entre 260 et 294 jours, l'enfant est dit « à terme ». Avant 260 jours il est dit « prématuré ». Après 294 jours on parle de grossesse prolongée *.
C'est le chiffre de 300 jours qui a été adopté par la loi comme durée légale de la grossesse, puisque le Code civil dispose que « la légitimité d'un enfant né 300 jours après la dissolution du mariage pourra être contestée ». La durée légale la plus longue est prévue par la loi américaine : 317 jours.

En pratique, pour calculer la date d'un accouchement, on applique la règle suivante : on ajoute 14 jours à la date des dernières règles puis 9 mois du calendrier. Par exemple : si vos dernières règles sont du 10 janvier, votre accouchement peut être prévu pour le 24 octobre, en vous rappelant toutefois que ce calcul restera quand même approximatif. Il le sera encore plus si vous êtes habituellement mal réglée.

Si vous avez oublié la date de vos règles, ce qui est le cas d'une femme sur trois, il existe heureusement différents moyens d'apprécier la date de votre accouchement. Certains sont assez peu fidèles : date à laquelle vous avez perçu les premiers mouvements de l'enfant (en principe 4 mois), hauteur de l'utérus. D'autres moyens sont beaucoup plus scientifiques : dosages hormonaux, examen du liquide amniotique, étude du volume de l'enfant par les ultrasons, etc. En fait ces moyens sont plus souvent utilisés lorsqu'on pense avoir à faire à une grossesse prolongée que pour calculer simplement la date de l'accouchement dans une grossesse normale.
Lorsqu'on compte en semaines comme aux États-Unis, ce qui se fait de plus en plus souvent, la grossesse dure en moyenne 42 semaines (toujours à partir de la date des dernières règles).
Lorsqu'on connaît d'une manière certaine la date de la conception, à partir de cette date la grossesse dure en moyenne 266 jours.

Peut-on choisir la date de son accouchement?

Il serait évidemment pratique de pouvoir fixer l'heure de l'accouchement, et pour le médecin — ou la sage-femme — qui doit être disponible 24 heures sur 24, et pour la maman qui souvent doit partir pour la maternité en pleine nuit.
Certes on peut déclencher un accouchement. Mais un grand nombre de médecins se refusent à le faire lorsqu'il ne s'agit que d'une raison de commodité car cela comporte pour l'enfant des risques sérieux. Ils ne le font que pour raison médicale : facteur Rhésus, grossesse prolongée, etc. Je vous parle d'ailleurs plus en détail de cette question au chapitre 10.

*. Les cas — d'ailleurs rares — de grossesse prolongée sont traités au chapitre 13.

Le calendrier de votre attente

JANVIER	OCTOBRE	FEVRIER	NOVEMBRE	MARS	DECEMBRE	AVRIL	JANVIER	MAI	FEVRIER	JUIN	MARS	JUILLET	AVRIL	AOUT	MAI	SEPTEMBRE	JUIN	OCTOBRE	JUILLET	NOVEMBRE	AOUT	DECEMBRE	SEPTEMBRE
1	15	1	15	1	13	1	13	1	12	1	15	1	14	1	15	1	15	1	15	1	15	1	14
2	16	2	16	2	14	2	14	2	13	2	16	2	15	2	16	2	16	2	16	2	16	2	15
3	17	3	17	3	15	3	15	3	14	3	17	3	16	3	17	3	17	3	17	3	17	3	16
4	18	4	18	4	16	4	16	4	15	4	18	4	17	4	18	4	18	4	18	4	18	4	17
5	19	5	19	5	17	5	17	5	16	5	19	5	18	5	19	5	19	5	19	5	19	5	18
6	20	6	20	6	18	6	18	6	17	6	20	6	19	6	20	6	20	6	20	6	20	6	19
7	21	7	21	7	19	7	19	7	18	7	21	7	20	7	21	7	21	7	21	7	21	7	20
8	22	8	22	8	20	8	20	8	19	8	22	8	21	8	22	8	22	8	22	8	22	8	21
9	23	9	23	9	21	9	21	9	20	9	23	9	22	9	23	9	23	9	23	9	23	9	22
10	24	10	24	10	22	10	22	10	21	10	24	10	23	10	24	10	24	10	24	10	24	10	23
11	25	11	25	11	23	11	23	11	22	11	25	11	24	11	25	11	25	11	25	11	25	11	24
12	26	12	26	12	24	12	24	12	23	12	26	12	25	12	26	12	26	12	26	12	26	12	25
13	27	13	27	13	25	13	25	13	24	13	27	13	26	13	27	13	27	13	27	13	27	13	26
14	28	14	28	14	26	14	26	14	25	14	28	14	27	14	28	14	28	14	28	14	28	14	27
15	29	15	29	15	27	15	27	15	26	15	29	15	28	15	29	15	29	15	29	15	29	15	28
16	30	16	30	16	28	16	28	16	27	16	30	16	29	16	30	16	30	16	30	16	30	16	29
17	31	17	1	17	29	17	29	17	28	17	31	17	30	17	31	17	1	17	31	17	31	17	30
18	1	18	2	18	30	18	30	18	1	18	1	18	1	18	1	18	2	18	1	18	1	18	1
19	2	19	3	19	31	19	31	19	2	19	2	19	2	19	2	19	3	19	2	19	2	19	2
20	3	20	4	20	1	20	1	20	3	20	3	20	3	20	3	20	4	20	3	20	3	20	3
21	4	21	5	21	2	21	2	21	4	21	4	21	4	21	4	21	5	21	4	21	4	21	4
22	5	22	6	22	3	22	3	22	5	22	5	22	5	22	5	22	6	22	5	22	5	22	5
23	6	23	7	23	4	23	4	23	6	23	6	23	6	23	6	23	7	23	6	23	6	23	6
24	7	24	8	24	5	24	5	24	7	24	7	24	7	24	7	24	8	24	7	24	7	24	7
25	8	25	9	25	6	25	6	25	8	25	8	25	8	25	8	25	9	25	8	25	8	25	8
26	9	26	10	26	7	26	7	26	9	26	9	26	9	26	9	26	10	26	9	26	9	26	9
27	10	27	11	27	8	27	8	27	10	27	10	27	10	27	10	27	11	27	10	27	10	27	10
28	11	28	12	28	9	28	9	28	11	28	11	28	11	28	11	28	12	28	11	28	11	28	11
29	12			29	10	29	10	29	12	29	12	29	12	29	12	29	13	29	12	29	12	29	12
30	13			30	11	30	11	30	13	30	13	30	13	30	13	30	14	30	13	30	13	30	13
31	14			31	12			31	14			31	14	31	14			31	14			31	14
JANVIER	NOVEMBRE	FEVRIER	DECEMBRE	MARS	JANVIER	AVRIL	FEVRIER	MAI	MARS	JUIN	AVRIL	JUILLET	MAI	AOUT	JUIN	SEPTEMBRE	JUILLET	OCTOBRE	AOUT	NOVEMBRE	SEPTEMBRE	DECEMBRE	OCTOBRE

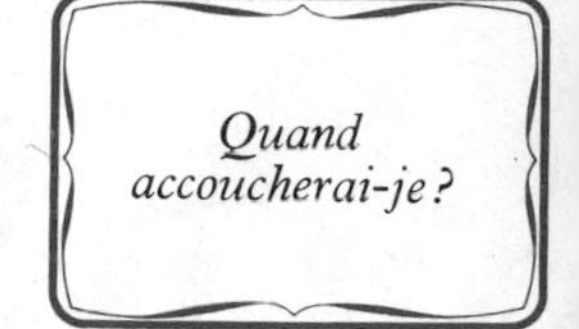

Chiffres noirs : date du premier jour des dernières règles.
Chiffres couleur : date probable de l'accouchement.

2.

Ce qui va changer dans votre vie

Votre vie pratique

Qu'est-ce qui va changer dans votre vie?
Tout, et rien. Ce n'est pas un jeu de mot facile.
Psychologiquement tout va changer, jour après jour, semaine après semaine. L'attente n'est au début qu'une idée, puis elle se précise et prend forme, puis mouvement.
Et vos réactions suivent. Vous étiez une, vous commencez à vous sentir deux, vous imaginez votre vie à trois : le père, l'enfant et vous. Alors peu à peu, vous comprenez que tout sera désormais différent. Mais, j'empiète sur un autre chapitre et m'arrête, on ne peut parler de tout partout.
Ici, je voudrais vous parler de votre vie pratique, quotidienne, celle sur laquelle vous vous posez des questions. Vous allez voir que peut-être rien ne va changer, que pendant neuf mois vous n'éprouverez ni besoin ni envie de modifier vos habitudes.
Cette réaction est récente. En une ou deux générations, l'attitude vis-à-vis de la grossesse a beaucoup évolué. Demandez à votre grand-mère. Elle vous racontera qu'en son temps, une femme qui attendait un enfant vivait 9 mois au ralenti, entourée d'interdictions et de dangers presque toujours imaginaires : défense de se baigner; défense, sous peine d'avorter, de lever les bras, de prendre le train qui secouait, de faire de la bicyclette bien entendu, etc., etc...
En 50 ans, l'art de mettre au monde un enfant a fait d'immenses progrès. Une nouvelle médecine est née : la médecine périnatale qui se consacre à la vie de la mère et de l'enfant dès avant la naissance. Cette médecine a débarrassé la future mère de toute cette mythologie de la grossesse qui se nourrissait de préjugés sans fondement scientifique, et qui faisait de la future mère une femme complètement à part, comme mise entre parenthèses de la vie normale.
Et la médecine d'aujourd'hui a apporté une notion nouvelle et très importante : il y a les grossesses normales, celles de 90 % des femmes qui peuvent continuer sans risque à mener pratiquement la même vie qu'avant d'être enceintes. Et puis il y a les grossesses dites « à risques », celles où la future mère est suivie spécialement, car pour une raison ou pour une autre bien précise, elle doit observer des recommandations particulières pour mener sa grossesse à terme.
Ces risques, je vous en parlerai au chapitre 6 : on les connaît heureusement car alors, il est possible soit de les prévenir, soit de surveiller étroitement la future mère. Dans le présent chapitre, je voudrais vous parler de la vie quotidienne de la femme dont la grossesse est normale.
Cette femme peut donc mener la même vie que celle qu'elle menait avant d'être enceinte. A peu de choses près. Je dis « à peu de choses près », car il y a quand même quelques modifications à apporter, dues au fait que la grossesse a un retentissement sur tout l'organisme, que l'enfant se fait de plus en plus pesant et encombrant, et qu'une certaine fatigue et une certaine gêne s'ensuivent normalement.

Votre travail

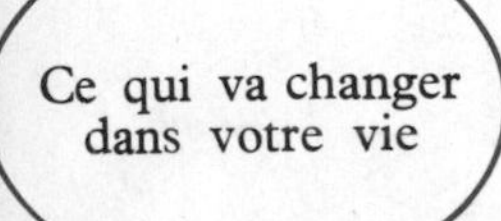

Chez vous : rien ne vous empêche de vous livrer à vos occupations habituelles. Évitez quand même les efforts excessifs, ils vous fatigueraient inutilement. D'ailleurs, vous vous rendrez bien compte vous-même de vos limites.

Vous aurez, comme toutes les femmes qui attendent un enfant, l'envie de tout ranger dans la maison, ce qui est nécessaire comme ce qui l'est moins ; la chambre où sera le berceau, mais les autres aussi, pour qu'en arrivant, « il » trouve tout net, joli, bien soigné. C'est normal. Mais ne remuez pas vous-même la grosse commode aux tiroirs pleins à craquer, ne décidez pas à un mois de votre accouchement qu'il est indispensable de peindre ou de tapisser, ce qui vous obligerait à passer des heures sur l'échelle les bras tendus. Demandez à votre mari, à votre sœur, à une amie de faire pour vous ces travaux fatigants.

Pensez particulièrement à ces recommandations si vous êtes obligée de déménager, ce qui arrive souvent quand on attend un enfant. Essayez de déménager au milieu de votre grossesse, c'est-à-dire pendant la meilleure période, plutôt qu'au début ou à la fin.

Si vous avez une activité professionnelle : vous n'avez pas de raison de l'interrompre, sauf les cas précis indiqués plus loin, ou sauf arrêt temporaire dû à une maladie. Et d'ailleurs, vous arrêter de travailler ne serait pas votre intérêt, ce serait vous complaire dans cette image d'avant notre époque, cette image de femme douillette, à protéger, image fausse si tout se passe normalement, image déprimante pour soi-même.

Vous savez probablement que la loi prévoit que vous pouvez prendre six semaines de repos avant la date prévue pour l'accouchement, et dix semaines après. Plus qu'une possibilité, ce repos est d'ailleurs une obligation pour recevoir les indemnités journalières. (En fait, vous pouvez vous reposer moins longtemps, mais pour recevoir vos indemnités journalières, il faut vous arrêter au moins 8 semaines en tout. Je vous donne toutes les précisions dans le *Mémento pratique*.)

Ce temps de repos est court, mais il peut être suffisant si votre grossesse se déroule normalement, et si votre travail est peu fatigant. Par contre six semaines de repos avant l'accouchement sont tout à fait insuffisantes dans de nombreux cas : lorsque la grossesse est pénible, lorsque la future mère est contrainte à un travail de force, lorsqu'elle est debout toute la journée, ou enfin lorsqu'elle est obligée de faire de longs trajets pour se rendre à son travail. Sachez dès maintenant que si tel est votre cas, vous pouvez demander au médecin un certificat pour changer temporairement d'emploi, ou pour arrêter éventuellement votre travail avant la date prévue.

Enfin, les jeunes femmes dont le métier est incompatible avec la grossesse (artistes et mannequins) à partir du moment où celle-ci est très visible, peuvent s'arrêter de travailler à partir de la 21ᵉ semaine, après accord du médecin-conseil et sur présentation d'un certificat médical. Elles sont indemnisées par la Sécurité sociale au tarif maladie.

Je vous signale dès maintenant (mais je vous en parle plus en détail dans le *Mémento pratique*) que si vous étiez malade et obligée d'interrompre votre travail, vous ne pourriez pas être licenciée, et vous seriez indemnisée par la Sécurité sociale au tarif maladie pour le temps de votre absence.

Signalons que d'autres raisons indépendantes de la fatigue causée par un travail de force entraînent un changement de poste pour tout ou partie de la grossesse :

- dès le début de la grossesse pour les femmes travaillant dans un laboratoire de radiologie médicale ou industrielle, à cause de l'exposition aux rayonnements ;
- également dès le début de la grossesse pour les ouvrières de certaines fabriques de produits chimiques manipulant des produits toxiques ;
- pendant les trois premiers mois de la grossesse, en cas d'épidémie de rubéole, pour les femmes que leur métier met en rapport avec des enfants, institutrices par exemple, si elles ont un sérodiagnostic négatif (c'est-à-dire si elles ne sont pas protégées contre la rubéole).

Votre travail

Quelques conseils pour finir.

Enfin, que vous travailliez à l'extérieur ou non, deux précautions supplémentaires sont à prendre pour votre vie quotidienne :

- évitez toute source de contamination éventuelle, c'est-à-dire abstenez-vous de rendre visite à des malades ayant une affection contagieuse ;
- méfiez-vous des animaux domestiques qui peuvent transmettre certaines maladies dangereuses pendant la grossesse, telle la toxoplasmose et la listériose (voir chapitre 7). Si vous avez un animal chez vous, par prudence, surtout si c'est un chat, demandez au vétérinaire s'il n'est atteint d'aucune affection transmissible.

Au cas où le médecin vous aurait prescrit de vous reposer, mais que vous n'ayez pas les moyens de vous faire aider pour les travaux ménagers ou les soins de vos enfants, demandez à l'assistante sociale de votre mairie si vous ne pouvez pas bénéficier d'une aide familiale.

Des lectrices me posent parfois des questions de détail : puis-je continuer à sortir le soir, aller au cinéma, dîner avec des amis, danser, etc... Je leur réponds : pourquoi pas, si vous en avez envie. Le temps de la grossesse ne doit pas être un temps de réclusion. Tout, d'ailleurs, est une question de mesure, mais ne vous fatiguez pas trop en fin de grossesse. Et si vous prenez souvent des repas hors de chez vous, n'oubliez pas pour autant votre régime sans sel, s'il vous a été prescrit, et le régime tout court.

Le sommeil

De bonnes nuits calmes et détendues sont essentielles. Dormez huit heures au minimum, plus si vous en avez l'habitude. Et, si vous le pouvez, étendez-vous après le déjeuner et faites une

bonne sieste : ôtez vos chaussures, posez vos pieds sur un coussin pour soulever vos jambes, et détendez-vous. Vous sentirez vous-même le bienfait de ce repos au milieu de la journée, particulièrement si vous avez de la peine à digérer, ou si vous avez une mauvaise circulation.
Vous pouvez dormir dans n'importe quelle position sans crainte d'écraser ou de gêner votre enfant. Il est bien à l'abri.

Si vous avez des insomnies en fin de grossesse, reportez-vous au paragraphe : troubles du sommeil, p. 95.

Les rapports sexuels

Durant la grossesse, la sexualité est souvent modifiée : certaines femmes ne souhaitent plus avoir de rapports sexuels, ou ces rapports ne leur sont pas agréables. C'est souvent parce que, au fond d'elles-mêmes, elles redoutent que leur enfant n'en souffre. Cette crainte s'explique, mais elle est injustifiée. C'est d'autres fois parce que la future mère est tout simplement fatiguée.
Il arrive aussi, quoique moins fréquemment, que des femmes aient des rapports sexuels pour avoir un enfant, et que leur désir comblé, ces rapports ne les tentent plus guère. A l'inverse, chez certaines femmes, le désir de rapports sexuels est plus grand que d'habitude. A cela, il y a souvent une raison toute simple : la grossesse est au fond la seule période (à part la ménopause), où une femme puisse avoir des rapports parfaitement détendus, sans avoir à penser à des moyens de contraception.

Vous entendrez peut-être dire que certaines « positions » sont plus ou moins favorables pour le bébé : c'est un préjugé qui n'a pas de valeur médicale.
Pendant longtemps, on a déconseillé à la future mère tout rapport sexuel pendant la grossesse. Cette recommandantion faisait partie de cette mythologie qui plaçait la femme en dehors de la vie normale. Aujourd'hui, on ne contraint plus le couple à la chasteté durant 9 mois. On lui conseille seulement la modération. Ce n'est que les 4 ou 6 dernières semaines qu'il est vraiment prudent de s'abstenir de tous rapports sexuels.
Et lorsqu'une femme est sujette aux avortements ? Certains médecins préconisent la prudence, même l'abstinence. Parlez-en au vôtre.

Il pourrait vous arriver de constater, après un rapport, l'écoulement de quelques gouttes de sang. Ne vous inquiétez pas, ceci est habituellement dû au fait que la grossesse rend le col de l'utérus plus fragile, mais parlez-en quand même au médecin quand vous le verrez.

Voilà ce que je peux vous dire en quelques mots sur les rapports sexuels pendant la grossesse.
Bien entendu, si vous avez d'autres questions à poser au médecin, n'hésitez pas. S'il y a vraiment un sujet dont on parle aujourd'hui plus facilement qu'hier, c'est la sexualité. N'ayez pas de réticence : comme j'aurai l'occasion de vous le rappeler, le médecin n'est pas là seulement pour soulager vos varices ou vos nausées.

Bains et douches

Pendant la grossesse, la transpiration est nettement augmentée. Un cinquième de l'élimination de l'eau se fait par les glandes sudoripares, celles qui sécrètent la sueur. Elles aident les reins qui ont fort à faire pour éliminer les déchets rejetés par la mère et l'enfant. Il est donc particulièrement important de faire une toilette soigneuse. Prenez un bain ou une douche tous les jours. Contrairement à un préjugé assez répandu, les bains ne sont nullement contre-indiqués pendant la grossesse. Au contraire, ils ont une action sédative générale. Les femmes qui ont de la peine à dormir prendront leur bain le soir.
Quelques précautions sont cependant nécessaires : le bain ne doit pas être trop chaud, sinon il devient fatigant. Il ne doit pas être trop froid non plus, ce qui peut déclencher des contractions utérines ou favoriser l'apparition d'albuminurie. Il ne doit pas trop se prolonger pour ne pas amollir les tissus.
Le bain doit être tiède, 37°, et court : 5 à 10 minutes au plus, dans une pièce suffisamment chauffée. De même pour la douche.
Les bains de vapeur sont formellement interdits.
Si vous transpirez beaucoup, lavez-vous fréquemment, et salez l'eau de vos bains.

Les rapports sexuels

Important : tout à la fin de la grossesse, quand le jour de l'accouchement approche, il pourrait arriver que la poche des eaux se rompe avant que vous ne soyez partie pour la maternité : en ce cas, ne prenez pas de bain, vous risqueriez une infection. En revanche, vous pouvez très bien prendre une douche.

Hygiène des organes sexuels

Il est important de maintenir propres les régions vulvaire et anale d'autant que les sécrétions vaginales sont souvent augmentées au cours de la grossesse, et que les hémorroïdes ne sont pas rares. Faites deux toilettes locales par jour à l'eau et au savon ordinaire. Même si vous avez des pertes blanches abondantes (c'est fréquent), ne faites pas d'injections vaginales qui sont plus dangereuses qu'utiles. Parlez-en au médecin qui vous prescrira des traitements sous forme d'ovules ou de comprimés gynécologiques.

Les cigarettes

Il est déconseillé aux futures mères de fumer. Les statistiques montrent en effet que chez les grandes fumeuses (plus de 15 à 20 cigarettes), les accouchements prématurés sont deux fois plus fréquents, et que, à terme égal, les enfants pèsent environ 10 % de moins que les autres bébés.
En pratique, il vous sera probablement facile de vous arrêter si vous fumez peu habituellement. Si vous êtes une grande fumeuse ce sera beaucoup plus difficile. Essayez au moins de ne pas dépasser 5 à 6 cigarettes par jour. Mais pour y parvenir, il vous faudra compter sur votre seule volonté, les médicaments qui facilitent la suppression du tabac sont déconseillés aux futures mères.

Enfin si vous souffrez d'une affection des voies respiratoires, laryngite, sinusite, bronchite, n'oubliez pas qu'elles sont toutes aggravées par le tabac.

Les voyages

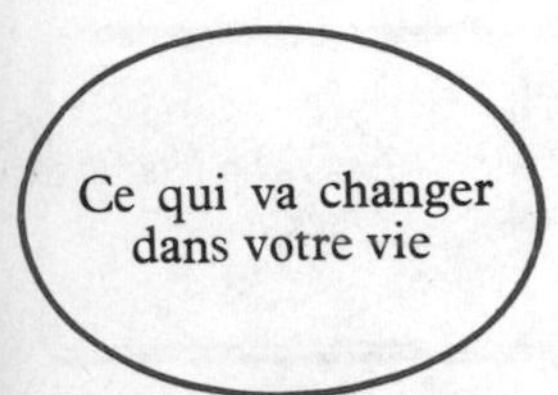

Pendant longtemps on a déconseillé aux femmes enceintes tout déplacement et tout voyage. Une fois de plus, la future mère était mise en marge de la vie normale.
Aujourd'hui, on est beaucoup moins catégorique et il n'est plus question d'interdire à la femme qui attend un enfant de voyager, sauf cas particuliers, bien sûr. Néanmoins, la question du meilleur moyen de transport reste toujours controversée. Vous le verrez bien : si vous prévoyez un voyage en train, en voiture, en avion ou en bateau, vous entendrez les avis les plus variés. Une personne vous déconseillera formellement le train, l'autre l'avion et la troisième vous mettra en garde contre les risques de la voiture. Que craint-on, et comment se décider ?
D'abord, premier principe, de simple bon sens, on ne doit pas voyager avec une grossesse « à problèmes ».
Ensuite, deuxième principe, moins évident, ce ne sont pas tant les secousses — du train ou de la voiture — qui sont à craindre, que la fatigue. D'abord les trains n'ont plus de secousse : les bouteilles du wagon-restaurant restent debout, les tasses ne se vident pas de leur contenu. Et de toute manière, votre enfant est solidement accroché, vous ne risquez pas de le faire sortir en le secouant. En revanche, tout voyage fatigue (mal au dos, notamment). Or, une fatigue excessive, et répétée, augmente les risques d'accouchement prématuré. Pour éviter un incident, il faut donc prendre le moyen de transport le moins fatigant : pour un long voyage, choisissez plutôt le train ou l'avion, moins fatigants que la voiture. Et de toute manière, après 7 mois, le long voyage est à éviter, quel que soit le moyen de transport. Cela dit, examinons de plus près les différents moyens de transport.

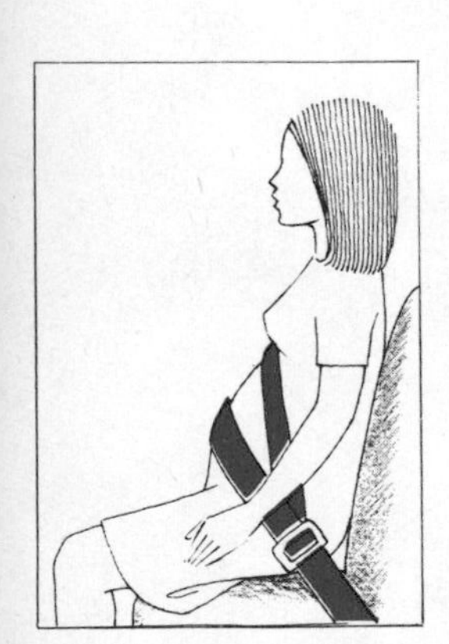
Ceinture mal mise.

Train.

Les seuls inconvénients du train sont la fatigue et le mal dans le dos. Donc, si possible, voyagez en couchette, c'est moins fatigant, surtout si vous arrivez à dormir.

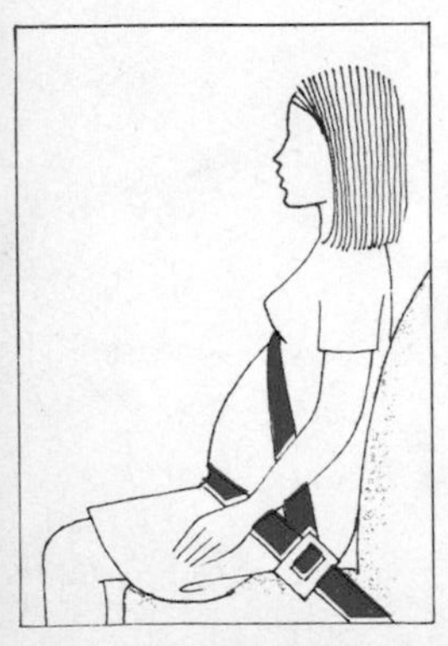
Ceinture bien mise.

Voiture.

Pour éviter la fatigue et les douleurs lombaires, si fréquentes, placez un coussin au creux du dos, faites des étapes courtes de 2 à 300 km, et arrêtez-vous de temps en temps 5 à 10 minutes pour marcher et vous dégourdir les jambes.
A part la fatigue que l'on peut diminuer en prenant ces précautions, la voiture présente un vrai danger : l'écrasement du ventre contre le tableau de bord en cas de coup de frein trop brusque. N'oubliez donc pas de mettre votre ceinture de sécurité, et, pour qu'elle soit efficace, placez-là de la manière qui est indiquée sur le dessin ci-contre.
Il est possible que ce soit vous-même qui conduisiez. En ce cas, il faut que vous preniez trois éléments en considération :

- d'abord le fait que votre ventre vous gêne, vous le savez bien et vous n'avez pas besoin que je vous le dise, mais soyez prudente et ne conduisez pas trop vite ;

- ensuite, souvenez-vous que, en fin de grossesse, les réflexes sont ralentis, et l'attention est émoussée ;
- enfin, si comme certaines femmes enceintes vous êtes sujette à des malaises (perte de connaissance), ayez la sagesse de renoncer à conduire.

Avion.

Pour les longues distances (plus de 800 à 1 000 km) c'est le moyen de transport le plus indiqué, parce que le moins fatigant. Mais, à partir du 7e mois, (bien que la plupart des compagnies aériennes acceptent les femmes enceintes jusqu'à huit mois révolus) ne prenez plus l'avion : les vibrations — il ne s'agit plus ici de secousses, mais d'ultrasons — risquent de déclencher l'accouchement.

Bateau.

Qui dit bateau dit voyage au long cours. Or, s'il y a toujours un médecin à bord des paquebots, ce médecin n'est pas toujours un accoucheur. Que feriez-vous en cas d'alerte, d'incident imprévu? Donc, pas de voyage au long cours. Mais il est évident que vous pouvez faire une promenade en mer, une partie de pêche, une traversée de quelques heures.

Vous voyez donc qu'en prenant quelques précautions vous pouvez voyager durant votre grossesse.

Cela dit, d'une façon générale, il en est des voyages comme de toutes les activités : l'excès doit être évité. La grossesse n'est quand même pas la période idéale pour pratiquer le tourisme de manière intensive.

Même si vous vous sentez très bien, *avant un grand déplacement* il est prudent de ne pas partir sans avoir demandé son avis au médecin.

Et si votre grossesse ne parait pas se dérouler tout à fait normalement, *avant tout voyage*, consultez un médecin.

Au cours des deux derniers mois, il est préférable de ne pas s'éloigner de plus de quelques dizaines de kilomètres du lieu où l'accouchement est prévu. Car, à cette période, il y a toujours un risque non négligeable, d'accouchement prématuré. Ce risque se doublerait de l'inconvénient d'accoucher dans une maternité que vous n'avez pas choisie, et qui n'est peut-être pas bien équipée pour une naissance prématurée.

Vous avez besoin d'exercice physique

Vous êtes peut-être de ces femmes qui ne font aucun sport, jamais de gymnastique, et qui n'ont pas l'habitude de marcher. Je vais vous surprendre : maintenant que vous êtes enceinte, c'est le moment de prendre l'habitude de faire au moins un peu d'exercice physique, et peut-être, ayant découvert comme c'est agréable de faire de la gymnastique tous les jours, et de marcher régulièrement, continuerez-vous après la naissance de votre enfant.

Car le minimum d'exercice dont vous avez besoin — et pour vous et pour votre enfant — vous le trouverez en marchant une demi-heure par jour, et en faisant tous les matins 10 minutes de gymnastique.

La marche est le sport de la grossesse. Elle n'est jamais dangereuse, elle active la circulation, particulièrement dans les jambes, la respiration, le fonctionnement de l'intestin, souvent paresseux ; elle renforce la sangle abdominale.

Si vous marchez tous les jours d'une demi-heure à une heure, dans un endroit calme, et bien aéré, vous absorberez plus facilement les 25 % d'oxygène supplémentaires qui vous sont indispensables, vous vous porterez mieux et vous aurez un meilleur accouchement.

Si la marche est excellente pendant la grossesse, elle n'a aucune action sur le déclenchement de l'accouchement; il y a des mères bien intentionnées qui obligent leur fille près d'accoucher à des « marches forcées » sous prétexte de faire « descendre » l'enfant. C'est leur imposer une fatigue totalement inutile.

Quant à la gymnastique, elle est de plus en plus recommandée aux femmes enceintes. Car des exercices judicieusement choisis présentent un triple avantage :

- tout d'abord, ils facilitent la bonne marche de la grossesse : circulation activée ; meilleure oxygénation; bonne position du corps qui permet de porter l'enfant sans fatigue; meilleur équilibre nerveux ;
- ensuite, ils préparent un accouchement plus facile et plus rapide par le raffermissement des muscles appelés à jouer un rôle important au cours de l'accouchement, et par l'assouplissement des articulations du bassin ;
- enfin, ils permettent aux différentes parties du corps de retrouver leur état normal plus rapidement après l'accouchement : ventre plat, taille fine, seins bien soutenus, etc.

Les exercices recommandés se divisent en trois catégories : exercices respiratoires, exercices proprement musculaires, exercices de relaxation. Vous les trouverez tous réunis au chapitre 12. Vous comprendrez mieux l'utilité de ceux qui sont particulièrement destinés à préparer l'accouchement, quand vous saurez comment il se déroule et ce que vous aurez à faire.

Tenez-vous en aux exercices décrits. Ils sont tout à fait suffisants. Il ne s'agit pas de vous transformer en athlète, mais de faciliter votre grossesse et votre accouchement par quelques mouvements simples. Et rappelez-vous que cinq minutes de gymnastique quotidienne valent mieux qu'une heure par semaine. Observez bien les indications qui vous sont données quant aux dates où vous devez commencer et terminer chaque catégorie d'exercices.

Il y a très peu de contre-indications à une culture physique modérée durant la grossesse. Avant de commencer les exercices, il sera cependant prudent de demander l'accord du médecin.

Les sports

Peut-on continuer à pratiquer un sport pendant la grossesse? Tout dépend du sport envisagé, de l'entraînement de la future mère, de la manière dont elle le pratique (avec modération ou avec excès), et de son état de santé.

Votre grossesse est parfaitement normale, vous êtes sportive et entraînée : vous pouvez continuer à pratiquer un sport, sauf s'il est interdit pendant la grossesse (voir la liste plus loin), mais quand même, faites-le avec modération, tout excès peut être dangereux. L'excès, c'est le surmenage, l'essoufflement et une femme enceinte se fatigue vite. C'est pourquoi tous les exercices et sports violents, notamment de compétition, seront interdits. D'une façon générale, les sports collectifs (volley, basket, etc.) sont contre-indiqués ; c'est compréhensible car il est difficile de limiter son effort quand on est au milieu d'un groupe. Et, même si tout va bien, les trois derniers mois, cessez tout sport.
Si la grossesse n'est pas absolument normale, tout sport est fortement déconseillé.

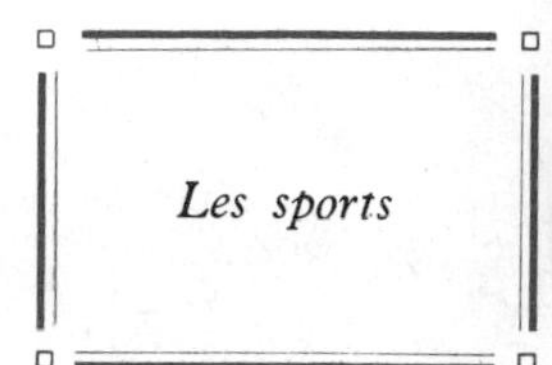

Passons maintenant en revue quelques sports courants.
Alpinisme. Des excursions en montagne, oui, mais sans dépasser 1 000 à 1 200 m d'altitude : une femme enceinte est plus sensible au manque d'oxygène. De l'ascension sportive, du rocher, de la varappe, non. Le risque à éviter (j'y reviendrai souvent), c'est la chute.
Bicyclette, cyclomoteur. Pourquoi pas? Les secousses ne sont pas capables de déclencher un avortement. Soyez prudente, cependant, car les pertes d'équilibre ne sont pas rares, et la chute est vite arrivée.
Quant à la motocyclette, elle est déconseillée.
Danse classique, danse rythmique : oui, tout à fait possible.
Équitation : non, le risque de chute est trop grand.
Golf : excellent, puisqu'il concilie grand air et marche.
Natation : c'est, avec la marche, le meilleur sport pour la femme enceinte.
Une femme très sportive qui est obligée de renoncer à un sport, s'il est incompatible avec la grossesse, aura en nageant, la faculté de s'adonner à une activité physique, à la fois agréable et utile. Dans l'eau, une femme enceinte se sent plus légère. Plus légère, elle se détend plus facilement. D'autre part, la natation est un excellent exercice musculaire et respiratoire.
Pour ces trois raisons, la natation est bonne, et pendant la grossesse, et pour préparer à l'accouchement.
Mais, bien entendu, pas d'excès, pas de compétition, pas de plongeon.
Patinage : oui, si vous êtes une habituée, sinon vous risquez les chutes.
Plongée sous-marine : ce n'est pas le moment.
Rame : excellent pour vos abdominaux, mais vous serez rapidement gênée par votre ventre.
Ski de descente et ski nautique : non, toujours à cause du risque de chute.

Ski de promenade : il se pratique de plus en plus, c'est pourquoi j'en parle. Bien que les risques de chute soient moins grands qu'avec le ski de descente, les avis sont quand même partagés. Demandez conseil au médecin avant d'en faire. Cela dit, il ne faut pas confondre le ski de promenade et le ski de fond. Si le premier est en général admis, le deuxième représente un effort sportif trop important pour la future mère.
Tennis : oui, mais pour s'amuser seulement, pas pour s'entraîner.

Vous le voyez, ce que l'on redoute dans le sport pratiqué inconsidérément, outre la fatigue qu'il peut entraîner chez une femme enceinte, c'est le risque de chute. Une femme enceinte est moins agile et moins stable, et risque ainsi de tomber plus facilement. Même si on ne croit plus guère qu'une chute puisse provoquer un avortement ou un accouchement prématuré, à moins d'être très violente, qui dit chute, dit risque de fracture. Or, au cours de la grossesse, les fractures mettent plus longtemps à se consolider.

Un dernier mot sur les bains (mer ou rivière) et les bains de soleil.

Les bains

Ils sont excellents, avec une réserve : il faut éviter tout refroidissement. Et de plus, il ne faut pas oublier que l'eau peut être polluée : méfiance.

Le bain de soleil.

Ce n'est pas le moment de vouloir bronzer, car il faut vous méfier du soleil : votre peau risque d'en souffrir ; si vous avez le teint déjà un peu marqué, vous pouvez voir apparaître un véritable « masque ». De plus, le soleil a une action néfaste sur les veines et peut accentuer d'éventuelles varices.

Votre vie va peu changer

Vous voyez : ce que je vous avais annoncé au début de ce chapitre est bien vrai. Dans l'ensemble, votre vie va très peu changer pendant que vous êtes enceinte. Tant que votre grossesse se déroule normalement — et le médecin sera là pour le vérifier — vous n'avez pas à envisager de modifications importantes dans vos habitudes. Un changement radical ne serait pas justifié physiquement, et serait mauvais psychologiquement.
Cela dit, si le médecin que vous verrez régulièrement vous recommande de vous reposer ou vous indique un traitement particulier, vous suivrez ses indications, quitte à changer ce jour-là votre manière de vivre. Et, bien entendu, si vous observez un des symptômes indiqués au chapitre 7 dans le tableau *Attention danger*, n'hésitez pas à retourner voir le médecin, même en dehors des visites prénatales prévues. Résumons-nous : vie normale quand tout va bien, grande vigilance dès qu'un problème se pose.

3.

Le régime

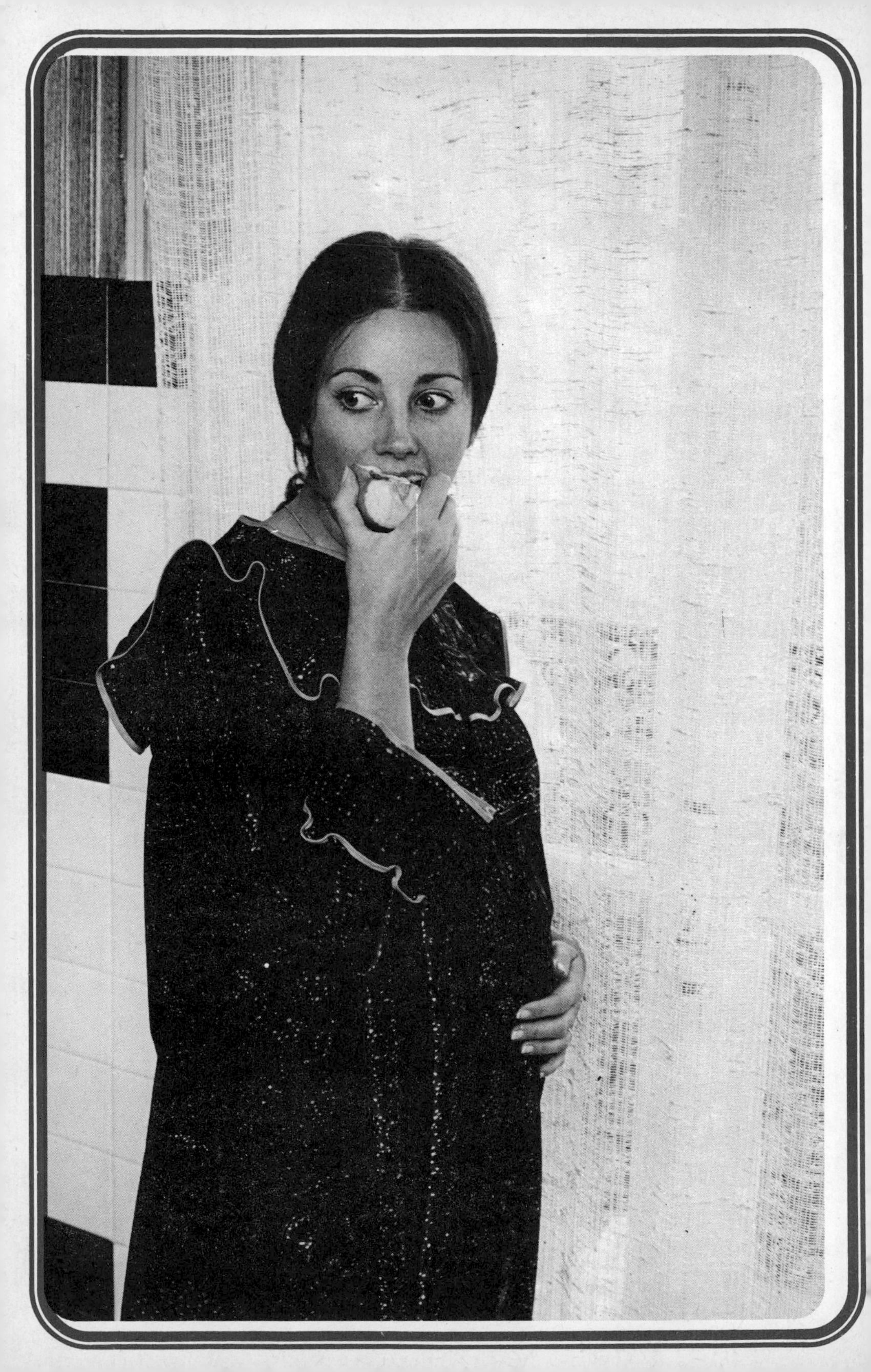

Faut-il manger plus ?

A la conception, l'œuf humain est si petit qu'on ne peut le voir à l'œil nu. A la naissance, l'enfant pèse 3,3 kgs, il mesure 50 cm. Jamais de sa vie l'être humain ne connaîtra de croissance aussi prodigieuse. Or tout ce qu'il lui faut pour prendre ces kilos et ces centimètres, pour bâtir ses os et ses muscles, l'enfant le puise dans le sang de sa mère : et le calcium et les protéines, et le fer et les vitamines, et les graisses et le phosphore, etc., etc. C'est dire l'importance de l'alimentation pendant la grossesse. L'enfant a des besoins précis qu'il faut satisfaire, la future mère également. Porter un enfant représente pour son organisme un travail auquel participent tous ses organes. En outre, certaines parties de son corps se développent considérablement : les seins et l'utérus.

Faut-il manger plus ?

Faut-il manger plus ? Faut-il manger différemment lorsqu'on attend un enfant ? Je parlerai d'abord de la quantité. C'est la première question que se posent, en général, les futures mères.

Des générations ont vécu dans l'idée qu'il fallait manger pour deux ; aussitôt enceintes, les futures mères mettaient les bouchées doubles. Le résultat : elles prenaient trop de poids, ce qui était inutile et même dangereux. Puis, ces dernières années, on a tellement attiré l'attention sur les dangers de cette suralimentation systématique qu'aujourd'hui certaines futures mères mangent très peu pour ne pas trop engraisser. Où est la juste mesure ? Avant de vous répondre, il faut que je vous rappelle quelques notions de base qui vous paraîtront peut-être un peu techniques, mais je serai brève.

La question calories

Le corps humain ne peut fonctionner qu'au prix d'un apport d'énergie. Plus personne aujourd'hui n'ignore ce qu'est l'énergie : pour les voitures, c'est l'essence, pour certaines machines c'est le charbon, pour votre cuisinière c'est l'électricité ou le gaz. Pour le corps humain, l'énergie ce sont les *calories* apportées par les aliments.

L'organisme fonctionne comme une machine (comme un moteur). Au contact de l'oxygène absorbé par les poumons, les aliments « brûlent ». Cette combustion dégage de la chaleur, autrement dit, fournit de l'énergie.

On sait d'une manière précise combien d'énergie fournit chaque aliment. On exprime, ou l'on mesure, cette énergie en calories. Ainsi, on dit : 100 g de viande fournissent 170 calories (en moyenne); 100 g de lait, 70; 100 g de salade, 30, etc...

Quelle énergie représente une calorie? Par acquit de conscience, je vous en donne la définition : la calorie est la quantité de chaleur suffisante pour élever d'un degré un litre d'eau. Puisque un gramme de graisse dégage en brûlant 8 calories, il pourra élever de 1 degré la température de 8 litres d'eau. Toute graisse fournira la même quantité d'énergie lorsqu'elle sera absorbée, puis brûlée par l'organisme. Je ne crois pas que cette définition vous apporte grand-chose. Mais ce que vous devez en retenir, c'est la différence qu'il y a du point de vue énergétique entre les aliments : les uns apportent peu de calories, les autres dix ou cent fois plus. Vous devrez en tenir compte pour surveiller votre poids.

Comment sont dépensées les calories

Cette énergie apportée par les aliments, sous forme de calories, notre corps va s'en servir pour faire toutes sortes de tâches. D'abord pour que fonctionne tout ce qui est vital, comme le cœur ou les poumons. Ainsi, même en restant dans son lit à ne rien faire, un être vivant consomme de l'énergie pour subsister. Cette énergie de base nécessaire qui est de 1 500 calories, en moyenne, pour l'adulte, s'appelle d'ailleurs le métabolisme *basal*. C'est, autrement dit, le minimum vital.
Mais le métabolisme basal varie en fonction du poids, de la taille, de l'âge et du sexe : il est un peu plus élevé chez l'homme que chez la femme, chez l'individu de 70 kgs que chez celui de 50, chez l'adolescent que chez le vieillard, etc. Et il augmente de près de 25 % au cours de la grossesse.
Par ailleurs, l'énergie fournie par les aliments est utilisée pour maintenir la température de notre corps à 37°. Ainsi les habitants des régions froides font-ils une grande consommation d'aliments très riches en calories (comme l'huile) pour lutter plus facilement contre le froid.
Enfin, l'énergie fournie par les aliments est utilisée pour chaque effort fait par l'organisme, pour chaque geste, pour tout le travail de nos muscles et de notre cerveau : lever un poids, marcher, courir, repasser, mais aussi écrire, lire ou réfléchir.
Vous trouverez ci-dessous quelques chiffres vous donnant une idée des dépenses faites par l'organisme pour quelques activités courantes.

Dépense calorique horaire d'une personne de 70 kgs. *

Durant le sommeil	65
Lire à haute voix	105
Tricoter (23 points par minute)	116
Chanter	122
Taper à la machine rapidement	140
Faire la vaisselle	144
Promenade (4 km/h)	200
Nager	500
Courir (8,5 km/h)	570
Monter les escaliers	1 100

Bien sûr, plus le travail est fatigant, plus la consommation d'énergie est grande : par exemple le bûcheron dépense 3 500 calories par jour, tandis que la femme qui a un travail non fatigant physiquement utilise 2 000 calories par jour.

* D'après Jean Lederer, in « L'Encyclopédie moderne de l'hygiène alimentaire ». Ed. Maloine, page 11.

Si un individu ne mange pas assez pour couvrir ses besoins, il entame ses réserves : il maigrit ; s'il mange trop, il constitue des réserves ; les calories inutiles se transforment en graisses : il grossit...
Une alimentation correcte, du point de vue quantité, est donc celle qui fournit à l'organisme l'énergie dont il a besoin. Par exemple, une femme de taille et de poids moyen, n'exerçant pas un travail particulièrement fatigant, doit avoir une alimentation qui lui apporte environ 2 000 calories.
Et lorsqu'elle est enceinte ? Il ne lui en faut, en fait, guère plus. Elle a besoin de 2 500 calories par jour, et, en fin de grossesse, un peu plus : 2 800 (sauf dans quelques cas précis). Ces calories supplémentaires correspondent aux besoins du bébé et à l'augmentation du métabolisme basal de sa mère, dont je vous ai parlé plus haut.
Mais 500 calories de plus par jour, cela ne fait qu'une augmentation de 25 %. Vous voyez qu'on est loin du double !

Faut-il manger plus ?

S'il n'est pas nécessaire à une femme enceinte de manger beaucoup plus que d'habitude, il y a cependant quelques cas où cela sera indispensable :

- une femme très jeune n'ayant pas terminé sa croissance devra avoir une ration totale de 3 200 à 3 600 calories par jour, en augmentant essentiellement le lait (1 litre par jour) et les fromages ;
- une femme ayant un travail très fatigant devra également avoir 3 200 à 3 600 calories par jour, en augmentant la ration de glucides, de lipides, de vitamines B et C ; mais elle devra cesser la suralimentation pendant le repos prénatal ;
- une femme ayant déjà eu plusieurs enfants devra avoir 3 000 à 3 200 calories par jour, en augmentant un peu les glucides et beaucoup les protides ;
- une femme attendant des jumeaux devra, à partir de la deuxième moitié de la grossesse, consommer plus de viande et de lait, et se mettre au régime sans sel, comme le médecin le lui recommandera.

Pourquoi il ne faut pas trop manger

Manger deux fois plus n'est donc pas justifié. Cela peut présenter de nombreux inconvénients et pour le bébé et pour la mère, parfois même des risques. D'abord, une augmentation exagérée du poids de la mère qu'on appelle l'obésité gravidique. Cette obésité subsistera après la naissance, d'autant plus qu'ayant pris l'habitude de manger trop, la maman aura grand peine à revenir à une alimentation normale. Ce sont les femmes qui ont de l'obésité qui risquent le plus les accidents de toxémie (albuminurie, œdèmes, hypertension) avec leurs graves conséquences. Trop manger peut amener des troubles digestifs : brûlures d'estomac, oppressions après les repas, ballonnements, etc. Trop manger peut également favoriser le diabète. Enfin, l'accouchement peut être plus long, plus difficile, car les tissus, infiltrés de graisse, sont moins souples.

Je suis sûre que ces perspectives désagréables vous inciteront à ne pas manger trop. Pour ne pas manger plus qu'il n'est nécessaire, vous avez un moyen simple : surveillez votre poids en vous pesant régulièrement une ou deux fois par semaine.

Surveillez votre poids

Le régime

Une future mère devrait prendre en moyenne 10 kgs pendant sa grossesse, pas plus. Lorsque je dis en moyenne, cela signifie que, très normalement, certaines femmes prendront 1 ou 2 kgs en plus, d'autres en moins, cela dépendra de leur constitution, de leur poids avant la grossesse, de leur taille, de leur activité physique, etc...
Les trois premiers mois, le poids reste stable en général. Mais un certain nombre de femmes maigrissent au début de leur grossesse de 1 ou même 2 kgs, surtout celles qui sont sujettes aux vomissements. Si c'est votre cas, ne vous en inquiétez pas : vous reprendrez du poids lorsque vos vomissements auront cessé.

Courbe de l'évolution du poids au cours de la grossesse

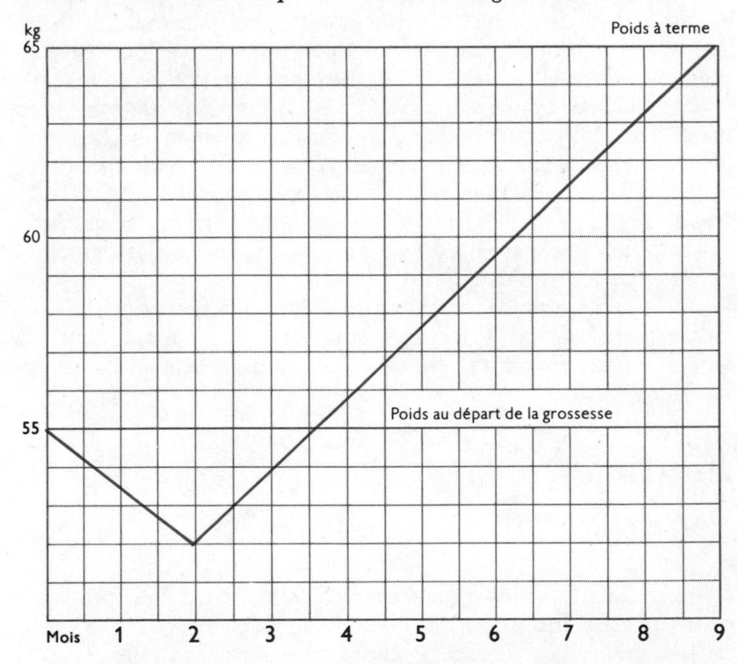

Comme l'indique ce tableau, il est fréquent de maigrir pendant les deux premiers mois de la grossesse.
Lorsque ce n'est pas le cas, la future maman à une prise de poids qui n'excède pas 1 kg 5 à 2 kg pour le premier trimestre. Après, la prise moyenne est de 350 gr par semaine.

Donc, ces 10 kgs, vous les prendrez surtout à partir du quatrième mois, à raison de 350 g par semaine environ. Pesez-vous régulièrement. Si vous avez engraissé de plus de 350 à 400 grammes par semaine, c'est que votre nourriture est trop riche : vous verrez plus loin comment la ramener à la normale.

Vous engraissez trop : consultez ce tableau

Nombre de calories par 100 grammes	
Lait écrémé	35
Légumes frais (en moyenne)	40
Yaourt	45
Fruits frais	45 à 70
Lait entier	70
Poissons maigres (type colin)	80
Pommes de terre	90
Poissons demi-gras (type maquereau)	135
Poulet	140
Foie	145
Œufs	160
Viande (bœuf, veau, mouton)	165

Ils ne vous feront pas engraisser

Marron	200
Poissons gras (type thon)	210
Crème fraîche	250
Pain	250
Confitures	285
Camembert, brie	285
Fruits secs	290
Miel	300
Viande de porc	332
Légumes secs	340
Riz	340
Pâtes alimentaires	350
Pain d'épices	350
Tarte aux fruits	350
Biscottes	360
Cantal, gruyère	380
Sucre	400

Ils vous feront engraisser si vous en abusez

Biscuits secs	410
Mayonnaise	460
Chocolat sans lait	500
Cake aux fruits confits et raisins	500
Chocolat au lait	600
Gâteau à la crème	600
Amandes, noix, noisettes	670
Saucisse cuite	670
Beurre *	760
Graisses animales	780
Huile *	900

Ils vous feront sûrement engraisser

* Le beurre cru et l'huile (non cuite), bien que très riches en calories (760 et 900), sont néanmoins nécessaires en petites quantités.

Si vous avez trop engraissé

En regardant votre balance, vous constatez que vous avez pris trop de poids. Qu'allez-vous faire ?
Vous n'allez pas être condamnée désormais à faire des calculs compliqués avant de vous mettre à table, pour additionner les calories d'une tranche de pain, plus celles du bifteck, plus celles d'un yaourt, etc. Non. Ce qu'il faut, c'est vous familiariser avec les aliments à éviter. Ceux qui apportent le plus de calories sont les corps gras, et ceux qui sont à base de lipides (voir page 57, la liste des aliments contenant des graisses.) Pour vous en donner une idée :

Le régime

1 gramme de lipide fournit 9 calories,
1 gramme de protéine en fournit 4.
Il faut donc diminuer les aliments riches en lipides, essentiellement les poissons gras, viandes grasses, fromages gras, beurre, huile.
Les aliments sucrés et les féculents, ceux qui fournissent des glucides (voir p. 57), n'apportent pas plus de calories que les aliments protéinés, viande ou œufs, par exemple, mais pour différentes raisons qu'il serait trop long d'expliquer ici, ces aliments sucrés sont ceux que la digestion transforme le plus facilement en graisses. Il faut donc également les diminuer, ou même en supprimer certains :
- évitez les bonbons et les pâtisseries ;
- diminuez le sucre en supprimant, par exemple, celui que vous ajoutez au thé et au café ;
- réduisez sérieusement le pain, les pommes de terre, les féculents (pâtes, légumes secs, etc.)

Ne croyez pas que je cherche à vous affamer, il vous reste pour vous nourrir :
les aliments protéinés pauvres en corps gras, c'est-à-dire, parmi les poissons : limande, merlan, sole, colin, raie et même maquereau ; parmi les viandes : bœuf, veau, mouton, surtout en grillades, et la volaille ; parmi les fromages et laitages : chèvre, fromage de régime, yoghourts ; puis les œufs et le lait écrémé.
Vous pouvez aussi manger tous les légumes verts et les fruits, sauf exception, telle la banane, très riche en calories.
Le tableau de la page précédente complétera ces indications générales puisqu'il vous indique, par ordre croissant, des plus pauvres aux plus riches, l'apport en calories des principaux aliments. Vous pourrez d'ailleurs constater dans ce tableau que, dans plusieurs cas, ce sont les aliments non indispensables qui apportent le plus de calories, tels que les gâteaux.
Par ailleurs, je vous conseille de ne pas manger entre les repas : les petits en-cas sont les plus dangereux parce que, précisément, on les croit inoffensifs. Ainsi, une simple part de tarte aux pommes fournit autant de calories qu'un bifteck accompagné de deux pommes de terre à l'eau.
Si, malgré les précautions que vous prendrez, vous ne revenez pas à une prise de poids normale, parlez-en au médecin : l'excès de poids n'est pas toujours déterminé par un excès d'alimentation.

Pour celles qui ne se nourrissent pas assez

Il n'y a pas que des femmes qui mangent trop pendant leur grossesse. Un certain nombre sont sous-alimentées, soit par coquetterie pour ne pas trop engraisser, soit, hélas, par manque de ressources. Ainsi on voit des femmes ne prendre que 6 kgs pendant toute leur grossesse, même moins.
Cette sous-alimentation est dangereuse et pour le bébé, qui risque de naître trop tôt, avec un net retard de croissance, et pour la santé de la mère (par exemple, les risques de toxémie sont doubles).
Donc, future mère coquette, pas de sous-alimentation systématique pour rester mince : vous ferez un régime sévère après l'accouchement, ou un peu plus tard si vous allaitez ; là, tout sera permis pour retrouver la ligne. Mais aujourd'hui, vous avez la responsabilité d'un enfant : il faut vous nourrir suffisamment. Pour le problème « budget », je vous renvoie au tableau de la page 56 qui indique les sources les plus économiques des aliments protéinés, ceux qui sont les plus nécessaires pendant la grossesse.

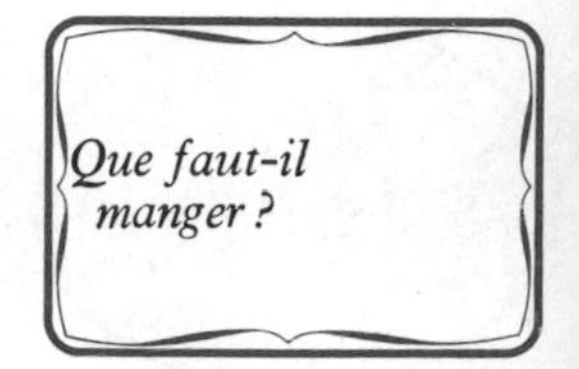

Que faut-il manger ?

Je vous ai d'abord parlé de la quantité de nourriture que vous devez absorber, parce que c'est la première question qu'on se pose lorsqu'on attend un enfant : je vais maintenant vous parler de *ce* qu'il faut manger, vous dire quels aliments vous sont nécessaires. La réponse est d'ailleurs facile : il faut simplement que vous vous nourrissiez correctement, ce que vous devriez d'ailleurs faire tous les jours pour votre bonne santé ; mais maintenant que vous attendez un enfant, c'est encore plus important.
Si manger pour deux n'est pas vrai sur le plan de la quantité, c'est certes vrai sur le plan de la qualité.
Mais qu'est-ce que se nourrir correctement? C'est avoir une alimentation équilibrée, une alimentation qui comporte régulièrement les principaux aliments, car chacun d'eux a sa spécialité, chacun apporte à l'organisme les diverses substances dont il a besoin.
La viande, les poissons, les œufs fournissent les protéines. Le lait, les laitages, les fromages apportent essentiellement le calcium si nécessaire aux os. Le beurre, l'huile fournissent les lipides ; les pommes de terre, les féculents procurent les glucides

(ou sucres) ; les vitamines se trouvent essentiellement dans les fruits ; le fer et le phosphore (qui sont des substances minérales), on les trouve dans les légumes verts, les légumes secs, etc., etc. Or, notre organisme a besoin et de protéines, et de lipides, et de glucides, et de vitamines, et de sels minéraux. C'est donc seulement une alimentation comportant toutes les catégories d'aliments qui peut couvrir tous ces besoins. Nous sommes des omnivores, c'est-à-dire que nous pouvons, et devons, manger un peu de tout.
Une alimentation ne comportant, par exemple, que des viandes et des féculents manquerait de vitamines, de sels minéraux, de lipides. C'est cela qu'on appelle une alimentation déséquilibrée. Or, si un régime déséquilibré est mauvais pour un organisme achevé, il est grave pour un être en pleine formation.

Le régime

Mais entrons un peu plus dans le détail : par le courrier reçu, je sais que les lectrices sont avides de renseignements diététiques, et voyons quelles sont les principales sources de protéines, lipides, glucides, vitamines et substances minérales.

Les aliments contenant des protéines (protides)
Les protéines fournissent le matériau de construction de l'organisme, elles construisent et renouvellent tous les tissus du corps : vous en avez donc particulièrement besoin. Pendant la grossesse, il faut consommer environ 25 % de plus d'aliments fournissant des protéines que d'habitude.
Quels sont ces aliments ? Tous les produits d'origine animale : viande, poisson, œufs, lait et fromage. La viande passe pour être la plus « nourrissante », la plus riche en protéines. C'est une erreur : à poids égal, le poisson fournit autant de protéines que la viande. Et c'est une erreur qui peut coûter cher, car la viande, vous le savez, est la plus chère des protéines.

Voici d'ailleurs un tableau très instructif pour l'équilibre de ce budget : il montre le coût comparé du gramme de protéines fourni par différents aliments. On est parti de la base 10 pour le bœuf à rôtir.

Comparaison du coût du gramme de protéines pour quelques aliments courants

Bœuf à rôtir	10
Rôti de porc	9,6
Bœuf à bouillir	8,5
Yaourt	5,6
Filet de merlan	5
Merlan frais	4,7
Camembert	4,4
Oeuf	4,2
Gruyère	3,4
Lait	2,3

Vous voyez que le lait est la source de protéines la plus avantageuse et la viande la plus chère. Et si j'ajoute que, contrairement à une opinion trop répandue, les œufs ne font pas mal au foie, vous

pourrez en manger très souvent (2 œufs et demi valent un bifteck de 100 grammes).
Il y a aussi des protéines dans les légumes secs, les noix, noisettes, cacahuettes, le pain et les céréales. Ces protéines d'origine végétale n'ont pas la même valeur biologique que les protéines d'origine animale, elles ne fournissent pas à l'organisme tous les constituants dont il a besoin, elles ne peuvent donc pas remplacer les protéines d'origine animale. C'est d'ailleurs la raison pour laquelle un régime végétarien est contre-indiqué pendant la grossesse : les protéines de premier choix, fournies par la viande, les œufs, le fromage, le poisson, sont indispensables à la croissance.

Les aliments contenant des lipides (ou graisses)

Que faut-il manger ?

Ce sont évidemment l'huile, le saindoux, le beurre, la margarine, mais aussi le lait, les viandes grasses, les poissons gras, les fruits oléagineux, comme leur nom l'indique, (noix, noisettes, amandes, cacahuettes) et le jaune d'œuf.
Les graisses sont nécessaires au bon équilibre de l'alimentation, mais pendant la grossesse, il faut les diminuer, pour ne pas prendre trop de poids. Outre le risque d'obésité, un excès de graisse peut fatiguer le foie. Par ailleurs, les corps gras sont souvent mal tolérés par la femme enceinte ; il faut donc les prendre sous la forme la plus digeste, c'est-à-dire consommer le beurre cru, l'huile non cuite, éviter les graisses animales comme le gras de la viande, les graisses et huiles cuites, surtout l'huile de friture, si difficile à digérer.
Je vous rappelle, par ailleurs, qu'il ne faut pas consommer d'huile de colza, car elle serait dangereuse pour le cœur : vérifiez que la bouteille que vous achetez précise *pure* huile d'arachide, de maïs de tournesol, d'olive, etc.

Les aliments contenant des glucides (ou hydrates de carbones ou sucres)

Les aliments les plus riches en glucides sont évidemment le sucre, de betterave ou de canne, et le miel, puis, par ordre décroissant les confitures, les pâtisseries, les pâtes, le riz, les pruneaux, dattes et figues, les haricots secs, les pois secs, le pain, les bananes, la pomme de terre, les fruits, surtout s'ils sont bien mûrs.
En résumé, les aliments contenant des glucides sont tous les aliments sucrés et les féculents.
De ces aliments, vous mangerez en quantité raisonnable, plutôt moins que d'habitude, pour ne pas trop engraisser. Et si vous prenez trop de poids, ce sont eux que vous diminuerez en premier lieu, à part les fruits frais nécessaires pour leurs vitamines, sauf la banane, car elle est très riche en calories, et il faut l'éviter si on prend trop de poids.
Je vous signale qu'un excès de glucides peut causer des crampes qui sont elles-mêmes le signe de troubles plus sérieux.

En conclusion : l'apport d'énergie pendant la grossesse doit donc être assuré d'abord par les protéines, puisqu'elles jouent un rôle si important dans l'édification des tissus, puis par des quantités modérées de glucides, enfin par une petite ration de lipides, absorbés de préférence non cuits (beurre cru par exemple). (*Suite du texte page* 60.)

Composition des principaux aliments

□ **assez riche**
■ **très riche**
★ **exceptionnellement riche**

Pour 100 grammes de :	CALORIES	VITAMINES						MINÉRAUX			ÉNERGIE		
		A : Croissance	**B** : Nerfs, muscles	**C** : Résistance aux microbes	**D** : Fixe le calc. et le phosphore	**E** : Fécondité	**K** : Anti-hémorragies	**Fer :** Globules rouges	**Phosphore et calcium** Squelette, dents		**Sucre** : Énergie	**Graisse** : Chaleur	**Protéines** : matériau de l'organisme
Viandes													
Bœuf, veau, mouton	165							□	■			□	■
Foie	145	■	■	■		■		■	■				■
Poissons													
Maigres (types colin)	80								■				■
Demi-gras (type maquereau)	135								■				■
Gras (type thon)	210								■			□	■
Huîtres	80	□	□					■	■				□
Œufs	160	□	□		□	□		□	■			□	■
Lait													
Entier	70	□							□	■		□	□
Écrémé	35								□	■			□
En poudre entier	500								■	★		□	■
En poudre écrémé	360		■						★	★			★
Crème fraîche	250		□						□	□		■	□
Fromages													
A pâte molle (type brie)	290	□							□	■		□	■
A pâte dure (type gruyère)	380	□							■	★		□	■
Yaourt	45								□	■			■
Beurre	760	□										★	
Huile de table	900	□					□					★	
Huile de foie de morue	670				★							★	
Pain													
Blanc	250								□		■		□
Complet	220		□			□		□	■		■		□
Riz	340		□						□		■		□
Germe de blé	370	□	■		★				★	□	■	□	■

Ce tableau n'est pas celui de la composition complète des aliments mais celui de leurs principales richesses. Cent grammes de bœuf, par exemple, ne contiennent pas seulement 18 g de protéines et 10 g de graisse, mais aussi 0,5 g de sucre et 0,15 mg de vitamines B. Mais ces quantités sont trop petites pour que la viande de bœuf soit considérée comme une source de sucre et de vitamines B. Nous avons établi ce tableau pour vous permettre de voir d'un coup d'œil quelles sont les meilleures sources de vitamine C, de protéines, de fer, etc. Nous avons intentionnellement omis les aliments qui sont déconseillés pendant la grossesse tels que charcuterie, crustacés, etc. Certains sels minéraux ne figurent pas dans ce tableau quoiqu'ils soient nécessaires, tels que magnésium, soufre, iode, car ils se trouvent répartis en petite quantité dans un très grand nombre d'aliments. Une alimentation équilibrée et variée vous les fournira.

Pour 100 grammes de :	CALORIES	VITAMINES						MINÉRAUX			ÉNERGIE		
		A : Croissance	**B** : Nerfs, muscles	**C** : Résistance aux microbes	**D** : Fixe le calc. et le phosphore	**E** : Fécondité	**K** : Anti-hémorragies	**Fer :** Globules rouges	**Phosphore et calcium** Squelette, dents		**Sucre** : Énergie	**Graisse** : Chaleur	**Protéines** : matériau de l'organisme
Pâtes alimentaires	350								□		■		□
Pommes de terre	90			□							□		
Légumes frais													
Cuits	40										□		
Crus	40			■							□		
Carottes	45	■									□		
Choux	40	□					■			□	□		
Choux-fleur	40	□					□			■	□		
Cresson	30	□		★		□	□			■	□		
Épinards	40	■	□				■	■			□		
Laitue	30	■		■		■	■	□		□	□		
Persil	40			★						■			
Légumes secs	340		□					■	■		■		■
Fruits frais													
Cuits	45-70										□		
Crus	45-70			■							□		
Agrumes (oranges, citrons, etc.)	45			★							□		
Fruits à noyau	65	□		■							□		
Fruits secs	285							□		□	■		
Abricots secs	285	■						□		□	■		
Fruits oléagineux													
Amandes, noix, etc.	670	□	□			□		□	■	■	□	■	■
Sucre	400										★		
Miel	300										★		
Confiture	285			□							■		
Chocolat	500							□	■	□	■	□	□

Les substances minérales

Parmi les nombreuses substances minérales dont a besoin l'organisme, deux sont à mettre en relief, car elles sont particulièrement nécessaires pendant la grossesse : le calcium et le fer.

Le calcium : les aliments qui en contiennent le plus sont le lait et tous les produits qui en dérivent : fromages, yaourts, petits suisses, crème fraîche, etc. Mais il y a aussi du calcium dans les figues sèches, les haricots secs, dans certains légumes : cresson, chou-fleur, choux, endives, épinards ; dans le pain complet, et les œufs.

Une alimentation normale, contenant des fromages et autres produits laitiers, vous fournira tout le calcium dont vous avez besoin*.

Une mention particulière doit être faite ici pour le **lait** : il est inutile, comme on le croit couramment, d'en boire de grandes quantités pendant la grossesse. En général, il est suffisant de boire un demi-litre de lait par jour. D'autant que de nombreux aliments qui entrent dans l'alimentation courante sont riches en calcium, tels les fromages, certains légumes, etc. (voir plus haut).

En outre, vous ne devez pas oublier que le lait est non seulement riche en calcium, mais aussi en sucres, en sel (sodium), en graisses et en protéines. Si donc vous engraissez trop, buvez du lait écrémé. Si vous n'aimez pas, ou ne supportez pas le lait, mangez plus de fromages ; je vous signale que les plus riches en calcium sont les fromages dits à pâte dure : gruyère, chester, cantal, Saint Paulin.

Le fer. Les aliments riches en fer sont les haricots blancs, les lentilles, le cresson, les épinards, le persil, les fruits secs, les amandes et noisettes, les flocons d'avoine, le chocolat, le foie et le jaune d'œuf.

A propos du foie, je vous signale une erreur courante : ce n'est pas le foie de veau qui est le plus riche en fer, il en contient moitié moins que le foie de génisse ou d'agneau. Or le foie de veau est hors de prix : ne vous ruinez donc pas inutilement.

Pendant la grossesse, les besoins en fer sont accrus, car l'enfant a besoin d'une quantité importante de fer pour « fabriquer » son sang, particulièrement durant les derniers mois. C'est pourquoi, à ce moment-là, la future mère a parfois tendance à l'anémie, surtout lorsqu'elle a déjà eu plusieurs enfants.

Les autres substances minérales dont l'organisme a besoin, iode, phosphore, magnésium, soufre, se trouvent dans de nombreux aliments. Je ne vous les énumère pas : si vous avez une alimentation variée, vos besoins et ceux de votre enfant seront largement couverts.

Le sel — chlorure de sodium — (qui est également une substance minérale) est à mettre à part. Il jouit d'une mauvaise réputation auprès des femmes enceintes : elles pensent qu'il faut automatiquement supprimer le sel pendant la grossesse, surtout les derniers mois. Aussi s'imposent-elles inutilement une nourriture insipide : il n'y a pas de raison de supprimer systématiquement

* Et les médicaments à base de calcium? L'assimilation du calcium n'est possible qu'en combinaison organique complexe, c'est-à-dire qu'il ne suffit pas d'avaler du calcium; encore faut-il que ce calcium se trouve en présence d'autres substances pour être rendu assimilable. Bien des diététiciens pensent que seul le calcium alimentaire est assimilé.

le sel. Par contre, il est recommandé de n'en absorber que de petites quantités : salez modérément vos aliments et éliminez tous les aliments ou plats très salés.
Il n'est nécessaire de supprimer le sel que sur prescription du médecin et dans des cas très précis :

- existence de certaines maladies associées à la grossesse (cardiaques ou rénales) où la suppression doit être absolue dès le début de la grossesse ;
- prise excessive de poids, surtout si elle s'associe à des œdèmes et à une élévation anormale de la tension artérielle caractérisant une toxémie gravidique (voir page 121).

Je vous signale quand même que certains médecins suppriment systématiquement le sel dans les 4 à 6 dernières semaines, même si la grossesse évolue normalement.
Si le médecin vous met au régime sans sel, reportez-vous page 69 : vous trouverez la liste des aliments à supprimer et des suggestions pour rendre votre alimentation moins insipide.

Que faut-il manger ?

Les vitamines

Le mot vitamine a été inventé par Casimir Funck, biochimiste américain. Il avait découvert qu'une certaine substance chimique ou amine, contenue dans l'enveloppe du riz, était indispensable à la vie : il l'appela « vitamine ». C'est l'actuelle vitamine B-1.
Depuis, le nom de vitamine a été donné à une vingtaine d'autres substances chimiques qui ne sont pas nécessairement des amines, et qui ne sont pas toutes vitales, mais le terme a été conservé pour des raisons de commodité.
Pendant votre grossesse, il est très important que vous absorbiez une quantité suffisante de vitamines. Votre enfant en a besoin pour sa croissance et pour constituer le petit stock dans lequel il puisera pendant les premières semaines de sa vie. Il vous en faut également parce que certains de vos organes se développent et parce que votre organisme tout entier « travaille » plus que d'habitude.
Voici les vitamines dont vous avez besoin et les aliments qui vous les fourniront :
La vitamine A se trouve dans le lait et ses dérivés, le beurre (frais et cru) et surtout dans les huiles de foie de poisson (morue, flétan, etc.), le foie (d'agneau, veau, etc.), et dans les légumes tels que persil, choux, épinards, laitues, carottes, tomates.
Les vitamines du groupe B sont également utiles à la croissance de l'enfant. Il est possible aussi que leur carence entraîne différents troubles chez la future mère : névralgies diverses, crampes. Il est certain, de toute façon, que l'administration de vitamines du groupe B fait habituellement régresser ces troubles.
Les graines de céréales, les légumes secs, le germe de blé sont riches en vitamine B. Rappelons, à ce propos, que le pain complet est beaucoup plus riche en vitamines B que le pain ordinaire.
La vitamine C est l'acide ascorbique*. Elle se trouve dans les fruits et légumes, en particulier : citrons, oranges, pamplemousses, tomates, groseilles, framboises ; également dans le persil, les choux, le piment rouge.
La vitamine D est importante, car c'est elle qui permet au

(*suite du texte p. 64.*)

*. Tout le monde a entendu parler des voyageurs de jadis, qui se nourrissaient de conserves et mouraient du scorbut. Le scorbut a aujourd'hui complètement disparu de nos pays.

Le régime

Menus types

Petit déjeuner, 640 calories	calories
Fruits frais (200 g) ou un verre de jus de fruits	50
Café au lait, deux tasses	150
Trois tranches de pain complet	160
Confitures (35 g)	100
Beurre (25 g)	180
Si vous désirez un œuf à la coque en plus, ajoutez	80

Déjeuner, 750 calories	
Une assiette de crudités en salade choisies parmi les légumes de la saison (tomates, radis, carottes, chou rouge) coupés menus et assaisonnés à l'huile et au citron	100
Une tranche de foie persillée (100 g)	145
Spaghetti au parmesan	140
Trois tranches de pain complet	160
Fromage de chèvre (35 g)	35
Une poire	70
Un verre de vin	100

Dîner, 675 calories	
Une tranche de colin	130
Pommes à l'anglaise	150
Un yaourt	45
Une compote de pommes (150 g)	90
Trois tranches de pain complet	160
Un verre de vin	100
Pour la journée 35 g de matières grasses	250
Six morceaux de sucre	160

Soit au total 2.475 calories

Petit déjeuner à l'anglaise, 710 calories	
Fruits frais (200 g) ou un verre de jus de fruits	50
Un bol de porridge (flocons d'avoine + lait)	200
Un œuf à la coque	80
Deux tranches de pain blanc	100
Confitures (35 g)	100
Beurre (25 g)	180
Thé	

Que faut-il manger ?

Déjeuner, 820 calories	
Salade de crudités	100
Un bifteck (100 g)	175
Riz (30 g)	135
Roquefort (25 g)	80
Trois tranches de pain complet	160
Un verre de vin	100
Un fruit	70

Dîner, 680 calories	
Une omelette de deux œufs	150
Des épinards aux croûtons	50
Un petit suisse	40
Une tarte aux fruits	180
Trois tranches de pain complet	160
Un verre de vin	100
Pour la journée matières grasses et sucre	410

Soit au total 2.620 calories

calcium de se fixer. Les aliments habituels contiennent de très petites quantités de vitamine D. C'est principalement l'organisme qui fabrique lui-même cette vitamine sous l'influence des rayons ultraviolets, ceux du soleil. C'est pourquoi le meilleur remède contre un manque de vitamine D, c'est le grand air et le soleil. Mais votre climat manque peut-être de soleil. Si le médecin le juge utile, il vous prescrira des spécialités faciles et agréables à prendre contenant de la vitamine D. Une carence en vitamine D peut être nocive, mais l'excès (ce qui ne peut arriver que si l'on prend la vitamine D sous forme de médicament) peut être nocif également : bien suivre les indications du médecin.

La vitamine E se trouve dans la laitue, le cresson, le riz et les graines de céréales, le jaune d'œuf et le foie.

La vitamine K dans les salades vertes, le chou blanc et les épinards. Ni l'une ni l'autre ne risquent de vous faire défaut : on ne connaît aucun cas de carence.

Comment préserver les vitamines des fruits et des légumes?

Les fruits : les consommer plutôt crus que cuits, les laver rapidement, ne pas les laisser tremper dans l'eau, les couper avec un couteau inoxydable, enfin les consommer aussitôt. Le contact de l'air détruit la vitamine C, c'est pourquoi il ne faut pas préparer les jus de fruits à l'avance. Si l'on fait des compotes, les cuire dans peu d'eau et peu longtemps, la perte en vitamines sera réduite.
Les légumes : eux aussi, en cuisant, perdent une partie de leurs vitamines, mais la perte peut être réduite si l'on prend ces précautions : après avoir lavé les légumes, les laisser tremper le moins longtemps possible, les faire cuire dans peu d'eau et peu longtemps, et si possible dans leur peau (la pomme de terre notamment). Le mode de cuisson idéal est la cuisson à la vapeur, très facile dans une cocotte minute, ou, sinon, dans une casserole à double fond.

Varier, c'est si facile...

Maintenant que vous connaissez les différentes catégories d'aliments, il vous sera facile d'établir un bon régime pour votre grossesse. Ayez une nourriture variée, comprenant toutes les catégories d'aliments. Ne faites pas des repas du genre : sardines, œufs, bifteck, fromage (repas essentiellement riche en protéines), ou un repas du type : pamplemousse, épinards, poire (repas essentiellement riche en vitamines) ; ou encore : salade de riz, gratin de spaghetti et bananes, c'est-à-dire un concentré de glucides.
Non, mangez de tout régulièrement : du poisson, des œufs, de la viande, des laitages (fromages, beurre cru, lait), des fruits et des légumes, etc. Varier l'alimentation n'est pas difficile, il suffit de se promener dans un marché et de choisir parmi l'abondance des produits qui vous sont offerts ; votre calcium, vos vitamines, vos protéines, votre fer, sont là, à tous les prix : vous ne risquez pas d'être carencée.

Avec une alimentation variée, ni votre bébé, ni vous, ne manquerez de rien. Je vous signale d'ailleurs pour vous rassurer, qu'en tout cas, si quelqu'un devait manquer de quelque chose, ce ne serait pas votre bébé, mais vous-même. En effet, le bébé prend à sa mère tout ce dont il a besoin, même à ses dépens : ainsi, il peut arriver qu'un bébé soit très costaud avec une mère anémique.

Pages 62 et 63, vous trouverez des menus vous apportant en quantité et en qualité tout ce qui vous est nécessaire.

Voici donc ce qu'est une alimentation variée. Il est possible que si, avant d'être enceinte, vous aviez une alimentation déséquilibrée, vous appreniez aujourd'hui à bien vous nourrir.

Que faut-il manger ?

Les difficultés d'une alimentation correcte

Au début de la grossesse, comme vous l'avez vu au chapitre 1, les futures mères souffrent souvent de divers troubles digestifs : nausées, vomissements, maux d'estomac, etc., ou alors, elles n'ont pas faim ; parfois au contraire, elles sont atteintes de boulimie. Ces divers troubles risquent d'empêcher un bon équilibre de l'alimentation.

Ainsi, par exemple, certaines femmes sujettes aux nausées, pour les éviter, suppriment les repas et grignotent à longueur de journée des biscuits ou du chocolat. Le résultat c'est qu'elles grossissent sans être nourries convenablement. Heureusement, les divers troubles digestifs disparaissent, passé le premier trimestre.

En attendant :

- si vous avez peu d'appétit, mangez au moins des aliments vous apportant des protéines, et des fruits et légumes frais ;
- si vous avez toujours faim, ne déséquilibrez pas votre alimentation par des bonbons et des gâteaux, ou des tartines : entre les repas, mangez une tranche de viande froide ou un œuf dur, ou encore un fruit ;
- si vous avez des nausées, reportez-vous aux conseils donnés page 84.

Les boissons

Pendant la grossesse, il faut boire suffisamment : 1 litre à 1 litre et demi de liquide par jour. Evidemment, cette quantité peut varier suivant la saison, le climat, mais elle ne doit jamais être inférieure à six verres.

Vous-même et votre enfant avez besoin de liquides. Il en faut également une quantité suffisante pour éviter les troubles urinaires, fréquents pendant la grossesse. Que boire ?

- de l'eau ;
- du lait, mais voyez à l'article Calcium ce qui est dit de cet aliment ;
- des boissons légèrement stimulantes telles que café, thé,

si elles ne vous empêchent pas de dormir, et si elles ne vous donnent pas de palpitations ni de troubles digestifs ;

- des jus de fruits, mais en vous rappelant qu'ils sont très sucrés, donc qu'ils peuvent faire grossir ;
- d'une façon générale, les boissons gazeuses (limonade, bière par exemple) ne sont pas recommandées à cause de leur richesse en sodium.

L'alcool

- Le vin : vous pouvez continuer à en boire, mais à une condition : il faut que ce soit en quantité raisonnable, c'est-à-dire n'excédant pas deux verres par jour. Si vous y êtes habituée le vin vous manquerait : il n'est donc pas question de le supprimer, mais de le limiter.
- Si vous buvez de la bière ou du cidre, n'oubliez cependant pas que ce sont également des boissons alcoolisées. Voici leur teneur en alcool par rapport au vin courant : bière ordinaire et cidre doux : quatre fois moins d'alcool que le vin ; bière de luxe et cidre « sec » : environ deux fois moins que le vin.
- Quant aux apéritifs, coktails, digestifs, le plus sage est de les supprimer : ce sont des boissons fortement alcoolisées, or **l'alcool est l'ennemi de votre enfant et le vôtre.** Enceinte, vous êtes plus sensible à ce poison qu'est l'alcool. Un apéritif, un alcool, qui en temps ordinaire sont peu de chose, en ce moment représentent un danger. Car l'alcool, vous le savez, passe très vite dans le sang. C'est d'ailleurs la raison pour laquelle on fait une prise de sang aux automobilistes, après un accident, pour savoir s'ils sont sobres. Même un verre de bière est décelé par ce moyen. Or, l'alcool que vous buvez maintenant, passe non seulement dans votre sang, mais dans celui de l'enfant que vous portez, car il traverse le placenta protecteur. L'alcool étant, comme vous le savez, un toxique, chaque goutte d'alcool que vous buvez intoxique votre enfant. Les conséquences d'un abus d'alcool sont d'autant plus graves que la quantité absorbée est plus importante. Pour vous aussi l'alcool est dangereux : il peut amener des troubles nerveux ou digestifs, des palpitations, de l'insomnie, etc.

Attention : la preuve de l'intoxication n'est pas l'ivresse. Un apéritif ou un petit verre de cognac pris tous les jours intoxiquent aussi sûrement que de plus grandes quantités prises moins régulièrement. Le parti le plus sage est donc de supprimer tout simplement l'alcool pendant les neuf mois, à l'exception du vin bu raisonnablement.

Les envies

Vous aurez peut-être des envies. Il n'y a pas de raison de ne pas les satisfaire, à moins qu'elles ne concernent des aliments formellement contre-indiqués ou des aliments « excentriques », ce qui arrive. D'ailleurs, bien souvent, les envies correspondent à des besoins. Telle femme qui, avant sa grossesse, n'aimait pas la viande ou le lait, sentira un besoin impérieux de bifteck ou de grands verres de lait. Telle autre voudra de l'ananas alors qu'elle n'en mangeait jamais auparavant ; or l'ananas facilite la digestion des protéines. Telle autre aura particulièrement envie de vinaigre, riche en vitamines. Les envies se fixent d'ailleurs souvent sur les condiments, qui, en général, facilitent la digestion, mais dont il ne faut cependant pas abuser. Mais n'allez pas croire que s'il ne vous est pas possible de satisfaire l'envie qui vous semble irrésistible, cela puisse avoir une conséquence néfaste pour votre enfant. Il est évidemment faux qu'un enfant risque d'avoir un angiome (tache de vin) sous le seul prétexte que sa mère ait eu une envie non satisfaite d'un quelconque fruit rouge. Bien souvent, d'ailleurs, les envies ont une origine psychique : la future mère s'attend tellement à désirer particulièrement un aliment plutôt qu'un autre, que, finalement, elle le désire.

Les aliments à éviter

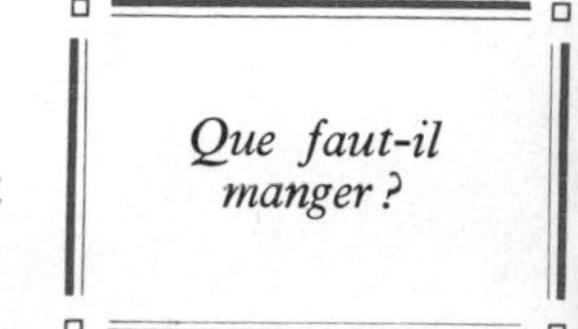
Que faut-il manger ?

Pour finir, voici, résumée, la liste des aliments qu'il vaut mieux éviter.

Les aliments lourds et difficiles à digérer : les fritures, les saucisses, la charcuterie en général, les poissons gras, les ragoûts, le foie gras, l'oie, le canard, la pintade, les poissons fumés, les abats, la triperie.

Les aliments trop salés, les mets très épicés.

Les aliments qui pourraient vous intoxiquer (pendant la grossesse, la sensibilité aux intoxications est accrue) tels que gibier, crustacés, moules ou huitres, car il est parfois difficile d'être sûr de leur fraîcheur.

Les aliments engraissants, c'est-à-dire toutes les graisses, ou trop riches en sucres : féculents, gâteaux, bonbons.
La viande crue ou peu cuite : ceci ne concerne que les femmes qui ont un serodiagnostic négatif, voir p. 127. Pour éviter tout risque de toxoplasmose, vous ne mangerez pas de viande crue (« steak tartare ») et vous ferez cuire à point toutes les viandes, en particulier le mouton. Sachez à ce sujet qu'une viande que l'on sort du réfrigérateur pour la mettre aussitôt sur le gril reste crue à l'intérieur, même lorsque l'extérieur est « saisi ». Or, pour que tout germe soit détruit, il faut que le centre de la viande soit soumis à une température de 50 degrés.

Le sel : dans certains cas.

L'alcool sous toutes ses formes (à l'exception du vin si vous avez l'habitude d'en boire et si vous n'en abusez pas).
L'alcool s'accumule probablement dans l'organisme du fœtus, ce qui fait que, quand la femme est « gaie », son enfant est « ivre ».

Vous veillerez particulièrement à votre régime en saison froide et humide, car la toxémie gravidique (voir page 121) semble être plus fréquente en automne et en hiver.

Le régime sans sel

Le régime

Parler de régime sans sel, c'est un peu comme de parler d'« accouchement sans douleur » : il n'y a pas d'accouchement qui soit absolument indolore ; de même n'y a-t-il pas de régime qui soit totalement désodé, (c'est-à-dire sans sodium, c'est-à-dire sans sel) : le vin contient du sel, le jus de fruit contient du sel, la margarine contient du sel, les confitures du commerce en contiennent aussi.
Donc, si vous êtes au régime sans sel, cela signifie que vous ne devez pas dépasser 1,5 à 2 grammes de chlorure de sodium par jour. L'alimentation normale en apporte de 8 à 15 grammes, et ceux-là sont fournis par : le pain pour 1/3 ; les autres aliments pour un autre tiers, enfin le sel de cuisson et de table pour le troisième tiers.
Les deux grands ennemis de votre régime sans sel sont l'oubli et les préjugés. Vous « oubliez » votre régime un soir, c'est-à-dire que par exemple vous mangez une choucroute, ou des huîtres, et ainsi vous absorbez brutalement une grande quantité de sodium. Pensez que cette entorse au régime est presque aussi néfaste que pas de régime du tout.

Quant aux préjugés les médecins entendent couramment des phrases de ce genre :
— Le seul fromage que je mange est le gruyère, parce qu'il ne contient pas de sel.
Or le gruyère contient entre 1,3 et 3 gramme de chlorure de sodium pour 100 g. A quoi bon vous priver de tant de bonnes choses, si c'est pour en annihiler d'un coup le bénéfice!
Ce que vous devez bien comprendre, c'est que, non seulement vous ne devez pas ajouter de sel à vos aliments — autrement dit l'usage de la salière à table vous est interdit — mais que en outre les légumes, la viande, les desserts que vous mangez doivent être cuits rigoureusement sans sel. « Très peu », « juste une pincée » sont contraires à votre régime.*
Disons tout de suite qu'on trouve en pharmacie des sels de remplacement : mais que ceux-ci ne sont permis que s'ils ne comprennent ni chlorure de sodium ni aucun autre sel de sodium. Parmi les « sels » permis — à base de sels de potassium — le sel Bouillet et le sel Asodil s'emploient comme le sel ordinaire c'est-à-dire qu'ils peuvent être ajoutés à l'eau de cuisson des aliments.

- Votre boulanger vous fera certainement du pain sans sel, qui, au début, vous paraîtra affreusement fade ; puis, vous vous y habituerez. Mais vous préférerez peut-être les biscottes ou le pain grillé sans sel.
- Tout ce qui relève le goût des aliments sans les saler vous aidera à prendre en patience votre régime :

* Nous remercions le docteur Baudon de nous avoir donné l'autorisation de reproduire ci-contre ce tableau si utile. *(Le Concours Médical,* 25-1-1975)

Voici un tableau qui vous dira ce qui vous est permis et ce qui vous est défendu. Bien entendu, il s'agit ici d'un régime sans sel (ou hyposodé) large. Le régime hyposodé " strict ", est beaucoup plus sévère. Il s'observe sous surveillance médicale et n'est prescrit que dans des cas très rares.

INTERDITS	AUTORISÉS
Condiments	
Sel de table, sel de cuisine, sel de cuisson, sel de céleri Moutarde ordinaire Toutes les sauces du commerce. Olives, cornichons, câpres, oignons en conserve. Mayonnaise du commerce Potage en sachet. Bouillon cube Maggi, Viandox, Kub. Bouillon de légumes	Epices, appétissants, condiments Moutarde sans sel Sauce tomate sans sel Ketchup sans sel Potage de légumes frais
Produits laitiers	
Laits chocolatés du commerce Lait concentré sucré Tous les fromages fermentés. (Le plus salé : le roquefort) Beurre salé, beurre demi-sel Danette chocolat et vanille (de Danone)	Lait ordinaire : à limiter à 1/3 de litre par jour Yaourts, petits suisses et fromages blancs frais nature ou parfumés Crème fraîche
Légumes, Fruits	
Fruits et légumes en conserve (même compote et fruits au sirop) Légumes cuisinés : choucroute Jus de fruits du commerce	Légumes verts frais ou surgelés crus ou cuits. Tous les fruits frais, cuits ou crus, compotes fraîches Jus de fruits frais
Viande - Poisson - Œufs	
Toutes les viandes et poissons salés, séchés, fumés en conserve et *tous les plats cuisinés du commerce de viande* Tous les produits de charcuterie, y compris tous les jambons. Gelée de charcuterie Poudre d'œuf Crustacés et coquillages. Limande, sole	Viande fraîche et surgelée Œufs Poissons frais et surgelés
Féculents	
Chips, gratin, purée en flocons Raviolis et pâtes cuisinées du commerce Légumes secs de conserve Pain frais et grillé, et biscottes ordinaires Biscuits secs et *tous les produits de pâtisserie* Pain d'épice Biscuits apéritifs, cacahuètes, noisettes salées	Pommes de terre cuisinées sans sel, sous toutes leurs formes Pâtes, riz Légumes secs Pain et biscottes sans sel Tapioca, pâtisseries maison, sans levure chimique et sans margarine
Produits sucrés	
Conserves sucrées : crème de marrons Confitures du commerce Bonbons, confiseries, y compris chocolat, réglisse, nougat	Confitures maison sans adjonction de sel Miel, sucre
Matières grasses	
Margarine, saindoux, lard	Huile, beurre
Boissons	
Toutes les boissons gazeuses (Vichy, Vals, Badoit) Sirop de fruits du commerce Cacao, chocolat	Eau Perrier. Eau minérale plate, eau de ville Jus de fruits frais ou jus de fruits Guigoz ou Jacquemaire, Oasis de Volvic Thé, café, infusion Bière, cidre
Divers	
Sirops et pastilles pour la toux. Tisanes laxatives. Poudres "digestives" et comprimés effervescents. Levures chimiques	
Modes de cuisson	
	Tous les modes sont autorisés, à l'étouffée, braisé, grillé, rôti, bain marie, frit ou grill, au four, en papillottes, sauté.

la sauce tomate fraîche (les sauces tomate en bouteille et en boîte sont salées), les cornichons sans sel, le jus de citron, le vinaigre, la moutarde sans sel ;
le persil, l'ail, l'oignon, l'échalote, la ciboulette, la ciboule, le cerfeuil ;
le poivre, le clou de girofle, le piment, le genièvre, l'estragon, le curry, le safran, le paprika, le cumin, la canelle, la noix de muscade ;
le tyhm, le romarin, le laurier, la sariette ;
la vanille naturelle.

● Méfiez-vous des produits de régime « sans adjonction de sel » tels que pâtés, potages en sachet, crème de gruyère, sardines en boîte, etc. Certains contiennent du sel en quantité appréciable. **En revanche, les appellations de « régimes appauvris en sodium » ou « à teneur en sodium réduite » sur les moutardes, sauces tomates, sauce de salade, mayonnaise, etc., contiennent moins de 120 mg de sodium pour 100 g et peuvent donc être consommées. La formule « très appauvris en sodium » ou « à teneur en sodium très réduite » est réservée aux produits dont la teneur en sodium n'excède pas 40 mg pour 100 g.**

● Le lait hyposodé (entier ou écrémé) vous permetta de consommer autant de lait que nécessaire, tel ou sous forme de yaourts maison ou d'entrements.

● Sachez que certains mets supportent mieux que d'autres de n'être pas salés : les pommes de terre en robe des champs, les viandes grillées, les viandes et poissons cuits au four, enveloppés dans un feuille d'aluminium.

● A noter, en ce qui concerne le poisson, que les poissons de mer ne sont pas plus salés que les poissons de rivière. En revanche, tout ce qui est coquillage, huîtres, etc. est très salé, donc interdit.

● Au restaurant, il faut demander une grillade sans sel, de la salade non préparée, des yaourts, des fruits. Attention : la garniture servie avec la grillade sera salée. Vous pouvez demander (sans illusions) des frites sans sel, vous les laisserez si elles sont salées.

4.

La beauté

Un jour, une lectrice m'a écrit : « Je ne comprends pas que dans votre livre vous consacriez un chapitre à la beauté, et que vous parliez maquillage et cheveux secs à une future maman qui devrait avoir bien d'autres préoccupations ! »
Je ne suis pas de cet avis. Pourquoi une femme cesserait-elle d'être coquette (toute femme l'est toujours plus ou moins) au moment même où elle craint d'être moins plaisante ?
D'ailleurs, rien n'est plus réconfortant que de se voir dans sa glace, bien coiffée, bien maquillée, habillée d'une jolie robe. Or, un bon moral est nécessaire pendant la grossesse. C'est lui qui donne l'équilibre, supprime la crainte, et chasse l'insomnie mieux que tous les remèdes.
Mais surtout, la femme qui tient à rester jolie et soignée est une femme qui réagit d'une manière active à sa grossesse, et c'est très important. La femme qui accepte avec fatalité un masque de grossesse, qui se laisse trop grossir est la même qui refuse de préparer son accouchement et qui s'apprête à le subir. Cette attitude défaitiste est mauvaise et pour le moral et pour le physique.

La silhouette

Nous allons passer en revue tous les points auxquels vous devez veiller pour rester jolie jusqu'à votre accouchement et retrouver ensuite votre ligne le plus rapidement possible.
Parlons pour commencer de ce qui vous préoccupe le plus.

La silhouette

Tout d'abord, si vous veillez à ne pas prendre plus de dix kilos, vous aurez une grossesse discrète, et vous redeviendrez vite mince. Dites-vous bien que chaque kilo supplémentaire — et inutile — que vous prendrez, représentera un effort particulier que vous aurez à faire après l'accouchement pour vous en débarrasser. La graisse superflue ne part jamais toute seule. Surveillez donc bien votre poids et suivez les conseils que nous vous donnons au chapitre 3.
Pour distraire l'œil de votre silhouette, attirez-le sur votre visage ; ayez les cheveux bien coiffés, un maquillage discret, mais soigné. Ne portez pas les cheveux trop longs et trop flous. Pour alléger une silhouette un peu lourde, il faut une coiffure qui fasse la tête petite et dégage bien le cou.
Veillez à votre démarche : ne vous rejetez pas en arrière pour équilibrer le poids qui vous tire en avant. D'abord, parce que

ce n'est pas gracieux, ensuite parce que si vous vous cambrez trop, vous aurez mal au dos. Des chaussures confortables et de bons muscles vous permettront d'avoir une bonne attitude, c'est-à-dire une jolie démarche.
Et puis c'est dès maintenant qu'il faut que vous pensiez à votre silhouette d'après l'accouchement : ne laissez pas vos muscles inactifs, vous retrouverez plus facilement votre ligne, faites de la marche et de la gymnastique. Comme vous l'avez vu, ces deux exercices présentent l'avantage de n'être pas dangereux pendant la grossesse et de lui être au contraire favorables.

Comment vous habiller

Cette silhouette nouvelle, vous l'allégerez ou l'alourdirez suivant la manière dont vous vous habillerez.
Dès que votre grossesse sera vraiment visible, c'est-à-dire vers le quatrième mois, abandonnez les robes qui serrent, les chandails qui moulent, même si vous les supportez encore. Sinon, vous commettriez l'erreur de certaines femmes fortes qui portent des robes serrées pour paraître plus minces. Ces robes, en moulant leurs formes, les soulignent. En outre, en mettant une robe trop serrée, vous seriez mal à l'aise.
Des robes pour votre nouvelle silhouette, vous en trouverez un grand choix dans les grands magasins ou dans les magasins spécialisés pour futures mamans. S'habiller quand on attend un enfant est aujourd'hui très facile. Dans ces magasins, il y a de si jolies robes que toutes les femmes ont envie de les porter. Vous y trouverez également des pantalons, des maillots de bain, de la lingerie, toute une garde-robe faite pour vous, et à tous les prix. Vous n'aurez que l'embarras du choix. Je voudrais seulement attirer votre attention sur deux ou trois points.

● Quelle que soit votre taille, faites attention à tout ce qui engonce le cou : il y a intérêt à bien le dégager. C'est pour cela que les robes d'été décolletées sont tellement seyantes. Profitez aussi de l'été pour porter des petites manches ou pas de manches du tout : c'est plus flatteur.

● Si vous aimez les collants de couleur, assortissez-les à votre robe : ils allongeront votre silhouette.

● Evitez les tissus trop mous, la couleur beige, les plis.
Enfin, étudiez bien la longueur de jupe qui convient le mieux à votre silhouette actuelle. Suivant la façon dont vous portez votre bébé, telle longueur vous conviendra mieux que telle autre. Pour parler comme les couturières, faites des effets devant une glace — face et profil — avant de vous décider.

Vous trouverez, dans les magasins spécialisés, des modèles de collants avec tour de taille réglable par boutons pressions.

Les chaussures. Si vous en avez l'habitude, vous pouvez parfaitement continuer à porter des chaussures à talons hauts, à condition cependant qu'ils ne le soient pas trop : pas plus de 5 cm. Si vous portiez tout à coup des talons plats, vous ne seriez pas à votre aise.
Ce qu'il faut avant tout pendant la grossesse, c'est que les chaussures soient confortables, car les jambes sont souvent fatiguées par le poids de l'utérus ; elles doivent vous donner un bon équilibre, car la grossesse prédispose aux chutes ; être assez larges, car, en fin de grossesse, les pieds ont tendance à gonfler légèrement.

La ceinture de grossesse

Depuis que les femmes portent des collants, elles ont perdu l'habitude de porter des gaines et d'avoir le ventre maintenu. Aussi lorsqu'elles sont enceintes, elles ne songent même pas à acheter une ceinture de grossesse, du moins la majorité d'entre elles. Et c'est bien ainsi, car les médecins sont contre, sauf dans certains cas précis, mentionnés plus loin. Pourquoi une ceinture? disent-ils. Pour soutenir l'utérus? C'est un soin qui doit être laissé aux muscles. Remplacez ces muscles, ils deviendront inutiles, inactifs, se relâcheront et perdront leur vigueur qu'ils auront grand-peine à retrouver après l'accouchement. Une ceinture, c'est comme un plâtre. Lorsqu'une jambe est dans le plâtre, ses muscles fondent et s'amollissent parce qu'ils n'ont rien à faire. Une femme qui a des muscles fermes, ne demandant qu'à remplir leur rôle, n'a pas besoin de porter une ceinture. Pourquoi superposer à la ceinture naturelle que forme une bonne sangle abdominale une ceinture artificielle?
Si malgré tout, vous avez l'impression que vous seriez plus confortable en étant un peu plus soutenue, je vous rappelle les exercices à faire pour renforcer les muscles abdominaux p. 253. Vous pouvez également, sous votre collant, porter un panty, ne nécessitant pas de réglage et qui soutient légèrement sans comprimer.

Et voici les quelques cas où une ceinture de grossesse apportera un soulagement.
Une femme qui a déjà eu plusieurs enfants et dont les muscles sont très relâchés, aura une paroi abdominale trop distendue par sa nouvelle grossesse si elle n'a pas de ceinture. De même, une femme portant un bébé particulièrement lourd, ou des jumeaux. Enfin, en cas de relâchement douloureux des ligaments qui relient entre eux les os du bassin (voir p. 171), une ceinture de grossesse fournira un bon support au dos.
Si le médecin vous conseille d'acheter une ceinture (qui vous sera d'ailleurs remboursée par la Sécurité sociale voir le *Mémento pratique*), choisissez-la bien. Pour être efficace, une ceinture de grossesse doit :

- bien envelopper les hanches, c'est-à-dire descendre bas en avant, jusqu'au pubis ;
- être renforcée au milieu et sur les côtés afin de ne pas se rouler ;
- soutenir l'utérus en maintenant fermement la paroi abdomi-

nale, mais sans gêner son développement, donc n'être pas trop serrée, ni trop haute en avant.
N'achetez pas une ceinture sans l'essayer. Si elle vous donne une impression de confort et de soulagement, c'est qu'elle est bien adaptée à votre silhouette.
Mettez votre ceinture en étant couchée sur le dos. Elle se placera mieux et soutiendra donc plus efficacement votre utérus lorsque vous serez debout.

Le soutien-gorge

S'il n'est pas nécessaire de porter une ceinture de grossesse, un soutien-gorge est, en revanche, indispensable. Car, dans les seins eux-mêmes, il n'y a aucun muscle qui puisse les empêcher de se dilater lorsqu'ils augmentent de volume, ou les soutenir lorsqu'ils deviennent trop lourds. Les muscles qui soutiennent les seins sont les pectoraux. Mettez-vous de profil devant une glace ; appuyez vos mains ouvertes l'une contre l'autre et pressez-les très fort : vous verrez vos seins remonter sous l'effet de la contraction des pectoraux. Vous comprendrez ainsi que si vous voulez conserver à votre poitrine son galbe et l'empêcher de tomber, il faut :
● Faire travailler vos muscles pectoraux pour les rendre très fermes, puisque d'eux dépend la bonne tenue de vos seins. Plus ces muscles seront fermes, moins votre poitrine aura tendance à tomber. Vous trouverez au chapitre 12 les exercices à faire. Ce sont de bons muscles qui sont les meilleurs garants d'une belle poitrine, soignez-les.
● Porter un bon soutien-gorge : le volume des seins augmente rapidement au cours de la grossesse ; parfois dans des proportions importantes. Il faut soutenir les seins pour qu'ils restent à leur place. Vous porterez donc un bon soutien-gorge dès le début de votre grossesse, même si vos seins sont petits et fermes. Et ce soutien-gorge, vous le choisirez bien ; il faut qu'il soutienne sans aplatir, qu'il maintienne les seins bien séparés ; qu'il ait des « bonnets » profonds et qu'il soit bien renforcé.
Deux conseils si vos seins ont beaucoup augmenté de volume. Achetez dès maintenant des soutiens-gorge d'allaitement. Ils sont spécialement conçus pour soutenir une poitrine alourdie, et vous serviront après la naissance de votre enfant. Mais choisissez un modèle en coton ; les tissus synthétiques favorisent les crevasses. Et portez votre soutien-gorge la nuit aussi bien que le jour pour éviter une tension trop grande des muscles.
Par ailleurs, pendant toute la grossesse, pratiquez chaque matin des ablutions d'eau froide.
Quant aux vergetures qui parfois apparaissent sur les seins, voyez ce que j'en dis page 91.
Si, vers la fin de votre grossesse, vos seins sécrètent du colostrum, c'est-à-dire un liquide blanchâtre précurseur du lait, vous les laverez régulièrement avec de l'eau et du savon pour éviter la formation de petites croûtes.
Ce sont là les seuls soins que vous aurez à donner à vos seins. Vous entendrez sûrement dire autour de vous qu'il faut préparer les bouts de seins pendant la grossesse si l'on veut allaiter :

les durcir par des applications d'alcool. N'en faites rien. Vous risqueriez au contraire de rendre votre peau trop sèche, ce qui amènerait des crevasses et vous empêcherait de nourrir votre enfant.

Le teint

Les futures mères ont souvent un éclat particulier : teint frais, yeux brillants. Cela vient en partie du régime et du mode de vie conseillés pendant la grossesse : huit heures de sommeil, marche quotidienne, régime alimentaire très sain, des vitamines, peu de cigarettes, pas d'alcool. C'est exactement ce que l'on conseille en général à une femme qui veut avoir un joli teint.

Souvent, cependant, vers le quatrième ou le sixième mois, apparaissent de petites taches brunes sur le visage, qui parfois sont assez nombreuses pour former comme un masque : c'est le masque de grossesse.
En général, après la naissance de l'cnfant, les tâches disparaissent. Mais vous devez le savoir dès maintenant, ce n'est pas toujours vrai. Il faut donc tout faire pour éviter le masque de grossesse. Pour cela, une seule précaution, mais elle est indispensable : ne pas exposer son visage au soleil car le masque de grossesse ne se développe qu'à la faveur de modifications hormonales subies sous l'influence du soleil. A telle enseigne qu'une femme prenant la pilule et qui s'expose au soleil peut voir également des tâches brunes apparaître sur sa figure, comme le masque de grossesse des femmes enceintes. (Comme vous le savez, la pilule est à base d'hormones.)
Donc, que ce soit en été, ou en hiver à la montagne, n'exposez votre visage au soleil que recouvert d'une crème spéciale écran total, ou portez un grand chapeau.

En ce qui concerne les soins du visage, voici les conseils que m'a donnés pour vous un grand dermatologiste.
Le soir, nettoyez votre visage avec un lait neutre ne contenant pas de détergent. (Comme les étiquettes des produits de beauté indiquent rarement la composition de leurs produits, je vous conseille l'Embryolisse, vendu en pharmacie, excellent lait-crème convenant à toutes les peaux.)
Puis après avoir soigneusement essuyé votre visage avec un mouchoir en papier, rincez votre peau à l'eau fraîche, eau du robinet si elle n'est pas trop calcaire, ou eau minérale. Vous pouvez aussi utiliser une lotion tonique, à condition qu'elle soit sans alcool. Séchez soigneusement votre peau.
Maintenant qu'elle est bien nettoyée, appliquez pour la nuit une crème protectrice dite « à phase continue huileuse », (par exemple, les crèmes Effadiane, Topexane, Nivéa ou Mixa).
Le matin, après avoir passé de l'eau fraîche sur votre visage et l'avoir bien essuyé, mettez pour la journée la même crème protectrice que vous avez utilisée le soir. Mais ne vous servez pas de fond de teint. Pour le dermatologiste, rien n'est plus meurtrier pour la peau qu'un fond de teint. Après avoir ôté l'excédent de crème avec un mouchoir en papier, mettez seulement un peu de poudre de riz.

Voilà l'essentiel des soins pour garder un joli teint, que vous soyez enceinte ou non*.

La peau

La beauté

Dans la majorité des cas, la peau a tendance à se dessécher au cours de la grossesse. Pour qu'elle reste souple et élastique, il faut la graisser régulièrement avec une bonne crème protectrice. Des vergetures peuvent apparaître sur les seins, le ventre et les cuisses. Voyez ce que j'en dis page 91.
Parfois des tâches brunâtres comme celles qui constituent le masque de grossesse font leur apparition, notamment chez les femmes brunes à peau mate. Cette pigmentation peut se localiser à l'abdomen sous forme d'une raie brune médiane qui s'étend de l'ombilic jusqu'à la région pubienne. Elle disparaîtra progressivement, mais parfois très lentement après l'accouchement. Comme pour le masque de grossesse, il faut éviter le soleil.
Je vous signale enfin des modifications possibles des cicatrices : tantôt elles se pigmentent de façon anormale, tantôt elles deviennent épaisses, rougeâtres et plus ou moins sensibles. Ces modifications disparaissent peu à peu après l'accouchement.

Les dents

« Un bébé en plus, une dent en moins », dit-on quelques fois ; ou encore : « Quand on est enceinte, il ne faut jamais aller chez le dentiste. »
Tout cela est faux. La grossesse ne cause ni carie, ni décalcification. En revanche, une carie existant avant la grossesse peut être aggravée.
Attention donc aux caries car les caries abîment les dents. Cela, vous le savez certainement, mais ce que vous ignorez peut-être, c'est que des dents abîmées empêchent de bien se nourrir. Les dents en effet servent à broyer la nourriture, à la préparer pour la digestion. Et une dent cariée empêche de mastiquer fermement. Comme il est important pendant votre grossesse que vous soyez bien nourrie, il faut donc que vous veilliez à avoir de bonnes dents.
Mais il y a plus : comme vous pourrez le lire au chapitre 7, une infection, où qu'elle siège dans l'organisme, peut être néfaste pendant la grossesse. Or une dent malade peut être un foyer d'infection.
Pour commencer, faites donc examiner vos dents dès le début de votre grossesse. Pour bénéficier de l'assurance maternité, l'examen dentaire n'est pas obligatoire comme le sont les visites médicales, mais cet examen est recommandé, et remboursé.
Par ailleurs, je vous rappelle que les caries dépendent en grande partie du soin que l'on prend de ses dents. Car ce sont les déchets d'aliments, surtout sucrés, demeurés entre les dents, qui pratiquement sont la cause de la plupart des caries.
Lavez-vous donc les dents avec soin après *chaque* repas, sans oublier le petit déjeuner. Et souvenez-vous que ce n'est pas la pâte dentifrice qui nettoie les dents, mais le brossage minutieux,

* Si vous désirez en savoir plus, vous pouvez lire avec profit « La Beauté et la médecine », du Docteur R. Aron-Brunetière, Stock éditeur.

pratiqué de bas en haut et de haut en bas, brossage qui doit être suivi d'un bon rinçage pour entraîner toutes les petites particules d'aliments qui se trouveraient encore entre les dents. Après le brossage : bouche fermée faites plusieurs fois circuler l'eau entre vos dents.
Ce qui est aussi très efficace pour bien nettoyer les dents, c'est de faire une projection d'eau, mêlée d'eau dentifrice, à l'air comprimé. Il existe divers appareils, malheureusement assez coûteux.
La grossesse cause souvent de petits ennuis à la muqueuse (la peau) de l'intérieur de la bouche : les gencives peuvent gonfler et saigner facilement. Cette gingivite atteint habituellement son maximum au cinquième mois et disparaît après l'accouchement. Elle peut être améliorée par les vitamines C et P.
Ainsi, loin de contre-indiquer les soins dentaires, la grossesse demande une surveillance régulière. Tous les soins dentaires sont autorisés y compris les extractions. Ils ne sont en aucun cas susceptibles de retentir sur l'évolution de la grossesse, au moins si celle-ci est normale. Toutefois, si une intervention importante était nécessaire, il serait préférable d'en faire part au médecin et de lui demander conseil.

Les cheveux

Contrairement à ce que l'on croit en général, la grossesse n'abîme pas les cheveux, au contraire : les femmes qui ont des cheveux ternes et un peu mous, les voient devenir plus souples et plus brillants, et la séborrhée s'atténue ou disparaît souvent pendant la grossesse.
Pour les soins à donner aux cheveux, là encore, je laisse parler le dermatologiste. Les soins des cheveux pendant la grossesse ne sont pas différents de ceux qu'on doit leur donner en général Une règle d'or : employez toujours des shampooings doux peu détergents qui évitent de dégraisser trop brutalement le cuir chevelu ou de le dessécher au risque d'entraîner la formation de pellicules. C'est-à-dire que même si vous avez les cheveux gras vous n'emploierez jamais que des shampooings pour cheveux secs et fragiles : par exemple, des shampooings à base de lipoprotéines.
Il faut vous méfier des shampooings dits « pour bébé ». Ils n'ont souvent de « douceur » que l'idée qui s'y attache. A titre d'indication, je vous signale deux ou trois bons shampooings : Hegor II extra-doux, Ultrex shampooings fréquents, Item cheveux normaux.

Brossez vos cheveux matin et soir, mais en faisant un brossage très mesuré. Une chevelure doit être lustrée, mais pas tiraillée à grands coups de brosse. Et surtout n'utilisez pas de brosse en nylon qui arrache et casse les cheveux. Servez-vous d'une brosse classique en sanglier.
Permanentes : elles ne sont pas contre-indiquées, mais il faut se servir de produits doux, et ne faire que des permanentes tièdes.
Teintures et décolorations : si vous avez l'habitude de vous vous en faire faire, et que vous n'y êtes pas allergique — cela arrive quelquefois — vous pouvez parfaitement continuer à

vous teindre ou vous décolorer les cheveux pendant votre grossesse.

Chute des cheveux après l'accouchement :s'il est faux — tout au moins pendant une grossesse normale — que les cheveux soient plus fragiles, il est vrai qu'après l'accouchement, des jeunes mères perdent leurs cheveux. Je vous rassure tout de suite en vous disant que même lorsque la chute des cheveux est importante, et évidemment impressionnante, c'est un phénomène réversible : les cheveux repoussent toujours.
Cette chute des cheveux qui peut arriver deux mois ou deux mois et demi après l'accouchement ne doit donc pas vous inquiéter. Il faut seulement vous armer de patience : les cheveux repoussent à la cadence de 1 cm à 1 cm 1/2 par mois, il faut donc plusieurs mois pour qu'ils retrouvent leur longueur normale.

Les ongles

S'ils sont friables et cassants, il y a un traitement sans aucun danger pendant la grossesse qui consiste à prendre 6 grammes de gélatine par jour. Vous trouverez en pharmacie des gellules de gélatine (à prendre par la bouche).
Mais je vous signale que les ongles friables et cassants sont souvent dûs aux vernis qu'ils soient colorés ou incolores. Pour savoir si c'est le vernis qui est responsable de la fragilité de l'ongle, il n'y a qu'une méthode, c'est de supprimer les applications de vernis pendant six mois, temps qu'il faut pour que l'ongle entier se renouvelle. Si au bout de cette période l'ongle a retrouvé sa vigueur, c'était la laque qui était responsable de sa détérioration.

5.

Les malaises courants

Les trois périodes de la grossesse

Il y a des femmes qui disent ne jamais si bien se porter que lorsqu'elles attendent un enfant ; elles ne découvrent qu'elles sont enceintes que parce que leurs règles s'arrêtent, et leur grossesse se poursuit sans trouble ni malaise jusqu'à l'accouchement. Mais c'est quand même une minorité. Dans la plupart des cas, les modifications que la grossesse impose à l'organisme s'accompagnent de troubles ou malaises divers.

Il faut que vous les connaissiez pour être avertie et ne pas vous alarmer. Vous les signalerez, le cas échéant, au médecin qui vous donnera les conseils nécessaires pour les atténuer ou les faire disparaître.

Ces malaises varient en nature et en intensité avec le stade de la grossesse : ils apparaissent surtout au début et à la fin. De ce point de vue, la grossesse se divise en trois périodes.

La première est celle de l'**adaptation.** Cette période dure les trois premiers mois : la grossesse « s'installe », l'organisme s'adapte à son nouvel état. Il réagit plus ou moins vivement. Des troubles dits vago-sympathiques * peuvent apparaître, qui disparaîtront complètement vers le troisième mois dans la plupart des cas, mais ces troubles rendent parfois le début de la grossesse un peu pénible. Les nausées et les vomissements en sont l'exemple le plus fréquent.

La deuxième période est celle de l'**équilibre.** Elle s'étend jusqu'au septième mois : les corps de la mère et de l'enfant semblent parfaitement adaptés l'un à l'autre. Les troubles ont généralement cessé. L'utérus n'est pas encore assez volumineux pour être gênant. Les risques d'avortement sont réduits au minimum. C'est la période la plus agréable de la grossesse.

La troisième période de la grossesse, qui correspond au troisième trimestre, voit apparaître des troubles dûs à deux causes : d'abord au fait que l'enfant en se développant prend de plus en plus de place dans l'utérus, ce qui peut entraîner, par exemple, fatigue et varices ; ensuite au fait que l'organisme se prépare à l'accouchement : ainsi, par exemple, les modifications du bassin sont-elles souvent douloureuses.

Cette troisième période est celle de la **lassitude,** celle où l'on éprouve vraiment le besoin de se reposer. C'est pourquoi, souvent, les six semaines de repos prévues avant l'accouchement sont insuffisantes.

Je vais maintenant vous parler, l'un après l'autre, des troubles ou malaises qui peuvent survenir le long d'une grossesse. De toute façon, pour gênants et désagréables qu'ils puissent être, ils sont sans gravité et pour la mère et pour l'enfant.

*. C'est-à-dire provoqués par un déséquilibre du système vague ou du système sympathique. Voir l'explication de ces mots aux dernières pages du chapitre 8 : Le système neuro-végétatif.

Nausées et vomissements

Les malaises courants

Bien des futures mamans croient que grossesse et nausées sont synonymes. Or, si les nausées, parfois accompagnées de vomissements, sont fréquentes, elles ne se produisent quand même que dans cinquante pour cent des cas. Vous pouvez très bien être enceinte et n'avoir jamais mal au cœur. Les nausées apparaissent en général vers la troisième semaine, elles persistent rarement au-delà du quatrième mois.
Rien n'est plus variable, capricieux, fantasque, que les nausées et vomissements de la grossesse, qu'il s'agisse du moment où ils se produisent ou de la cause qui les provoque.
Les nausées surviennent souvent le matin à jeun, et disparaissent après le petit déjeuner ; mais elles persistent parfois pendant la matinée, ou même toute la journée.
Parfois les nausées surviennent sans raison ; parfois, au contraire, elles sont dues à des odeurs précises (tabac ou certains aliments), odeurs qui deviennent insupportables. Il arrive aussi que certains aliments, sans provoquer de nausées, inspirent seulement du dégoût.
Les nausées s'en vont souvent comme elles sont venues ; dans d'autres cas, elles ne s'arrêtent qu'après un vomissement, qui soulage : vomissement facile, sans effort, fait d'eau, de bile ou d'aliments, suivant l'heure de la journée.
Si je vous décris les divers cas qui peuvent se présenter, c'est pour que vous puissiez éventuellement y retrouver le vôtre.

Que faire lorsqu'on a des nausées ? Plusieurs précautions peuvent se révéler efficaces. A l'usage, vous trouverez celle qui vous convient.
Comme les nausées et les vomissements surviennent surtout quand l'estomac est vide, il est conseillé :

- de faire des repas moins abondants et plus fréquents, mais sans oublier pour ces petits repas les conseils donnés au chapitre 3 ;
- si possible de prendre son petit déjeuner au lit, puis de rester allongée un quart d'heure avant de se lever ;
- de manger à ce petit déjeuner un aliment protéiné : œufs, laitages (yaourts ou fromage), viande, etc...
- d'éviter les aliments difficiles à digérer tels que graisses cuites, chou, chou-fleur. C'est de toute manière une recommandation valable tout au long de la grossesse ;
- d'avoir une alimentation plus solide que liquide ;
- de boire de l'eau gazeuse, mais sans excès : car si elle facilite la digestion, elle augmente également l'appétit, et contient du sel, d'où risque de prendre trop de poids.

Si, malgré ces précautions, les nausées et vomissements persistent, il faut voir le médecin. Il existe de nombreux médicaments efficaces, mais qu'il ne faut pas prendre sans prescription.
Les nausées et vomissements disparaissent spontanément vers la fin du troisième mois. Lorsqu'ils persistent au-delà de cette date, ce n'est pas normal et il faut consulter le médecin : il cherchera alors une cause indépendante de la grossesse.

Je dois vous signaler, bien que le cas soit exceptionnel, que les vomissements deviennent parfois très fréquents et très abondants, et que la future mère ne peut plus avaler aucun aliment, ni solide, ni liquide. Son état général s'en ressent évidemment ; elle perd du poids et se déshydrate : elle a la langue et la peau sèches. Il faut bien évidemment consulter le médecin. Parfois, il prescrit une mesure qui surprend la malade ou sa famille : la mise en observation à l'hôpital ou à la clinique. Cette hospitalisation permet d'appliquer des traitements efficaces, tels que perfusions diverses par voie intraveineuse.
Cet isolement a, d'autre part, l'avantage de couper momentanément les ponts avec l'ambiance familiale, qui peut, dans de tels cas, avoir une action nocive, car souvent ces vomissements graves ont une cause psychique.
Avant d'en terminer sur ce sujet, je vous signale que parfois, en fin de grossesse, nausées et vomissements réapparaissent : pas plus qu'au début, ils ne doivent vous inquiéter.

Nausées
Brûlures
d'estomac

Salivation excessive

Au cours de la grossesse, la salivation est souvent abondante, sans qu'on puisse trouver une explication satisfaisante à ce phénomène. Cette salivation devient parfois si considérable qu'elle atteint un litre, ou même plus, par jour — c'est une véritable maladie qui s'appelle ptyalisme et qui gêne considérablement la femme obligée de déglutir et de cracher sans cesse.
Heureusement, le ptyalisme est beaucoup moins fréquent que les nausées. Si je vous en parle quand même, c'est pour que vous sachiez, le cas échéant, que rien d'anormal ne vous arrive, et qu'il faut prendre votre mal en patience, car, hélas, la plupart du temps, les traitements prescrits sont inefficaces. Mais sachez que cette salivation exagérée cesse en général vers le cinquième mois.

Aérophagie
Douleurs et brûlures d'estomac

La grossesse entraîne une certaine paresse de tous les muscles de l'appareil digestif, qu'il s'agisse de l'estomac, de l'intestin ou de la vésicule biliaire. En même temps, les sécrétions de certaines glandes dont le rôle est important dans la digestion (foie et pancréas) sont modifiées. Le résultat, c'est que très souvent la future mère a des digestions lentes et difficiles, qu'elle se sent lourde après les repas, qu'elle a des ballonnements, c'est-à-dire l'impression d'avoir le tube digestif plein d'air. A ces malaises s'ajoutent souvent des sensations d'aigreur, de brûlures, de douleurs au niveau de l'estomac.
Tout cela est évidemment peu confortable, souvent même désagréable, mais il y a certaines précautions efficaces à prendre pour atténuer ces différents malaises.
D'abord, il ne faut pas trop manger (très important). Puis, il faut éviter :

- les aliments trop riches,
- les aliments acides,
- les aliments qui fermentent (choux-fleurs, choux, légumes secs, haricots, asperges, fritures),
- les aliments difficiles à digérer, comme tous les plats en sauce.

Alors que manger?
Des grillades, des légumes verts bouillis assaisonnés de beurre ou d'huile non cuits, et des fruits.
Et faire plusieurs petits repas plutôt que les deux repas traditionnels.
Si vous souffrez de brûlures d'estomac, ne commettez pas une erreur fréquente qui consiste à prendre du bicarbonate de soude, ou un médicament qui en contient. Certes, ces médicaments soulagent sur le moment ; mais ils ont l'inconvénient majeur d'augmenter les sécrétions acides de l'estomac. Si vous souffrez vraiment, demandez plutôt conseil au médecin qui vous prescrira un médicament approprié.
Il arrive que certaines femmes se plaignent de régurgitations acides, de brûlures qui remontent de l'estomac vers la gorge et la bouche, le long de l'œsophage. Je vous signale que, dans ce cas, certaines positions sont défavorables : se pencher en avant ou être complètement allongée. Lorsque vous êtes au lit, mettez deux oreillers supplémentaires, pour dormir presque assise. Et, là encore, évitez le bicarbonate de soude ou tout médicament qui en contient.

Constipation

Elle est très fréquente au cours de la grossesse, même chez les femmes qui n'en ont jamais souffert auparavant.
Contrairement à ce qu'on croit en général, cette constipation n'est pas due au fait que l'utérus, en augmentant de volume, comprime l'intestin ; la meilleure preuve en est que la constipation apparaît souvent très tôt, avant que l'utérus ne soit assez développé pour exercer une compression quelconque. La constipation est vraisemblablement due à cette paresse des intestins dont je vous ai parlé plus haut.
Il est nécessaire de lutter contre la constipation : outre l'inconfort qu'elle entraîne, elle expose, en effet, à une infection urinaire.
Il y a plusieurs moyens de combattre la constipation :

- d'abord, il faut prendre de l'exercice physique. Souvent, une demi-heure de marche par jour suffit à régulariser les fonctions intestinales ;
- ensuite, bien sûr, il faut veiller à l'alimentation, manger suffisamment de légumes verts (notamment des salades et des épinards), de fruits (en particulier prunes, raisins et poires), prendre des laitages (tels que lait caillé et yaourts), manger du pain complet, remplacer le sucre par du miel ; les pruneaux crus, ou cuits sans ajouter de sucre, sont aussi très recommandés ;
- il faut se présenter à la selle régulièrement, même si vous n'en avez pas envie.

Ce qui est souvent efficace, c'est simplement de boire le matin au réveil un grand verre de jus de fruit frais — orange en hiver,

raisin en été —, et un quart d'heure après, prendre au petit déjeuner un mélange de café et de chicorée.
Je vous signale aussi l'All-Bran, céréale d'avoine, vendue dans les maisons de régime, que l'on peut mélanger à du miel et qui donne souvent d'excellents résultats.
Enfin, je vous recommande de boire plusieurs fois par jour de grands verres d'eau : le matin à jeun, et entre les repas.
Et les médicaments? Vous pouvez, sans crainte, essayer les suppositoires à la glycérine. Je vous signale aussi le Microlax, en usage externe, souvent plus efficace que les suppositoires à la glycérine.
Quant aux laxatifs, n'en prenez pas sans l'avis du médecin : certains sont très puissants et risquent d'irriter l'intestin.
Le meilleur traitement, c'est d'associer des mucilages* donnés au repas du soir, et une huile minérale (du type parafine) prise au coucher. Le traitement, prescrit par le médecin, peut être prolongé autant que nécessaire.

Hémorroïdes

Ce sont des varices des veines du rectum et de l'anus. Elles forment des excroissances douloureuses, plus ou moins tendues, qui peuvent donner une pénible impression de démangeaison. Elles apparaissent surtout pendant la deuxième moitié de la grossesse. Lors de l'émission des selles, il est possible que les hémorroïdes saignent.
Si vous aviez des hémorroïdes, il faudrait aussitôt les signaler au médecin : il vous donnerait un traitement simple qui éviterait qu'elles ne s'aggravent.
Ce traitement comprend habituellement :
- la lutte contre la constipation qui aggrave les hémorroïdes ;
- des soins locaux de propreté rigoureuse, pouvant comprendre des bains de siège avec un produit désinfectant ;
- des applications locales de pommade et des suppositoires à base de rutine, d'héparine et d'hydrocortisone.

Je vous signale que, même avec un bon traitement, les hémorroïdes risquent de s'aggraver dans les jours qui suivent l'accouchement. Puis elles disparaissent, du moins en grande partie.

Varices

Comme vous le savez, les varices résultent d'une dilatation anormale des parois des veines. Elles apparaissent surtout dans la deuxième moitié de la grossesse, et hélas, ont tendance à s'aggraver à chaque grossesse.
A l'origine des varices, on retrouve essentiellement trois causes :
- d'abord, une mauvaise qualité du tissu qui constitue la paroi des veines. Cette mauvaise qualité est malheureusement héréditaire ;
- puis, le fait de rester longtemps debout, ce qui est le cas dans certaines professions ;
- enfin, la grossesse elle-même joue un rôle en distendant anormalement les parois des veines.

* Extraits de végétaux.

Les varices peuvent s'accompagner de troubles très variés : sensation de pesanteur, de chaleur, de gonflement, de tension plus ou moins douloureuse des jambes. Parfois, les varices donnent des fourmillements ou des crampes. Ces troubles sont accentués par la station debout, par la fatigue, par la chaleur. Et ils sont évidemment plus importants en fin de journée.
Il est très rare que les varices se compliquent au cours de la grossesse. Les modifications de la pigmentation (couleur) de la peau, de même que le classique ulcère variqueux, ne se voient que dans les varices très anciennes, et sont exceptionnelles chez les femmes en âge d'être enceintes. La phlébite superficielle, au niveau d'une varice, est également très rare. Elle est caractérisée par l'apparition assez brutale de douleurs et de modifications de la varice (gonflement, rougeur, chaleur).
Enfin, l'exceptionnelle hémorragie par rupture de varice n'est pas grave. Une seule chose à retenir à son sujet : il ne faut pas placer de garrot, mais exercer une compression sur le point qui saigne.
En règle générale, on peut dire que, hormis le souci esthétique immédiat — et plus encore lointain —, les varices n'ont pas de caractère de gravité. Après l'accouchement, elles disparaissent, au moins en partie. Mais elles ont tendance à réapparaître, et surtout à disparaître moins complètement, lorsqu'il y a d'autres grossesses.

Peut-on prévenir les varices ?

Dans une certaine mesure, on peut prévenir l'apparition des varices en prenant diverses précautions, qui ont toutes le même but : faciliter la circulation du sang dans les veines des jambes. Je vous indique le but à atteindre pour que vous compreniez bien les précautions à prendre.

- Evitez de rester debout trop longtemps : certains travaux professionnels et les travaux de ménage sont donc en cause. Dans le premier cas, il faut, avec un certificat médical, que vous obteniez de pouvoir vous asseoir de temps en temps ; dans le second, il faut, quitte à sacrifier un peu le ménage, faire assise les travaux que vous aviez l'habitude de faire debout, dans toute la mesure du possible ;
- prenez l'habitude de marcher une demi-heure par jour, bien chaussée, en évitant les talons trop hauts. Je vous rappelle que, même sans penser au risque de varices, la marche est de toute façon le meilleur exercice pendant la grossesse ;
- évitez ce qui peut comprimer les veines, chaussettes ou bottes trop serrées par exemple.
- dormez les jambes un peu surélevées, en mettant sous les pieds de votre lit deux cales en bois. Vous pouvez aussi mettre sous vos pieds un oreiller ou un coussin ;
- évidemment, si vous en avez la possibilité, je vous conseille également de vous étendre dans la journée quand vous avez un moment, avec les jambes surélevées ;

• enfin, je vous signale que les massages énergiques des jambes sont contre-indiqués ; de même les douches au jet.
Toutes ces précautions sont destinées à prévenir les varices. Evidemment, elles deviennent d'autant plus nécessaires si des varices sont déjà apparues. En ce cas, il faut, en plus :
• éviter de se tenir près d'une source de chaleur, radiateur, poële ou cheminée, car la chaleur gonfle les veines ; pour la même raison, les bains de soleil sont contre-indiqués ;
• éviter les bains trop chauds ou trop froids : l'idéal est l'eau à la température du corps ;
• porter des bas ou collants spéciaux que vous trouverez dans le commerce et qui vous soulageront. Mais je vous signale qu'il y a deux sortes de bas : les bas dits « de maintien » (tel que Veinophil), à 36 F environ, et les « bas à varices » en gomme et rilsan, qui coûtent d'ailleurs beaucoup plus cher, de 80 à 150 F. Les seconds, assez inesthétiques, ne sont à porter que dans les cas de varices très importantes. Certains de ces bas sont remboursés par la Sécurité sociale. Renseignez-vous.

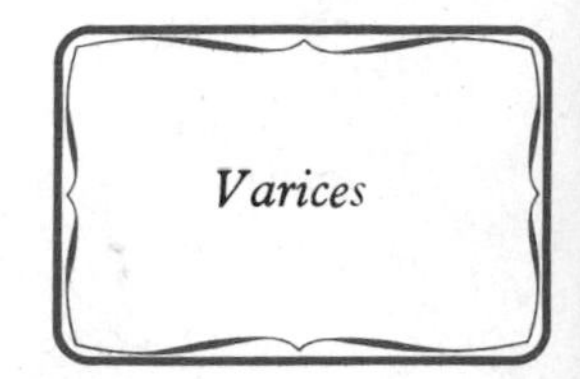

Détail pratique mais qui a son importance : il est recommandé de mettre ses bas — et de les ôter — en étant allongée, car dans cette position, les veines sont moins gonflées.
Et si vous vous reposez dans la journée, ôtez vos bas tant que vous restez étendue.

Et les médicaments ? Ils ont peu d'action sur la constitution des varices elles-mêmes. En revanche, ils peuvent être efficaces contre les troubles entraînés par les varices : pesanteur, chaleur, lourdeur, etc. Ces médicaments sont à base de vitamine P, et d'extrait de marron d'Inde.

Quant aux traitements beaucoup plus actifs, destinés à supprimer les varices (par injections locales ou intervention chirurgicale), il ne saurait en être question pendant la grossesse. D'abord parce que ces traitements risquent d'être dangereux. Ensuite, parce que, spontanément, les varices disparaissent plus ou moins complètement après l'accouchement. C'est à ce moment-là que vous verrez avec le médecin ce qu'il y a lieu de faire. Les interventions sont en général entreprises entre trois et six mois après le retour de couches.

Au cours de la grossesse, il n'est pas rare de voir, associées aux varices ou précédant leur venue, des dilatations beaucoup plus fines, rosées, rouges, ou bleu-violet, dues à la dilatation de vaisseaux capillaires. Ces dilatations qui forment, ou un fin réseau chevelu, ou même une véritable plaque, disparaîtront au moins en grande partie après l'accouchement.

Varices vulvaires

Enfin, chez certaines femmes, on peut voir apparaître des varices au niveau des organes génitaux externes. Souvent très importantes et spectaculaires, ces varices vulvaires peuvent être cause de douleurs à la marche ou lors des rapports sexuels qui doivent être modérés et prudents. Ces varices disparaissent complètement après l'accouchement sans jamais laisser de séquelles.

En attendant, il n'y a pas de traitement à faire, sauf des soins locaux qui peuvent apporter un certain soulagement :

- bains de siège froids,
- application de crème à l'oxyde de zinc.

Sécher en tapotant et sans frotter, puis, talquer modérément à sec.

Troubles urinaires

Le fonctionnement des reins n'est guère modifié pendant la grossesse, mais la présence de l'enfant leur impose un surcroît de travail. C'est pourquoi une insuffisance rénale ignorée avant la grossesse peut se révéler à ce moment-là. C'est dire combien il est important de faire à intervalles réguliers et répétés des analyses d'urines.
Quant à la vessie, souvent elle manifeste sa présence d'une manière tyrannique, surtout au début et à la fin de la grossesse : la femme enceinte ressent une envie fréquente d'uriner, beaucoup plus souvent qu'en dehors de la grossesse.
Ce phénomène s'explique au début parce que la vessie subit l'influence des hormones sécrétées en quantité importante ; à la fin, parce que la tête de l'enfant appuie sur la vessie.
Contre cet ennui, il n'y a rien à faire, seulement éviter de boire trop le soir pour ne pas être dérangée la nuit.
Si vraiment cette envie fréquente d'uriner devenait trop gênante, parlez-en au médecin : il vous donnera des médicaments antispasmodiques, souvent efficaces.

Avec la deuxième ou la troisième grossesse, apparaît parfois une incontinence d'urine. Elle peut être modérée : difficulté à retenir les urines, ou beaucoup plus importante : impossibilité de se retenir, notamment quand on éternue ou que l'on tousse. Ce symptôme fort désagréable est dû à l'insuffisance du système de fermeture de la vessie. Ce phénomène est habituellement la conséquence des accouchements antérieurs. Cette incontinence d'urines disparaît après l'accouchement. Mais après plusieurs grossesses, elle risque de devenir plus ou moins permanente. Dans ce cas, seule une intervention chirurgicale peut guérir cette incontinence.

Vergetures

Ce sont de petites stries en forme de flammèches, de couleur rosée. Elles apparaissent chez 75 % des futures mères, vers le cinquième mois de la grossesse, sur le ventre et sur les cuisses,

mais parfois aussi sur les seins. Après l'accouchement, les vergetures deviennent peu à peu blanc nacré.
Les vergetures sont dues à une destruction des fibres élastiques de la peau. On croit en général que les vergetures n'apparaissent que chez les femmes, et que cette perte d'élasticité de l'épiderme est due à la distension mécanique de la peau pendant la grossesse. Or les vergetures ne sont pas rares chez les hommes, et la peau d'un adolescent ou d'une adolescente peut être distendue à l'extrême sans qu'apparaissent de vergetures.
On a tout lieu de croire que les vergetures sont dues à l'action de la cortisone sécrétée par les glandes surrénales. En effet, ces glandes sont particulièrement actives au troisième trimestre de la grossesse.

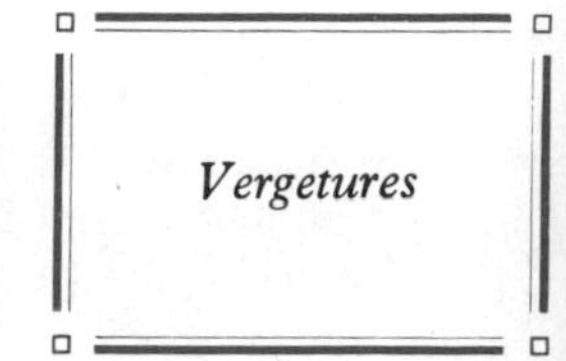

Mais connaître le mécanisme probable de la formation des vergetures ne permet pas de les empêcher. Tout ce qu'on peut conseiller pour éviter le développement des vergetures, c'est de ne pas prendre trop de poids. En effet, l'action de la cortisone, responsable des vergetures, semble facilitée par la trop grande distension des tissus due à une prise de poids excessive.
Bien sûr, vous entendrez dire qu'on peut prévenir les vergetures en massant la peau avec une crème à base de vitamines ou de liquide amniotique. Je ne voudrais pas vous décevoir, mais il n'y a guère de résultat à attendre de ces crèmes.
Quant à supprimer les vergetures constituées, je ne puis, hélas, être plus optimiste : il est impossible de les supprimer, même par la chirurgie esthétique. Nul moyen ne peut rendre à la peau son élasticité.
Pour les vergetures sur lesquelles on lit tant de textes faussement prometteurs, retenez donc ceci : on ne peut les empêcher, ni les supprimer ; la seule chose certaine c'est qu'une trop grosse prise de poids favorise leur développement.

Démangeaisons

Certaines jeunes femmes souffrent dans la deuxième moitié de la grossesse, et surtout à partir du huitième mois, de démangeaisons. Parfois sur tout le corps, mais plus souvent au niveau de l'abdomen. En général, les démangeaisons ne sont pas accompagnées d'éruptions, mais elles peuvent être très intenses, et entraîner des lésions dues au grattage quand la femme ne peut pas s'empêcher de se gratter.
Le médecin pourra indiquer un traitement si l'irritation est trop forte.
Si la démangeaison est associée à une éruption, il est recommandé de voir un médecin.

Pertes blanches

Vous savez peut-être que la peau est faite de cellules disposées en couches et que, sans cesse, tout au long de la vie, les cellules de la surface vieillissent, meurent et sont éliminées puis remplacées par des cellules jeunes. Ce phénomène continu, qu'on appelle la desquamation, n'est pas visible à l'œil nu (sauf, par exemple, après un coup de soleil).

La muqueuse du vagin est faite comme la peau : sans cesse, des cellules se détachent et sont éliminées. Mais pendant la grossesse, sous l'influence des hormones sécrétées en grande quantité par les ovaires et le placenta, la desquamation des cellules devient beaucoup plus importante. Elles forment un enduit blanchâtre, grumeleux qui est tout à fait normal, et ne doit donc pas vous inquiéter.

Les malaises courants

Ces pertes blanches banales ne doivent pas être confondues avec les pertes généralement plus abondantes, souvent de couleur différente (jaunâtres ou verdâtres), volontiers accompagnées de démangeaisons ou de brûlures locales et qui sont les témoins d'une infection (vaginite ou vulvo-vaginite).

Le diagnostic de cette infection sera fait par le médecin qui demandera parfois un prélèvement. Celui-ci montrera habituellement la présence d'un champignon (mycose-candida albicans) ou d'un parasite (trichomonas).

Le traitement est essentiellement local sous forme d'ovules ou de comprimés gynécologiques. Un traitement général est rarement nécessaire. Par contre les récidives ne sont pas rares au cours de la grossesse.

Tendances aux syncopes et aux malaises

La circulation du sang est modifiée pendant la grossesse : la quantité totale de sang augmente, un nouveau circuit est créé pour alimenter le placenta, les battements du cœur s'accélèrent, etc., etc.

Un cœur normal fournit sans peine ce travail supplémentaire ⋆. Et ne croyez pas que les différents malaises que vous pourrez ressentir soient d'origine cardiaque. Ces malaises peuvent aller de la simple sensation de « tête qui tourne », au grand malaise profond et très désagréable : sensation de perte imminente de connaissance, accompagnée de sueurs froides.

Ces malaises n'ont aucun caractère de gravité. Ils sont d'origine nerveuse, car la grossesse retentit toujours plus ou moins sur l'état du système nerveux. (Voir au chapitre 8 le système neuro-végétatif.)

Au moment du malaise, allongez-vous, les pieds surélevés, de manière que le sang afflue vers la tête.

⋆. Par contre, les femmes ayant une maladie cardiaque voient leurs malaises s'aggraver, d'où la nécessité d'une surveillance médicale toute particulière pendant la grossesse.

Pour éviter ces malaises, ne restez pas à jeun le matin, évitez les brusques variations de température, ou le séjour dans un local trop chauffé. Si ces malaises sont fréquents et que vous conduisiez une voiture, arrêtez-vous dès que vous les sentez venir, c'est plus prudent.
A la fin de la grossesse, certaines femmes lorsqu'elles sont couchées sur le dos, se sentent au bord de la syncope. Pour faire disparaître ce malaise spectaculaire, mais sans gravité, il suffit de se coucher sur le côté, ou de s'asseoir à moitié en se calant par des oreillers. Ce malaise très particulier est dû à la compression par l'utérus de la veine cave inférieure, gros vaisseau qui ramène au cœur le sang veineux de toute la partie inférieure du corps.
Pour désagréables et impressionnants qu'ils soient parfois, ces troubles n'ont aucune conséquence ; mais, s'ils se reproduisent trop souvent, il faut en parler au médecin.

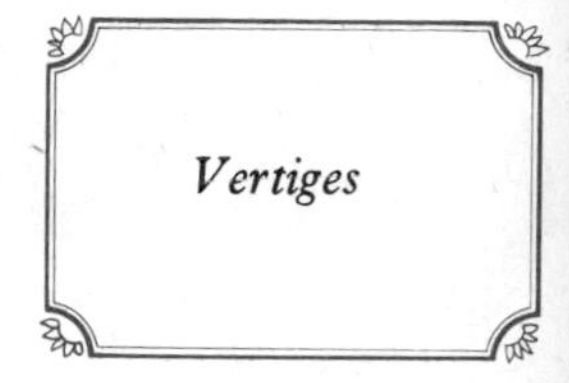
Vertiges

L'essoufflement

Souvent dans la deuxième moitié de la grossesse, la future mère est facilement essoufflée. Monter un étage est pour elle une épreuve. Cette difficulté à respirer s'explique par le fait que l'utérus, en augmentant de volume, repousse la masse abdominale vers le haut et diminue ainsi le volume de la cage thoracique : la future maman a donc moins de place pour respirer. Elle a l'impression d'étouffer. Cette sensation disparaîtra d'ailleurs lorsque l'enfant descendra pour s'engager dans le bassin.
Pour ne pas souffrir de ce malaise, qui s'accentue surtout au cours des deux derniers mois, il faut réduire le plus possible vos efforts physiques. Si cette difficulté à respirer devenait trop grande, il faudrait consulter le médecin. Il examinerait votre cœur et vous prescrirait peut-être un calmant qui, par son action sédative, vous permettrait de mieux respirer.
Enfin, si vous avez la sensation d'étouffer, voici un bon exercice : couchée sur le dos, jambes pliées, inspirez en levant les bras au-dessus de la tête. Ce mouvement amène une extension de la cage thoracique. Puis expirez en ramenant les bras le long du corps. Faites ainsi plusieurs respirations lentes et régulières jusqu'à ce que vous ayez retrouvé votre souffle.

Les douleurs

La grossesse, par les modifications qu'elle entraîne dans tout l'organisme, peut provoquer des douleurs, douleurs se situant à différents niveaux, de natures assez variées, et se produisant à différentes époques suivant le développement de l'enfant dans l'utérus. Il est normal que, le corps s'adaptant à la grossesse, puis se préparant à l'acouchement, tout ce travail ne puisse se faire en silence, et que vous en ressentiez parfois les effets.

Les malaises courants

Parlons d'abord de la région du bassin. Au début de la grossesse, certaines femmes éprouvent une sensation de tiraillement ou de pesanteur au niveau du bassin, douleurs qu'elles comparent à celles des règles, et qui sont plus intenses lorsque l'utérus est rétroversé (c'est-à-dire lorsqu'il est basculé en arrière vers le rectum). Ces douleurs ne doivent absolument pas vous inquiéter.

En revanche, des douleurs très violentes situées dans la même région et se produisant également au début de la grossesse, peuvent être le signe d'une menace d'avortement ou d'une grossesse extra-utérine. Ces douleurs doivent être aussitôt signalées au médecin.

Par la suite, le développement de l'utérus peut entraîner des douleurs dues à la distension des ligaments. Ces douleurs sont situées au niveau de l'aine (c'est-à-dire à la jonction de la cuisse et du bassin).

A la fin de la grossesse, lorsque le bassin se prépare à l'accouchement, ses articulations se relâchent peu à peu. Ce relâchement est parfois très douloureux. La femme le ressent surtout lorsqu'elle fait des efforts, ou lorsqu'elle marche. La douleur peut s'étendre de façon désagréable jusqu'à la vessie et au rectum. Pour la soulager, il n'y a guère que le repos, ou un sédatif qui sera prescrit par le médecin.

Parlons maintenant des jambes. Là, les douleurs sont fréquentes. Elles sont évidemment plus importantes lorsqu'il y a des varices.

Parfois, la douleur est ressentie comme une sciatique, c'est-à-dire qu'elle se manifeste à la face postérieure des jambes et des cuisses. Cette douleur est souvent tenace, elle est difficile à soulager. Un traitement à base de vitamines B est parfois efficace.

Et, à partir du cinquième mois, des **crampes** dans les jambes et les cuisses peuvent survenir, mais presque exclusivement la nuit. Ces crampes sont parfois si intenses qu'elles réveillent la future mère. Que faire?

Lorsque vous souffrez d'une crampe, levez-vous et massez votre jambe. Si vous avez quelqu'un avec vous, demandez-lui de soulever votre jambe et de la lever assez haut. Vous essaierez de tendre votre pied dans le prolongement de la jambe, pendant que la personne qui vous tient la jambe forcera en sens inverse pour maintenir le pied perpendiculaire à la jambe. Après la crampe, faites quelques pas.

Les crampes sont souvent dues à un manque de vitamines B. Voyez au chapitre 3 quels aliments en contiennent. Le médecin pourra également vous prescrire une préparation à la base de vitamines B, traitement souvent couronné de succès.

Passons aux bras. Là aussi, mais en fin de grossesse, des douleurs peuvent être ressenties : le bras semble lourd et contracté, ou plein de fourmillements.

Ces douleurs apparaissent surtout à la fin de la nuit, lorsqu'on dort les bras sous la tête ou sous l'oreiller.

Voici deux mesures efficaces :

- la nuit, dormez les épaules surélevées par deux oreillers ;
- le jour, évitez les gestes qui tirent sur les épaules, tels que

porter des objets très lourds, laisser pendre les bras le long du corps.
Ces douleurs sont la conséquence de compressions nerveuses dues aux modifications de la colonne vertébrale qu'entraîne la grossesse. Lorsque les douleurs deviennent trop intenses, un sédatif indiqué par le médecin peut les soulager.

Le thorax : des douleurs peuvent être ressenties au niveau du thorax : soit en arrière, le long de la colonne vertébrale, soit entre les côtes, comme des névralgies, soit enfin dans la région du foie. Quelle est la raison de ces douleurs ? Une certaine décalcification due à la grossesse, une distension de la cage thoracique ? Rien n'est sûr. Toujours est-il que ces douleurs peuvent être atténuées par un sédatif que prescrira le médecin.

Douleurs
Insomnies

Mal aux reins : enfin, de nombreuses femmes enceintes se plaignent d'avoir « mal aux reins ». En fait, il s'agit de douleurs de la colonne vertébrale qui sont habituellement en rapport avec une exagération de sa courbure normale (vous avez pu remarquer que, surtout à la fin de la grossesse, les femmes enceintes sont très « cambrées »). Ces douleurs sont plus intenses le soir, ou lorsque la femme est fatiguée, ou, enfin, après une station debout prolongée, d'où leur plus grande fréquence dans certaines professions. Elles n'ont aucun caractère de gravité. Elles sont parfois améliorées par le port d'une ceinture de grossesse ; elles peuvent également l'être par les exercices indiqués page 254.

Troubles du sommeil

Le sommeil peut, lui aussi, être perturbé par la grossesse. Au début, la future mère ressent souvent un irrésistible besoin de dormir qui peut même la gêner pendant la journée. A la fin, au contraire, elle perd le sommeil dans la deuxième moitié de la nuit. Cette insomnie de la fin de la grossesse est due au fait que le bébé remue de plus en plus, et à l'augmentation des crampes et douleurs variées dont je vous ai parlé plus haut, et qui sont fréquentes à cette époque.
Comment lutter contre cette insomnie qui risque d'accentuer la fatigue ressentie à la fin de la grossesse ? Quelques moyens simples sont souvent efficaces :

- faire le soir un repas léger,
- éviter les excitants tels que thé et café,
- faire une petite promenade avant le dîner,
- prendre un bain tiède avant de se coucher,
- boire au moment de se mettre au lit une tasse de lait sucré, ou de tilleul, ou prendre un verre d'eau sucrée auquel vous ajouterez trois cuillerées d'eau de fleur d'oranger.

Si aucun de ces moyens n'est efficace, demandez au médecin un médicament pour dormir. Pris à dose normale, et sur prescription médicale, un somnifère ne peut avoir de conséquence fâcheuse ni sur la grossesse, ni sur le bébé.
L'insomnie est parfois due à la crainte de l'accouchement qui s'approche. Si c'est votre cas, parlez-en au médecin qui vous rassurera et vous conseillera utilement. Garder pour soi ses

craintes ne fait que les renforcer. Or, la tranquillité d'esprit, le calme sont parmi les conditions nécessaires d'un bon accouchement.

Troubles du caractère

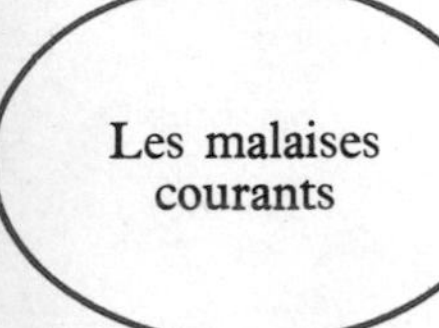

Pour terminer, je dois vous signaler que de nombreuses femmes voient leur caractère changer pendant la grossesse : elles deviennent irritables, anxieuses ou très émotives. Malgré leur joie d'attendre un enfant, elles s'étonnent d'avoir des idées moroses. Il peut y avoir de nombreuses raisons à ces modifications du caractère : peur des changements qu'entraîne dans toute famille une naissance, angoisse d'avoir un enfant anormal, peur de l'accouchement.

Vous rassurerai-je en vous disant, si vous éprouvez de telles craintes, qu'elles sont compréhensibles, surtout si c'est la première fois que vous attendez un enfant ? Tout est encore inconnu pour vous, tout vous semble mystérieux dans ce qui se passe et dans votre corps et dans votre esprit.

Confiez-vous à votre mari, il vous aidera à surmonter vos craintes. J'ai d'ailleurs écrit pour lui un chapitre qui se trouve à la fin de ce livre, et où je lui explique ce que vous ressentez, et ce qu'il peut faire pour vous.

Et puis vous pouvez parler au médecin, ou à la sage-femme. Ils sont là pour vous expliquer ce que vous ne comprenez pas, pour vous rassurer sur ce qui vous inquiète, pour vous soulager si vous éprouvez différents malaises irritants.

De toute façon, si vous vous sentez nerveuse et irritable au début de votre grossesse, dès que cet enfant vous le sentirez remuer, dès que sa présence se manifestera d'une manière tangible, vous serez apaisée : vous verrez.

Voici donc terminée la liste des malaises courants que peut provoquer une grossesse. Cette liste vous semblera peut-être longue, mais rien ne dit que vous éprouviez un ou plusieurs de ces troubles. Je vous l'ai déjà dit, il y a des femmes qui traversent leur grossesse sans la moindre gêne, pendant que d'autres vont de vomissements en nausées, et de nausées en douleurs variées. Ces différences correspondent d'ailleurs souvent à des différences de tempérament.

De toute façon, avertie de ce qui peut vous arriver, vous saurez au moins dans quels cas le médecin peut vous soulager, et dans quels cas il n'y a rien d'autre à faire que d'attendre que le temps passe.

Je ne dis pas cela pour vous pousser à la résignation ou au fatalisme, mais vous l'avez vu dans les pages qui précèdent, certains troubles sont liés à un certain stade de la grossesse, et disparaissent sans autre intervention lorsque ce stade est dépassé.

6.

La surveillance médicale de la grossesse

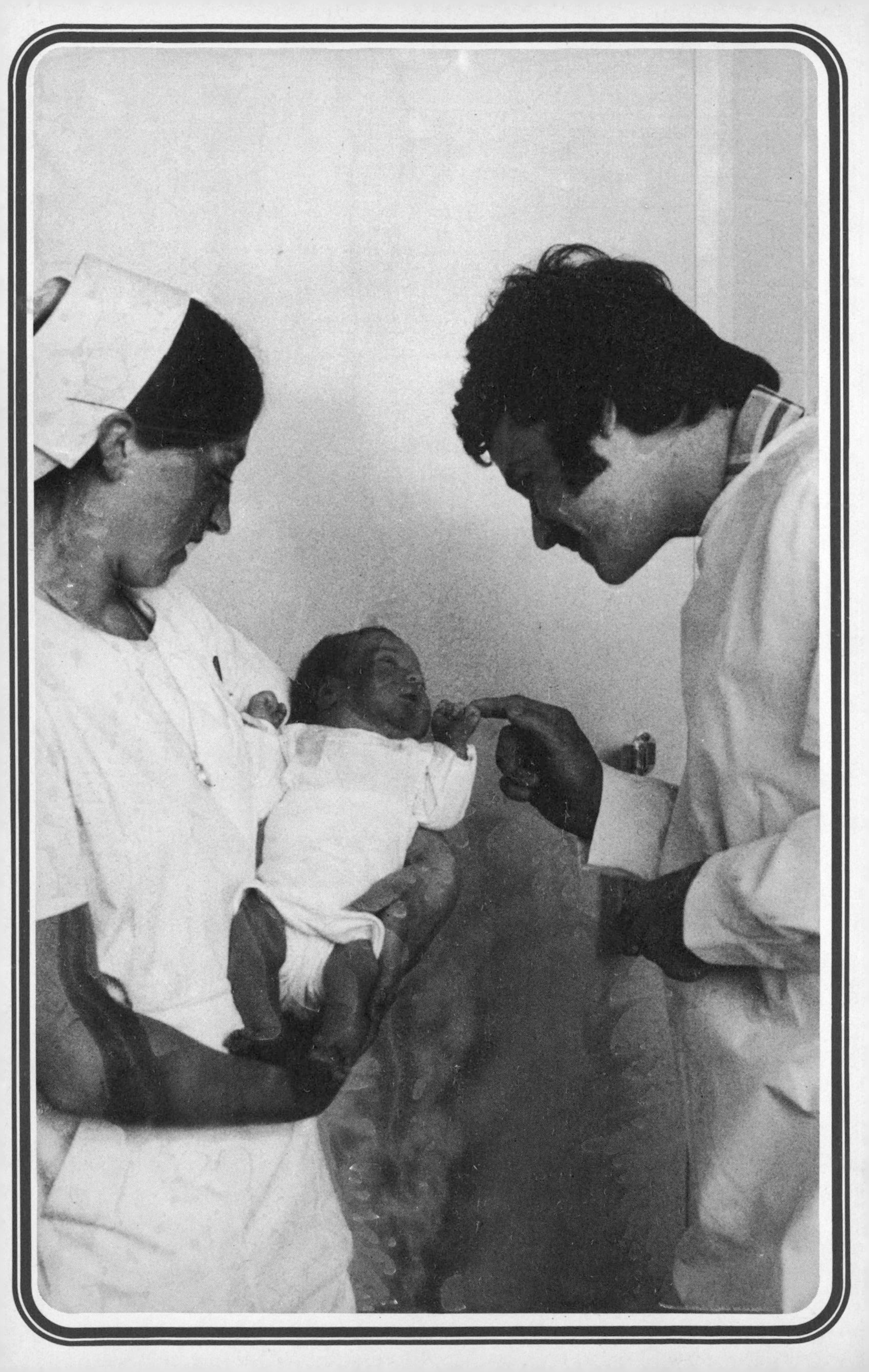

La surveillance médicale de la grossesse

Il est d'usage quand on s'adresse dans un livre — ou dans un magazine — à de futurs parents, de s'appliquer à être rassurant, à éviter tout ce qui pourrait inquiéter, choquer, traumatiser. Ce faisant, on veut consciemment ou non, supprimer ou ignorer les craintes des futurs parents. Mais le silence ne supprime pas les faits. Ici, dans ce livre, j'essaie de vous être utile. Or, on ne peut remplir le rôle de « service public » auprès des futurs parents, à notre époque, sans faire allusion à certains risques de la grossesse. Et cela me mènera tout naturellement à vous parler des raisons qui obligent une future mère à faire surveiller sa grossesse par le médecin.

Chaque jour, il y a des enfants qui meurent pendant la période périnatale, celle qui va de la 28e semaine de la grossesse au 6e jour après l'accouchement. Et chaque jour, il y a des enfants qui naissent handicapés.

Je suis sûre qu'il y a des gens qui penseront : comment peut-on rappeler cela à une future mère ? Ce serait cruel, en effet, s'il n'y avait rien à faire pour éviter ces accidents. Or ce n'est pas le cas. Très souvent l'origine de ces accidents qui se produisent à la période périnatale se situe bien plus tôt dans la grossesse : ils auraient pu être évités si la grossesse avait été convenablement surveillée. N'est-ce pas important de le dire à une future mère ? N'est-il pas indispensable de l'avertir des risques que par simple négligence elle pourrait faire courir à son enfant, ou à elle-même parfois ? Ne vaut-il pas mieux savoir cela *avant* qu'*après ?*

Je reçois régulièrement des lettres, et depuis des années. Beaucoup de femmes demandent plus de détails médicaux, d'ailleurs si je m'y laissais prendre, mon livre doublerait de volume et deviendrait un vrai dictionnaire.

En général, on ne me reproche pas d'inquiéter lorsque je parle des risques de la grossesse. Mais s'il arrivait qu'une lectrice soit choquée par ma franchise, je lui réponds d'avance ceci :

la France est le seul pays que je connaisse où l'on offre une prime aux futures mères pour les inciter à passer des visites prénatales. Cela n'empêche pas que plus de 15 % des femmes arrivent à leur accouchement sans avoir été régulièrement suivies, certaines sans avoir même jamais vu un médecin. Le résultat, et c'est normal : les accidents et au moins 50 % des prématurés se recrutent le plus souvent chez les femmes négligentes.

Bien sûr, si nous considérons l'ensemble des futures mères, dans l'immense majorité (90 % des cas), tout se passe sans aucun problème, et pour la grossesse et pour l'accouchement. Mais comment savoir à l'avance si la femme qui vous lit est dans la majorité ou fait partie des quelques cas qu'il faut surveiller de plus près ? Un seul moyen : avertir *toutes* les futures mères.

Notre époque veut des femmes conscientes, responsables, solidaires. Quelle meilleure occasion pour montrer sa solidarité que d'accepter la vérité dans l'intérêt de toutes?
Mais venons-en plus précisément à l'objet de ce chapitre : la surveillance médicale de la grossesse.
Je vous parlerai d'abord de la surveillance habituelle qui doit être celle de toute femme enceinte. Ensuite, nous envisagerons les cas particuliers où des examens spéciaux sont nécessaires.
Cette surveillance est, bien sûr, l'affaire du médecin* ou de la sage-femme, mais comprenez qu'ils ne pourront l'exercer convenablement que si vous y participez. Si vous ne suivez pas les conseils de régime alimentaire, de traitement ou de repos qui vous sont donnés, cela ne servira évidemment à rien de consulter qui que ce soit.

La surveillance habituelle de toute femme enceinte

Elle a pour but — c'est évident — de s'assurer que votre grossesse évolue normalement. Toutefois ses objectifs sont un peu différents selon l'âge de la grossesse.
En France, il y a 4 examens obligatoires. Ils se situent avant la fin du troisième mois de grossesse, dans le cours du sixième mois, dans les quinze premiers jours du huitième mois, dans les quinze premiers jours du neuvième mois.
(Je vous donne tous les détails pratiques sur ces examens dans le *Mémento pratique*.)
Ces examens constituent le strict minimum indispensable, et sont, dans la plupart des cas, notoirement insuffisants, même si la grossesse semble se dérouler normalement. Il serait souhaitable en fait que vous soyez examinée tous les mois jusqu'à sept mois, et tous les quinze jours les deux derniers mois.
Et bien évidemment, en présence d'un symptôme anormal, apparaissant entre les examens, vous consulterez le médecin sans attendre le prochain examen obligatoire.
La femme qui aura eu une grossesse sans le moindre incident ou problème et un accouchement parfait en ayant vu le médecin seulement deux fois, va trouver que ces recommandations sont bien excessives. Bien sûr tous les cas peuvent se présenter, et même un accouchement impeccable après une grossesse où on n'a vu personne. Mais on n'a pas le droit de prendre un risque à l'époque où la prévention a fait de tels progrès, et où un incident absolument mineur non décelé peut avoir des conséquences graves.
Voyons maintenant de plus près le contenu et l'objectif des 4 examens obligatoires.

Le premier examen

Cet examen doit être fait par un médecin, alors que les autres examens prénataux peuvent être faits par une sage-femme.

* Médecin homme ou femme bien sûr, mais là encore, le français nous trahit, il faut toujours employer le masculin même lorsque la profession est exercée par une femme, c'est d'autant plus regrettable aujourd'hui où il y a un nombre grandissant de futures mères qui désirent être suivies par une femme médecin.

Il a pour but :

- de confirmer l'existence de la grossesse comme nous l'avons vu dans le premier chapitre ;

- d'en vérifier le caractère normal à son début (absence de douleurs et de pertes de sang, développement normal de l'utérus) ;

- de tenter de prévoir, autant que faire se peut, le déroulement futur de cette grossesse.

Le médecin commencera par vous interroger pour recueillir un certain nombre de renseignements.

La surveillance habituelle

L'âge d'une femme enceinte n'est pas sans importance. Vous savez qu'il existe un âge optimum pour être enceinte. On peut le situer approximativement entre 20 et 35 ans. Les très jeunes femmes (au-dessous de 20 ans et surtout de 18 ans) semblent plus exposées que d'autres à certains accidents tel l'accouchement prématuré. Après 35 ans, au contraire, augmentent les risques de maladies associées à la grossesse (maladie cardiaque ou rénale, diabète par exemple) et ceux de malformations de l'enfant.

Les antécédents généraux sont également importants à préciser. N'omettez pas de signaler au médecin toutes les maladies que vous avez eues, surtout si elles ont été graves ou si vous êtes encore sous traitement. Signalez également l'existence des maladies héréditaires familiales.

Les antécédents gynécologiques et obstétricaux pourront également, dans certains cas, inciter à une surveillance plus attentive de la grossesse. Ainsi, n'hésitez pas à dire si vous avez subi un avortement, quelle qu'en ait été l'origine.

Si votre couple a été longtemps stérile, et cette stérilité traitée, il est évident que cette grossesse est tout particulièrement précieuse.

La survenue d'accidents et de complications lors des grossesses ou accouchements précédents peut conduire à une surveillance et à des examens particuliers (voir plus loin « Les grossesses à risques »). En revanche, si vos grossesses et accouchements ont été normaux, tout permet de penser qu'il en sera de même pour cette nouvelle grossesse. Cela ne doit pas cependant vous donner un sentiment de fausse sécurité et vous pousser à la négligence : cette grossesse devra être surveillée aussi bien que les autres. Elle devra même être plus suivie si vous attendez votre 4e enfant (voir p. 108).

Les conditions sociales et économiques jouent indiscutablement un rôle dans l'évolution de la grossesse. Les conditions de travail (fonction, horaires), l'éloignement du domicile, le mode de transport devront être précisés. Même si vous ne travaillez pas à l'extérieur, la présence de plusieurs enfants à votre foyer, l'absence d'aide domestique, peuvent être source importante de fatigue.

Les habitudes de vie, habitudes alimentaires, quantité de cigarettes fumées chaque jour, sorties fréquentes, etc...

A cet interrogatoire succéderont un examen gynécologique et un examen général qui comprend la mesure de la taille, du poids, de la tension artérielle, etc. Il est également prévu à cette période de faire pratiquer : un examen des urines pour y rechercher la présence de sucre et d'albumine, et une prise de sang qui va permettre :

- de vérifier l'absence de syphilis ;
- de préciser le groupe sanguin. Il est prévu lorsque celui-ci est déjà connu de pratiquer une vérification. Ceci est tout à fait à conseiller en raison de la possibilité d'erreur de groupage. Si vous êtes du groupe rhésus négatif, il est nécessaire de connaître le groupe sanguin de votre mari ;
- de savoir si vous êtes ou non immunisée contre la rubéole et la toxoplasmose (voyez pages 125 à 129).

La surveillance médicale de la grossesse

Il est souhaitable également (bien que non obligatoire) de subir un examen dentaire.

Enfin l'examen de santé du père est lui-même recommandé, surtout s'il a eu des maladies graves (tuberculose, par exemple).

Habituellement, au cours de cette première consultation, le médecin vous donnera :

- certaines informations générales sur l'évolution normale de la grossesse ;
- des conseils sur les précautions à prendre en ce qui concerne votre vie quotidienne et votre alimentation (voir ces chapitres) ;
- un traitement si vous avez l'un quelconque des petits troubles si fréquents en début de grossesse.

A l'issue de cette consultation, le médecin aura recueilli, par l'interrogatoire et l'examen, un certain nombre de renseignements. Ils vont lui permettre, dans une certaine mesure, de prévoir si votre grossesse nécessitera ou non une surveillance particulière.

Dans la plupart des cas (neuf fois sur dix au moins) tout est favorable. Vous êtes en bonne santé et votre grossesse commence normalement. Tout permet de penser qu'elle se déroulera sans histoire pour se terminer par un accouchement normal. Sa surveillance ne nécessitera aucune mesure particulière.

Mais une fois sur dix environ, la grossesse se présente sous un jours moins favorable. Elle va nécessiter des mesures spéciales dont je vous parlerai plus loin : ce sont les « grossesses à risques ».

Revenons maintenant à la surveillance habituelle de la grossesse.

L'examen du deuxième trimestre

Cet examen se déroule selon le même schéma que l'examen précédent.

L'examen gynécologique vérifie :

- que le col de l'utérus a sa longueur normale et reste bien fermé ;
- que l'utérus est normalement développé. Pour ce faire, le médecin mesure la hauteur de votre utérus et la compare aux

chiffres habituels. Je vous rappelle (car certaines femmes commettent l'erreur) que mesurer la hauteur de l'utérus, ce n'est pas mesurer la taille du fœtus mais plutôt son volume afin de vérifier s'il a bien le développement correspondant à l'âge théorique de la grossesse ;

- que l'on entend bien les bruits du cœur. Cette auscultation peut se faire soit avec un stéthoscope ordinaire, soit avec un appareil spécial (stéthoscope à ultra-sons), grâce auquel vous pourrez vous-même entendre battre le cœur de votre enfant.

L'examen général a essentiellement pour but la surveillance :

- de la tension artérielle ;
- du poids ;
- des urines.

La surveillance habituelle

Si le médecin le juge nécessaire, c'est au cours du sixième mois qu'il vous fera pratiquer une radiographie des poumons. Elle est sans danger pour l'enfant.

Les examens du troisième trimestre

Ces examens ont plus spécialement en vue de prévoir, autant que faire se peut, la façon dont se déroulera l'accouchement : appréciation du volume du fœtus, présentation (c'est-à-dire partie du corps de l'enfant qui se présentera la première : la tête — c'est la présentation habituelle —, le siège, etc.) caractéristiques du bassin. Un examen du bassin serait inutile avant les dernières semaines de la grossesse, puisque c'est seulement à cette époque qu'il atteint ses dimensions définitives. Si le médecin soupçonne une anomalie, il vous demandera de faire pratiquer une radiographie. Là encore, soyez rassurée : c'est sans risque pour votre enfant.

Au cours du dernier trimestre, sont, plus que jamais, nécessaires :

- la surveillance du poids, des urines, de la tension artérielle, car la toxémie apparaît surtout dans les trois derniers mois ;
- la surveillance de la hauteur utérine et du col utérin, car c'est la période des accouchements prématurés.

Ce que vous pouvez faire

Vous avez vous-même un rôle à jouer dans cette surveillance médicale de la grossesse. Le contrôle de vos urines est indispensable. Vous devez faire pratiquer une recherche de sucre et d'albumine tous les mois jusqu'à six mois, tous les quinze jours les septième et huitième mois, toutes les semaines le dernier mois.

Vous pouvez faire cette recherche vous-même à l'aide de papiers-index colorés, vendus chez tous les pharmaciens. En revanche, au moindre doute, il est nécessaire que vous portiez un échantillon d'urines chez le pharmacien ou au laboratoire. S'il existe de l'albumine, ne serait-ce qu'à l'état de traces, mettez-vous immédiatement au régime sans sel strict, allez à la consultation ou allez voir le médecin.

La surveillance du poids n'est pas moins indispensable. Vous devez vous peser régulièrement toutes les semaines. A la moindre prise de poids anormale (et surtout si elle est brutale) il est nécessaire, là encore, de consulter le médecin.

Avant d'aller à la consultation, faites une liste des questions, petites ou grandes, que vous voulez poser, sinon vous allez les oublier. Et n'ayez pas peur de paraître ridicule, dites au médecin tout ce qui vous paraît anormal ou vous pose des problèmes.
Enfin, l'accouchement n'étant que la conclusion de la grossesse, il est donc préférable — pour ne pas dire indispensable — que la surveillance de l'une et de l'autre soit assurée par le même médecin, ou la même sage-femme. Si vous accouchez à l'hôpital (où médecins et sages-femmes sont nombreux) ne soyez pas inquiète : votre dossier, établi et tenu à jour pendant votre grossesse, donnera à ceux qui se chargeront de votre accouchement tous les renseignements dont ils pourraient avoir besoin.

La surveillance médicale de la grossesse

Et n'oubliez pas de faire remplir par le médecin ou la sage-femme, à chaque consultation, votre carnet de surveillance médicale, carnet que vous garderez. C'est important : si pour une raison ou une autre vous changiez de consultation ou de médecin, la personne qui dorénavant assurerait la surveillance de votre grossesse, serait ainsi au courant des incidents qui auraient pu se produire au début. Ce carnet, vous le recevrez en même temps que le carnet de maternité. Réclamez-le s'il ne vous a pas été remis* .
Dernier point important : il faut que vous prévoyiez d'accoucher dans un établissement bien équipé. Qu'est-ce qu'un établissement bien équipé? Je vous en parle dans le *Mémento pratique*, page 335.

Médicaments, vaccins, radios

Au cours de la surveillance de la grossesse, il est bien rare qu'une femme n'interroge pas le médecin sur les risques éventuels pour l'enfant des médicaments, des vaccinations et des examens radiologiques.
La peur d'avoir un enfant malformé est en effet fréquente et cela est compréhensible. Le drame de la thalidomide est encore présent dans toutes les mémoires ; il a sensibilisé les femmes enceintes aux risques pour l'enfant d'un quelconque traitement administré pendant la grossesse. Cette inquiétude est telle que poussée à son paroxysme, elle empêche certaines femmes enceintes d'absorber tout médicament, même le plus anodin et même après avis médical.
D'une façon schématique, on peut dire que :

- le risque maximum se situe entre le 15e jour et la fin du 3e mois de grossesse ;

* Dans certains départements ce carnet a été supprimé. En cas de changement de médecin, deux solutions : ou la future mère demande au premier de communiquer son dossier au second, ou elle apporte au nouveau médecin le dossier qu'elle a pu constituer elle-même avec le double des analyses, des ordonnances, éventuellement les radios.

● dans les quinze premiers jours, l'agent nocif extérieur, médicament, par exemple, reste sans effet ou provoque la mort de l'œuf ;
● après le 3e mois, les malformations deviennent rarissimes.

Les médicaments

Médicaments vaccins, radios

Il ne saurait être question ici de passer en revue les milliers de médicaments vendus en France sous une forme ou sous une autre. On peut cependant les diviser en deux catégories :
● les médicaments que l'on peut qualifier de courants, c'est-à-dire, ceux que l'on trouve habituellement dans les armoires à pharmacie familiales, et qui sont vendus sans ordonnance. Aucun ne paraît dangereux et vous pouvez les absorber sans risques aux doses habituelles. Si vous êtes très anxieuse et si vous avez le moindre doute, voyez le médecin, qui vous rassurera ;
● en ce qui concerne les autres médicaments, la responsabilité de leur prescription incombe au médecin. Soyez rassurée, il ne vous prescrira rien qui soit susceptible d'être dangereux pour votre enfant.
Il peut arriver qu'une maladie chronique (un diabète, par exemple) pré-existe à la grossesse et nécessite un traitement, qu'il faudra poursuivre pendant que vous êtes enceinte. Par ailleurs, une maladie aiguë peut survenir à un moment quelconque de la grossesse (une grippe, par exemple) ou une autre maladie infectieuse. Dans ce cas-là, je vous demande de faire encore confiance au médecin, il connaît les médicaments contre-indiqués pendant la grossesse.

Les vaccinations

Les risques des vaccinations au cours de la grossesse sont encore mal connus au moins pour certaines d'entre elles. Ils semblent d'ailleurs variables avec chaque type de vaccination. On peut ainsi distinguer :

Les vaccinations à déconseiller

● Contre la typhoïde et les paratyphoïdes. Elles entraînent habituellement de fortes réactions locales et générales et l'on dispose actuellement de traitements très efficaces contre ces maladies. Il parait donc à la fois déconseillé et inutile d'y avoir recours chez les femmes enceintes.
● La vaccination anti-diphtérique est à réserver aux cas d'urgence.
● La vaccination anti-coqueluche n'a aucun intérêt chez la femme enceinte.
● La vaccination anti-tuberculeuse par le B.C.G. est également à déconseiller.
● La vaccination contre la rage est d'indication exceptionnelle et doit être réservée aux cas d'urgence.

Les vaccinations sans danger

● La vaccination anti-tétanique n'entraîne aucun risque au cours de la grossesse. Elle est même conseillée pour les femmes

qui sont particulièrement exposées (milieu rural). Elle permet, en cas de blessures, d'éviter l'administration de sérum anti-tétanique qui présente toujours quelque risque de réactions allergiques. D'autre part, les anticorps sont transmis au nouveau-né, et celui-ci est ainsi protégé contre le tétanos néo-natal, forme exceptionnelle, mais particulièrement redoutable de cette maladie.
- La vaccination anti-grippale est sans danger.
- Il en est de même de la vaccination anti-cholérique.
- La vaccination anti-polyomyélitique est sans danger s'il s'agit des vaccins administrés par injection.

Les vaccinations éventuellement dangereuses

- La vaccination anti-polyomyélitique par voie orale (administrée sur un morceau de sucre) doit être évitée chez la femme enceinte ;
- La vaccination anti-variolique est très discutée et l'on préfère s'en abstenir. On n'y aura recours qu'en cas d'épidémie et de préférence après le troisième mois.
- La vaccination contre la fièvre jaune est à déconseiller et n'est d'ailleurs en cause, du moins pour les Françaises, que pour certains voyages à longue distance qui, de toute façon, ne sont pas en soi recommandés pendant la grossesse.

Vaccination contre la rubéole : elle ne se pratique jamais chez la femme enceinte.

Radios et radiations

Les risques de l'irradiation d'un fœtus sont d'autant plus redoutables qu'il s'agit d'un organisme en plein développement.
Les radiations ont été accusées :
- de provoquer des mutations, voir au chapitre 9 ;
- d'entraîner l'apparition chez l'enfant de processus néoplastiques, c'est-à-dire cancéreux (leucémie, notamment) ;
- enfin de favoriser l'apparition de malformations.

L'existence de ces différents risques parait incontestable après les irradiations massives. C'est ce qu'ont prouvé les observations faites après les explosions atomiques.
Par contre, leur réalité apparaît beaucoup plus discutable pour les rayons X employés comme moyen de diagnostic, au moins si l'on prend certaines précautions.
C'est ainsi que sont évidemment interdits tous les traitements radiothérapiques en cours de grossesse. De même, on doit fortement déconseiller les examens radiographiques qui nécessitent la prise de nombreux clichés. Cela d'autant plus que les régions à examiner sont plus proches de l'abdomen maternel, et que la grossesse est plus jeune. En effet, nous avons vu que les risques maxima se situent entre le 15e jour et la fin du 3e mois. Il est, de même, préférable de s'abstenir de tout examen radiographique (surtout s'il doit être prolongé) chez la femme dans la deuxième moitié de son cycle, date à laquelle une grossesse peut être débutante et encore méconnue.

Et là, je voudrais vous signaler un petit point de détail, mais qui n'est pas rare : une maman va chez le radiologue pour un petit enfant, le médecin lui demande d'aider à tenir l'enfant pendant la radio. Si elle est enceinte, il faut qu'elle refuse car ce n'est pas le moment de recevoir des rayons. Le médecin demandera à une de ses assistantes de la remplacer.
Si certaines précautions sont à prendre en début de grossesse, il est important de vous signaler les examens radiographiques qui ne sont pas dangereux par la suite.
Il en est ainsi de la radiographie du thorax, qui n'est plus obligatoire aujourd'hui, mais que le médecin peut estimer nécessaire dans certains cas. Rappelons à ce propos que la radiographie est très supérieure à la radioscopie et ne fait courir pratiquement aucun risque.
Il en est de même des examens radiographiques qui sont parfois pratiqués à la fin de la grossesse pour préciser la situation du fœtus, l'existence ou non de jumeaux, et la qualité du bassin. Actuellement, tous les médecins savent quand on peut faire (et ne pas faire) d'examens radiographiques pendant la grossesse. Vous n'avez donc pas à redouter que vous soient proposés des examens dangereux pour la santé de votre enfant. Vous n'avez aucune raison de vous soustraire à la radiographie du thorax ou de l'abdomen qui seront demandées par l'accoucheur autant dans votre intérêt que dans celui de votre enfant.

Médicaments vaccins, radios

Et les femmes enceintes qui travaillent dans un cabinet de radiologie? Elles sont particulièrement surveillées. Un arrêté (23.4.68) fixe les dispositions réglementaires qui les concernent ; ces dispositions concernent aussi bien les professions de l'industrie atomique que le corps médical ou le personnel des services de radiologie : toute femme enceinte, dès qu'elle aura connaissance de sa grossesse, doit en informer le médecin. Ce médecin sera le médecin du service de médecine préventive pour le personnel employé dans un établissement public, le médecin du travail dans les établissements privés. Les femmes pourront obtenir un changement de poste pour toute la durée de la grossesse, ou pour un temps seulement.

Les grossesses à risques

La surveillance médicale de la grossesse

Ce terme ne doit pas vous effrayer. Il ne signifie pas que vous-même ou votre enfant courez un risque considérable pendant la grossesse. Il a été adopté par les médecins pour faire la différence entre les grossesses qui évoluent de la façon la plus normale — on serait tenté de dire la plus banale — et celles qui, pour une raison ou une autre, doivent faire l'objet d'une surveillance plus attentive et parfois d'examens spéciaux.

Pourquoi une grossesse est-elle dite à risques?

Les raisons qui peuvent faire classer une grossesse dans la catégorie des grossesses à risques peuvent être de nature très différente :

L'âge et le nombre de grossesses antérieures.
L'âge est à lui seul un élément important à considérer. Les très jeunes femmes enceintes (notamment avant dix-huit ans) semblent courir des risques un peu plus importants qui peuvent tenir, selon les cas, à une plus grande négligence dans la surveillance prénatale ou à un régime moins bien suivi. Les risques de prématurité et de présentation anormale au moment de l'accouchement sont également plus fréquents.

Après 40 ans, les femmes sont certainement plus menacées que les autres par le risque de maladies associées à la grossesse (hypertension ou maladies rénales notamment), et par celui de malformations de l'enfant. Ainsi, selon certaines statistiques, la mortalité fœtale est cinq fois plus élevée après la quarantaine que vers 25 ans.

Avoir eu plusieurs enfants peut également vous faire classer dans les grossesses à surveiller spécialement. A partir du 4e accouchement, il y a risque de présentations anormales (présentation de l'épaule notamment) car l'utérus a perdu une partie de sa tonicité. A ce risque s'ajoute en général celui qui est dû à un âge relativement plus élevé. Mais surtout, et à plus forte raison si ses précédentes grossesses se sont déroulées normalement, la future mère, qui attend son 4e ou 5e enfant, a tendance à être beaucoup plus négligente dans la surveillance de sa grossesse.

Les conditions socio-économiques
Elles jouent un rôle incontestable : la mortalité périnatale est deux fois plus élevée dans les classes sociales les plus défavorisées. De nombreux facteurs se conjuguent pour expliquer ce que nous montrent les statistiques. Ainsi, un budget familial peu élevé peut contraindre une femme à poursuivre pendant sa grossesse un travail pénible ou nécessitant de longs trajets par les transports en commun. Si cette femme a déjà des enfants, les travaux ménagers seront une fatigue supplémentaire. Enfin, pour de simples raisons financières, il pourra lui être difficile de suivre un régime alimentaire correct : les régimes à base de viande, poissons et légumes sont chers.

Les grossesses à risques

Pour toutes ces raisons, les complications au cours de la grossesse (toxémie, anémie) sont plus fréquentes, de même que les accouchements prématurés.
Enfin, l'illégitimité d'une grossesse peut inciter une femme à la cacher plus longtemps, et à moins fréquenter les consultations prénatales. Les femmes enceintes célibataires ont des accidents d'une fréquence de 10 à 50 % supérieure à la moyenne.

Les grossesses antérieures
Il est évident que si des accidents sont survenus lors des grossesses ou accouchements antérieurs, le médecin effectuera une surveillance particulièrement stricte.
Il en est ainsi d'une stérilité (surtout si elle a dû être traitée pendant longtemps), des avortements à répétition ou des accouchements prématurés, des complications pendant la grossesse (toxémie, hémorragies par exemple), des accouchements difficiles ou terminés par une césarienne, des enfants morts nés ou malformés.

Les maladies associées à la grossesse
Ces maladies nécessitent une surveillance et parfois des traitements particuliers (diabète, par exemple), voir au chapitre 7.

Les anomalies du bassin
Elles peuvent être constitutionnelles (femmes boiteuses ou bossues, ou, plus simplement, femmes petites mesurant moins de 1 m 50) ou conséquences d'un accident (fracture du bassin). Vous savez en effet qu'un bassin anormal peut gêner le déroulement normal de l'accouchement.
Enfin à ces éléments recueillis par l'étude des antécédents, il faut ajouter d'éventuelles complications pendant la grossesse actuelle. Une grossesse normale peut devenir une grossesse à risques.

La surveillance de la grossesse à risques

Sur le plan pratique, qu'implique une grossesse à risques ? Tout d'abord une surveillance médicale plus étroite, avec des examens plus fréquents que dans la moyenne des cas. Plus encore que pour une grossesse normale, les quatre examens obligatoires

dont je vous ai parlé plus haut sont absolument insuffisants. C'est pourquoi le médecin demandera vraisemblablement, au moins à certains stades de la grossesse, à vous voir par exemple tous les quinze jours et même toutes les semaines. Peut-être vous conseillera-t-il un court séjour à l'hôpital, où l'on peut exercer une surveillance permanente, et pratiquer des examens dont certains ne peuvent être faits que dans de grands centres très bien équipés.
Je ne vous parlerai pas de la technique des examens de surveillance, mais s'ils vous sont prescrits, vous désirerez peut-être savoir en quoi ils consistent. C'est pour vous donc que j'écris ce texte qui est forcément un peu technique.

La surveillance médicale de la grossesse

Les dosages hormonaux
On peut surveiller une grossesse, voir si elle évolue normalement, en recherchant le taux des hormones éliminées dans les urines. Cela est vrai du début à la fin de la grossesse.
Cependant, surtout à la fin de la grossesse, on ne dose plus maintenant toutes les hormones, mais une seule d'entre elles (appelée œstriol) parce qu'elle donne des notions intéressantes sur la vitalité du fœtus et sur l'existence ou non d'une souffrance fœtale. On dispose de méthodes rapides de dosages, permettant dans certains cas de prendre vite une décision, de provoquer l'accouchement, par exemple.

Les examens radiographiques
Une radio simple de l'utérus permet de vérifier s'il y a ou non des jumeaux, de dépister certaines malformations, d'apprécier la maturité de l'enfant, de savoir s'il se présente par la tête ou par le siège. Une radiographie avec mensuration du bassin (ce qu'on appelle une radio pelvimétrie) permet de mesurer au millimètre près la taille du bassin et de prévoir si l'accouchement se passera naturellement ou s'il faudra envisager d'intervenir, par exemple par césarienne.

L'enregistrement du rythme cardiaque du fœtus
Cet enregistrement est possible grâce à divers appareils qui permettent d'apprécier le caractère normal ou non du rythme cardiaque du fœtus. (C'est un peu comme lorsqu'on fait un électrocardiogramme à un adulte).
Cet enregistrement peut être utilisé soit au cours de la grossesse, soit au cours de l'accouchement.

Les appareils à ultra-sons
Vous le savez peut-être, on appelle ultra-sons des sons qui ne peuvent être perçus par l'oreille humaine. Ils ont la propriété, lorsqu'ils sont émis par une source quelconque, de se réfléchir sur tel ou tel obstacle, et de revenir à leur source, un peu comme un écho ; la méthode qui les utilise s'appelle d'ailleurs échographie. Cette propriété, connue depuis longtemps, était utilisée notamment pour la détection des sous-marins et des bancs de poissons. Mais elle n'est utilisée que depuis peu en médecine.

Si vous voulez des précisions, sachez que la source d'ultra-sons est un cristal de quartz qui, soumis à un courant électrique, vibre, émet des ultra-sons et les recueille à leur retour. Ils sont alors transformés en courant électrique, amplifiés et ils peuvent apparaître sur un écran de télévision.
On peut ainsi apprécier le volume global du fœtus, vérifier les dimensions de la tête, localiser le placenta, faire le diagnostic de jumeaux, ou celui de certaines malformations.
En quelques années, cette technique a connu une grande diffusion et elle est maintenant d'un emploi courant.

Les examens du liquide amniotique

Il est possible aussi, avec certaines précautions, de prélever du liquide amniotique pour y faire différents examens. Je ne vous en citerai que quelques uns : dosage de la bilirubine dans certains cas d'immunisation rhésus, recherche de certaines cellules, et dosage de différents corps pour apprécier la maturité et la vitalité du fœtus ; diagnostic du sexe de l'enfant et diagnostic de certaines malformations, je vous en reparlerai. (Ce prélèvement de liquide s'appelle **l'amniocentèse.**)

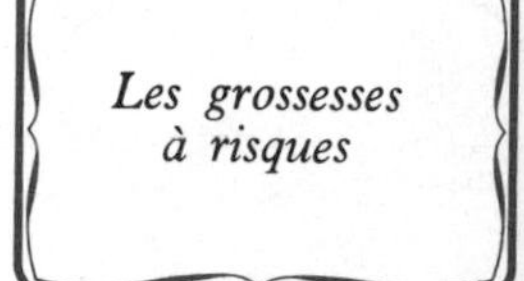

On peut aussi, sans faire de ponction, regarder simplement le liquide amniotique en introduisant un tube dans le col utérin. Ceci n'est évidemment possible qu'à la fin de la grossesse, car le col doit être suffisamment entrouvert. De l'aspect du liquide peuvent être tirées certaines conclusions. (Cet examen s'appelle **l'amnioscopie.**)

Vous venez de lire ce chapitre des grossesses à risques, et peut-être vous demandez-vous si vous ne devez pas vous classer dans cette catégorie ? Avant de vous alarmer inutilement, il faut d'abord que vous compreniez qu'un seul des éléments cités ci-dessus ne suffit pas à faire une grossesse à risques : ainsi, une césarienne antérieure est loin d'avoir en soi un pronostic péjoratif. Et puis, c'est le médecin qui vous indiquera si votre cas mérite une surveillance spéciale et des examens particuliers.
Je vous l'ai déjà dit. Ce chapitre n'est pas fait pour vous effrayer inutilement, mais pour vous faire comprendre qu'une surveillance médicale est nécessaire, et qu'elle doit être d'autant plus stricte que la grossesse s'écarte de la normale pour telle ou telle raison. Vous ne vous le répéterez jamais assez : une bonne surveillance est la meilleure garantie que vous puissiez donner à votre enfant.

7

Et si une complication survient

Les complications tenant à la grossesse

Dans la grande majorité des cas, la grossesse est un événement normal, qui se déroule sans problème, et se termine de façon heureuse par la naissance, à terme, d'un enfant parfaitement normal et sain.
Cependant dans un petit nombre de cas, surgissent des complications qui peuvent avoir un retentissement sur la santé de la mère ou sur celle de l'enfant.
En vous décrivant maintenant ces complications, mon but n'est pas de vous alarmer inutilement, mais seulement de vous alerter pour qu'en présence de tel ou tel symptôme vous pensiez à prévenir aussitôt le médecin qui pourra prendre immédiatement les mesures qui s'imposent.
Prenons un exemple. En fin de grossesse, une femme grossit beaucoup, elle ne s'inquiète pas : ne doit-on pas grossir quand on est enceinte ? Elle ignore qu'en cas de prise de poids excessive et subite, il faut aussitôt faire vérifier la tension et analyser les urines. A cause de sa négligence, elle risque une crise d'éclampsie aux redoutables conséquences, et pour la mère, et pour le bébé. Au contraire, la jeune femme avertie voit immédiatement le médecin qui prend la tension, fait faire des analyses, et donne, si nécessaire, un traitement.

Si vous n'avez pas le temps, ou l'envie, de lire dès maintenant ce chapitre, je vous demande de vous reporter au moins à la page 139 et de la lire avec soin. Vous y trouverez la liste des symptômes que vous devez signaler au médecin *dès leur apparition*, car ces symptômes sont des signaux d'alerte, des signes avant-coureurs de complications qui peuvent survenir.
Autrement dit : signaler ces symptômes au médecin, cela ne veut pas dire *lors de votre prochaine visite*, mais *aussitôt* que vous les remarquerez. Je vous rappelle qu'en dehors des visites obligatoires, les consultations sont remboursées au tarif de la Sécurité sociale.

En schématisant, on peut distinguer trois groupes de complications.
Dans le premier, on classe les complications dues au fait même de la grossesse. Exemple : l'avortement, seule une femme enceinte risque d'avorter.
Dans le second groupe, on classe les complications qui résultent d'une maladie survenue au cours de la grosseses. Exemples : la rubéole ou la toxoplasmose.
Le troisième groupe comprend les complications qui sont la

conséquence d'une maladie que la future mère avait avant d'être enceinte, sans s'en douter parfois. Il y a, en effet, des maladies qui ne font pas bon ménage avec la grossesse, qui entrent en conflit avec elle, par exemple la tuberculose ou le diabète.

Et si une complication survient

Les complications tenant à la grossesse elle-même

Ces complications sont très différentes selon qu'elles surviennent au début ou à la fin de la grossesse. Les complications du début sont essentiellement l'avortement et la grossesse extra-utérine.

Les avortements

L'avortement est l'expulsion du fœtus avant la date où il est viable ; cette date se situe aux environs du sixième mois de la grossesse. (En cas d'expulsion du fœtus, après cette date, mais avant le neuvième mois, on parle d'un accouchement prématuré.) En fait, c'est pendant les trois premiers mois que les avortements sont les plus fréquents.
Vous êtes peut-être étonnée que j'emploie le mot avortement pour parler d'une interruption spontanée de la grossesse. En effet, dans le langage courant, on emploie en général le mot fausse couche (« Elle a fait une fausse couche ! »), et on réserve le mot avortement pour une interruption provoquée de la grossesse. Les médecins ne font pas cette distinction : le mot employé par eux pour parler d'une interruption de la grossesse avant le sixième mois, que cette interruption soit provoquée ou spontanée, c'est le mot avortement. C'est donc celui-là que j'emploierai.

Comment se manifeste une menace d'avortement?
Votre grossesse semblait débuter normalement et vous observez soudain quelques pertes de sang, parfois accompagnées de douleurs au bas-ventre.
Avant de vous affoler, demandez-vous d'abord si vous n'êtes pas à la date théorique de vos règles. Il arrive en effet qu'une femme enceinte perde un peu de sang à cette période pendant les 2 ou 3 premiers mois de la grossesse. Ces pertes n'ont aucun caractère de gravité.
Hormis ce cas, toute perte de sang doit être considérée comme un signal d'alarme et vous conduire chez le médecin sans tarder. Lui seul pourra, en vous examinant, essayer de trouver la signification de cette perte de sang. C'est souvent difficile dans l'immé-

diat et, dans la plupart des cas, pour essayer de prévoir l'avenir, le médecin demandera des dosages hormonaux. En effet, les hormones sécrétées par l'ovaire et le placenta, et qui sont indispensables à la bonne évolution de la grossesse, sont éliminées en partie dans les urines où elles peuvent être dosées. Ainsi un dosage des hormones permet de savoir si la grossesse évolue d'une manière normale ou non.

Que faut-il faire?

L'avenir d'une menace d'avortement est généralement imprévisible dans l'immédiat. Que faire en attendant?

Eh bien ! je vais vous surprendre, ou vous décevoir : il n'y a pas grand chose d'autre à faire que... d'attendre, pour voir comment les événements vont tourner : avortement ou non. Et cette situation inconfortable peut durer quelques jours ou même quelques semaines.

Dans le temps, en présence d'une menace d'avortement, on mettait la future mère au lit et on lui prescrivait automatiquement un traitement hormonal.

Cette attitude, qui reste celle de certains médecins, est cependant de plus en plus discutée. On a tendance à penser, au moins devant une menace d'avortement précoce, que c'est plus la qualité de l'œuf que l'équilibre hormonal qui est en cause. Si l'œuf est défectueux, l'organisme a décidé de s'en débarrasser et aucun traitement ne sera capable de le maintenir en place.

Par contre, si la menace d'avortement est en rapport avec une cause connue, comme une béance du col par exemple (voir plus loin), il est évident qu'un traitement approprié s'impose. En un mot, ce que beaucoup de médecins condamnent maintenant, c'est la prescription d'hormones faite systématiquement, de parti pris, sans savoir à quoi peut être due la menace d'avortement.

Pour vous, en pratique, s'il n'est pas nécessaire de rester allongée, il est quand même préférable d'interrompre votre activité professionnelle tant que vous avez des pertes de sang. Allez voir le médecin au rythme qu'il jugera convenable pour apprécier l'évolution de votre grossesse.

Que va-t-il se passer ?

Dans certains cas, tout se déroule favorablement. Les pertes de sang diminuent, le col reste fermé, l'utérus continue de se développer. Les chiffres des dosages hormonaux augmentent progressivement. L'échographie (voir page 110) confirme que l'évolution de la grossesse se poursuit.

Vous ne pourrez cependant reprendre une vie normale que lorsque le médecin jugera que la menace d'avortement est écartée.

Bien des femmes ont alors, après cette menace d'avortement, la crainte de mettre au monde un enfant malformé. Cette crainte est injustifiée car, si l'avortement ne se produit pas et si la grossesse se poursuit, elle aboutira à la naissance d'un enfant normal.

Dans d'autres cas, la menace se précise peu à peu : les pertes de sang augmentent progressivement, l'utérus ne se développe plus, les dosages hormonaux montrent des taux effondrés. L'avor-

tement lui-même se traduit par des pertes de sang assez abondantes accompagnées de « coliques » ressenties dans le bas-ventre : ce sont les contractions de l'utérus qui expulse l'œuf.
S'il n'y a pas d'hémorragie violente, vous pouvez rester chez vous. Un avortement spontané ne nécessite pas automatiquement un curetage, loin de là. Prenez par contre la précaution de garder tout ce qui aura été expulsé et voyez le médecin dès le lendemain de l'accident. Lui seul pourra dire si l'avortement a été complet et si aucune partie de l'œuf n'est restée dans l'utérus, car elle pourrait causer une infection ou une hémorragie.
En revanche, s'il y a une hémorragie importante, faites-vous transporter d'urgence à l'hôpital ou en clinique, ou mettez-vous en rapport avec le médecin ou la sage-femme.

Et si une complication survient

Après l'avortement

Combien de temps faut-il se reposer? Normalement en quelques jours vous serez remise sur pied.
Si vous êtes d'un groupe sanguin Rhésus négatif, pensez à demander au médecin s'il n'y aurait pas lieu de faire une « vaccination anti-Rhésus + ». Vous comprendrez pourquoi en lisant ce qui concerne le facteur Rhésus page 133 *.
Après un avortement, il est très fréquent d'avoir un moment de dépression qui peut durer plus ou moins longtemps. Cette dépression s'explique psychologiquement chez la femme qui était heureuse d'attendre un enfant et qui voit ses espoirs déçus. Elle s'explique également physiquement (comme après l'accouchement) par le bouleversement hormonal qui suit l'arrêt d'une grossesse.
Si vous étiez sujette à cette dépression, et inquiète, n'hésitez pas à en parler au médecin.

L'avenir

Après un avortement, vous vous posez des questions pour l'avenir. Vous voudriez connaître la cause de cet avortement et les mesures à prendre pour éviter qu'il ne se renouvelle à la grossesse suivante.
Le médecin va s'y employer en faisant faire, lorsque vos règles seront revenues, un certain nombre d'examens. Pour que vous compreniez leur utilité, il est nécessaire que je vous dise brièvement les principales causes d'avortement spontané.
D'abord, il faut que vous sachiez une chose importante : un grand nombre d'avortements sont accidentels, dans ce sens qu'ils ne se produisent qu'une fois dans la vie d'une femme ; après elle mène à bien toutes ses autres grossesses.
Dans la plupart des cas, ces avortements sont dûs à une anomalie chromosomique ; on peut même dire dans la majorité des cas, puisque on les évalue à 70 % des avortements du premier trimestre. Vous verrez au chapitre 9 ce que sont les chromosomes. Un avortement chromosomique est dû à une anomalie du nombre, de la forme ou de la répartition des chromosomes, qui aboutit à un œuf défectueux et qui ne peut survivre. De tels avortements proviennent en somme d'une erreur de la nature, erreur que la nature corrige d'elle-même en expulsant l'œuf défectueux. Sauf exception, un avortement par anomalie chromosomique ne doit pas faire craindre pour les grossesses ultérieures.

* Ce mot de vaccin est impropre médicalement car, en fait, il s'agit d'un sérum, mais c'est quand même l'expression que j'utiliserai car elle est employée couramment par les femmes enceintes.

Dans d'autres cas, au contraire, il y a, à l'origine d'un avortement, une cause plus ou moins permanente, qui, faute d'être reconnue et traitée, risque de provoquer des avortements à répétition.

Les avortements à répétition

Parmi les causes pouvant provoquer des avortements à répétition, on peut distinguer schématiquement trois grands groupes :
- les causes locales qui siègent au niveau de l'utérus ;
- les maladies maternelles ;
- les insuffisances hormonales.

Les complications tenant à la grossesse

Les causes locales utérines

Le développement normal de l'œuf nécessite l'intégrité :
- de la chambre qui l'abrite : cette chambre c'est l'utérus ;
- du lit où l'œuf s'accroche et se nide : ce lit c'est la muqueuse ou endomètre qui tapisse intérieurement la cavité de l'utérus ;
- du verrou qui ferme la chambre : ce verrou c'est le col.

Toute anomalie d'un de ces trois éléments peut entraîner un avortement :

L'utérus peut être déformé par un fibrome, malformé de façon congénitale, insuffisamment développé (utérus infantile), mal orienté (rétroversion) ;

La muqueuse ou endomètre peut être le siège de cicatrices (après curetage), ou d'une infection qui peuvent agir en perturbant la nidation, en compromettant la nutrition correcte de l'œuf, ou en empêchant sa croissance normale ;

La partie supérieure du col, celle qui touche l'utérus, est normalement fermée pendant toute la durée de la grossesse. Ainsi, l'œuf ne peut pas s'évacuer à l'extérieur sous l'influence de la pesanteur. Mais il arrive que « l'isthme » — c'est le nom de cette partie du col — ne joue plus son rôle de verrou et qu'il s'ouvre plus ou moins. Cette « béance » peut être congénitale, ou la conséquence d'un traumatisme : accouchement difficile, avortement provoqué, curetage.

Les maladies maternelles

Toutes les infections maternelles, soit locales (vagin), soit lointaines (gorge, amygdales, dents, reins), en envahissant l'œuf, par le sang, ou par contiguité, peuvent provoquer un avortement. Il est donc indispensable de soigner énergiquement toute infection.
Certaines maladies rénales ou vasculaires (hypertension), certaines maladies parasitaires, certaines intoxications peuvent également provoquer un avortement.
Par contre, l'iso-immunisation due au facteur Rhésus n'est jamais responsable d'avortements.

Les insuffisances hormonales

Le rôle des insuffisances hormonales dans les avortements est aujourd'hui très discuté. Je vous en dis quand même deux mots, car il y a peu de temps encore, les insuffisances hormonales étaient considérées comme la cause n° 1 des avortements spontanés. Comme vous le verrez au chapitre 8, les hormones jouent un grand rôle dans l'établissement et dans le développement de la

grossesse. Ainsi, on peut à tout moment vérifier qu'une grossesse évolue bien en mesurant les taux des différentes hormones. Or, lorsqu'il y a un avortement, ces taux s'effondrent. C'est ce qui a fait croire si longtemps qu'à l'origine des avortements, il y avait le plus souvent des insuffisances hormonales. Et c'est la raison pour laquelle dès qu'il y avait menace d'avortement, on donnait des hormones. (Certains médecins continuent à en donner, d'ailleurs.)
Aujourd'hui, la plupart des médecins pensent que la chute du taux des hormones est la conséquence d'un avortement, mais pas du tout la cause. Dans ces conditions, administrer des hormones ne servirait à rien, puisque tout est déjà joué.

Et si une complication survient

Vous le voyez, un avortement peut être dû à des causes variées. Ne vous étonnez donc pas si le médecin vous demande, après l'avortement, pour permettre la bonne évolution d'une nouvelle grossesse, de faire pratiquer certains examens tels que :
- **étude de la courbe de température,**
- **radiographie de l'utérus,**
- **examens de sang à la recherche d'une infection ou d'une parasitose,**
- **dosages hormonaux car, s'il est vrai, comme je vous l'ai dit, que les insuffisances hormonales au cours de la grossesse sont exceptionnelles, il reste certain qu'un bon équilibre hormonal est nécessaire, *avant la grossesse*, pour que celle-ci débute et se poursuive normalement.**

Quelques semaines seront nécessaires pour faire ces examens. Il faudra également du temps pour pratiquer un traitement médical ou chirurgical, suivant la cause que ces examens auront permis de dépister. Ne vous impatientez donc pas si vous êtes pressée d'être à nouveau enceinte. Il est, de toute façon, recommandé, après un avortement, d'éviter une nouvelle grossesse dans les 4 ou 5 mois qui suivent. Il faut en effet ce temps pour que la muqueuse utérine soit dans de bonnes conditions pour accueillir un nouvel œuf.

La grossesse extra-utérine

Au lieu de se nider dans l'utérus, l'œuf peut se fixer, de façon anormale, dans une trompe. N'ayant pas la place de se développer il meurt, en général avant le troisième mois. Mais avant, il va, peu à peu, éroder la paroi de la trompe, et la fissurer, voire même la faire éclater, réalisant alors un accident très grave.
Il est donc indispensable de faire le plus tôt possible le diagnostic de la grossesse extra-utérine pour pouvoir aussitôt pratiquer une intervention chirurgicale. En effet, il n'y a pas d'autre solution : une grossesse extra-utérine ne peut pas évoluer.
Dans la pratique, une grossesse extra-utérine se signale comme une banale fausse couche, c'est-à-dire par des pertes de sang, mais celles-ci sont accompagnées de douleurs. A l'examen, le médecin trouvera des signes différents, et surtout pourra faire, ou faire faire, une coelioscopie : un tube éclairant, introduit par une petite incision au niveau de la paroi abdominale, permet de regarder à l'intérieur du ventre et de faire aussitôt le diagnostic.
Vous retiendrez donc cette chose importante : si au début de

votre grossesse vous avez des *pertes de sang accompagnées de douleurs*, vous devez consulter le médecin sans tarder.
Après une grossesse, extra-utérine, si vous êtes rhésus négatif, le médecin, par précaution, vous fera peut-être faire une « vaccination anti-rhésus + ». Vous comprendrez pourquoi en lisant les pages 133 et suivantes.
Une femme qui a fait une grossesse extra-utérine peut parfaitement mener à bien ensuite une ou plusieurs grossesses. Il est vrai cependant que cette affection est volontiers récidivante. Si vous avez déjà eu une grossesse extra-utérine, n'hésitez donc pas à consulter rapidement dès le moindre retard de règles, et, lorsque vous aurez la certitude d'être enceinte, au moindre symptôme anormal.
L'avortement et la grossesse extra-utérine sont des complications du début de la grossesse. Les complications dont nous allons vous parler maintenant apparaissent plutôt dans la seconde moitié de la grossesse.

Les complications tenant à la grossesse

Les anémies

Les besoins en fer sont nettement augmentés au cours de la grossesse. Une partie du fer nécessaire est fournie par l'alimentation (c'est pourquoi, au chapitre 3, je vous ai donné la liste des aliments riches en fer), une autre est puisée dans les réserves maternelles. Si ces réserves sont insuffisantes (ce qui peut être le cas dans certaines grossesses rapprochées), le déficit en fer va entraîner une anémie. Celle-ci peut se traduire par des symptômes tels que fatigue anormale, essoufflement, pâleur, mais l'anémie peut aussi être entièrement cachée et révélée seulement par un examen sanguin. Ne vous étonnez donc pas si le médecin demande un examen vers le 5-6e mois. Ces anémies sont d'un bon pronostic lorsqu'elles sont traitées par du fer que certains médecins préconisent d'ailleurs systématiquement. Elles n'ont pas de retentissement sur l'enfant.

Les infections urinaires

En dehors des troubles urinaires « mécaniques » dont vous avez vu la fréquence (page 90), il est possible que la future mère éprouve, outre des envies fréquentes d'uriner, des douleurs à la vessie et lorsqu'elle urine, une sensation de brûlure. Parfois, les douleurs se situent plus haut que la vessie, à la hauteur de l'abdomen ou des reins. Certaines femmes prennent même ces douleurs pour des contractions de l'utérus. La cause de cette cystite est une infection urinaire. Elle peut s'accompagner d'urines anormalement troubles, parfois teintées de sang. Bien entendu il faut consulter le médecin qui demandera un examen des urines. Celui-ci montrera la présence de microbes, en général de la famille du colibacille ou de l'entérocoque.
Traitées rapidement ces infections guérissent facilement mais elles ont souvent tendance à recommencer. Aussi, après une infection urinaire, faut-il exercer une surveillance plus attentive des urines car, non ou insuffisamment traitées, ces infections risquent de s'étendre aux reins (pyélonéphrites), mais surtout semblent pouvoir retentir sur l'évolution de la grossesse et déter-

miner une hypotrophie de l'enfant et un accouchement prématuré (voir ces mots).

La toxémie gravidique

Et si une complication survient

Comme son nom l'indique*, il s'agit d'une maladie particulière de la grossesse. Voici comment elle se signale : les chevilles gonflent, les doigts deviennent « boudinés », impossible de retirer ses bagues, et la balance montre une prise de poids excessive. Enfin, les urines contiennent de l'albumine.

La présence simultanée d'œdèmes, de prise de poids excessive, et d'albuminurie, est caractéristique de la toxémie gravidique ; il s'y associe fréquemment une élévation anormale de la tension artérielle. La toxémie traduit une anomalie du fonctionnement des reins ; si elle n'est pas traitée, elle peut conduire à de graves complications, telle l'éclampsie, affection qui était redoutable il y a 30 ans à peine, mais qui aujourd'hui est heureusement très rare. L'éclampsie s'annonce par des troubles divers : maux de tête, douleurs au niveau de l'estomac, sensations de mouches volantes devant les yeux. Si vous éprouvez de tels symptômes, il est urgent de consulter le médecin.

Il est donc essentiel, pour la femme enceinte :

- de se peser régulièrement, pour déceler une prise de poids excessive (relire à ce propos la page 52) ;
- de faire régulièrement au cours de la grossesse des analyses d'urine.

Normalement l'urine ne contient pas d'albumine. L'albumine apportée dans l'organisme par les aliments qui en contiennent, tels que la viande et les œufs, sert à reconstituer les tissus. Mais parfois le rein, qui est chargé de laisser passer l'eau dans les voies urinaires, joue mal son rôle de filtre, et laisse passer l'albumine dans l'urine : il y a albuminurie. Or, la grossesse prédispose à l'albuminurie, particulièrement au cours des derniers mois. C'est pourquoi il est nécessaire de faire régulièrement des analyses d'urine : il s'agit de déceler toute trace d'albumine.

Ces analyses doivent être faites au moins une fois par mois jusqu'au sixième mois, tous les quinze jours au cours des septième et huitième mois, tous les huits jours le neuvième mois. Ce contrôle régulier est indispensable, car vous pouvez vous sentir en parfaite santé et pourtant avoir de l'albuminurie. Toutes les fois qu'il y aura de l'albumine dans les urines, vous préviendrez le médecin, même si la quantité n'en est pas très élevée. Les analyses seront plus fréquentes en cas d'albuminurie constatée.

- Si vous avez eu la grippe ou une intoxication quelconque, faites faire aussitôt après une analyse d'urine. Toutes les maladies infectieuses et les intoxications prédisposent à l'albuminurie.

Vous ferez faire ces analyses par un laboratoire (de très nombreuses pharmacies se chargent des analyses d'urine).

Si vous habitez la campagne, et si vous êtes loin d'un médecin ou d'un laboratoire, vous avez un moyen simple de contrôler vous-même la présence, ou l'absence, d'albumine dans vos urines. Procurez-vous une boîte d'*Albustix*. Mettez au contact des urines le petit ruban plastique comportant à son extrémité un papier jaune. Si ce papier reste jaune, il n'y a pas d'albumine. S'il tourne au vert, il y en a. Combien? Vous ne pourrez pas l'évaluer vous-

* Gravidique vient de gravis, qui veut dire lourd, or la femme enceinte est lourde de son enfant.

même, mais dans ce cas vous ferez faire par un laboratoire une analyse qui vous donnera une indication précise.
Pour cette analyse, apportez un échantillon prélevé sur les urines que vous aurez recueillies pendant 24 heures dans un récipient propre. Il est recommandé, avant de recueillir les urines, de procéder à une toilette soigneuse, pour que les résultats de l'analyse ne soient pas faussés par la présence de sécrétions vaginales plus ou moins abondantes pendant la grossesse.
Une boîte d'Albustix (qui n'est pas remboursé par la Sécurité sociale) coûte 9,40 francs, mais permet de faire 50 « examens ». Avec une ordonnance du médecin, les analyses faites par un laboratoire sont remboursées.

● Evitez toutes les causes qui prédisposent à l'albuminurie : le froid, surtout le froid humide, l'intoxication alimentaire due à des repas trop copieux ou trop riches (avec gibier, charcuterie, etc ; voir p. 68 la liste des aliments déconseillés), le surmenage et la fatigue.

Les complications tenant à la grossesse

● Enfin, allez régulièrement voir le médecin pour qu'il prenne votre tension, surtout si vous avez constaté des œdèmes ou une albuminurie.
Tous les conseils donnés ci-dessus sont particulièrement indiqués si vous êtes très jeune, et si vous attendez votre premier enfant, car la toxémie gravidique atteint surtout les femmes très jeunes (aux alentours de 20 ans), et primipares. *
Enfin, soyez particulièrement vigilante au troisième trimestre, surtout au neuvième mois : la date d'apparition des accidents est en général tardive.

La toxémie gravidique se traite habituellement par :
● le repos,
● le régime sans sel (voir p. 69), mais il faut se rappeler que ce régime n'est efficace que s'il est parfaitement observé ;
● la prise de diurétiques, médicaments qui permettent l'élimination du sel et de l'eau dont l'organisme est surchargé en cas de toxémie.
Avec ce traitement, les symptômes de la toxémie disparaissent progressivement, et la grossesse peut se poursuivre jusqu'à son terme sans encombre.

L'insertion basse du placenta

Normalement, l'œuf se nide dans le fond de l'utérus. Mais, il arrive parfois qu'il s'insère à la partie basse de l'utérus, sur une des faces. C'est ce qu'on appelle le **placenta praevia.**
Habituellement, cette insertion anormale ne gêne pas le développement de l'enfant. Par contre, sous l'influence notamment des contractions de fin de grossesse, elle peut aboutir à un décollement partiel du placenta. Ce décollement provoque des hémorragies d'abondance variable, mais qui peuvent se répéter, et surtout s'aggraver brutalement.
En cas d'hémorragie en fin de grossesse, il faut appeler immédiatement le médecin et se conformer à ses instructions. Le repos absolu est indispensable jusqu'à l'accouchement. Celui-ci pourra nécessiter une césarienne.

* Primipare : qui attend son premier enfant. Multipare : qui a eu un ou plusieurs enfants.

Quand une maladie survient

Et si une complication survient

La grossesse ne met pas la future mère à l'abri des maladies : elle peut évidemment toutes les attrapper.
Mais je vous parlerai essentiellement ici des maladies contagieuses. En effet, s'il n'est pas douteux que, dans la majorité des cas, ces maladies sont sans conséquences particulières, il reste vrai qu'elles peuvent parfois entraîner des complications graves : avortement, accouchement prématuré, malformations fœtales.

Il faut fuir la contagion

Une femme en âge d'être mère a eu, en général, la plupart des maladies contagieuses courantes, mais étant donné les conséquences possibles, il est quand même très important de veiller pendant la grossesse à ne pas contracter une maladie contagieuse. Il faut donc fuir la contagion. Comment s'y prendre?
● En veillant à ne pas vous fatiguer, en ayant une alimentation saine, en évitant tout refroidissement. Surmenage, mauvaise alimentation, froid diminuent la résistance de l'organisme aux microbes.
● En évitant soigneusement tout contact avec les personnes atteintes de maladies infectieuses, c'est-à-dire dues à un microbe ou à un virus, telles que grippe, pneumonie, rubéole, oreillons, scarlatine, varicelle, etc... Ces maladies sont toutes contagieuses. Même au risque de paraître égoïste, n'allez pas voir une amie atteinte d'une maladie contagieuse, même si cette maladie n'est déclarée que sous une forme bénigne : le microbe est le même. Bénin pour une amie, il peut être agressif pour vous.
Lorsqu'il y a une épidémie, évitez les endroits où il y a beaucoup de monde, les réunions, les cinémas, les théâtres. Ne choisissez pas ce moment-là pour aller faire des courses dans les grands magasins. Si vous avez un enfant à l'école, la moindre fièvre, la moindre éruption doivent vous alerter.

Cela dit, je voudrais vous parler de trois maladies particulièrement redoutables, non pour la mère, chez qui elles sont habituellement bénignes, mais pour le fœtus chez qui elles risquent de provoquer ou la mort ou des malformations graves :
● une maladie due à un virus : la *rubéole*,
● une maladie dont l'agent est un parasite : la *toxoplasmose*,
● une maladie dont le responsable est un bacille (c'est-à-dire un microbe) : la *listériose*.

La rubéole

La rubéole est, vous le savez, une maladie contagieuse, extrêmement fréquente, qui survient surtout au printemps, et atteint essentiellement les enfants. On couve la rubéole quinze jours, au bout desquels apparaissent les symptômes suivants :
- tâches rosées sur le visage, notamment autour de la bouche, ainsi qu'aux plis de flexion du corps, aisselles, coudes, aine. A ces endroits, les tâches ont en général un aspect granité.
- parfois ganglions au niveau du cou,
- fièvre : quand il y en a, elle ne dépasse pas 38°.

Souvent même, les symptômes sont encore moins nets, et une fois sur deux, la maladie passe inaperçue.

En soi, la rubéole est une maladie parfaitement bénigne, mais lorsque elle est associée à la grossesse, elle peut devenir redoutable. En effet, une femme enceinte atteinte de rubéole peut transmettre la maladie à l'enfant qu'elle porte. Si à ce moment-là le futur bébé est en train de former ses organes, c'est-à-dire, pendant les trois premiers mois de la grossesse, les conséquences peuvent être très graves : soit mort de l'embryon, c'est-à-dire avortement, soit malformations.
Plus tard dans la grossesse, le virus de la rubéole peut provoquer diverses lésions, ou aboutir à la naissance d'un enfant normal, mais porteur d'un virus, et donc contagieux pour l'entourage.

La rubéole est-elle fréquente au cours de la grossesse?
Non, en France tout au moins où nous sommes privilégiés : 90 % des femmes en âge d'être enceintes ont déjà eu la rubéole, et sont, par conséquent, immunisées contre elle. D'autre part, il n'existe pas dans notre pays de grandes épidémies comme celle qui, aux Etats-Unis, en 1964, atteignit 2 millions de cas.
Par contre, il est vrai que certaines professions exposent plus que d'autres au risque de contagion : enseignantes, infirmières, jardinières d'enfants, etc..., puisque, au départ, la rubéole est une maladie d'enfant.
Signalons à ce propos une circulaire concernant les membres du corps enseignant : « Un congé devra être accordé dès qu'un cas de rubéole se déclarera dans un établissement d'enseignement à tout membre du personnel féminin qui en fera la demande et qui, n'ayant pas contracté la maladie antérieurement, se trouverait dans les trois premiers mois d'une grossesse. Ce congé devra être attribué durant toute la période d'épidémie. »

Comment savoir si l'on est immunisée contre la rubéole?
En faisant faire un sérodiagnostic. On fait un prélèvement de sang, et l'on y recherche les anticorps, substances que l'organisme fabrique quand il est atteint de telle ou telle maladie. Ces anticorps neutralisent l'agent de la maladie. Il y a des anticorps particuliers contre chaque maladie.
Si le sérodiagnostic révèle qu'il n'y a pas d'anticorps, vous n'avez jamais eu la maladie et vous n'êtes pas immunisée. Il faut donc être très prudente (voir p. 124 : Il faut fuir la contagion).
S'il existe des anticorps, leur taux permet souvent de dire s'il

s'agit d'une maladie ancienne (il n'y a aucun risque) ou récente (il y a peut-être un risque).
On procède à un deuxième sérodiagnostic quinze jours plus tard. Si le taux des anticorps est resté stable, l'immunité était acquise depuis longtemps. Au contraire, si le taux des anticorps a augmenté, la rubéole est récente.
Il est important que le sérodiagnostic soit effectué par un laboratoire hautement spécialisé, et que les deux tests soient faits par le même laboratoire. Bien sûr, ces tests doivent être faits le plus rapidement possible.
Le prix du sérodiagnostic se situe autour de 50 francs et il est remboursé par la Sécurité sociale, mais attention *après* une demande d'entente préalable (qui demande environ 10 à 15 jours). Cela ne concerne pas les toutes jeunes mariées puisque maintenant le sérodiagnostic est inclus dans l'examen prénuptial (de même que celui de toxoplasmose dont je vous parle plus loin).

Et si une complication survient

J'ai été en contact avec un rubéoleux. Que faire?

- Si vous avez la certitude (notamment par un sérodiagnostic fait en début de grossesse) que vous êtes immunisée, n'ayez aucune crainte, vous ne courez aucun risque. Il en est de même si vous avez été vaccinée.
- Dans le cas contraire, le médecin fera faire deux sérodiagnostics à quinze jours d'intervalle. Une élévation du taux des anticorps témoigne d'une rubéole récente donc peut-être dangereuse. Je dis peut-être, car seule est source de malformation pour l'enfant la rubéole de primo-infection (vous n'avez jamais eu la rubéole et vous venez de l'attrapper). La rubéole de réinfection (vous l'aviez déjà eue et vous l'avez une seconde fois) n'est pas dangereuse pour l'enfant. Il est possible, par le sérodiagnostic, de distinguer les deux formes.
- Dans les cas douteux, le médecin vous fera certainement faire des gamma-globulines qui ne semblent toutefois actives que dans la période d'incubation de la maladie (c'est-à-dire entre le contact avec le rubéoleux et l'apparition de l'éruption).

Existe-t-il un vaccin contre la rubéole?

Oui, il est tout à fait possible de se faire vacciner contre la rubéole. Mais on ne connaît malheureusement pas encore la durée de l'immunité conférée par le vaccin. C'est pourquoi l'accord n'est pas fait sur l'âge idéal de la vaccination. On a proposé de vacciner toutes les jeunes filles à sérodiagnostic négatif vers l'âge de 13-14 ans. Il semble préférable actuellement d'attendre, puisque on ne connaît pas la durée de l'immunité, qu'une femme soit en âge d'être mère. Si son sérodiagnostic est négatif (c'est-à-dire si elle n'est pas immunisée naturellement), elle peut être vaccinée à condition d'être sous l'effet d'un contraceptif efficace à 100 % (c'est-à-dire la pilule), pendant le mois qui précède et les trois mois suivant la vaccination.
De plus, une femme qui a été vaccinée risque d'être contagieuse vers le 10e-15e jour. Il lui faudra donc éviter à ce moment-là tout contact avec des jeunes femmes susceptibles d'être enceintes.

Peut-on se faire vacciner contre la rubéole lorsqu'on est enceinte?

Non, car le vaccin préparé à base d'un virus vivant — quoique atténué — peut être dangereux pour le futur bébé.

En plus, à cause du risque de contagion toujours possible, il est déconseillé de vacciner les enfants qui vivent dans le proche entourage de la future mère.
Le vaccin coûte 25,45 francs ; il est remboursé par la Sécurité sociale. *
En France, comme dans de nombreux pays, l'interruption de grossesse est autorisée en cas de rubéole constatée dans les quatre premiers mois.

La toxoplasmose

Quand une maladie survient

La toxoplasmose, maladie due à un parasite, le toxoplasme est très répandue en France. Pourquoi ? Parce que les Français aiment la viande saignante. Or, le toxoplasme — qui est tué dans une viande bien cuite — est très fréquent dans les viandes de mouton (50 % de nos moutons en contiennent) et de porc (30 %). Le bœuf et le veau sont sans doute moins souvent infestés, le cheval l'étant sans doute le moins souvent (10 %).

Comme ceux de la rubéole, les symptômes de la toxoplasmose peuvent être très discrets : ganglions de la tête et du cou enflés, fièvre légère, fatigue, douleurs musculaires ou articulaires.
C'est pourquoi nous avons tous eu la toxoplasmose, sans même nous en apercevoir. Ou plutôt, presque tous, et c'est dans ce « presque » que réside le risque pour les femmes enceintes. Car, si 84 % des futures mères sont immunisées parce qu'elles ont eu la toxoplasmose, il reste 16 % de futures mamans qui risquent de l'attrapper. Parmi elles, quelques-unes risquent de contaminer leur bébé. Or cette contamination peut avoir de sérieuses conséquences, soit pour sa vie, soit pour sa santé.

Comment savoir si je suis immunisée contre la toxoplasmose?
En faisant faire un sérodiagnostic soit en dehors de toute grossesse, soit au début de votre grossesse. Le médecin vous le conseillera généralement. Le sérodiagnostic consiste à chercher si votre sang contient des anticorps contre la maladie. S'il en contient un taux suffisant, c'est que vous êtes immunisée. Par précaution, on vous fera faire un contrôle 2 à 3 semaines plus tard pour vérifier que le taux d'anticorps reste le même, ce qui sera la preuve que vous avez eu la maladie il y a longtemps. En ce cas, vous pourrez être tranquille.

Le sérodiagnostic est-il obligatoire?
Non, mais il est vivement conseillé, bien qu'il ne soit pas remboursé par toutes les caisses de la Sécurité sociale, ce qui est d'ailleurs fort regrettable. A l'heure où j'écris, le prix du sérodiagnostic se situe autour de 35 francs.
A Lyon, toutes les fiancées subissent un sérodiagnostic de toxoplasmose dans l'un des centres d'examens prénuptiaux de la ville. A Grenoble, les futures mères qui ont un sérodiagnostic négatif sont soumises au sérodiagnoctic à chaque consultation prénatale, et les nouveau-nés des mères négatives le sont également à la naissance. Il faut souhaiter que ces exemples soient suivis dans toute la France.

* A Paris, il y a un centre où les vaccins sont faits gratuitement : à l'hôpital des Enfants malades, Tél. : 555.92.80 (se présenter pour un examen préliminaire tous les jours, sauf le lundi, entre 8 h 45 et 10 h 30). A Rennes, il existe un centre pilote de vaccination contre la rubéole à la Faculté de Médecine. (service du Pr. J. Zourbas) Tél. : 59.20.20.

Une femme immunisée court-elle des risques au cours de la grossesse ?

Non, car son sang, et celui du futur bébé également, contient des anticorps. Toutefois, si le taux d'anticorps est trop faible, on considère que le résultat du sérodiagnostic est négatif et que la femme n'est pas immunisée.

Je ne suis pas immunisée, quels sont les risques?

Et si une complication survient

Il n'y a de risque que si vous contractez la toxoplasmose pendant votre grossesse.
Mais, d'abord, il n'y a que 4 à 5 % des femmes à sérodiagnostic négatif qui contractent la toxoplasmose pendant qu'elles sont enceintes.
Ensuite, même dans ce cas de toxoplasmose maternelle pendant la grossesse, il y a seulement 40 % de risques que l'enfant soit atteint.
La gravité du risque dépend de deux facteurs : l'« âge » de la grossesse et la mise en œuvre rapide d'un traitement.

● Age de la grossesse :
Au premier trimestre, il est rare que le toxoplasme traverse le placenta. Mais lorsqu'il y arrive, l'atteinte de l'œuf est généralement grave ; elle peut même aboutir à sa mort et à l'avortement.

C'est surtout au second trimestre, et notamment à partir du 5ᵉ mois, que la maladie maternelle est grave : le placenta devient, en effet, plus facile à traverser ; l'enfant est donc plus souvent atteint, et l'atteinte fœtale est souvent grave (lésions cérébrales et oculaires) si la mère n'est pas traitée.

Par contre, si la contamination est plus fréquente au cours du 3ᵉ trimestre, ses conséquences sont beaucoup moins graves : souvent, l'enfant naît apparemment indemne et la maladie n'est décelée que par les examens de laboratoire. Évidemment, dès que la maladie est diagnostiquée, l'enfant est traité.

Les formes de maladie inapparentes chez l'enfant sont les plus fréquentes : elles représentent 4 cas sur 5.

● Traitement :
il faut dire que lorsque la toxoplasmose contractée au cours de la grossesse est aussitôt traitée, les risques pour l'enfant sont moins grands. Voici les chiffres : 80 % des enfants nés de femmes traitées à temps sont indemmes, contre 50 % seulement dans le cas contraire.

Je ne suis pas immunisée, quelles précautions dois-je prendre?

D'abord faire faire un sérodiagnostic toutes les 4 à 5 semaines pour détecter immédiatement une infection éventuelle et envisager d'urgence un traitement. Bien entendu, en cas de ganglions enflés, de fatigue anormale, faites faire l'examen sans attendre. Puis, vous éviterez de manger de la viande crue (« steack tartare »), et de la viande saignante (surtout du mouton). Vous prendrez aussi une autre précaution : vous ne mangerez la salade et les fruits que très soigneusement lavés. Voici pourquoi : on a découvert que le chat, souvent contaminé puisqu'il mange de la viande, abritait le toxoplasme dans ses intestins et le rejetait avec ses excréments : un chat peut donc avoir souillé de la salade ou des fruits tombés à terre. Le cas n'est pas rare. Pour la même raison, la future maman évitera le contact des chats.

Existe-t-il un vaccin contre la toxoplasmose?
Non, pas pour le moment.

La listériose

Quand une maladie survient

Comme la rubéole et la toxoplasmose, la listériose est une maladie bénigne ou même inapparente chez la mère, alors qu'elle est souvent redoutable pour le fœtus.
Elle est transmise par les animaux domestiques (chiens, chats) ou d'élevage (vache, mouton, chèvre, lapin, volaille). Pour cette raison, elle est plus fréquente dans les milieux ruraux et dans certains milieux professionnels, mais elle peut atteindre n'importe quelle femme enceinte soit par les aliments d'origine animale (viande, œufs, lait), soit par contact avec un animal infecté, soit enfin par les sécrétions et excrétions qui souillent les aliments.
Le bacille responsable traverse le placenta et atteint l'enfant. Celui-ci peut mourir dans l'utérus. Mais le plus souvent la maladie provoque un accouchement prématuré donnant naissance à un enfant qui mourra en quelques jours dans plus de la moitié des cas.
Il est important de dépister la maladie chez la femme enceinte, car le bacille est très sensible aux antibiotiques. Malheureusement, ce dépistage est difficile car l'affection se cache souvent sous le masque d'une maladie banale : grippe, infection urinaire, etc... Chez une femme enceinte, tout épisode de fièvre qui ne peut être rapidement rattaché à une cause évidente doit faire rechercher le bacille dans le sang, la gorge et les pertes vaginales. C'est le seul moyen de faire le diagnostic et d'instaurer un traitement. Si celui-ci est suffisamment précoce, l'enfant sera indemne.

Si vous êtiez malade avant d'être enceinte

Et si une complication survient

Chez une femme atteinte d'une maladie, la survenue d'une grossesse peut poser certains problèmes. En effet, dans certains cas, maladie et grossesse font « mauvais ménage ».
Il arrive que, sous l'influence de l'effort supplémentaire que la grossesse demande à l'organisme, la maladie se complique et s'aggrave.
A l'inverse, il arrive que la maladie menace la grossesse dans son évolution, perturbe l'accouchement et retentisse sur l'état de l'enfant.
Là encore, il n'est pas question de passer en revue toutes les maladies qui peuvent exister chez une femme enceinte. Je me contenterai, pour illustrer les problèmes posés, de choisir quelques exemples parmi les plus courants.

La tuberculose

Elle ne peut pas être transmise par une mère à l'enfant qu'elle porte, car il n'y a pas de contamination *in utero* *. L'évolution de la grossesse n'est pas modifiée. Les risques d'avortement ou d'accouchement prématuré ne sont pas supérieurs à la normale. L'accouchement lui-même se déroule normalement et les césariennes ne sont pas plus fréquentes. L'enfant d'une mère tuberculeuse ne nait pas tuberculeux. Par contre, il devra être isolé de sa mère si celle-ci est ou risque d'être encore contagieuse. Il sera, dès la première semaine, vacciné par le B.C.G. et ne sera rendu à sa mère qu'après avis médical.
Mais si la tuberculose pendant la grossesse n'est pas dangereuse pour l'enfant, il n'en va pas de même pour la mère. La grossesse a tendance à aggraver cette maladie. Le repos est obligatoire pendant 9 mois. L'alimentation doit être saine et équilibrée. Les lésions seront surveillées à intervalles réguliers, et traitées par les méthodes habituelles.
La période des suites de couches peut être l'occasion d'une rechute ou d'une aggravation des lésions, et l'allaitement (indépendamment même des risques de contagion pour l'enfant) est formellement contre-indiqué.

La syphilis

Alors qu'elle était en voie de régression, cette maladie vénérienne retrouve depuis 10 ans une nouvelle jeunesse, et le nombre de cas enregistrés a augmenté de 300 % en quelques années. Au contraire de la tuberculose, cette maladie peut se transmettre

* In utero : terme médical en latin : dans l'utérus.

à l'enfant dans l'utérus. Aussi des tests de dépistage de la syphilis sont ils obligatoires dans les trois premiers mois de la grossesse (prise de sang).
En cas de résultats positifs, la future maman est soignée (surtout avec de la pénicilline), et l'enfant vient au monde en bonne santé. L'important est donc d'être soignée à temps, c'est-à-dire avant le 5e mois. Non soignée, une femme n'a que 35 % de chances de mettre au monde un enfant normal et sain.
De toute manière, lorsque la mère a été malade, on fait par prudence, à la naissance, des analyses du sang du bébé, pour savoir s'il n'a pas été atteint, et s'il est nécessaire ou non de lui faire un traitement.

Si vous étiez malade avant d'être enceinte

Conclusions :
- Il est essentiel de faire le test en début de grossesse.
- Il ne faut prendre aucun risque de contamination après le test.

C'est la syphilis maternelle qui est importante. Une syphilis paternelle ne peut intervenir que comme source de contamination éventuelle de la mère.

Le diabète

C'est, vous le savez certainement, une maladie du métabolisme (transformation) des sucres, qui se traduit uniquement, au moins au début, par un taux anormal de sucre dans le sang, et par la présence de sucre dans les urines.
Dans le temps, le diabète rendait la grossesse très dangereuse et pour la mère et pour l'enfant. Aujourd'hui, les progrès de la médecine ont considérablement réduit les risques. A elle seule, la mortalité périnatale s'est réduite de plus de moitié en moins de 40 ans.
Il n'en reste pas moins que le diabète rend la grossesse difficile : avortement, toxémie, hydramnios (v. note p. 167), et surtout souffrance fœtale, voire mort dans l'utérus dans les dernières semaines, sont les dangers qui menacent la grossesse.
Mais une femme diabétique peut mener sa grossesse à terme sans encombre, à condition de suivre très strictement le traitement et le régime qui lui auront été prescrits. Lorsque la grossesse n'est pas surveillée, on compte 80 % d'accidents divers. Pour une grossesse surveillée, 10 % seulement.

Presque toujours, le diabète est connu depuis longtemps. Dès qu'une femme diabétique soupçonne une grossesse, il faut qu'elle voie aussitôt le médecin : il modifiera peut-être le traitement en fonction de la grossesse.
Une hospitalisation peut être nécessaire à un moment quelconque de la grossesse pour équilibrer correctement le diabète grâce au régime et aux médicaments.
En fin de grossesse, la future mère diabétique est en général hospitalisée, et l'on fait une césarienne, car le bébé est gros (plus de 4 kgs en général), mais fragile, véritable « colosse aux pieds d'argile », selon l'expression consacrée, et risque de souffrir de l'accouchement.
On peut être diabétique ou « presque diabétique » sans le savoir, ce que l'on appelle les états pré ou para-diabétiques.

Voici les éléments qui peuvent vous donner des soupçons :
- vous avez des diabétiques dans votre ascendance;
- vous avez déjà mis au monde de gros enfants, ou des enfants morts-nés.

Si vous étiez dans l'un de ces cas, signalez-le au médecin.
Reste enfin le problème qui inquiète beaucoup de femmes : au cours d'un examen d'urines fait pendant la grossesse, vous découvrez la présence de sucre. Ne vous inquiétez pas pour autant. Faites d'abord préciser par le laboratoire s'il s'agit de glucose ou de lactose. La présence de ce dernier sucre est banale au cours des derniers mois. S'il s'agit vraiment de glucose, il traduit, au moins neuf fois sur dix, une simple anomalie de filtration au niveau du rein en rapport avec la grossesse. Signalez cependant le fait au médecin.

L'obésité

Les obèses ont souvent tendance à prendre, au cours de la grossesse, plus de poids que les autres et à faire des complications plus fréquentes : albumine dans les urines, hypertension artérielle. C'est dire la nécessité d'un régime alimentaire particulièrement strict.
Les enfants sont souvent (comme ceux des diabétiques) de poids élevé, d'où des difficultés possibles au moment de l'accouchement.

Maladies cardiaques

Toutes les maladies cardiaques n'ont pas la même gravité, mais toutes imposent les mêmes mesures de prudence en raison du travail supplémentaire que la grossesse impose au cœur : repos le plus complet possible, régime strictement dépourvu de sel, vie calme sans émotions ni fatigue, surveillance médicale régulière et fréquente.
Tous les traitements habituels sont autorisés, y compris même les interventions de chirurgie cardiaque.

L'insuffisance rénale et l'hypertension artérielle

Les complications sont fréquentes. La grossesse aboutit souvent à un avortement. La maladie rénale et l'hypertension sont fréquemment aggravées. C'est un des rares cas où l'interruption de grossesse est vraiment thérapeutique et a pour but de sauver la vie de la femme.

Interventions chirurgicales

Peut-on se faire opérer quand on est enceinte? Oui c'est possible. Mais on ne pratique que les interventions urgentes, une appendicite aiguë, par exemple. Et quand l'opération nécessite l'ouverture de l'abdomen, elle implique des précautions particulières, en raison des risques d'avortement ou d'accouchement prématuré.

Le facteur rhésus

Peu de domaines de l'obstétrique ont évolué aussi rapidement que le facteur Rhésus. En l'espace de 30 ans, on a découvert son existence, décrit les accidents qu'il pouvait donner, et trouvé un traitement non seulement pour guérir, mais aussi pour prévenir ces accidents qui constituaient un sujet de préoccupation majeure pour les accoucheurs.

Aujourd'hui, comme vous allez le voir, l'avenir se présente sous un jour très favorable. Mais les futures mères redoutent encore ces accidents, sans savoir en général ce qui peut les provoquer. Je vais vous l'expliquer. Cela va entraîner des explications un peu longues peut-être, mais sans elles vous auriez de la peine à comprendre.

Les groupes sanguins

Vous avez certainement entendu dire que, avant de faire une transfusion de sang, on analysait le sang du « donneur » et celui du malade. Pourquoi ? Parce que certains sangs ne sont pas acceptés par d'autres : il arrive que le sang de la personne qui reçoit se défende, et fabrique des anticorps, substances capables de détruire le sang reçu.

Chaque individu appartient à un « groupe sanguin ». Chaque groupe sanguin est caractérisé par la possession de deux substances. L'une est située dans les globules rouges : c'est l'*agglutinogène* désigné par les lettres A et B. C'est lui qui donne son nom aux groupes sanguins. Il y a quatre groupes : A, B, AB, O. Mais comme on le voit dans le tableau p. 134, l'un des groupes sanguins contient *deux* agglutinogènes (le groupe AB), et un autre (le groupe O) n'en contient pas du tout.

L'autre substance est contenue dans le plasma sanguin, (ou « eau ») qui véhicule les globules rouges. C'est l'anticorps, ou *agglutinine*. On peut le désigner par les lettres a, b, correspondants aux agglutinogènes A, B. Cette agglutinine a la propriété de détruire (en terme médical d'*agglutiner* ou *lyser*) les globules rouges qui possèdent l'agglutinogène correspondant.

Il va donc de soi qu'un individu ne peut posséder dans son sang en même temps l'agglutinogène A et l'agglutinine a, car il détruirait alors ses propres globules rouges. En revanche, comme le montre le tableau, un sujet d'un groupe sanguin possède l'agglutinine qui ne correspond pas à son agglutinogène.

La répartition des groupes sanguins dans la population varie selon les races. Ainsi en Europe occidentale, 45 % des individus sont du groupe O et 5 % seulement du groupe AB.

Lorsqu'on pratique une transfusion, il est donc indispensable. sous peine d'accidents graves, de respecter les règles de compatibilité entre le sang du receveur et le sang du donneur.

Groupe	Agglutinogène (globule rouge)	Agglutinine (sérum)	Remarques
A	A	b	Ne peut : • donner qu'à son groupe • recevoir que de son groupe ou du groupe O
B	B	a	Idem
AB	A et B	pas d'agglutinine	Receveur Universel (reçoit tous les sangs)
O	pas d'agglutinogène	a et b	Donneur universel peut donner à tous les autres groupes.

Et si une complication survient

Le facteur rhésus et ses particularités

Mais, tout en respectant les règles de compatibilité entre sang du receveur et sang du donneur, on observait lors de certaines transfusions, des accidents inexplicables. De même, des complications graves, parfois mortelles survenaient chez des enfants au cours de la grossesse, ou dans les jours qui suivaient la naissance.

C'est en 1940 qu'on eut l'explication de ces accidents, lorsqu'on découvrit l'existence du facteur rhésus. On s'aperçut alors que l'on pouvait diviser les humains en deux groupes : la plupart d'entre eux (85 %) possèdent en effet sur les globules rouges un agglutinogène supplémentaire appelé facteur rhésus (du nom de la race des singes sur lesquels furent effectués les travaux expérimentaux). Ils sont appelés rhésus positif. Les 15 % restant ne possèdent pas cet agglutinogène facteur rhésus ; ils sont dits rhésus négatif. Chaque individu est donc caractérisé à la fois par son appartenance à l'un des quatre groupes sanguins, A, B, AB, ou O, *et* par son facteur rhésus positif ou négatif.

Lors des transfusions sanguines, il est donc évident qu'il faut respecter les règles de compatibilité non seulement dans le système classique (A, B, AB et O), mais aussi dans le système rhésus.

Mais, et c'est là que les choses se compliquent un peu, le système rhésus présente une originalité. Dans le système classique, un sang qui ne possède pas d'agglutinogène possède l'agglutinine correspondant, regardez, par exemple, le cas du groupe O. Pouvait-on en conclure que les rhésus négatifs, c'est-à-dire les 15 % d'humains n'ayant pas d'agglutinogène rhésus, possédaient l'agglutinine anti-rhésus ? Non, et c'est là l'originalité du groupe rhésus négatif : il ne comporte pas d'agglutinine naturelle.

Mais ce qui est très important, et là vous approchez du terme de l'explication, ces agglutinines peuvent apparaître dans le cas suivant : lorsque du sang rhésus négatif entre en contact avec du sang rhésus positif (c'est-à-dire du sang dont les globules rouges portent l'agglutinogène rhésus, vous l'avez vu plus haut). Devant l'introduction de cette substance étrangère, l'agglutinogène rhésus, le sang rhésus négatif réagit, il fabrique des agglutinines anti-rhésus. On dit alors que le sujet rhésus négatif s'immunise contre les globules rouges rhésus positif.
C'est précisément cette immunisation, cette présence dans le sang rhésus négatif d'agglutinines anti-rhésus, qui peut être la source des accidents dont nous parlions plus haut.
En effet, que va-t-il se passer?
Si une femme a dans son sang des agglutinines anti-rhésus, cela n'aura aucune conséquence pour son organisme.
Par contre, si elle est enceinte, ces agglutinines qui circulent dans son sang, franchissent le placenta, pénètrent dans la circulation fœtale, et y attaquent les globules rouges rhésus positif de l'enfant. Ces globules sont détruits, ou *hémolysés*, d'ou le nom de *maladie hémolytique* donné aux divers accidents qui frappent alors l'enfant. Ces accidents peuvent être plus ou moins graves, je vous en parle plus loin.
Voyons d'abord dans quels cas une femme rhésus négatif peut s'immuniser.

Immunisation des femmes rhésus négatif
Elle peut se faire dans deux circonstances :

● **La femme reçoit, par erreur, une transfusion de sang rhésus positif.** Elle développe alors des agglutinines pour se défendre contre les globules rouges rhésus positif. Elle a le temps d'en fabriquer une grande quantité avant la survenue d'une éventuelle grossesse. Cette forme d'immunisation paraît donc particulièrement grave, et ceci d'autant plus que la transfusion responsable aura été faite à un âge plus jeune.

● **L'enfant attendu est rhésus positif.** Les globules rouges rhésus positif du fœtus peuvent (ce n'est ni obligatoire, ni constant) passer dans l'organisme maternel. Ce passage se fait essentiellement au moment de l'accouchement et de la délivrance.

Alors, au contact de ces globules rhésus positif, la femme va développer des agglutinines anti-rhésus. Ces agglutinines ne peuvent plus être néfastes pour l'enfant qui vient de naître, mais puisqu'elles vont rester dans le sang de la mère, elles peuvent l'être pour l'enfant suivant. Ceci explique que les accidents ne surviennent pas au cours de la première grossesse (sauf si la femme a été immunisée par une transfusion), mais que le risques augmentent, au moins en théorie, avec la multiplication des grossesses.

Quels sont les risques pour une femme rhésus négatif d'être enceinte d'un enfant rhésus positif? Cela dépend du père. S'il est rhésus négatif, l'enfant le sera également, donc pas de risque. Si le père est rhésus positif, il y a une chance sur deux que l'enfant soit rhésus négatif.

On voit donc qu'au cours de la grossesse, les risques d'immunisation dans le système rhésus sont loin d'être obligatoires et ne sont même pas fréquents.
Pour qu'il y ait immunisation :

- d'abord, il faut que la femme soit rhésus négatif : cela n'arrive que 15 fois sur 100 ;
- ensuite, il faut que le père soit rhésus positif, et qu'il ait engendré un enfant rhésus positif : cela n'arrive que dans 50 cas sur 100, comme vous l'avez vu.

Enfin, même quand ces deux conditions sont réunies, les accidents paraissent beaucoup moins fréquents qu'on ne devrait s'y attendre. Ainsi, nombre de couples paraissent protégés par des mécanismes dont la plupart sont encore inconnus.
Voyons maintenant les risques pour l'enfant de l'immunisation maternelle.

Et si une complication survient

Risques de l'immunisation maternelle pour l'enfant
La destruction des globules rouges de l'enfant par les agglutinines maternelles va avoir des conséquences diverses dans leur gravité et leur date d'apparition.
Les accidents les plus graves sont aussi les plus précoces. Ils peuvent survenir dès le 6e ou le 7e mois de la grossesse. Ce sont :

- la mort du fœtus *in utero ;*
- un œdème, c'est-à-dire une infiltration de tous les organes du fœtus et du placenta : c'est l'anasarque fœto-placentaire, très rare et le plus souvent mortel.

Les accidents moins graves, beaucoup plus faciles à traiter, apparaissent après la naissance :

- l'anémie : elle est due à la destruction des globules rouges par les agglutinines maternelles ;
- l'ictère, c'est-à-dire la jaunisse, est également la conséquence de la destruction des globules rouges : celle-ci libère en effet un pigment, la bilirubine, qui se répand dans la circulation de l'enfant et donne la coloration jaune de la peau et des yeux. Ce pigment peut atteindre le cerveau où certaines zones sont particulièrement sensibles. Il peut en résulter de graves séquelles psychiques et motrices si l'ictère n'est pas traité.

Ces complications apparaissent en règle générale précocement dès les 24 premières heures après la naissance. Cet ictère ne doit pas être confondu avec celui, plus tardif et normal, que l'on voit chez de nombreux nouveau-nés.

Que faire si vous êtes facteur rhésus négatif?
Le premier geste de prévention consiste à dépister les femmes rhésus négatif, donc susceptibles de s'immuniser. Les règlements de Sécurité Sociale prévoient d'ailleurs la détermination du groupe sanguin dans les trois premiers mois de la grossesse, avec un contrôle au cours du 9e mois.
Une fois que vous savez que vous êtes rhésus négatif, il est évidemment fondamental de connaître le groupe de votre mari. S'il est rhésus négatif, vous ne courez aucun risque puisque, vous l'avez vu, vos enfants seront obligatoirement rhésus négatif. Si votre mari est rhésus positif, c'est-à-dire si vous êtes dans les

conditions de l'immunisation, il est intéressant de connaître son groupe (A, B, AB ou O). Il semble en effet que l'incompatibilité dans ce système (vous êtes du groupe A et votre mari du groupe B, par exemple) protège dans une certaine mesure contre la survenue des accidents d'immunisation.
Il sera nécessaire également, si l'on vous a fait des transfusions de sang, de vérifier qu'elles n'ont entraîné aucune conséquence, en recherchant dans votre sang l'existence d'agglutinines dès le début de la grossesse.
La surveillance de la grossesse doit évidemment être très attentive et les examens suffisamment fréquents. La recherche et le dosage des agglutinines seront pratiqués à chaque examen prénatal chez la multipare, au cours des 1er, 3e et 4e examens chez la primipare. Cette recherche sera faite même si la femme a déjà bénéficié d'un traitement préventif lors d'une grossesse précédente (voir page 138 : la prévention des accidents).

Le facteur rhésus

Dans la plupart des cas, la grossesse évolue normalement. Le médecin ne décèle aucune anomalie. Les recherches d'agglutinines restent négatives. Vous accoucherez à terme. Nous reviendrons sur les problèmes posés après la naissance de l'enfant.
Ailleurs, les choses se compliquent. Ces complications apparaissent surtout chez les femmes qui ont déjà eu des enfants, et qui ont pu être immunisées lors des grossesses précédentes. On doit redouter ces complications à plus forte raison si des complications sont déjà apparues aux grossesses précédentes.
Ici, la surveillance clinique est encore plus attentive, les recherches d'agglutinines plus fréquentes et répétées en cas d'élévation importante de leur taux. On peut être amené aussi à pratiquer des examens du liquide amniotique, prélevé par ponction. Ces examens permettent de savoir si l'enfant a été atteint, et dans quelle mesure. Si nécessaire, c'est alors qu'un traitement est mis en œuvre.
On reste très démuni contre les accidents très précoces et habituellement très graves, qui surviennent avant que l'enfant ne soit viable, c'est-à-dire avant que l'on puisse envisager de provoquer un accouchement prématuré. Dans des cas d'exceptionnelle gravité, on peut pratiquer une transfusion de sang alors que l'enfant est dans l'utérus. On a sauvé ainsi quelques enfants, mais cette technique reste d'application très rare. Ces cas gravissimes sont heureusement de moins en moins fréquents.
Le plus souvent, on attend que l'enfant soit viable et l'on provoque un accouchement avant terme (par la voie naturelle ou par césarienne) afin de le soustraire à l'influence néfaste des agglutinines maternelles. Il n'est pas souhaitable en effet de laisser la grossesse évoluer jusqu'à son terme dans les cas où l'enfant paraît souffrir, car c'est dans les dernières semaines que les risques sont les plus grands.

Après la naissance

On va pratiquer un certain nombre d'examens chez l'enfant. Ils permettront :
- de préciser son groupe sanguin, et surtout son facteur rhésus puisque seul l'enfant rhésus positif court des risques ;
- de préciser l'existence et l'importance de ces risques.

En fonction de l'aspect clinique de l'enfant à la naissance et du résultat des examens, divers cas peuvent se présenter :

- le plus souvent, l'enfant ne présente aucun signe d'atteinte rhésus. Il reste simplement à le surveiller. Si rien ne s'est passé après le troisième jour, vous pouvez être rassurée.
- Quelquefois apparaît précocement une jaunisse. Les examens de laboratoire ne sont pas favorables. On sera amené, dans ce cas, à pratiquer une exsanguino-transfusion. Elle consiste à remplacer la totalité du sang de l'enfant par du sang « neuf ». Il peut être nécessaire de faire plusieurs exsanguino-transfusions consécutives chez le même enfant.
- Enfin, dans les cas présumés graves, où tout fait craindre une atteinte sévère de l'enfant, l'équipe de transfusion se trouve à côté de la salle d'accouchement, prête à agir. Les examens sont alors faits immédiatement, et la première exsanguino-transfusion est réalisée dans les minutes qui suivent la naissance.

Et si une complication survient

De tout ce qui précède, vous pouvez aisément conclure que l'accouchement ne peut se dérouler que dans un centre bien équipé.

La prévention des accidents

En fait, tout permet de penser que, dans quelques années, les accidents dus au facteur rhésus ne seront plus qu'un mauvais souvenir.

Depuis quelques années, en effet, une nouvelle méthode a vu le jour. Elle repose sur un principe simple : détruire les globules rouges du fœtus passés dans la circulation de la mère rhésus négatif avant que celle-ci n'ait eu le temps de fabriquer des agglutinines.

On injecte à la mère dans les soixante-douze heures qui suivent l'accouchement, des gamma-globulines préparées spécialement pour détruire les globules rhésus positif. C'est ce qu'on appelle, improprement d'ailleurs (comme je vous l'ai déjà dit), la « vaccination anti-rhésus + ».

Ce traitement est répété après chaque accouchement. En revanche, il n'est pas applicable aux femmes déjà immunisées et qui ont déjà fabriqué des agglutinines.

A signaler : la « vaccination anti-rhésus + » peut également être nécessaire après un avortement, quelle qu'en soit la date, et même après une grossesse extra-utérine.

Attention danger

Voici les symptômes que vous devez signaler au médecin dès leur apparition. Ils ne traduisent pas forcément la survenue d'une complication grave, mais seul le médecin pourra les interpréter.

Symptômes	Complications possibles
• Vous avez des pertes de sang, même légères (surtout si elles se répètent). • Vous avez des douleurs dans le bas ventre.	**Au début : menace d'avortement, grossesse extra-utérine. A la fin : menace d'accouchement prématuré, placenta praevia.**
• Vous avez pris trop de poids trop vite (plus de 400 g par semaine). • Vos pieds, vos chevilles, vos mains gonflent. • Il y a de l'albumine dans vos urines.	**Toxémie gravidique.**
• Vous avez des troubles de la vue (taches devant les yeux, vue brouillée), surtout si ces troubles s'accompagnent d'une barre au creux de l'estomac et de maux de tête.	**Eclampsie.**
• Vous urinez fréquemment, avec des brûlures en urinant, accompagnées parfois de douleurs dans le ventre et les reins, et de fièvre.	**Infection urinaire.**
• Vous avez de la fièvre, qu'elle soit ou non accompagnée d'un autre symptôme. • Vous sentez des ganglions au niveau du cou. • Vous avez une éruption en un point quelconque du corps.	**Maladie infectieuse.**
• Vous avez une perte d'eau par le vagin (assurez-vous qu'il ne s'agit pas d'une émission involontaire d'urine, ce que vous reconnaîtrez à l'odeur).	**Rupture des membranes. Risque d'accouchement prématuré.**
• Vous êtes anormalement fatiguée, essouflée, avec tendance à perdre facilement connaissance.	**Anémie.**
• Vous avez subi un traumatisme important (chute, accident de la voie publique ou de la route).	**Vérifier que le traumatisme n'a eu aucune conséquence sur l'évolution de la grossesse.**

8.

L'histoire de votre enfant avant sa naissance

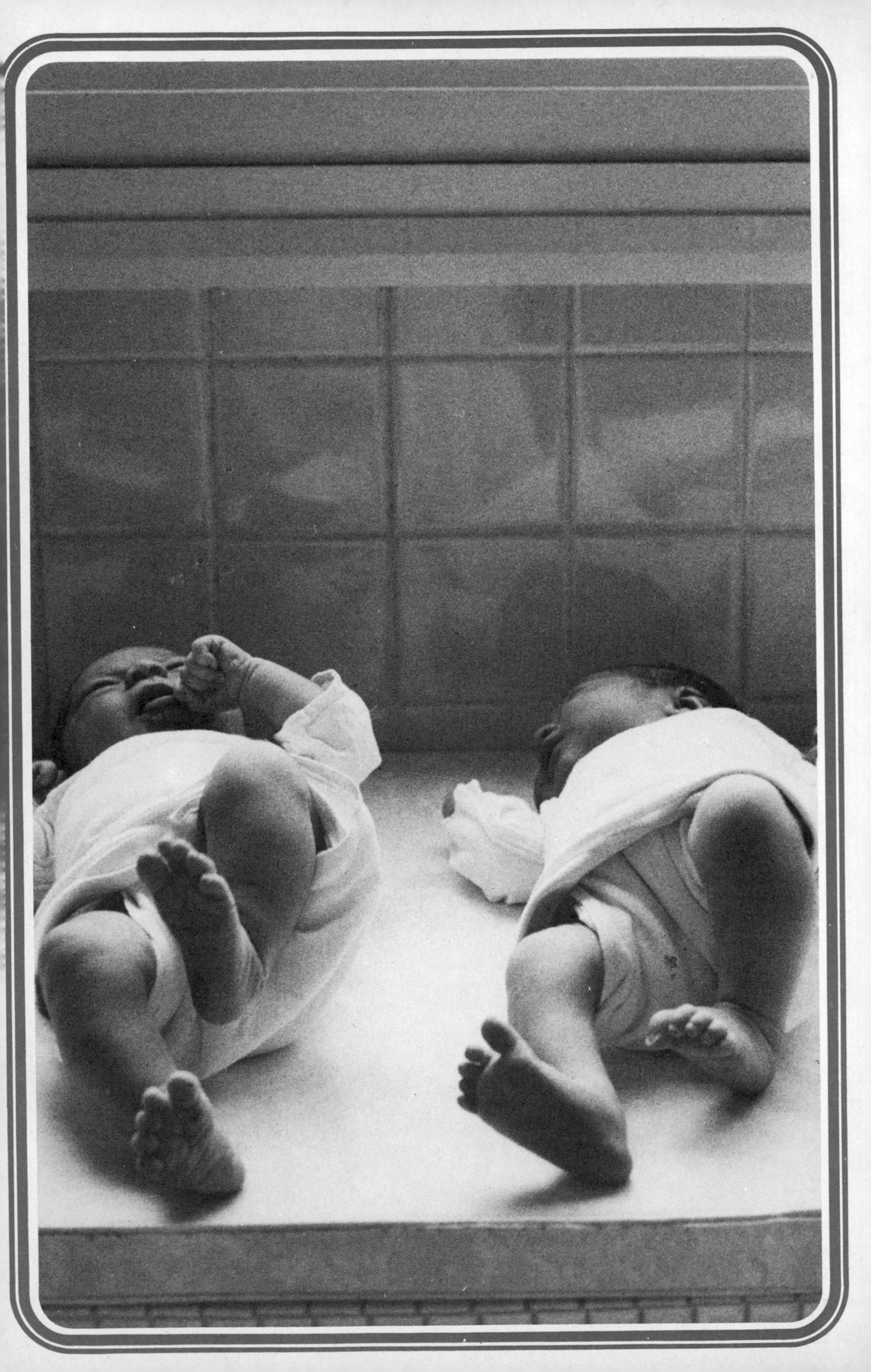

Comment la nature crée un être humain

Pour que la vie se transmette, pour qu'un nouvel être soit formé, il faut que deux germes, l'un venant de l'homme : le spermatozoïde (ou gamète mâle), l'autre de la femme : l'ovule (ou gamète femelle), se rencontrent.
L'union de ces deux germes forme un œuf de quelques centièmes de millimètre : l'œuf humain.
Cela semble tout simple aujourd'hui, mais il y a cent ans à peine on ne connaissait pas exactement le mécanisme qui préside à la formation d'un être. Il a fallu plus de trois mille ans pour connaître ce que nous allons maintenant vous raconter : comment l'ovule et le spermatozoïde s'unissent pour former l'œuf humain (la conception), comment cet œuf trouve dans l'organisme maternel l'endroit confortable où il pourra loger (la nidation) et se nourrir pendant neuf mois, et enfin comment pendant ces neuf mois (la grossesse), l'œuf se développe peu à peu, est embryon, puis fœtus, puis nouveau-né, votre bébé.

Au commencement était l'ovule

Au début, on dirait que nous ne sommes pas sur terre. Nous ne sommes pas dans le monde que nous voyons, dans les mesures de notre monde. La scène se passe dans ce qu'il y a de plus petit en nous : l'infiniment petit des cellules. Tout ce qui est vivant est composé de cellules, d'une taille (en moyenne) de quelques millièmes de millimètre. Les cellules ont des formes et des tailles différentes suivant qu'elles constituent les os, la peau, les nerfs, etc... Mais elles sont toutes formées d'une substance identique, le cytoplasme, qu'entoure une membrane, et qui renferme en son centre un noyau. Parmi ces milliards de cellules, deux d'entre elles, ayant comme les autres un cytoplasme, un noyau, une membrane, sont chargées d'une mission particulière : transmettre la vie. Ce sont : le germe féminin, l'ovule, et le germe masculin ou spermatozoïde.
L'ovule provient de l'ovaire, glande sexuelle de la femme. Situés dans la cavité abdominale, à gauche et à droite de l'utérus, les ovaires — car ils sont deux — appartiennent à l'appareil reproducteur, qui comprend en outre les trompes de Fallope, l'utérus, le vagin et la vulve, organe externe de cet appareil (voir, un peu plus loin, la rencontre des deux cellules, page 149). Les ovaires ont un double rôle. D'une part, ils produisent les ovules, d'autre part, ils sécrètent deux hormones, les œstrogènes et la progestérone, qui, vous allez le voir, jouent un rôle essentiel dans l'activité génitale de la femme.

A la naissance, les ovaires d'une petite fille contiennent 300 000 à 400 000 ovocytes, cellules-mères dont vont naître les ovules. Rien ne se passe jusqu'à la puberté. Alors, les ovocytes se mettent à se transformer en ovules. Chaque mois, un ovocyte se transforme en ovule qui est « pondu » par l'ovaire : c'est le phénomène de l'ovulation. Si cet ovule est fécondé par le germe masculin ou spermatozoïde, il fera son nid dans l'utérus, où il se développera pour donner naissance au bout de neuf mois à un enfant. S'il n'est pas fécondé il sera entraîné à l'extérieur dans un écoulement de sang : ce sont les menstrues ou règles. Et, le mois suivant, un autre ovule sera pondu et suivra le même sort.

Un ovaire produit un ovule

C'est donc à partir de l'âge — 13 ou 14 ans — où l'ovaire se met à « pondre » des ovules, que la femme peut être mère. Sa période de fécondité durera environ trente ans. Des 300 000 à 400 000 ovules du départ, seuls 300 ou 400 environ arriveront à maturité. L'ovulation n'est pas une opération de second plan. Dans un film documentaire, c'est la séquence que l'on montrerait au début du film. C'est la préface de la vie.
Voici donc les deux ovaires. Ils ont la forme et la taille de grosses amandes blanchâtres et dans l'épaisseur de leur « écorce » se trouvent de petits sacs : les follicules de De Graaf. Chacun de ces petits sacs contient un ovocyte.
Chaque mois, sous l'effet d'hormones sécrétées par l'hypophyse, glande située à la base du cerveau et qui commande toute l'activité hormonale de l'organisme, un ovocyte « mûrit » et forme un ovule qui se développe et grossit *. Il est entouré d'une couche de cellules et d'une petite quantité de liquide. L'ensemble forme ce que l'on appelle un follicule de De Graaf. Peu à peu, ce follicule, gonflé par le liquide folliculaire, fait une saillie arrondie à la surface de l'ovaire. Quand cette saillie atteint la taille d'une groseille ou d'une petite cerise, le follicule se rompt et libère l'ovule. C'est l'ovulation qui se situe normalement entre le 13ᵉ et le 15ᵉ jour du cycle menstruel.
Pendant toute cette période du mûrissement qui correspond à la première moitié du cycle, le follicule a en outre fabriqué des hormones : les œstrogènes dont l'une est la folliculine.

L'ovule entreprend un long voyage

Voilà donc le premier acte achevé. Un ovule a été pondu ; il est prêt pour le deuxième acte, la fécondation. Examinons cet ovule de plus près. Il est plus petit qu'un grain de pollen, il est translucide et incolore. Il est sphérique et entouré d'une membrane gélatineuse et élastique : la zone pellucide. Son cytoplasme est une réserve de protéines, sucres, graisses et autres provisions qu'il a accumulées pendant les quatorze jours qui ont précédé sa ponte, et qui vont lui permettre de se nourrir pendant le voyage qu'il va entreprendre et qui le mènera jusqu'à l'utérus, éloigné de dix centimètres environ. Ce voyage durera de deux à sept jours. A sa sortie de l'ovaire, il va passer dans la trompe de Fallope

* Exceptionnellement, deux ovules se développent en même temps dans un follicule ou dans deux follicules distincts, et arrivent à maturité. S'ils sont fécondés en même temps, ces deux ovules donneront des jumeaux, dits « faux jumeaux » ou jumeaux bivitellins.

qui aboutit à l'utérus. Les trompes de Fallope (il y en a une de chaque côté de l'utérus) sont de longs canaux musculeux d'un diamètre de 4 mm environ, baptisées ainsi parce que Fallope, médecin italien du XVIe siècle, qui les vit pour la première fois, trouva qu'elles ressemblaient à des trompettes romaines. Elles s'élargissent du côté de l'ovaire par un pavillon aux bords très découpés en franges irrégulières et mobiles qui, par leurs mouvements, font penser à une anémone de mer. Ce pavillon est directement en contact avec la surface de l'ovaire. Une fois libéré, l'ovule, qui ne possède aucun moyen de locomotion, est comme hapé par les franges bordant la trompe de Fallope. Il avance grâce aux mouvements qui animent la trompe, aux battements de délicats filaments qui la tapissent, et au liquide qu'elle contient. Engagé dans la trompe, l'ovule a devant lui douze heures, au maximum vingt-quatre, pour être fécondé par un spermatozoïde. Au-delà de ce délai, il dégénérera.

L'hormone de la grossesse

Pendant ce temps, se prépare un autre événement, qui permet la grossesse. Les cellules qui forment la paroi du follicule de De Graaf, lequel vient de libérer l'ovule, se transforment en ce qu'on appelle le corps jaune : c'est un petit îlot de matières graisseuses de la couleur de l'or. Ce corps jaune va sécréter la deuxième hormone féminine, la progestérone.
La progestérone est l'hormone de la grossesse. Elle est là chaque mois, aussitôt après l'ovulation, prête à favoriser dès le premier instant un début de grossesse éventuelle, dès le moment où l'ovule, libéré de l'ovaire, se trouve candidat à la fécondation. C'est la progestérone qui, en transformant la membrane tapissant la paroi de l'utérus, prépare celui-ci à accueillir l'œuf. Très mince à l'origine — un millimètre et demi d'épaisseur — cette membrane en effet devient de plus en plus épaisse. Ses vaisseaux sanguins sont distendus, ses glandes sécrètent un liquide laiteux très riche en sucres. Elle est prête à recevoir et à nourrir l'œuf. Ici encore interviendra utilement la progestérone, qui empêchera l'utérus de se contracter et d'expulser l'œuf lorsqu'il aura fait son nid. Le dispositif est en place. L'utérus attend l'arrivée de l'ovule. Voici l'ovule. S'il a rencontré sur son chemin un spermatozoïde qui l'a fécondé, c'est le début de l'œuf, œuf qui ira faire son nid (on dit aussi « se nider ») dans la muqueuse utérine (la paroi intérieure de l'utérus) : nous verrons plus loin comment. Si l'ovule n'a pas été fécondé, il est expulsé. Le corps jaune régresse, la quantité de progestérone diminue, l'utérus reprend ses contractions, la muqueuse est détruite, ses petits vaisseaux sanguins se rompent et saignent, entraînant avec les sécrétions glandulaires l'ovule à travers le col de l'utérus dans le vagin : ce sont les règles. Aussitôt, la nature persévérante amorce un nouveau cycle de vingt-huit jours.
Tout s'enchaîne désormais. Entre les règles et la grossesse, le lien apparaît : les règles signifient qu'un ovule pondu n'a pas été fécondé : les préparatifs qu'avait faits la nature en vue d'une grossesse sont éliminés, la grossesse n'ayant pas lieu. Au contraire, l'arrêt des règles signifie qu'un ovule a été fécondé*.

*. Cependant, les règles peuvent également s'interrompre pour d'autres raisons, en particulier à la suite d'un déséquilibre hormonal.

Le germe masculin

Changement de décor. La fécondation, c'est le thème du deuxième acte. Ici intervient le germe masculin.
Le germe masculin, ou spermatozoïde, provient des glandes sexuelles de l'homme, les testicules. Comme les ovaires produisent les ovules et les hormones féminines, les testicules produisent les spermatozoïdes et l'hormone mâle : la testostérone. Mais alors que la femme naît avec toute sa réserve d'ovules, chez l'homme les testicules ne commencent à fabriquer des spermatozoïdes qu'à l'âge de la puberté. * Cette production sera pratiquement ininterrompue jusqu'à la vieillesse.

Les testicules sont des glandes de forme ovoïde. Ils renferment de très nombreux petits tubes (les tubes séminifères) aussi fins que des fils de soie, enroulés les uns sur les autres, et dont l'aspect ressemble à celui d'une pelote embrouillée. A l'intérieur, ces tubes sont tapissés de cellules spéciales qui se développent très rapidement, et, par une série de transformations successives, donnent les spermatozoïdes.
Au début arrondies, ces cellules diminuent de taille, s'allongent, leur cytoplasme se réduit, une petite queue se dessine qui peu à peu s'allonge et prend l'aspect d'un long filament. Le spermatozoïde arrivé à maturité est l'une des plus petites cellules humaines, une cellule d'un aspect très particulier (voir page 151). Elle est formée de deux parties : la tête qui est ovale et qui, de face, ressemble à une poire — c'est elle qui contient le noyau — et la queue très longue et qui ressemble à un fouet très fin. La queue (le flagelle) permet au spermatozoïde de se déplacer. C'est sa grande différence avec l'ovule.
Mais les spermatozoïdes ont aussi leur voyage à accomplir. Réunis dans un grand canal aux mille replis et détours et qui a plus de cinq mètres de long, l'épididyme, ils gagnent le canal déférent, long de trente centimètres. Puis ils se massent dans deux sortes de sacs, les vésicules séminales, situées de part et d'autre de la prostate. De là, ils sont entraînés à l'extérieur (lors de l'éjaculation) dans un liquide formé par les sécrétions de diverses glandes (dont la principale est la prostate). Ce liquide contient une certaine quantité de sucre qui stimule les spermatozoïdes.
S'ils ne sont pas entraînés hors des voies sexuelles de l'homme (éjaculés) les spermatozoïdes meurent. On estime qu'ils peuvent vivre jusqu'à trente-huit jours dans les canaux. De plus jeunes les remplaceront.
Quant à ceux qui gagneront le lieu de la fécondation, ils devront traverser l'utérus et remonter la trompe, c'est-à-dire parcourir plus de dix-huit centimètres. En chemin, ils rencontreront beaucoup d'obstacles qui élimineront des millions d'entre eux. Seuls, les plus forts survivront, avançant de trois millimètres par minute.

Un spermatozoïde pénètre dans l'ovule

Puis, une partie des spermatozoïdes s'engage dans la trompe en direction de l'ovaire qui a pondu ; l'autre partie va vers l'autre ovaire, celui qui, cette fois, n'a pas été actif. Parmi les premiers, un grand nombre va s'arrêter à chaque repli des tissus. Ceux

* Cependant, les cellules qui formeront les spermatozoïdes existent chez le garçon dès avant la naissance.

qui sont assez vigoureux pour franchir ces obstacles arrivent, après un voyage d'une heure, au lieu où la fécondation pourra se produire, c'est-à-dire dans le premier tiers (à partir de l'ovaire) de la trompe de Fallope. C'est là qu'ils rencontreront l'ovule qui, nous l'avons vu, est véhiculé en direction de l'utérus par les mouvements de la trompe. (Des spermatozoïdes peuvent attendre l'ovule pendant presque deux jours).
S'ils ne rencontrent pas d'ovule, les spermatozoïdes meurent.

Bientôt vont se trouver face à face ces deux cellules si différentes, mais chargées toutes les deux de la même mission. D'une part, l'ovule, cellule plus volumineuse que les autres — elle mesure 100 microns * — toute alourdie par son cytoplasme chargé de réserves, et d'ailleurs incapable de se mouvoir par elle-même. D'autre part, le spermatozoïde, cellule beaucoup plus petite, dont le noyau n'est presque pas entouré de cytoplasme, mais qui, très mobile, se meut à la rencontre de l'ovule.
Voici l'ovule qui arrive, poussé en avant. Immédiatement, une nuée de spermatozoïdes l'entoure, comme attirée par un aimant. Frétillant, agitant leur flagelle, les spermatozoïdes se collent contre l'ovule. Quelques-uns arrivent à traverser l'enveloppe qui entoure l'ovule (la zone pellucide), mais un seul spermatozoïde, parvient jusqu'au cytoplasme, c'est-à-dire à l'intérieur même de l'ovule. On croyait jusqu'à ces dernières années qu'un seul spermatozoïde pouvait entrer dans l'ovule ; depuis, on a constaté que plusieurs peuvent percer la zone pellucide ; mais un seul parvient au cœur de l'ovule.
En arrivant au but, le spermatozoïde vainqueur perd sa petite queue mobile ; puis sa tête qui contient le noyau s'enfle jusqu'à devenir presqu'aussi volumineuse que le noyau femelle. L'instant est décisif : les deux noyaux s'approchent, ils se touchent ; ils fusionnent. La première cellule d'un nouvel être humain est née.
L'œuf humain, ainsi créé dans le tiers externe de la trompe, va maintenant s'approcher lentement de l'utérus **.

Comment la nature crée un être humain

La multiplication des cellules

Dès le début de ce voyage qui le conduit vers l'utérus, trois heures après la fécondation, l'œuf commence à se diviser. La cellule initiale donne deux cellules, les deux en produisent quatre et ainsi de suite, l'accroissement suivant une progression géométrique (voir pages 152 et 153). (Il suffit de 43 divisions pour donner toutes les cellules du corps). A ce stade, vu au microscope, l'œuf apparaît comme une masse sphérique. Il a l'aspect d'une mûre, d'où son nom de morula (mûre, en latin). Les cellules sont de plus en plus petites, car le volume total de l'œuf reste le même qu'au début. Ce n'est qu'après le sixième dédoublement — 64 cellules — que l'œuf commence à augmenter de volume.
Pendant que s'opère cette segmentation des cellules, l'œuf continue à s'approcher de l'utérus où il va être accueilli, logé et nourri
Il est temps, car, s'il vit toujours sur les réserves accumulées par l'ovule, ces réserves s'épuisent. L'organisme maternel va donc le prendre en charge. C'est pour cela que la muqueuse

*. Un micron = un millième de millimètre.

**. Il arrive parfois que ce périple soit interrompu en cours de route. L'œuf se fixe alors en dehors de l'utérus, dans la trompe elle-même, et c'est le début d'une grossesse extra-utérine (voir page 120).

utérine subit les modifications dont nous vous avons parlé plus haut : elle prépare le nid dans lequel l'œuf va se fixer. Mais lorsque, au bout de trois jours, l'œuf arrive dans l'utérus, il n'a pas encore atteint le développement qui lui permettra de se nider. Il lui faut encore trois jours avant d'être prêt pour la mise en place. Pendant ces quelques jours où il vit libre dans la cavité utérine, l'œuf est le siège d'importantes modifications. Les cellules, qui jusque-là s'étaient multipliées en restant toutes semblables, vont maintenant se différencier. A la période de segmentation va succéder l'importante période de l'organisation — ou organogenèse — qui durera en tout sept semaines. Voici comment elle commence.

Tout d'abord, à l'intérieur de l'œuf, qui à ce stade prend le nom de blastula (bourgeon, en grec), les cellules du centre, qui sont plus grosses, forment une petite masse qui repousse celles qui les entourent vers la périphérie. Un vide sépare la petite masse intérieure de la couche extérieure, sauf en un point où les deux parties restent soudées. Bientôt, le vide va s'agrandir et former une cavité remplie de liquide. La masse de cellules du centre s'appelle le bouton embryonnaire dont une petite partie va donner naissance à l'embryon, nom que le futur bébé portera jusqu'à l'âge de trois mois. La couche de cellules extérieures va former l'enveloppe qui va entourer et protéger cet embryon — le trophoblaste — et un organe — le placenta — qui va lui permettre de se nourrir et de se développer. L'embryon ne va donc se former qu'à partir d'une très petite portion de l'œuf, puisqu'elle ne représente que 9 centièmes de millimètre, lorsque celui-ci a un millimètre, taille de l'œuf à son arrivée dans l'utérus.

Parvenu à ce stade de son développement, l'œuf peut maintenant se nider. Il s'est écoulé six jours depuis la conception ; c'est le septième jour que l'œuf va faire son nid dans la muqueuse utérine.

Mais comment va s'opérer cette nidation ? Des deux enveloppes qui entourent l'ébauche de l'embryon, celle qui se trouve à l'extérieur, le trophoblaste, va maintenant jouer le rôle important.

L'œuf fait son nid

L'œuf se pose sur la muqueuse utérine, puis il y adhère fortement, comme une ventouse. A ce moment entre en jeu le trophoblaste : il sécrète des ferments qui détruisent les cellules tapissant la cavité de l'utérus et creuse une sorte de petit nid dans la muqueuse. On peut dire alors que l'œuf « fait son nid ». Il s'engage dans le trou ainsi creusé et se loge de plus en plus profondément dans l'épaisseur de la muqueuse. Au-dessus de lui, les tissus se rejoignent, la brèche se referme. Elle laissera longtemps une petite cicatrice.

L'œuf est logé, entièrement entouré par la muqueuse utérine dans laquelle il s'est enfoui. On appelle cette muqueuse caduque, car, après l'accouchement, elle sera éliminée. Il faut maintenant que l'œuf se nourrisse. Le trophoblaste — qui prend alors le nom de chorion — projette de petits filaments qui s'enfoncent avidement dans la muqueuse utérine *(suite du texte page 156)*

Histoire d'une rencontre

Dans l'ovule entouré par les spermatozoïdes, un spermatozoïde vient de pénétrer. Il perd son flagelle. Son noyau – contenu dans sa tête – va fusionner avec le noyau de l'ovule...

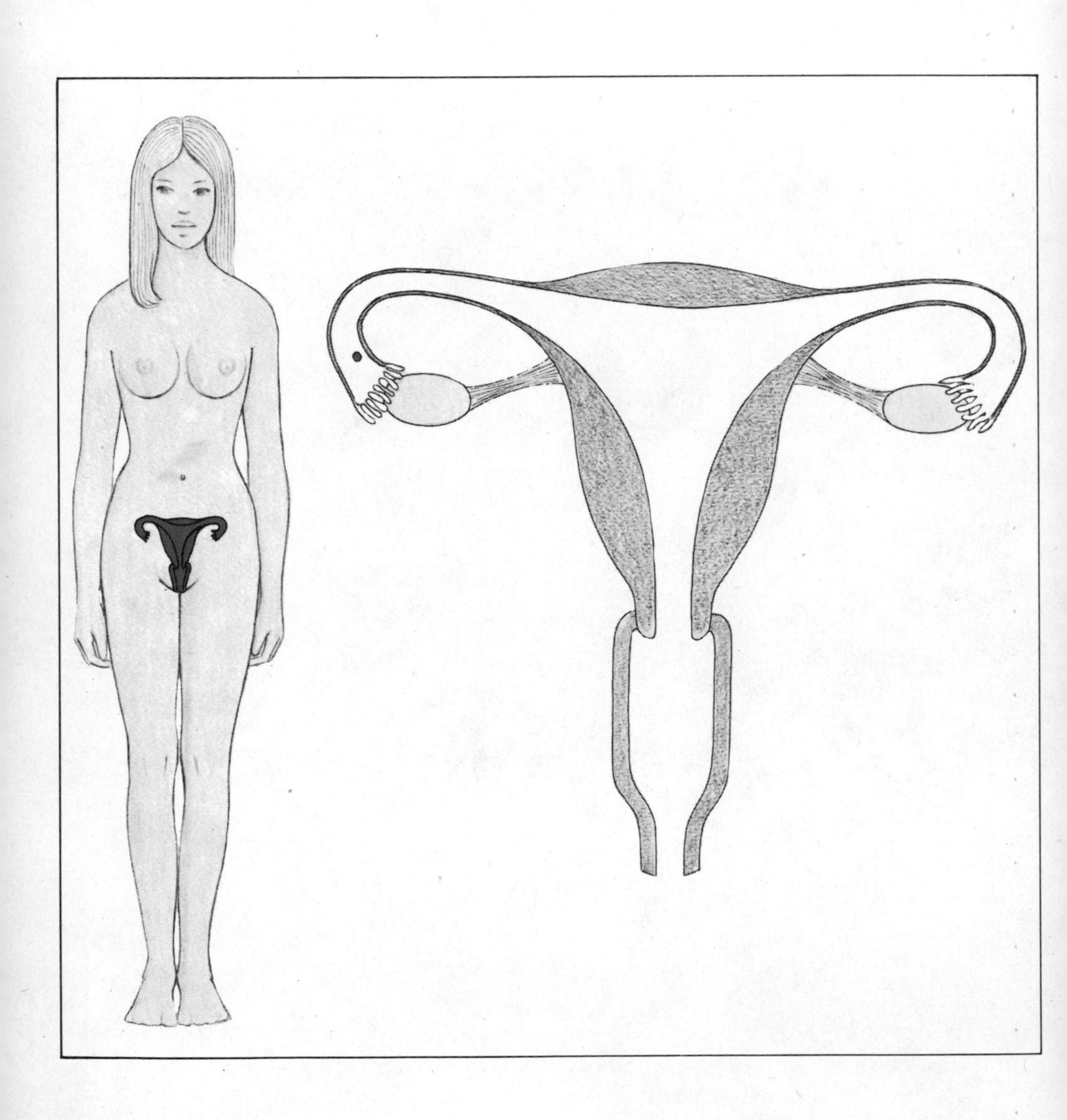

Ovule et Spermatozoïde

La rencontre de l'ovule et du spermatozoïde se passe dans l'une des deux trompes de l'appareil génital féminin. Dans les pages suivantes, nous verrons ce qui précède cette rencontre, et ce qui la suit. Ici, nous voyons : le schéma de l'appareil génital (page de gauche), l'ovule et le spermatozoïde (sur cette page).

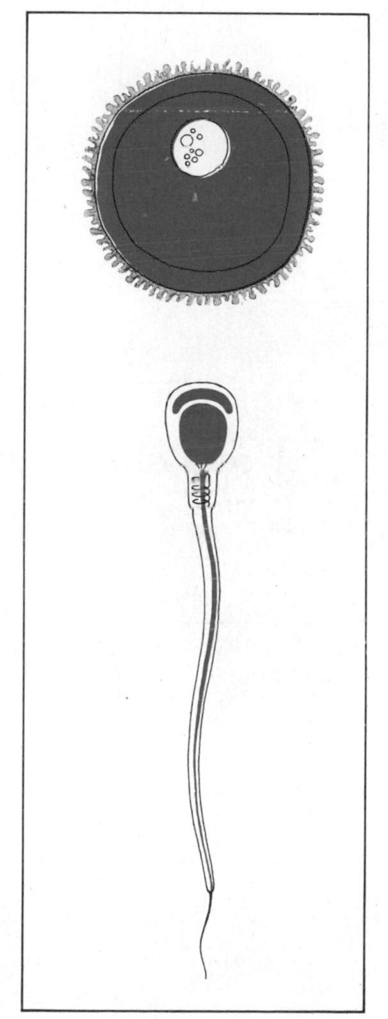

A gauche, le schéma de l'appareil génital de la femme : les deux ovaires (glandes de la forme et de la taille d'une grosse amande), les deux trompes, aboutissant à l'utérus. En bas, l'ouverture de l'utérus - le col - se trouve au fond du vagin.

A droite, un ovule avec son noyau, et un spermatozoïde, avec sa tête, contenant son noyau, et son flagelle qui lui permet de se déplacer. Ici, le spermatozoïde est considérablement grossi par rapport à l'ovule. Les vraies proportions se rapprochent de celles de la page 149.

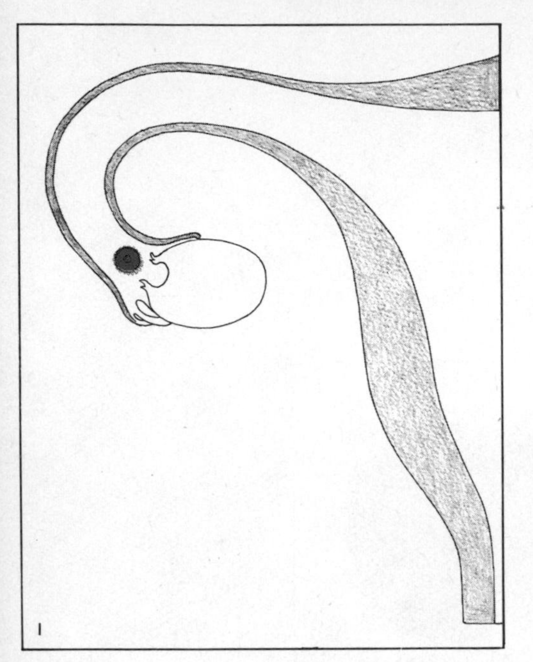

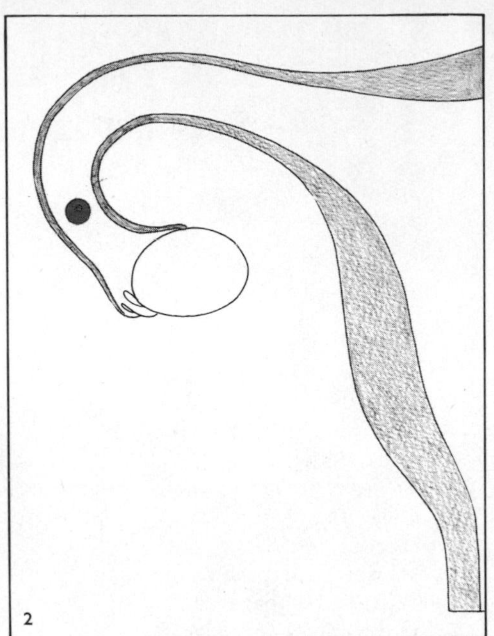

L'œuf et son nid

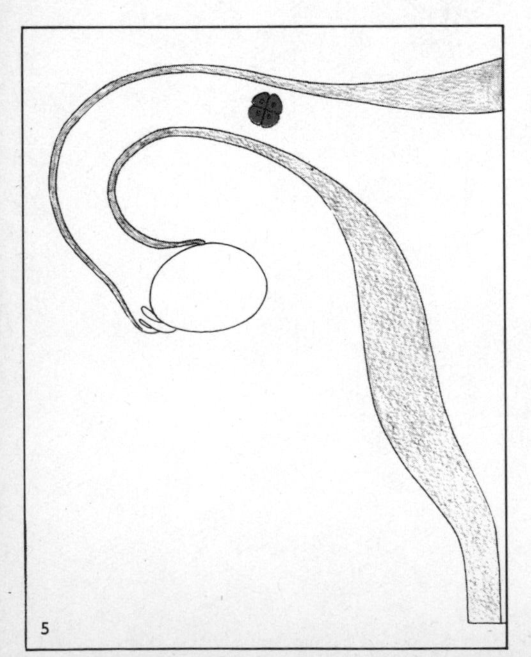

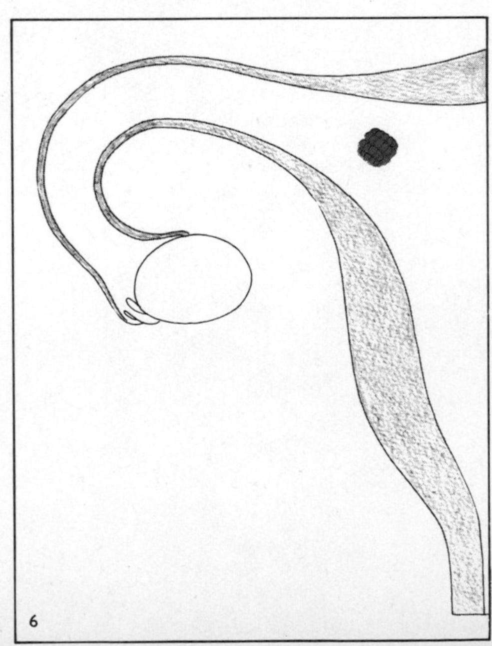

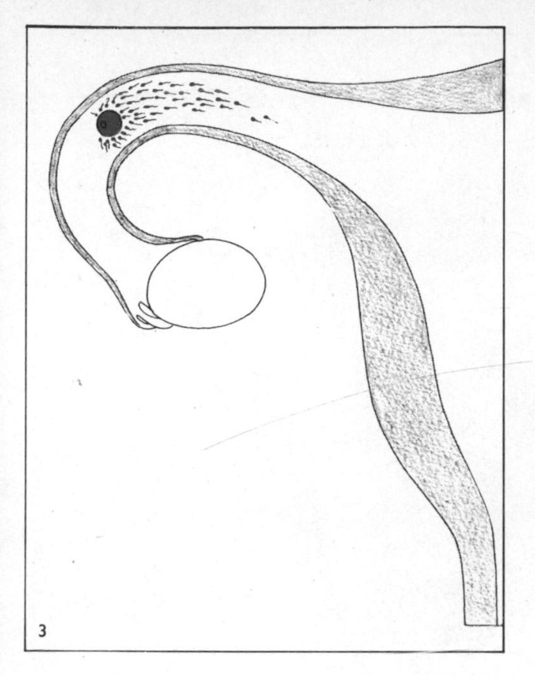

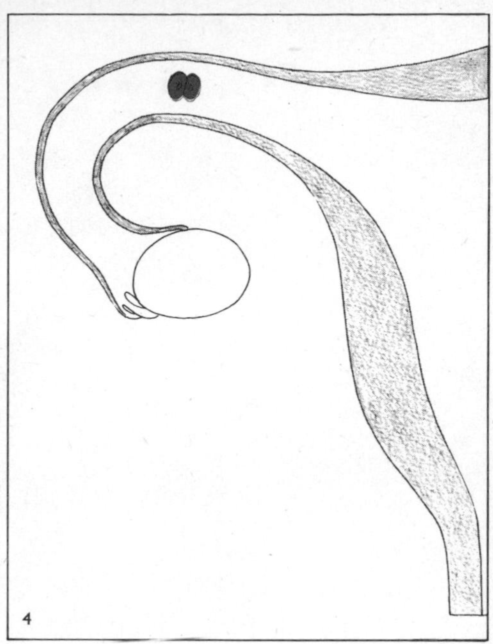

L'ovaire gauche a pondu un ovule (1). L'ovule s'engage dans la trompe (2). Mais du sperme vient de pénétrer dans les voies génitales de la femme. Les spermatozoïdes qu'il contient entourent l'ovule (3). La rencontre montrée page 149 se produit. Les deux noyaux forment ensemble une cellule (4). Celle-ci se divise en deux, en quatre, en huit, etc. Puis la taille de l'œuf commence à augmenter, cependant que, à l'intérieur, ses éléments s'organisent (5, 6, 7).
Mais le voyage dans la trompe continue. Parvenu dans l'utérus, l'œuf se nide, c'est-à-dire fait son nid (8).

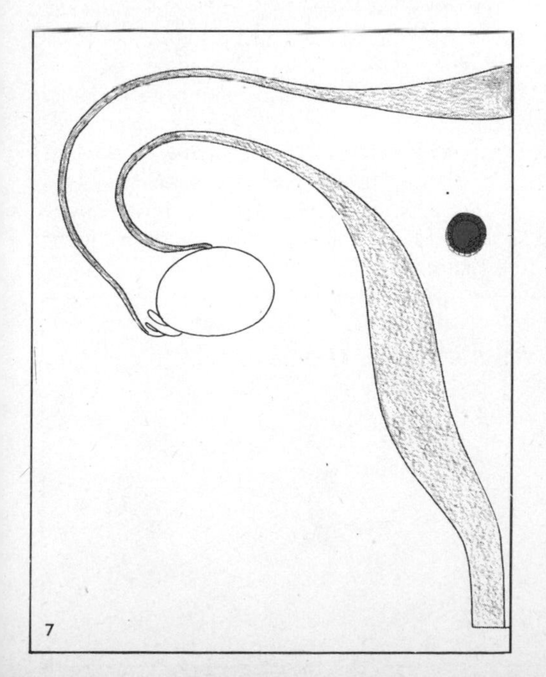

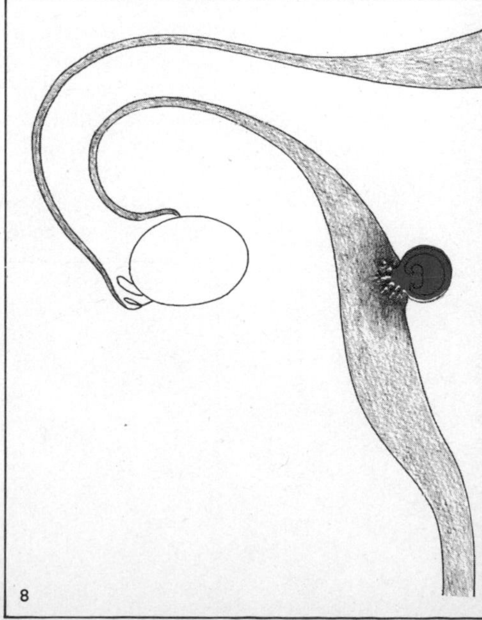

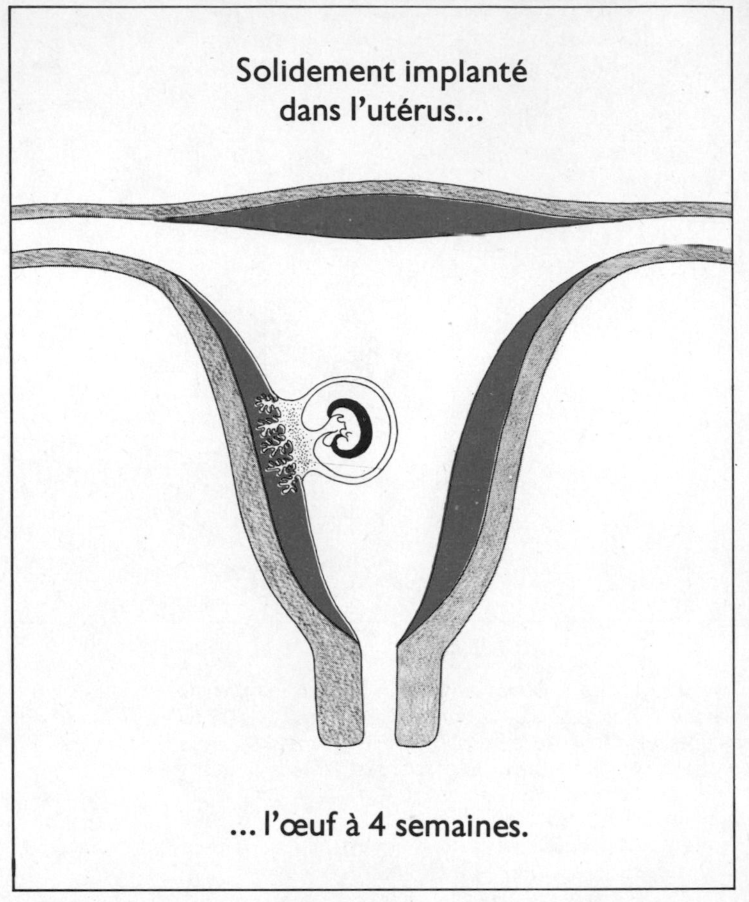

Sur cette double page, nous pouvons suivre la croissance de cet œuf que nous avons vu se nider à la page précédente. Le voici d'abord embryon : à 4 semaines (ci-dessus), et à 6 semaines (première image, page de droite), puis fœtus à 3 mois, 6 mois et 9 mois. Sur ces images, l'enfant est toujours représenté dans la même position. En réalité, il bouge fréquemment. Mais à 9 mois, à la veille de l'accouchement, il se présente, dans la majorité des cas, la tête en bas. Sur la dernière image, vous pouvez voir de plus près la manière dont l'enfant se tient dans le corps de sa mère, et comment il est relié au placenta par le cordon ombilical.

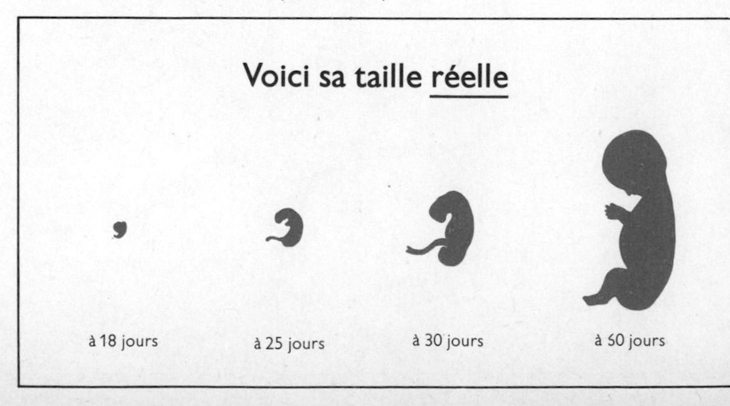

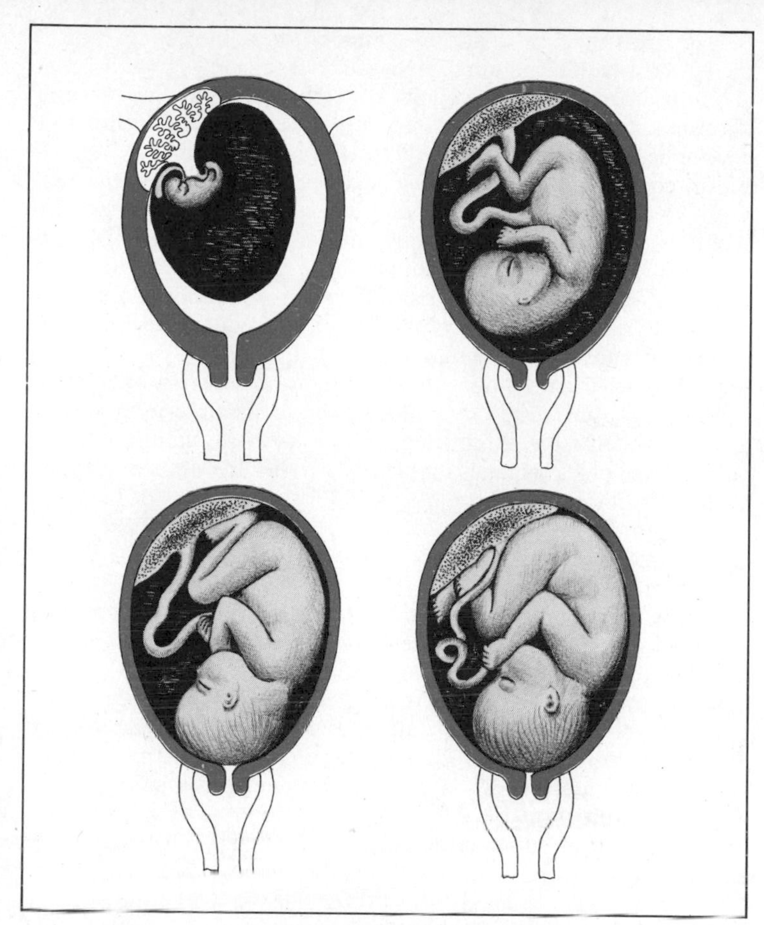

De l'œuf à l'enfant

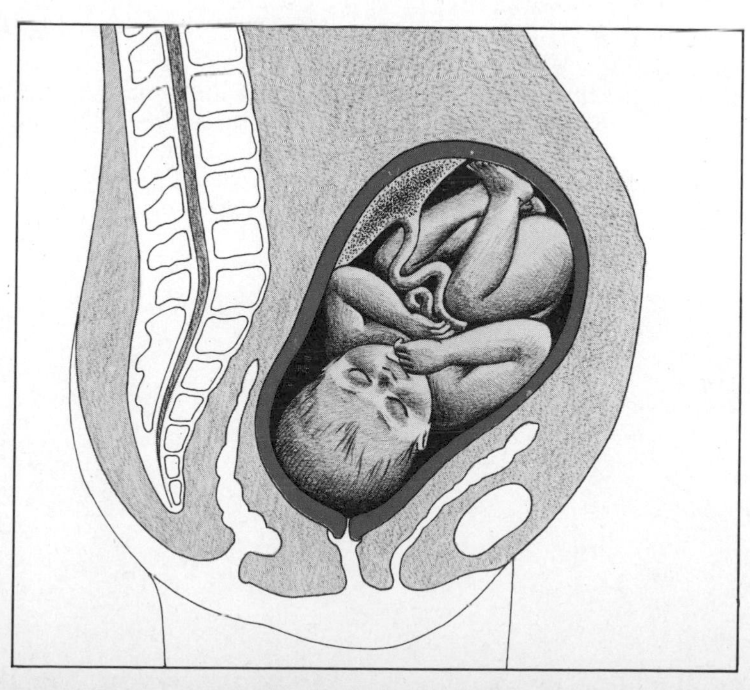

comme des racines dans une bonne terre. Ils rompent les petits vaisseaux sanguins, détruisent les cellules, se gorgent de cette manne et l'envoient à l'embryon dont les besoins s'accroissent sans cesse, car sans cesse de nouvelles cellules se développent à un rythme de plus en plus accéléré.
Aidée, confortée par les hormones toujours secourables aux moments décisifs, la nidation ne dure en fait que quelques heures. L'œuf est maintenant fixé comme une greffe à l'organisme maternel. C'est là qu'il va se développer neuf mois durant. La grossesse date de la conception, mais elle ne commence véritablement qu'au jour de la nidation, celui où pour la première fois la mère protège et nourrit son enfant.
Au centre de l'œuf, l'embryon va maintenant croître à un rythme vertigineux. Mais cette croissance ne sera possible que parce que tout un système va se développer : ce système comprendra ce qu'on appelle les organes annexes, c'est-à-dire les enveloppes, le placenta et le cordon.

Cependant, que s'est-il passé dans l'ovaire depuis que l'ovule l'a quitté ?
Le corps jaune, qui s'est édifié sur la cicatrice laissée après le départ de l'ovule, s'est rapidement développé. Produisant une quantité considérable de progestérone, il a été le grand protecteur des premiers jours de l'œuf. C'est en effet la progestérone qui a empêché l'utérus de se contracter comme il le fait au moment des règles, ce qui aurait eu pour résultat d'expulser l'œuf qui vient de se nider. C'est la même hormone qui a subvenu en partie à la nutrition de l'œuf. Au bout de trois à quatre mois, lorsque le corps jaune aura terminé son temps, le placenta le relaiera et produira lui-même ses hormones, comme vous le verrez plus loin.

Dans les pages qui précèdent, vous avez vu par l'image la rencontre des deux cellules. Nous allons maintenant suivre mois par mois le développement de l'embryon. Ensuite, nous verrons comment il se nourrit grâce au placenta et au cordon ombilical, comment il est protégé par les enveloppes qui l'entourent. Nous verrons enfin que parfois l'utérus contient deux embryons — grossesse gémellaire (jumeaux) —, parfois même trois ou quatre.

Voici mois par mois l'histoire de votre enfant

Un jour, vers la dix-huitième semaine de sa grossesse, la future mère perçoit les mouvements de son enfant. Certaines disent qu'elles le sentent bouger ; d'autres parlent de caresses. C'est soudain une vie intense qui se révèle. Certes, la jeune mère savait bien que le cœur de son enfant battait déjà. Mais ces mouvements du bébé en elle lui font prendre conscience que cet enfant est déjà complètement formé.
C'est une étonnante histoire que celle de l'enfant avant la naissance. La voici :

Mois par mois l'histoire de votre enfant

Premier mois : le mois du cœur

Quelques semaines avant d'être presqu'un petit homme, d'avoir un visage, un cœur, des membres, l'embryon est un disque, un disque minuscule. Diamètre : deux dixièmes de millimètre. Ce disque se trouve au centre des grosses cellules de l'œuf qui, comme vous l'avez vu, se sont détachées au début de la période d'organisation pour former le bouton embryonnaire.
Les cellules qui forment le disque embryonnaire se répartissent en trois couches ou feuillets, d'où procéderont tous les organes de l'adulte : le feuillet extérieur, ou ectoderme, donnera la peau, les poils, les ongles, le système nerveux (moelle épinière et cerveau). En attendant, il a formé l'amnios, sac rempli de liquide dans lequel flotte l'embryon. Le feuillet intermédiaire, ou mésoderme, fournira les muscles, le squelette, le cœur, et les vaisseaux sanguins ; au feuillet intérieur, ou endoderme, seront dus les muqueuses — revêtement intérieur de la plupart des organes — les poumons, le tube digestif et les glandes qui s'y rattachent.
Tout ce travail cellulaire est dirigé au départ par un centre organisateur, un poste de commandement situé au point de jonction de l'endoderme et de l'ectoderme. Le centre organisateur fut découvert par un savant allemand, Hans Spemann, qui reçut d'ailleurs pour sa découverte le prix Nobel. Il démontra que ce point précis, tel un chef d'orchestre, dirige la différenciation des cellules et assigne à chacune sa tâche. Aux unes, en se juxtaposant, de former les muscles, aux autres les nerfs, à celles-ci la peau, à celles-là les os, aux autres de former le tube digestif et les poumons. Lorsque les cellules, qui au départ, étaient toutes semblables (à l'exception du spermatozoïde et de l'ovule, cellules sexuelles), auront été ainsi specialisées, elles ne pourront plus remplir une autre mission que celle qui leur a été fixée. Huit jours se passent ainsi à distribuer les rôles.

Vers le 13e jour, le disque change de forme. Il était circulaire : il s'allonge et devient ovale, plus large en arrière qu'en avant, resserré au milieu. L'embryon commence nettement à se dessiner, l'ovale se creuse en son milieu d'un sillon formant comme une gouttière, d'où dérivera tout le système nerveux. De chaque côté de la gouttière apparaissent de petites saillies cubiques, les somites : une, puis deux, puis trois. Dans quelques semaines, elles seront 41 et formeront les vertèbres, les côtes et les muscles du tronc. A l'intérieur de l'embryon, premier rudiment de l'appareil digestif, l'intestin se dessine.

Dès le 16e jour apparaît le tube cardiaque (ébauche du futur cœur). Ce tube est formé par la fusion de deux vaisseaux sanguins ; s'il n'a pas encore la forme du cœur, il est déjà animé de contractions spasmodiques : il bat ; il ne cessera plus de battre jusqu'à la mort. Une circulation s'ébauche, l'embryon produit son propre sang.

Aux environs du 21e jour, l'embryon a fait du chemin. Il est sorti du champ du microscope. Il a dépassé les deux millimètres. Il commence à prendre corps. Les bords de la gouttière se rapprochent : c'est la moelle épinière. Elle a l'épaisseur d'un fil. A l'une des extrémités se dessine un renflement : c'est la future tête, et dans cette tête s'installe déjà un rudimentaire cerveau. A l'autre bout, un deuxième renflement plus petit : le bourgeon caudal, qui formera bientôt une petite queue à l'emplacement où plus tard se trouvera le coccyx.

Premier mois, premier bilan. L'embryon mesure 5 millimètres. Il n'est encore qu'une petite masse en forme d'ellipse : en avant, le renflement de la tête fait un angle droit avec la partie dorsale ; sur le ventre, une saillie, le cœur ; en arrière, un petit appendice en forme de queue. Mais dans ce corps sans visage et sans membres, le cœur bat doucement.

En lisant la description du développement de votre enfant semaine après semaine, depuis le jour où il a été conçu, vous vous demandez peut-être : Mais comment a-t-on su que les événements se passaient ainsi, comment a-t-on pu les suivre et les observer? Les embryologistes (spécialistes de l'étude de l'embryon) ont abouti aux conclusions que vous venez de lire, d'une part en examinant les œufs humains disponibles, c'est-à-dire expulsés par accident ou recueillis lorsqu'une opération s'est révélée nécessaire chez une femme enceinte, mais le nombre de ces œufs est nécessairement limité ; d'autre part, en faisant des hypothèses fondées sur l'observation provenant d'œufs des espèces animales dont le développement est très proche de celui de l'homme : chauve-souris pour les premiers stades, lapine, souris, cobaye pour les stades plus avancés.

Deuxième mois : le mois des yeux

Il ne reste que quatre semaines (quatre fois sept jours !) à l'embryon pour constituer l'ébauche de tous les organes qui lui manquent.

Au début de cette seconde période apparaissent les membres, d'abord les bras, puis les jambes. Mais ces membres ne sont encore que de petites pousses semblables à des bourgeons. Puis, le visage se dessine. La nature exerce son art avec la minutie d'un sculpteur. D'abord, elle marque les emplacements : deux petites saillies creuses pour les yeux, deux fossettes en forme de virgule pour les oreilles, une seule ouverture pour la bouche et le nez.

Pendant ce temps, le système nerveux se développe. La gouttière de la moelle épinière se ferme complètement. Dans le cerveau, les circonvolutions se dessinent. L'épiderme du crâne est si transparent qu'on aperçoit distinctement le cerveau.

La cinquième semaine s'achève. L'embryon replie sa tête sur la grosse saillie que forme le cœur au milieu du ventre. Plus bas, apparaît le cordon ombilical. Le bourgeon caudal s'est développé et allongé : il a vraiment l'air d'une petite queue. Vingt-cinq somites (voyez plus haut : premier mois) sont maintenant visibles le long de la ligne médiane du dos. L'embryon mesure 7 millimètres.

Huit jours plus tard, il en a le double : il mesure 15 millimètres. Il franchit le cap du premier centimètre, mais il ne met pas sa taille en valeur, car il se replie de plus en plus sur lui-même. Sa tête maintenant rejoint presque sa queue, qui s'est encore allongée et recourbée. A aucun moment de son évolution, l'embryon ne ressemblera davantage à un tout petit animal endormi. Mais son visage dément cette comparaison, car l'ébauche amorcée huit jours plus tôt se précise. On voit se dessiner les narines, le pavillon de l'oreille, le menton, le cou, et la tête se dégage un peu du tronc. A partir du moment où le cou devient visible, le tronc va croître plus vite que la tête, qui jusqu'alors représentait près du tiers de la longueur totale. Sur le ventre apparaît une deuxième saillie, celle du foie. Bientôt, foie et cœur ne formeront plus qu'une seule et grosse protubérance. Dans le dos, les somites sont 41, c'est-à-dire qu'elles sont au complet. Les membres, qui ont toujours l'air de gros bourgeons, s'allongent et s'élargissent. Les bras sont aussi longs que les jambes. On devine maintenant les plis du coude et du genou.

Quelques jours plus tard, avec la septième semaine, les bourgeons éclatent : mains et pieds apparaissent comme de petites palettes où se dessinent cinq rayons, les futurs doigts et orteils. Les lignes de la paume de la main et de la plante des pieds sont déjà formées. Sur le visage, les yeux sont maintenant visibles mais très écartés l'un de l'autre, presque sur les côtés de la tête. Les lèvres se dessinent et les narines sont formées. A l'intérieur de l'organisme, l'appareil digestif se complète par l'apparition de l'estomac. Dans les gencives naissent les ébauches des dents de lait.

A la fin de cette septième semaine, un événement capital se produit : l'ossification du squelette commence. Elle se poursuivra pendant des années et ne sera complètement achevée qu'à l'âge adulte. Mais il ne faudra que quinze jours pour que plus de 110 pièces du squelette, qui jusque-là n'étaient que des tissus mous, subissent la trempe qui en fera des os capables de jouer sur les articulations. L'embryon se redresse, son tronc devient plus droit, sa tête se lève. Il a atteint deux centimètres. Il tient ses mains appuyées sur le ventre, ses jambes pliées, genoux en dehors, pieds se rejoignant comme s'il allait nager. Or, justement, il

nage. La micro-caméra (utilisée dans certains cas exceptionnels, et pour des raisons purement médicales) a permis de filmer des embryons de cet âge se mouvant à l'aise dans les eaux, cherchant et trouvant leur équilibre par des mouvements de va-et-vient, des mouvements circulaires ou de bas en haut, enfin « possédant la grâce merveilleuse des plongeurs sous-marins » *.
Le visage a presque allure humaine, quoique ses différents éléments soient très disproportionnés. Les yeux sont immenses, car ils n'ont pas encore de paupières ; le front est bombé. L'embryon se rapproche du petit homme. Il a perdu son appendice caudal, devenu filiforme.
La 8e semaine s'achève. L'embryon mesure 3 centimètres. Il pèse 11 grammes, moins qu'une lettre, et pourtant, dans ce minuscule petit corps dont vous ne soupçonnez peut-être même pas encore l'existence, l'ébauche de tous les organes est formée. En deux mois, l'embryon a acquis tout ce qui lui donnera sa qualité d'être humain. Il va consacrer les sept mois qu'il a devant lui à fignoler le travail énorme qui vient de s'accomplir. Deux mois pour le gros œuvre, sept mois pour le perfectionnement des ébauches. Voilà pourquoi nous avons tant insisté pour que vous ayez le plus tôt possible la certitude que vous étiez enceinte.

Troisième mois : le mois des cordes vocales

Fille ou garçon? C'est au début de ce troisième mois que les organes sexuels se différencient. Mais le sexe de l'enfant a été fixé dès la conception, comme vous le verrez au chapitre 9. En dehors de l'apparition des organes sexuels, l'événement de ce mois est la formation des cordes vocales. Elles ne donnent pas pour autant la voix à votre enfant. Il ne pourra pousser son premier cri que lorsqu'il aura quitté le milieu aquatique, où il vit pour l'instant, et qu'il sera arrivé à l'air libre. Pendant ces six mois, les cordes vocales vont acquérir la consistance qui leur permettra de vibrer.
Le visage devient plus humain. Les yeux se rapprochent, ils ne sont plus de profil, mais de face. Les paupières poussent, mais elles recouvrent entièrement l'œil, pour protéger le globe oculaire qui se développe. Les lèvres sont bien dessinées. La bouche se rétrécit, mais le front reste très proéminent et les narines très écartées. Les oreilles ressemblent à deux petites fentes.
Les bras s'allongent, plus vite d'ailleurs que les jambes. On distingue nettement l'avant-bras, le coude, les doigts dont l'extrémité se durcit pour former les ongles. A l'intérieur de l'organisme, le foie s'est considérablement développé. Le rein définitif apparaît. Les intestins s'allongent et s'enroulent. L'ossification du squelette se poursuit par celle de la colonne vertébrale. Les premiers poils apparaissent au-dessus de la lèvre et des yeux. Les muscles et articulations se développent aussi. Le fœtus se met à bouger, oh ! bien faiblement, si peu même que sa mère ne s'en rend pas compte ; mais déjà il agite légèrement bras et jambes, serre les poings, tourne la tête, ouvre la bouche, avale, et s'exerce même à pratiquer les mouvements de la tétée !
A la fin de ce troisième mois, le fœtus mesure près de 10 centi-

*. Bernard This. Naître. Aubier-Montaigne, p. 165.

mètres et pèse 45 grammes. Il a fait un bond en avant : en quatre semaines, sa taille a triplé, son poids quadruplé. Au cours des mois qui vont suivre, ce sont ses os qui subiront les modifications les plus importantes. Tout en se développant considérablement, le fœtus changera peu dans son aspect extérieur.

Quatrième mois : les cheveux poussent

L'enfant prend peu à peu des proportions nouvelles. L'abdomen s'étant considérablement développé, la tête a l'air moins disproportionnée par rapport au reste du corps.
La peau semble très rouge, car elle est si fine qu'elle laisse transparaître les petits vaisseaux dans lesquels le sang circule à un rythme accéléré. Elle est entierement recouverte d'un fin duvet, le lanugo. Ses glandes sébacées et sudoripares commencent à fonctionner.
Le cœur bat très vite, deux fois plus vite que chez l'adulte. Le foie commence à fonctionner. Les autres glandes du tube digestif également — vésicule, estomac — et dans l'intestin s'accumule une substance verte, le méconium, principalement formé par la bile que rejette la vésicule. Le rein fonctionne aussi, les urines se déversent dans le liquide amniotique. Sur la tête poussent les premiers cheveux.

Mois par mois l'histoire de votre enfant

Cinquième mois : il bouge

Ce cinquième mois aura pour vous une signification particulière. Si vous n'êtes pas encore pleinement consciente qu'en vous vit et se développe un petit être, votre enfant, vous en aurez maintenant la merveilleuse certitude. Car, comme nous l'évoquions au début de ce chapitre, le petit inconnu va se présenter à vous. Il va manifester sa présence par le premier langage qu'il lui soit donné de connaître, le mouvement. Peut-être au début du mois, plus probablement au milieu, c'est-à-dire à quatre mois et demi, commencera-t-il à vous donner une première petite bourrade, bien timide et bien douce. Puis il s'enhardira, surtout lorsque vous serez au repos, lançant bras et jambes. Ces mouvements qui, au début, ne sont pas du tout coordonnés, vont maintenant le devenir un peu plus. Quand vous remuerez, le bébé se recroquevillera sur lui-même.
Peu à peu, ces mouvements deviennent si fréquents que lorsqu'ils cessent on le remarque, comme si quelque chose manquait en soi, et d'ailleurs, c'est bien de le remarquer : ces mouvements de l'enfant sont témoin d'une bonne vitalité ; s'ils cessent pendant quelques heures, cela n'a aucune importance, s'ils cessent ou diminuent beaucoup pendant 48 heures, il faut aller voir le médecin.
Presqu'en même temps, le fœtus va envoyer un deuxième message, comme pour confirmer sa présence : c'est vers la vingtième semaine en effet que son cœur bat assez fort pour être perçu par le stéthoscope ordinaire. Mais dès la douzième semaine, le stéthoscope à ultra-sons avait pu entendre battre ce cœur.
Car cet enfant n'est pas un inconnu, vivant sa vie sans qu'on puisse rien savoir de lui : il est suivi tout au long de votre grossesse. Le médecin, nous venons de le voir, écoute son cœur battre.

L'histoire de votre enfant avant sa naissance

Il connaît, en mesurant la hauteur de votre utérus, le volume qu'occupe cet enfant. Si la progression de la hauteur de l'utérus est régulière, c'est bon signe. En palpant, le médecin localise la tête, le dos, l'épaule de l'enfant. Il peut aussi être amené à faire des dosages hormonaux, qui vont le renseigner sur la vitalité du fœtus. Parfois, la radiographie intervient : elle permet de reconnaître l'état de développement des os. Il y a enfin l'amnioscopie, ou examen du liquide amniotique ; mais il s'agit là de cas rares. En tous cas, vous le voyez, le médecin garde un contact régulier avec l'enfant qui vit en vous.
Mais poursuivons notre découverte de l'enfant au cinquième mois. La peau, quoique toujours fripée, car aucune graisse n'est encore là pour la remplir, perd son aspect rougeâtre. Sur le crâne, les cheveux sont plus abondants. Au bout des doigts, les ongles sont là. A la fin de la vingtième semaine, les bonnes nouvelles se succèdent. Le fœtus peut entendre un bruit violent. On sait en effet aujourd'hui que le monde utérin est un monde sonore. L'enfant perçoit une multitude de bruits : les battements du cœur de sa mère, sa voix, la voix du père, les bruits de la rue, les bang supersoniques, les accidents de voiture, la musique d'orgue, les gargouillements intestinaux, les coups portés sur la baignoire où sa mère se baigne, etc... Ces bruits sont perçus par lui comme le plongeur sous-marin perçoit les sons, c'est-à-dire après filtrage des sons graves au bénéfice des aigus.
Dans certaines maternités, pour calmer les prématurés et les réconforter, on leur fait entendre les battements du cœur de leur mère, enregistrés et amplifiés : le bébé, reconnaissant ce bruit, se calme *.
Le fœtus s'exerce au mouvement de déglutition en absorbant du liquide amniotique qui l'entoure. Ses poumons se développent, mais s'il naissait il ne pourrait encore survivre.
Il mesure maintenant 25 centimètres, c'est-à-dire plus de 100 fois plus qu'à quatre semaines. Mais la grande période de croissance est terminée. Sa taille ne va plus que doubler jusqu'à la naissance. Par contre, dans le même temps, le poids va presque septupler, puisqu'il passera des 500 grammes actuels aux 3 kilos 300 que pèse en général le bébé à terme.

Sixième mois : le mois des muscles

C'est sur les muscles que se porte maintenant le principal effort. Ce sixième mois est celui de la force. Cet éveil musculaire se traduit par des mouvements plus nombreux.
Le cerveau continue à se développer, c'est-à-dire à se compliquer. Le visage s'affine, les sourcils sont bien apparents, le dessin du nez plus ferme, les oreilles plus grandes, le cou plus dégagé. L'enfant dort et s'éveille. Quand il dort, il a déjà la position qu'il aura dans son berceau : le menton contre la poitrine ou la tête rejetée en arrière.
L'enfant se tient les bras repliés sur la poitrine et les genoux remontés sur le ventre. Il mesure 31 centimètres et pèse 1000 grammes. Il a maintenant tout ce qu'il faut pour naître. Mais s'il venait au monde ses chances de survie seraient minces.

* B. This., ouvr. cité p. 171

Septième mois : le mois des nerfs

Après les muscles, ce sont maintenant les nerfs qui vont se perfectionner. Entre les différents centres nerveux, qui sont devenus très complexes, s'établissent des relais. Les mouvements deviennent plus cohérents et plus variés. Le fœtus ne remue plus seulement bras et jambes : il se retourne complètement sur lui-même. Les organes des sens se développent. Les paupières s'écartent, découvrant l'œil complètement formé ; mais la pupille est encore recouverte d'une fine membrane.
Le fœtus à sept mois pèse 1700 grammes, mesure 40 centimètres. S'il naissait, il aurait maintenant de grandes chances de survivre. Mais, contrairement à une opinion encore trop répandue, ses chances seront encore plus grandes à huit mois. Le fœtus de sept mois est viable — bien des prématurés le prouvent — mais délicat : il n'a pas encore atteint la vigueur et le poids nécessaires pour s'adapter rapidement aux conditions extérieures. Ce poids, à raison de 200 grammes par semaine, et cette force, il les acquerra au cours des deux mois qui vont suivre. Plus l'enfant approche du terme, mieux il sera prêt pour s'adapter à sa nouvelle vie. Un prématuré de sept mois a besoin de soins plus longs et plus délicats qu'un prématuré de huit mois.
Le préjugé qui veut qu'un enfant soit plus faible à huit mois qu'à sept remonte à Hippocrate. Ce médecin de la Grèce antique croyait que les enfants naissaient par leur seule force, qu'à sept mois ils tentaient un premier effort pour sortir, que s'ils n'étaient pas assez forts pour y arriver à cet âge, ils renouvelaient la tentative le mois suivant. Mais que, handicapés par la fatigue de leur premier essai, souvent ils mouraient. On sait depuis longtemps que l'enfant n'a aucun effort à faire pour naître, qu'il est poussé en avant par les seules contractions de l'utérus comme vous le verrez au chapitre 10, et pourtant le préjugé demeure.

Mois par mois l'histoire de votre enfant

Huitième mois : il se fait une beauté

Les principaux organes sont maintenant au point. Certains fonctionnent déjà comme ils le feront après la naissance, en particulier l'estomac, l'intestin, les reins. Mais, avant de paraître, l'enfant doit se faire une beauté. La graisse tend l'épiderme. Les rides précoces s'effacent. Les contours s'arrondissent. La peau, de rougeâtre, devient rose clair. Le fin duvet qui la recouvrait disparaît peu à peu. Il est remplacé par un enduit provenant des glandes sébacées. Les membranes qui recouvraient les pupilles se résorbent. L'enfant, au bout du mois, pèse 2 400 grammes et mesure 45 centimètres. Il a maintenant 95 chances sur 100 de survivre.

Neuvième mois : le jour se lève

L'enfant va consacrer les semaines qui lui restent à vivre dans l'univers maternel à prendre des forces et du poids. Il remue de plus en plus. Il fait jusqu'à 200 mouvements par jour. Mais il a, Dieu merci, des périodes de repos, et vous ne ressentez pas tous ses mouvements. Par ailleurs, il y a une alternance d'activité et de calme chez lui : c'est comme s'il s'habituait à celle du jour et de la nuit. Et cette remarque vaut d'ailleurs pour tous les progrès accomplis en neuf mois : tout se passe comme si l'enfant savait qu'il doit vivre hors de l'utérus, et comme s'il s'y préparait ★.

Le fin duvet qui le recouvrait est maintenant presqu'entièrement tombé, la peau prend un aspect blanc rosâtre. Elle est totalement recouverte d'une épaisse couche d'enduit sébacé. A cet âge, l'enfant a parfois le hoquet. Parfois, il suce son pouce. Encore quelques centaines de grammes, encore quelques centimètres, et tout sera dit. Vers la fin du mois, l'enfant est prêt à naître : il pèse en moyenne 3 kg 300 et mesure 50 centimètres. Il peut maintenant sans péril aborder le monde extérieur. C'est au chapitre 14 que vous verrez les premières réactions, l'aspect et le développement du nouveau-né. En venant au monde, des modifications importantes s'opèrent en quelques heures dans son organisme pour qu'il puisse s'adapter au milieu dans lequel il est brusquement plongé.

★ B. This., ouvr. cité p. 172

Comment votre enfant vit en vous

Comment votre enfant vit en vous

Vous mangez par la bouche, vous respirez par le nez et les poumons. Pour des raisons évidentes, le fœtus ne peut en faire autant. Il devra attendre de naître pour s'alimenter et respirer à votre manière. Pour le moment, il reçoit la nourriture et l'oxygène dont il a besoin pour se développer, par l'intermédiaire de deux organes : le placenta et le cordon ombilical. Les accoucheurs les appellent les organes annexes ; ils sont annexes et provisoires puisqu'après l'accouchement ils deviendront inutiles. L'expulsion du placenta après la naissance termine l'accouchement et s'appelle « la délivrance ».
Placenta et cordon se complètent, mais chacun a son rôle bien précis. Le premier puise dans le sang maternel les matières premières et l'oxygène nécessaires au fœtus, le deuxième les lui apporte.

Le placenta

En latin, placenta veut dire gâteau. Lorsqu'il est complètement formé, le placenta a en effet l'air d'un gros gâteau spongieux. Voici comment il s'est constitué. Remontons un peu en arrière. Vous avez vu que lorsque l'œuf se nide, son enveloppe extérieure lance mille petits filaments qui, comme des racines, s'enfoncent dans la muqueuse utérine. Baignant dans le sang maternel, ces filaments — ou villosités choriales — y puisent les aliments dont l'œuf a besoin pour se développer. Peu nombreux au début, ces filaments se multiplient, et, vers la quatrième semaine, la membrane extérieure — ou chorion — en est entièrement recouverte comme d'une fine chevelure.
Bientôt, cette machinerie élémentaire qui permet à l'œuf de se nourrir pendant les premières semaines se trouve dépassée par les besoins de l'embryon en plein développement. L'organisme maternel et l'œuf se mettent alors en devoir d'édifier une petite centrale : le placenta. Une partie de l'enveloppe externe perd ses cheveux, elle devient chorion lisse, simplement accolée à la muqueuse utérine. Sur l'autre partie, ou chorion chevelu, les villosités au contraire se développent, se ramifient et s'enfoncent plus profondément dans la muqueuse utérine. C'est à cet endroit que se forme le placenta, constitué par les villosités de l'œuf.
Regardez le dessin de la page 166 : il représente le placenta en coupe : les filaments (villosités) forment de petits arbres. Le tronc et les branches sont limités par une fine membrane. A

l'intérieur de chaque villosité se trouvent de petits vaisseaux où circule le sang de l'embryon amené par le cordon ombilical. Autour de ces villosités, formant comme de petits lacs, le sang maternel est sans cesse renouvelé par les artères qui amènent à l'utérus du sang frais chargé de substances nutritives et d'oxygène.

Donc, au niveau du placenta, le sang de l'embryon et le sang maternel se rencontrent. Mais ils ne se mélangent pas : le sang de l'embryon circule dans ces villosités, le sang maternel entre les villosités. Il est important que vous compreniez cela, car bien des mamans croient que leur sang passe directement à leur enfant, que c'est le même sang. Si cela était, les deux sangs seraient semblables. Or, ils sont différents. Ils n'ont pas la même composition. Ils sont souvent d'un autre groupe. Ce qui passe dans les villosités, ce n'est pas le sang maternel, mais seulement l'oxygène et certaines des substances que le sang contient, celles qui sont nécessaires à l'enfant. Ces substances traversent la membrane qui entoure les villosités et vont enrichir le sang de l'enfant ; mais les sangs ne se mélangent pas.

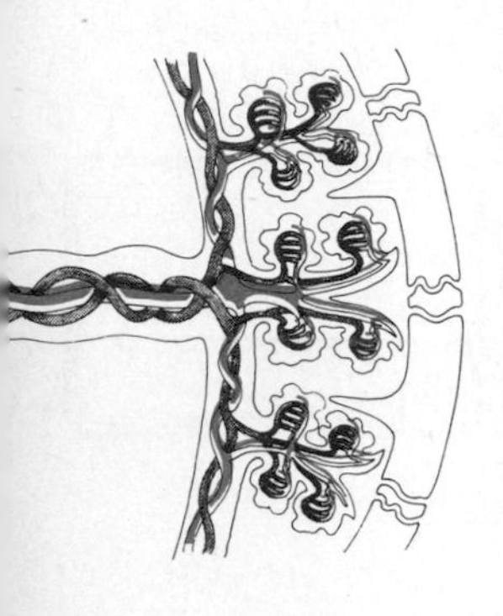

Coupe du placenta. A gauche le cordon ombilical. C'est au niveau des "villosités" (qui ont l'air de feuilles accrochées aux branches) que se font les échanges entre le sang de la mère et celui de l'enfant, à travers une membrane jouant le rôle de filtre.

Le placenta agit comme un filtre perfectionné, un filtre sélecteur. Outre l'oxygène, il laisse passer :

- des substances déjà digérées et assimilées par la mère (eau, calcium, fer, sel, phosphore, soufre, acides gras, sucres, produits azotés, etc...) qui vont directement au fœtus ;
- des matières premières que le placenta transforme avant de les envoyer au fœtus (albumines, graisses, etc...) : à cet égard, le placenta joue, pour le fœtus, le rôle de l'intestin (qui, vous le savez, réduit en petites molécules les protéines, les graisses et les sucres des aliments).

Mais l'usine placenta est prévoyante. Dès qu'il y a abondance de nourriture, elle fait des stocks : le placenta est un vrai magasin dans lequel le fœtus puise en cas de besoin.

Prévoyant, il est également prudent : il barre la route à de nombreux microbes. Malheureusement, il laisse passer certains virus (rubéole), certaines bactéries (tréponème de la syphilis *, colibacilles), ainsi que le toxoplasme. C'est pourquoi ces maladies sont dangereuses pendant la grossesse, et il faut les fuir à tout prix ou les soigner d'urgence si elles apparaissent. Le placenta, qui arrête les principales toxines, laisse en revanche passer certaines antitoxines ou anticorps, c'est-à-dire les substances sécrétées par le sang maternel pour lutter contre un microbe. Si bien qu'une mère ayant eu autrefois la rubéole, par exemple, passera à son enfant ses antitoxines, qui le vaccineront contre cette maladie pour une période s'étendant jusqu'à six mois après la naissance. Il y a cependant un cas où l'anticorps peut nuire à l'enfant, c'est le cas où la mère est Rhésus négatif et le père Rhésus positif (voir au chapitre 7 : le facteur Rhésus).

Certains médicaments que prend la mère passent par le placenta. Il faut donc être prudente. Voyez ce que j'en dis au chapitre 6. Enfin, les hormones passent aussi, et la plupart des vitamines de même, fort heureusement. L'alcool bu par la mère passe aussi. Inversement, dans le sens fœtus-utérus, passent le gaz carbonique, l'urée, certaines hormones, et les déchets éliminés par l'enfant.

Filtre, usine, magasin, abri, le placenta a encore une autre fonc-

* Mais le placenta laisse heureusement passer aussi les médicaments qui guérissent la syphilis : bismuth, mercure, pénicilline, etc.

tion : il produit des hormones en quantités énormes, et cela dès le 9e jour. Et, lorsque, vers le troisième ou quatrième mois, le corps jaune est arrivé au bout de sa carrière, le placenta prend le relais. L'œuf devient ainsi autonome. Il est capable de pourvoir seul à ses besoins.

Les hormones sécrétées par le placenta sont absolument indispensables au déroulement normal de la grossesse. Ce rôle de protection de la grossesse assuré par ces hormones explique, dans certaines grossesses difficiles, l'intérêt de leur dosage dans les urines : il renseigne sur l'état du fœtus.

Le cordon ombilical

Adhérant à l'utérus par les villosités, le placenta est relié au fœtus par le cordon ombilical. C'est donc le cordon ombilical qui amène au fœtus la nourriture et l'oxygène prélevés et transformés par le placenta dans le sang maternel, et ramène les produits de déchet au placenta, lequel les déverse dans la circulation générale maternelle.

Ce cordon est une sorte de tube gélatineux traversé par deux artères et une grosse veine qui se raccordent d'une part aux vaisseaux de l'embryon, et d'autre part aux vaisseaux placentaires. Il est formé en grande partie par les cellules de l'amnios, l'une des membranes qui recouvrent l'œuf. Il se développe à partir du milieu du ventre de l'embryon. Sa longueur moyenne est de 50 centimètres. Mais il peut atteindre un mètre et même 1,50 m. Comme le placenta, le cordon ombilical est entièrement formé au cours du troisième mois.

A la naissance, quand le médecin coupe le cordon ombilical, il donne définitivement son autonomie à l'enfant.

Les enveloppes de l'œuf

Nourri par le placenta, ravitaillé par le cordon ombilical, le fœtus est enfin protégé par deux enveloppes.

La première, vous la connaissez : c'est le chorion qui se trouve à l'extérieur.

La deuxième, c'est l'amnios. Cette fine membrane qui forme comme un sac de matière plastique ou de papier de soie, est issue des cellules initiales de l'œuf (voir plus haut : l'œuf fait son nid.) L'amnios sécrète un liquide clair et blanchâtre qui vient remplir sa cavité : le liquide amniotique ou les « eaux ». Il y en a environ un litre. *

Les eaux maintiennent autour du fœtus une température toujours égale et l'empêchent d'adhérer à la paroi utérine. Au milieu, le fœtus flotte comme un poisson. Il échappe ainsi à toutes les pressions du monde extérieur. Même si sa mère reçoit un coup ou fait une chute, il ne subit pas les effets du choc. Il est bien à l'abri.

Au moment de l'accouchement, membranes et liquide forment une poche, la poche des eaux, qui aide le col de l'utérus à se dilater (voir chapitre 10). Généralement, lorsque la poche se rompt, ouvrant la voie à l'enfant, la naissance est proche.

*. Il arrive parfois qu'il y ait trop de liquide. Cet excès (2 litres ou plus) qu'on appelle hydramnios peut entraîner une mauvaise présentation de l'enfant ou un accouchement difficile.

Maintenant que vous connaissez tous les éléments de l'œuf, regardez les dessins de la page 155 qui montrent leur disposition. Au centre, le fœtus. Autour de lui, le liquide amniotique et les deux enveloppes (confondues sur le dessin), l'amnios d'abord puis le chorion. Au point de jonction du chorion et de la muqueuse utérine, le placenta. Rattachant le placenta à l'embryon, le cordon ombilical. Entourant complètement l'œuf, la muqueuse utérine, ou caduque.

Nous venons de voir le cas le plus fréquent, celui où un spermatozoïde féconde un ovule, et où, de la fusion de leur noyau, résulte un œuf humain, première cellule d'un homme ou d'une femme.

Mais parfois, l'œuf se scinde en deux et aboutit à la naissance de jumeaux. Parfois encore, deux ovules sont fécondés, et les jumeaux sont alors dits « faux jumeaux ».
Sur les jumeaux, vous pouvez lire les pages 175 et suivantes.

Comment votre corps devient maternel

Vous avez vu par quelles étapes un point invisible à l'œil nu devenait en neuf mois un enfant de plus de trois kilos.
Vous allez lire maintenant comment, pendant ce temps, le corps de sa mère se transforme jour après jour.
Pour une femme, voir son ventre se tendre et se gonfler, et sentir sous sa main cette vie qui naît est émouvant. Mais découvrir ce qui se passe en elle est aussi très impressionnant.
Dès la minute de la conception, c'est le branle-bas de combat. D'abord se produit pour l'homme de science un vrai miracle : alors que normalement l'organisme rejette tout corps étranger — et c'est cela qui rend, vous le savez, si difficile les greffes — le corps de la mère, lui, ne rejette pas cet œuf qui s'agrippe, littéralement s'accroche à lui : regardez les images des pages 153 et suivantes. Et pourtant cet œuf est étranger pour moitié par les chromosomes qui lui viennent de son père. Et non seulement, la mère accepte cet œuf, mais elle va le protéger, le nourrir, lui fournir tous les matériaux nécessaires à son développement, puis elle va organiser la vie à deux, faire face à la nécessité d'alimenter deux cœurs, de faire circuler deux sangs différents, etc.

Pour remplir toutes ces tâches, le corps maternel subit des modifications de tous ordres : anatomiques, physiologiques ou chimiques, visibles et invisibles, majeures ou mineures. La grossesse a une répercussion sur tous les organes, toutes les fonctions, tous les tissus de la mère, sans parler des répercussions sur les nerfs, le moral, l'état d'esprit. Ces modifications sont dues à plusieurs faits :

- d'abord, l'enfant grandit, d'où augmentation du volume de l'utérus, avec ses conséquences ;
- en même temps que l'utérus devient plus volumineux, les seins se développent également : ils se préparent pour l'allaitement ;
- la future mère assurant pendant la grossesse la nutrition de deux êtres, elle-même et le bébé, toutes ses fonctions physiologiques sont activées ;
- l'organisme maternel se prépare à l'accouchement ;
- la future mère protège son enfant contre les microbes.

La plupart de ces modifications sont rendues possibles par une suractivité hormonale durant la grossesse. Elles s'accompagnent en outre de changements profonds dans le système neuro-végétatif.

Augmentation du volume de l'utérus

Le fœtus se développe au milieu de la cavité utérine, qui se dilate de plus en plus au fur et à mesure que les mois passent. Avant la conception, l'utérus, qu'on peut comparer à une figue fraîche, pèse 50 grammes, mesure 65 mm de haut, 45 mm de large et a une capacité de 2 à 3 cm3. Dès le début de la grossesse, l'utérus commence à augmenter de volume, mais cette augmentation ne devient visible de l'extérieur qu'entre le quatrième et le cinquième mois, selon les femmes. Au deuxième mois, l'utérus a la grosseur d'une orange. Au troisième mois, on peut le sentir au-dessus du pubis. Au quatrième mois, sa hauteur atteint le milieu de la distance qui sépare l'ombilic (ou nombril) du pubis. Au cinquième mois et demi, il atteint l'ombilic. Au septième mois, il le dépasse de 4 ou 5 centimètres et monte de plus en plus dans la cavité abdominale. Au huitième mois, il est situé entre la pointe du sternum et l'ombilic. Un mois ou quinze jours avant l'accouchement, il atteint son point culminant.

Puis, vous avez l'impression qu'il se met à redescendre. La pression abdominale est diminuée, la respiration plus facile, vous vous sentez comme allégée.

A terme, l'utérus pèse 1 200 grammes. Il a une capacité de 4 à 5 litres. Sa hauteur est d'environ 32 centimètres et sa largeur de 24 centimètres.

Ces chiffres sont des chiffres moyens qui peuvent varier suivant les femmes et d'une grossesse à l'autre chez une même femme. Cependant, ils servent de points de repère pour apprécier l'âge d'une grossesse, et calculer la date de l'accouchement.

La place qu'il lui faut, l'utérus la gagne sur l'extérieur, comme c'est visible, mais en même temps sur l'intérieur, où, en augmentant de volume, il refoule et comprime les organes qui l'entourent : estomac, intestins, vessie, etc...

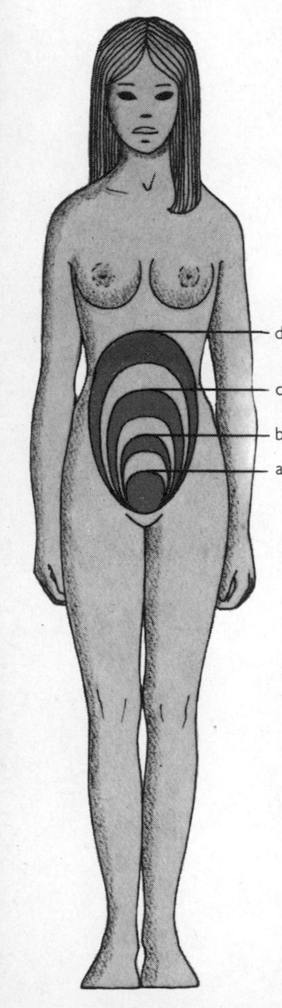

Hauteur de l'utérus suivant l'âge de la grossesse : a. 3 mois, b. 5 mois, c. 7 mois, d. 9 mois.

En général, l'augmentation du volume de l'utérus se poursuit sans inconvénient grâce à l'élasticité des parois abdominales qui se laissent distendre, et les organes s'adaptent bien à leur nouvelle situation. On a cru longtemps que beaucoup des troubles de la grossesse : difficulté à respirer, constipation, nausées et varices, étaient dus à la compression. On pense aujourd'hui que ces troubles sont l'effet de l'action des hormones sur certains muscles. Seule, l'envie fréquente d'uriner, et certaines syncopes survenant quand la femme est couchée sur le dos (il suffit qu'elle s'étende sur le côté pour être à l'abri des syncopes) sont dues à la compression.

L'attitude de la future mère se modifie au fur et à mesure que l'utérus augmente de volume : ses reins se creusent, sa taille se cambre. Elle a tendance à se rejeter en arrière pour contrebalancer le poids qui la tire en avant. Sa silhouette est d'ailleurs différente suivant l'état de sa paroi abdominale : si ses muscles sont fermes, ils forment comme une sangle qui soutient l'utérus et l'empêche de tomber en avant. Si au contraire ses muscles sont relâchés la paroi abdominale distendue n'offre qu'une faible résistance à la pression de l'utérus qui tombe en avant. Vous avez certainement rencontré de ces femmes : on dit qu'elles portent mal leur enfant.

Préparation à l'allaitement

Tout au long de la grossesse, les seins se préparent à remplir leur fonction, qui est de sécréter le lait dont se nourrira le nouveau-né.
Dès le premier mois, ils se mettent à gonfler, augmentent de volume et deviennent plus lourds. Ils sont parfois le siège de picotements et d'élancements douloureux. Quelques semaines plus tard, le mamelon devient plus saillant ; la région pigmentée qui l'entoure — l'aréole primitive — plus foncée, est bombée comme un verre de montre. Sur cette aréole apparaissent, vers la huitième semaine, de petites saillies : les tubercules de Montgomery. Ce sont des glandes sébacées qui s'hypertrophient et constituent des glandes mammaires rudimentaires.
Ces modifications permettent, comme vous l'avez vu, d'étayer un diagnostic de grossesse.
A partir du quatrième mois, on peut faire jaillir du mamelon un liquide jaunâtre et visqueux, précurseur du lait, le colostrum. Vers le cinquième mois, autour de l'aréole primitive apparaissent quelquefois des tâches brunes qui forment une aréole secondaire. A l'intérieur des seins, les réseaux de canaux qui amèneront le lait se développent et lancent une quantité de rameaux nouveaux. Pour alimenter cette région en pleine activité, les vaisseaux sanguins s'élargissent : c'est pourquoi les veines sont parfois très apparentes au cours de la grossesse.
Les seins sont prêts à allaiter. La sécrétion lactée commence en général trois jours après l'accouchement, sous l'action d'une hormone hypophysaire : la prolactine. Avant, les seins sécrètent encore du colostrum qui fait le plus grand bien à l'enfant.

Comment votre corps devient maternel

Fonctions activées

L'augmentation de volume de l'utérus et des seins est la modification la plus visible de l'organisme durant la grossesse. Il y en a d'autres qui, pour n'être pas aussi évidentes, n'en sont pas moins importantes. Ce sont celles qui concernent les fonctions essentielles de l'organisme : digestion, circulation, respiration, etc...

Ces modifications sont dues à deux causes : pour former son squelette, sa peau, ses muscles, l'enfant puise dans le sang de sa mère les matériaux qui lui sont nécessaires : calcium, fer, sucre, graisse, sel, etc... C'est également dans le sang de sa mère que l'enfant rejette ses déchets. En même temps, certaines parties du corps de la mère se développent, principalement, — comme vous l'avez vu — l'utérus et les seins. L'édification de ces tissus nouveaux nécessite un apport supplémentaire de matières premières. Pour faire face à ces besoins nouveaux, tous les mécanismes du corps vont s'intensifier. C'est comme un moteur qui, soumis à un effort plus grand, consomme davantage et tourne plus vite. Voilà pourquoi, durant la grossesse, les fonctions physiologiques sont activées, ce qui entraîne l'augmentation du métabolisme basal, dont je vous parle à la page 51. Digestion : l'appétit est souvent augmenté, foie et reins sont plus actifs. Respiration : la femme enceinte respire plus vite. Elle consomme un quart d'oxygène de plus qu'en temps normal. Circulation : le cœur bat plus rapidement (82 fois au lieu de 65 à 70 fois par minute) ; au lieu de 4 litres 150 de sang par minute, il en débite 5 litres 140 ; la quantité totale de sang augmente de plus d'un tiers. Mais, comme c'est surtout la masse de sérum (c'est-à-dire la partie liquide du sang) qui augmente, plus que le nombre des globules rouges, il en résulte pendant la grossesse une anémie relative, mais normale.

Préparation à l'accouchement

Pour que l'enfant puisse naître, il faudra que l'utérus, qui est un muscle, se contracte, et que l'enfant franchisse successivement le col de l'utérus qui, en temps normal, est un canal filiforme plus étroit qu'une paille à soda, et le vagin.
Ce chemin que suivra le bébé pour naître traverse le bassin de part en part, bassin constitué par des os en apparence inextensibles. Vous lirez d'ailleurs au chapitre 10 en détail le mécanisme de l'accouchement.

Ce qui semble aujourd'hui un miracle sera rendu possible par une préparation spéciale, tout au long de la grossesse, des organes qui se trouvent sur le passage de l'enfant.

Le bassin : les articulations qui relient les os du bassin se relâchent. Ce relâchement élargit le bassin de quelques millimètres.

L'utérus : ses fibres deviennent plusieurs dizaines de fois plus longues. En même temps, elles deviennent plus épaisses. Ces modifications rendront l'utérus plus élastique et lui permettront de se contracter plus facilement. Ses veines deviennent énormes. Le col de l'utérus, qui, avant la grossesse, était dur et fibreux, s'amollit et devient doux et souple. Au neuvième mois, il a la consistance d'un chiffon mouillé, ainsi au moment de l'accouchement, son ouverture pourra passer de 2 millimètres à 11 centimètres de diamètre.

Le vagin : ses fibres s'allongent également, pour être plus élastiques. Si elles restaient courtes, elles ne supporteraient pas les efforts imposés par l'accouchement. Ses parois se ramollissent et deviennent violacées par suite de la dilatation considérable des vaisseaux sanguins à ce niveau. Il en est de même pour la vulve.

Protection de l'enfant

Au cours de la grossesse, il s'édifie dans l'organisme maternel comme un barrage contre les microbes et les maladies contagieuses. D'abord au niveau du sang : le pouvoir hémobactéricide (c'est-à-dire le pouvoir du sang de tuer les microbes) est nettement augmenté au cours de la grossesse et pendant l'accouchement. La nature, en rendant la mère moins vulnérable aux maladies. lui permet de protéger son enfant. Cette immunité est d'ailleurs transmise à celui-ci. Elle subsistera près de six mois après la naissance.

Un autre barrage se trouve au niveau du vagin, dont les muqueuses sécrètent abondamment du glycogène, lequel, par transformation, produit de l'acide lactique. Or, dans l'acide lactique, la plupart des microbes meurent.
Mais si un microbe avait tout de même pu franchir le vagin, il trouverait devant lui une autre barrière : le bouchon muqueux qui bouche l'ouverture du col de l'utérus.
Enfin, il y a cette usine-barrage qu'est le placenta, dont je vous ai parlé plus haut, et qui est prête à arrêter la plupart des microbes ou toxines apportés par le sang maternel.

Le rôle des hormones

L'évolution de la grossesse est dominée par l'action des hormones qui, pendant neuf mois, ont une activité décuplée. Après avoir, comme chaque mois, provoqué l'ovulation et préparé l'utérus à accueillir l'œuf, ce sont elles qui rendent possible l'implantation de l'œuf, qui arrêtent l'ovulation pendant neuf mois, qui assurent le développement. de l'œuf, et empêchent l'utérus de l'expulser lorsqu'il est nidé
Au début de la grossesse, elles sont produites par le corps jaune. Ensuite, lorsque des quantités de plus en plus importantes deviennent nécessaires, elles sont fabriquées par le placenta, véritable usine hormonale de la grossesse, qui va la prendre en charge jusqu'à son terme.
Ce ne sont pas seulement les glandes endocrines sexuelles qui ont une activité accrue durant la grossesse : les autres, le pancréas, la thyroïde, les surrénales, fonctionnent également davantage.
Enfin, au cours de la grossesse, de nouvelles hormones apparaissent : l'ocytocine, qui joue un rôle dans le déclenchement de l'accouchement, et la prolactine qui déterminera la lactation.
L'action conjuguée de ces différentes hormones, ordonnatrices des grands événements de la grossesse, règle la plupart des changements qui surviennent en vous pendant la grossesse, et dont nous vous avons parlé plus haut. En particulier, elles stimulent l'édification des tissus de l'utérus en pleine croissance, elles président à la mobilisation des réserves de la mère auxquelles fait appel le fœtus, elles règlent la délicate chimie des échanges nutritifs si importants pour la croissance de l'enfant, elles sont responsables de l'augmentation du poids de la mère, elles permettent aux glandes mammaires de se développer, etc... Et c'est pourquoi l'un des moyens de surveiller le bon déroulement de la grossesse est de vérifier le taux des hormones.

Le système neuro-végétatif

Il nous reste enfin à parler des changements qui surviennent pendant la grossesse dans le système neuro-végétatif, lequel, lui aussi, a une action importante sur les métamorphoses de votre organisme.
Système neuro-végétatif : le nom n'est probablement pas très

familier à vos oreilles, mais vous allez comprendre son rôle et son importance.

Le système nerveux, qui est d'une extrême complexité, se compose en gros de deux systèmes : le système nerveux central et le système nerveux autonome (également appelé neuro-végétatif). Le premier, le système nerveux central, comprend les nerfs qui transmettent aux muscles les ordres de notre cerveau, nous permettent de diriger nos mouvements, de sentir ce que nous touchons. Le système nerveux central règne sur les mouvements volontaires.

Le deuxième système, le système nerveux autonome comprend, lui, les nerfs qui déterminent dans notre corps des mouvements que nous n'avons pas commandés, tels les battements du cœur, et des mouvements dont nous n'avons pas conscience, comme ceux qui règlent la digestion. Le système nerveux autonome (ou neuro-végétatif) règne donc sur les mouvements involontaires de l'organisme.

A son tour, ce système neuro-végétatif est constitué par deux éléments : le vague, ou parasympathique, et le sympathique. Or, ces deux éléments ont des effets inverses. Pour qu'ensemble ils règlent harmonieusement toutes les fonctions de ce qu'on appelle la vie végétative (circulation, digestion, respiration, etc..) — d'où le nom « neuro-végétatif » —, il faut qu'ils soient en équilibre, ce qui est le cas normal. Si l'un d'eux, pour une raison ou une autre, est plus excité, il y a déséquilibre entre les deux éléments, déséquilibre qui se traduit par des malaises plus ou moins accentués et différents suivant que c'est le vague ou le sympathique qui domine. Dans le premier cas (vagotonie) : nausées, fatigue, troubles cardiaques, etc... Dans le deuxième (sympathicotonie), insomnie, estomac paresseux, etc... Or la grossesse a une action très nette sur le système neuro-végétatif. Comme vous l'avez vu plus haut, toutes les fonctions de la vie végétative (digestion, respiration, circulation) sont activées. Cette suractivité n'est rendue possible que par une participation plus grande du système neuro-végétatif. La grossesse joue le rôle d'un excitant. Parfois, l'équilibre entre le vague et le sympathique se maintient, mais parfois aussi il se rompt. Et voilà l'origine des principaux malaises décrits au chapitre 5, et pourquoi nous avons avons dit qu'ils étaient d'origine nerveuse. C'est pour cette raison qu'on soigne nausées, palpitations, sialorrhée, essoufflement, non par des remèdes agissant sur la digestion, le cœur, etc..., mais par des remèdes agissant sur les nerfs.

Les jumeaux et les grossesses multiples

Un médecin m'a dit : « Une future maman sur deux se demande si elle n'attend pas des jumeaux ». Or, si la question est fréquente, l'éventualité est rare, elle ne représente qu'1 % des naissances et cette fréquence semble d'ailleurs varier avec les races et les climats : elle diminue en effet du Nord vers le Sud (1,5 % en Scandinavie à 0,5 % sur le pourtour du bassin méditerranéen). Elle paraît également augmenter avec le nombre de grossesses et avec l'âge de la mère. Enfin, et sans qu'il y ait d'explications satisfaisantes à ce phénomène, les jumeaux paraissent plus fréquents dans certaines familles que dans d'autres.

La conception des jumeaux

Il existe deux grandes variétés de jumeaux. Les faux jumeaux sont les plus fréquents (2/3 des cas). Deux ovules sont fécondés par deux spermatozoïdes différents au cours du même cycle menstruel et habituellement au cours du même rapport sexuel. Il en résulte deux œufs différents qui vont se nider l'un à côté de l'autre dans l'utérus.
Chaque œuf a ses annexes, membranes, et placenta distincts. Il n'y a aucune communication entre les deux fœtus, qui ont chacun leur propre circulation. Ils vont donc se développer séparément. Ils aboutissent à la naissance de deux enfants, qui peuvent certes se ressembler, mais pas plus que les frères et sœurs habituels. Ils peuvent, de plus, être de sexe différent. Il peut même arriver que ces enfants n'aient pas le même père. On cite l'exemple classique de la femme blanche mettant au monde à une heure d'intervalle un premier enfant blanc, fils d'un blanc, et un enfant mulâtre, fils d'un père de race noire. Il y avait eu ce qu'on appelle : superfécondation,

Dans 1/3 des cas, la conception des jumeaux se fait différemment. Un seul spermatozoïde féconde un seul ovule aboutissant à un œuf unique. Sous l'influence de phénomènes qui nous échappent, cet œuf unique se partage précocement en deux parties égales, en deux œufs qui vont, comme les précédents, se développer ensemble dans l'utérus maternel.
Les fœtus sont entourés par une même enveloppe (le chorion), mais il peut y avoir un ou deux sacs amniotiques, chaque fœtus pouvant être dans son sac ou tous les deux dans le même. Il n'y a qu'un placenta pour les deux. Les deux circulations communiquent.

Toutefois, à la différence des faux jumeaux, chaque œuf, issu de la division stricte de l'œuf initial, reçoit un matériel de chromosomes et de gènes absolument identique à celui de son congénère. A la naissance, les vrais jumeaux seront donc des sosies, la réplique exacte l'un de l'autre. Ils auront toujours le même sexe. Leurs empreintes digitales, à quelques détails près, seront identiques. Cette extraordinaire ressemblance peut d'ailleurs ne pas s'arrêter à l'aspect physique, mais porter également sur certains traits intellectuels et psychologiques. *

Le diagnostic des jumeaux

La grossesse gémellaire rentre dans la catégorie des grossesses qui sont à surveiller particulièrement. Il y a donc intérêt à faire le diagnostic le plus tôt possible. Cela permettra en plus aux futurs parents de préparer cette double naissance matériellement. Le diagnostic est d'ailleurs difficile à faire au cours des premiers mois. Le médecin peut y penser lorsque les malaises habituels de la grossesse sont plus importants que d'habitude. Mais ce symptôme n'est pas toujours présent. Parfois, les mouvements de l'enfant peuvent donner une indication : si la future mère a l'impression de sentir ces mouvements partout, et très nombreux, c'est peut-être à cause de la présence des jumeaux, impression qu'elle peut signaler au médecin.
Ultérieurement, en revanche, le médecin est souvent frappé, lorsqu'il examine la future mère, par une discordance entre le développement de l'utérus et l'âge théorique de la grossesse. Dans certains cas, l'examen permet de percevoir deux têtes ou deux sièges, ou encore d'entendre deux foyers de bruits du cœur (c'est pourtant beaucoup plus difficile qu'on ne le pense).
De toute façon, il reste possible, au moindre doute, d'affirmer définitivement le diagnostic grâce à une radiographie que l'on peut faire au 8e mois, ou bien avec un appareil à ultra-sons dès le quatrième mois.

La grossesse gémellaire

Les malaises et indispositions du début sont plus fréquents, je vous l'ai dit. De même, l'utérus augmentant plus rapidement de volume, les troubles « mécaniques » dus à la compression de l'utérus, telle l'envie d'uriner (voir plus haut : augmentation de l'utérus) apparaissent plus tôt ; ils sont aussi plus marqués. La gêne respiratoire est plus grande, les varices risquent d'apparaître plus facilement, etc...
Enfin, si la surveillance médicale et les précautions de régime ne sont pas suffisantes, on peut voir apparaître plus souvent des complications telles que prise de poids excessive, albuminurie, hypertension artérielle.
Mais, bien surveillée, la grossesse a toutes les chances de se développer aussi bien qu'une grossesse simple. Si vous attendez

* Vous trouverez un chapitre consacré aux Jumeaux dans « J'élève mon enfant ».

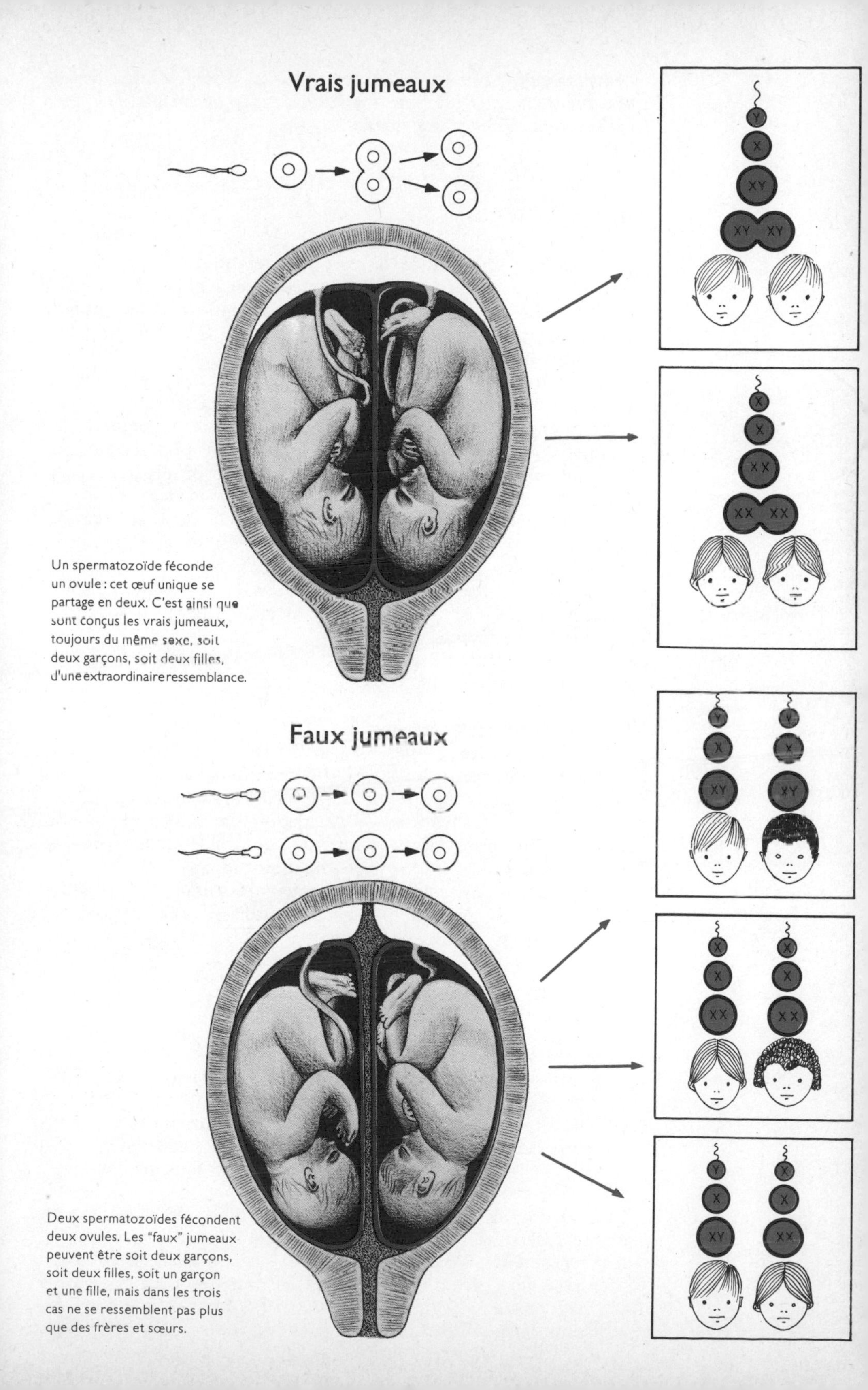

Vrais jumeaux

Un spermatozoïde féconde un ovule : cet œuf unique se partage en deux. C'est ainsi que sont conçus les vrais jumeaux, toujours du même sexe, soit deux garçons, soit deux filles, d'une extraordinaire ressemblance.

Faux jumeaux

Deux spermatozoïdes fécondent deux ovules. Les "faux" jumeaux peuvent être soit deux garçons, soit deux filles, soit un garçon et une fille, mais dans les trois cas ne se ressemblent pas plus que des frères et sœurs.

des jumeaux, ne vous faites donc pas un double souci. Soyez seulement deux fois plus attentive aux recommandations qui vous seront faites par le médecin.

Quelques précautions particulières à prendre

- Faire faire une analyse d'urine tous les quinze jours dès le sixième mois, car les risques d'albuminurie sont plus grands.
- Voir très régulièrement le médecin, sinon tous les quinze jours, au moins toutes les trois semaines. Celui-ci prescrira peut-être un arrêt de travail.
- Se reposer le plus possible dès le sixième mois pour éviter un accouchement prématuré. Les grossesses gémellaires se terminent en effet souvent par un accouchement prématuré, car lorsque l'utérus est surdistendu, il se contracte plus facilement. Les statistiques indiquent que 75 à 80 % des primipares, et 45 à 65 % des multipares accouchent avant terme.

Dans la grande majorité des cas, l'accouchement se déroule normalement. Il est un peu plus long qu'un accouchement simple. Il s'écoule de 15 à 30 minutes entre les deux naissances. Il est possible que le deuxième jumeau prenne une position insolite et que ceci nécessite une extraction par l'accoucheur (et une anesthésie).
- Il est indispensable que l'accouchement se passe dans un établissement bien équipé.

Une remarque pour terminer :
Si les causes des grossesses gémellaires sont habituellement inconnues, on sait, par contre, que certains traitements prédisposent à ce genre de grossesse. Ces traitements, à base d'hormones destinées à provoquer l'ovulation dans certains cas de stérilité, peuvent aboutir à la survenue de grossesses gémellaires, et même multiples (quadruplées ou quintuplées). En revanche, au contraire d'une opinion couramment répandue, la « pilule » (c'est-à-dire l'association d'hormones utilisées dans la contraception) en est totalement incapable.

Triplés, quadruplés, quintuplés

Les triplés : les grossesses triples proviennent, soit d'un seul œuf ayant donné naissance à trois embryons qui seront tous du même sexe (vrais triplés), soit de deux œufs, dont l'un donne de vrais jumeaux (voir plus haut), donc toujours du même sexe, et l'autre un enfant de l'un ou de l'autre sexe, soit enfin de trois œufs. Dans les deux derniers cas, il s'agit de faux triplés.

Les quadruplés peuvent provenir d'un, deux, trois ou quatre œufs. Vrais quadruplés : un œuf a donné naissance à quatre embryons. Faux quadruplés : il peut s'agir, soit de deux œufs (donnant deux paires de vrais jumeaux ou des vrais triplés + un frère ou une sœur), soit de trois œufs (donnant une paire de vrais jumeaux et une paire de faux jumeaux), soit de quatre œufs. Dans ce dernier cas, aucun des quatre enfants n'a de raison de ressembler à l'autre plus que des frères ou sœurs, car ils proviennent chacun d'un œuf différent.

Les quintuplés : plusieurs cas sont possibles, sept très exactement suivant qu'il y a eu fécondation d'un, deux, trois, quatre ou cinq ovules.

9.

Les trois questions que vous vous posez

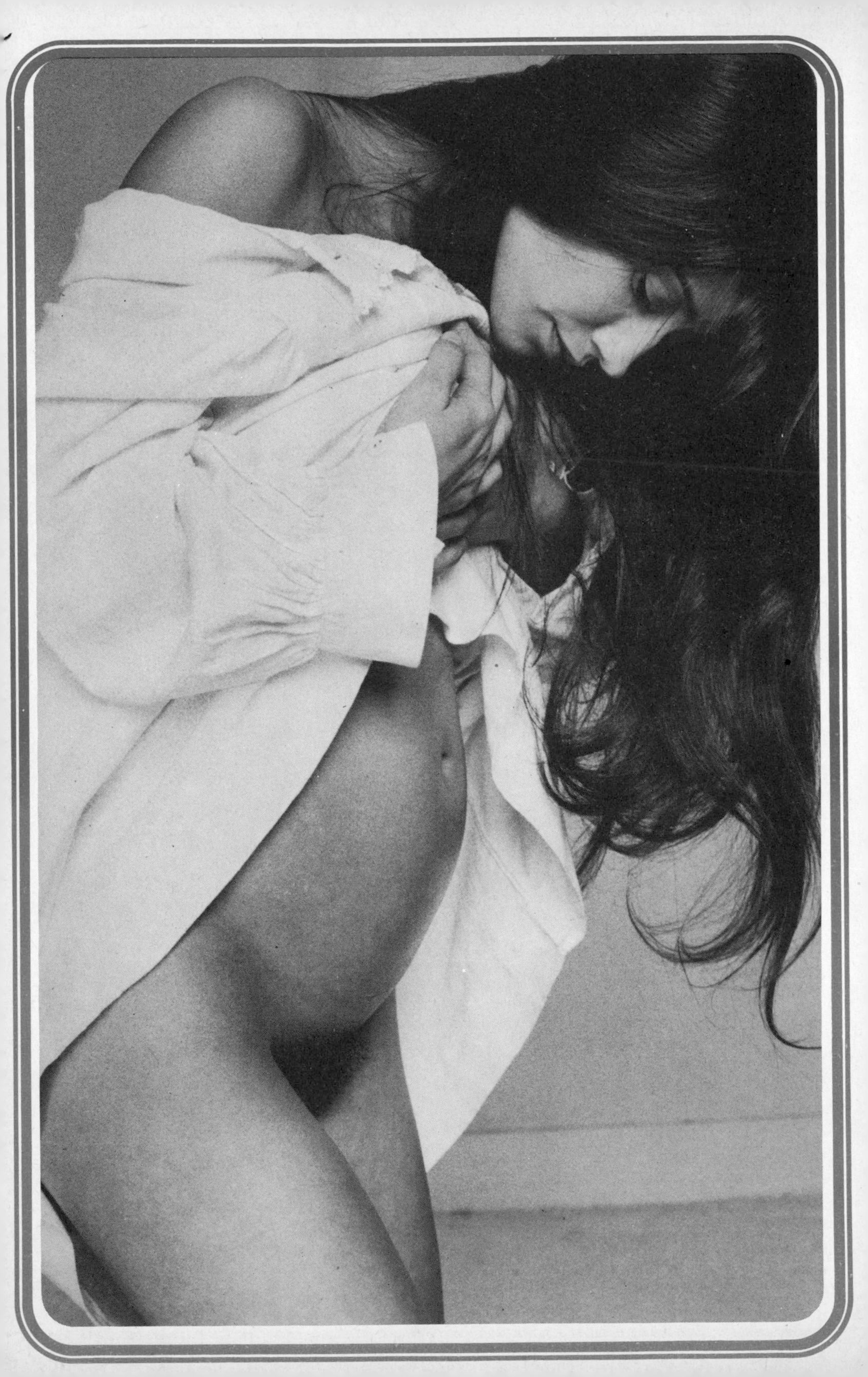

Fille ou garçon ?

Les progrès sont là, il serait déraisonnable de le nier : l'image de la femme est meilleure depuis quelques années, grâce à des livres et des campagnes venus parfois d'ailleurs mais qui finissent par nous toucher, grâce à des prises de position, certaines fois excessives, mais qui peu à peu ont fait leur chemin.
Mais il y a un domaine où rien n'a changé : comme hier, comme toujours, les parents veulent un garçon d'abord, à une large majorité. Posez vous-même la question et vous verrez.
De plus, s'il naît une fille alors qu'on espérait un garçon, en général on en rend responsable la mère; or, c'est une grande injustice, car le sexe de l'enfant dépend du père. On le sait depuis maintenant plus de vingt ans, mais les connaissances mettent du temps à se répandre.
Pourquoi le père est-il « responsable » du sexe de l'enfant ? Pour le comprendre, il est nécessaire de faire une incursion dans le domaine de l'infiniment petit et de vous donner quelques explications un peu techniques : c'est un chapitre à lire à tête reposée.

Fille ou garçon ?

La cellule. Vous savez peut-être que l'organisme est composé de différents tissus eux-mêmes faits de cellules. Chaque être humain en possède une dizaine de milliards environ. La cellule apparaît donc comme l'élément de base de tout être vivant.
Nos cellules sont très différentes les unes des autres suivant le rôle qu'elles jouent : un globule rouge du sang est une cellule qui a la forme d'un disque, celle de la peau a plutôt la forme d'un cube, celle de l'os la forme d'une étoile, etc...

Le noyau de la cellule. Chaque cellule comprend, entre autres, une partie plus dense que l'on appelle le noyau et qui est la plus importante, on serait tenté de dire : la plus noble.

Les chromosomes. Ce noyau est fait d'une substance appelée « chromatine » parce qu'elle a la faculté d'absorber certaines matières colorantes (du mot grec chromos : couleur). Quand les cellules se divisent pour se multiplier et se renouveler, la chromatine du noyau prend un aspect particulier. Elle se fragmente en corpuscules appelés chromosomes. L'aspect et le nombre des chromosomes varient selon les espèces animales. Ainsi, il y en a 8 chez la mouche drosophile, 26 chez la grenouille, 68 chez le chien, 380 chez le papillon Lysandria. Dans l'espèce humaine, il y a 46 chromosomes par cellule. Ils sont groupés en 23 paires ; dans chaque paire l'un des chromosomes est hérité du père et l'autre de la mère.

X et Y. Vingt-deux paires sont identiques dans l'un et l'autre sexe. La vingt-troisième, au contraire, est différente chez l'homme et chez la femme. Il s'agit de la paire de chromosomes sexuels. Chez la femme cette paire est faite de deux chromosomes semblables appelés chromosomes X. Chez l'homme, les deux chromosomes sont différents : l'un est appelé X et l'autre Y. Dans le sexe féminin, les cellules sont donc composées de 22 paires + 1 paire XX. Dans le sexe masculin les cellules comportent 22 paires + 1 paire X Y.

La division des cellules. A l'exception des cellules nerveuses, toutes les cellules de l'organisme se renouvellent : la durée de vie d'une cellule est en effet limitée et va de 4 jours à 4 mois. Cette reproduction se fait par simple division. Chaque cellule se divise en deux cellules filles contenant le même nombre de chromosomes que la cellule mère dont elles sont issues (soit 46 dans l'espèce humaine).

Chez la femme,
tous les chromosomes sexuels
sont X.

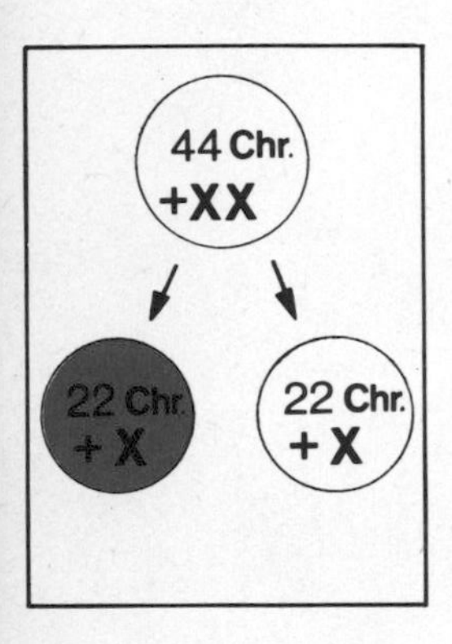

Les cellules sexuelles. Cependant, les cellules sexuelles échappent à cette règle. Lors de la fabrication des ovules chez la femme et des spermatozoïdes chez l'homme, la division des cellules prend un caractère un peu particulier et les cellules sexuelles adultes (ovule ou spermatozoïde) qui vont assurer la fécondation, ne contiennent plus que la moitié des chromosomes soit 23 au lieu de 46. Ainsi, lors de la fusion du spermatozoïde et de l'ovule, sera reconstituée une cellule (l'œuf) qui comportera 46 chromosomes, nombre caractéristique de l'espèce humaine.
Il est facile de comprendre que, s'il n'en était pas ainsi, l'œuf aurait 46 + 46 soit 92 chromosomes, ce qui n'est pas le nombre caractéristique des individus normaux. Vous verrez d'ailleurs plus loin que certains œufs ont un nombre anormal de chromosomes. Cela conduit soit à un avortement, soit à la naissance d'un enfant qui peut être anormal.

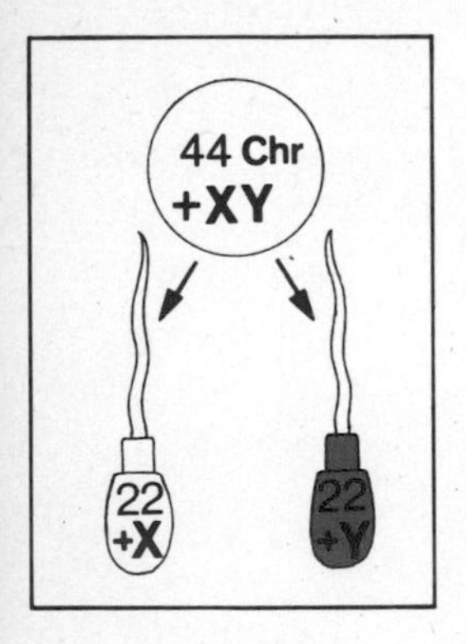

Chez l'homme,
les chromosomes sexuels sont
tantôt X, tantôt Y.

Pourquoi garçon? Pourquoi fille? Jusqu'à nouvel ordre il faut admettre qu'il s'agit là d'un pur hasard mais qui mérite une explication.
Lors de la fabrication des ovules dans l'ovaire, les deux chromosomes sexuels étant identiques chez la femme (X et X) tous les ovules recevront 22 chromosomes ordinaires + 1 chromosome X. Cela équivaut à dire que tous les ovules auront une formule chromosomique identique.
Chez l'homme, au contraire, la cellule-mère qui donne naissance aux spermatozoïdes comprend 44 chromosomes + deux chromosomes sexuels différents X et Y. Lors de la division, 50 % des spermatozoïdes recevront 22 chromosomes ordinaires + 1 chromosome X alors que 50 % recevront 22 chromosomes ordinaires + 1 chromosome Y. Cela revient par conséquent à dire que tous les spermatozoïdes n'ont pas la même formule chromosomique. Lors de la fécondation, c'est-à-dire lors de l'union d'un ovule et d'un spermatozoïde, deux possibilités apparaissent donc :

La fille. L'ovule est fécondé par un spermatozoïde à chromosome X : il va en résulter, par réunion des chromosomes, un œuf contenant 44 chromosomes + X + X (soit XX). Cette formule est celle du sexe féminin. Cet œuf donnera naissance à une fille.

Le garçon. L'ovule est fécondé par un spermatozoïde à chromosome Y : la reconstitution du capital chromosomique aboutira à la formule : 44 chromosomes + X + Y (soit XY). Cette formule est celle du sexe masculin. Cet œuf ne pourra aboutir qu'à la naissance d'un garçon.
Il apparait donc que c'est la formule chromosomique du spermatozoïde fécondant qui détermine la survenue d'une fille ou d'un garçon. C'est dans ce sens que l'on peut dire que c'est le père qui est « responsable » du sexe de l'enfant. Il ne faut évidemment pas prendre l'expression au pied de la lettre, car la responsabilité du père, au sens habituel du terme, n'est pas engagée, et c'est le hasard qui fait que la fécondation sera assurée par tel ou tel spermatozoïde.

Un ovule est fécondé par un spermatozoïde à chromosome X : ce sera une fille.

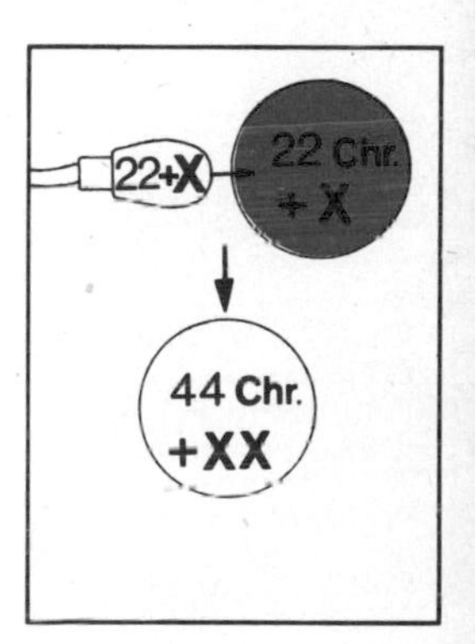

Pas seulement le hasard. Certaines notions échappent d'ailleurs encore à nos connaissances dans ce domaine. En effet, si le hasard seul intervenait, comme dans le jeu de pile ou face, il devrait y avoir statistiquement, autant de naissances de filles que de garçons. Or, il naît un peu plus de garçons que de filles (104 à 106 contre 100). D'autre part, vous savez que dans certaines familles, on observe de façon frappante un bien plus grand nombre d'enfants de l'un ou l'autre sexe et l'on a pu parler de familles à filles et de familles à garçons. On a cité le cas d'une famille où, en trois générations, sont apparues soixante-douze filles sur soixante-douze grossesses. L'explication de tels phénomènes reste encore actuellement du domaine de l'hypothèse. Au fil des années cependant, de nombreux travaux faits dans le monde entier permettent de cerner de mieux en mieux la réalité.
On sait par exemple, que les spermatozoïdes X et Y présentent des différences : les derniers ont une tête plus petite et se déplacent plus vite que les premiers. Il semble d'autre part que certaines anomalies du sperme se fassent surtout au détriment de tel ou tel groupe de spermatozoïdes. Cela expliquerait pourquoi certains hommes donnent naissance à beaucoup plus de filles que de garçons par exemple.
Il reste vrai toutefois que de nombreuses inconnues persistent en ce domaine.

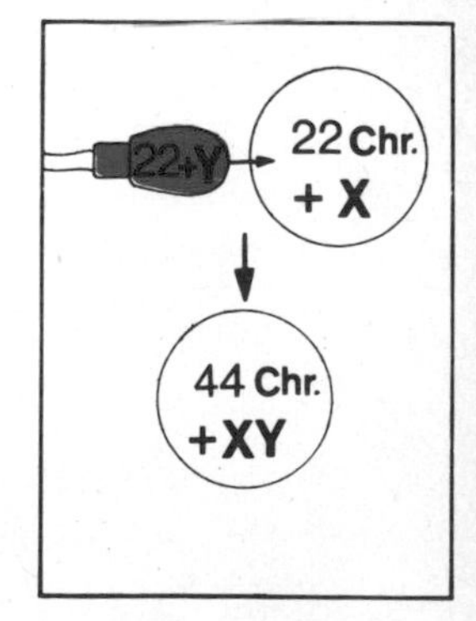

Un ovule est fécondé par un spermatozoïde Y : ce sera un garçon.

Peut-on connaître le sexe de l'enfant avant la naissance ?

C'est une question à laquelle on cherche une réponse depuis les temps les plus anciens.
Dès le XIVe siècle avant J.-C., les Egyptiens proposaient d'arroser du blé ou de l'orge avec de l'urine de femme enceinte et d'observer celle des deux céréales qui germait. Les Grecs, avec Hippocrate, tenaient compte de la coloration du visage ou de l'importance du développement utérin.

Les trois questions que vous vous posez

Au fil des siècles, on a tenté d'accorder une valeur :

au rythme cardiaque de l'enfant : certaines femmes restent persuadées que le cœur bat plus ou moins vite selon qu'il s'agit d'un garçon ou d'une fille. Les enregistrements électroniques du cœur fœtal ont montré qu'il n'en était rien ;

au déroulement de la grossesse et à l'importance des malaises ressentis : cela relève de la plus haute fantaisie ;

à la date du rapport fécondant par rapport à l'ovulation, car les spermatozoïdes X et Y n'auraient pas la même durée de survie : en supposant que cela soit vrai (nous allons revenir sur ce point, voyez plus loin) il resterait encore à connaître exactement la date de l'ovulation, et il faudrait qu'il n'y ait eu qu'un seul rapport susceptible d'être fécondant au cours du cycle ;

au test salivaire de Rapp et Richardson (virage d'un papier coloré au contact de la salive maternelle). Mais il n'a pas confirmé les espoirs qu'il avait fait naître, et comporte un pourcentage important d'erreurs ;

il est également impossible de prévoir le sexe de l'enfant par la radiographie ou par l'échographie.

Étant donné les explications que vous avez lues plus haut, vous comprendrez qu'il n'y a qu'un moyen pour connaître le sexe de l'enfant avant la naissance, c'est d'examiner des cellules de cet enfant, et de regarder de près la paire de chromosomes sexuels pour voir s'il s'agit d'une paire XX, c'est-à-dire d'une fille, ou d'une paire XY, c'est-à-dire d'un garçon.
Est-ce possible ? Oui, mais c'est délicat : il faut pratiquer, à travers la paroi abdominale de la future mère, une ponction du liquide amniotique dans lequel baigne le bébé, puis il faut extraire de ce liquide amniotique les cellules éliminées par l'enfant, les cultiver et les examiner au bout de quinze jours au microscope.
Cette intervention est possible à partir de la quatorzième semaine de la grossesse. Elle nécessite, comme vous pouvez vous en douter, beaucoup de temps et de personnel. Enfin, elle n'est pas absolument sans risques. C'est pourquoi il ne saurait être question d'y recourir uniquement pour satisfaire la curiosité des parents. En fait, on ne recherche le sexe que si, pour une raison ou une autre, il a fallu faire une ponction amniotique.
Donc, et quoi qu'en disent des magazines, des livres ou des publicités à sensation, vous devez savoir qu'il n'existe aucune méthode simple, pratique et sans danger pour connaître le sexe de l'enfant avant sa naissance.
Mais je ne me fais guère d'illusions : il y aura toujours des gens pour proposer de nouvelles méthodes « infaillibles » de prédiction du sexe. Et, d'ailleurs, au moins une fois sur deux, la prédiction se révélera exacte, puisqu'il naît presque autant de filles que de garçons.
Cela dit, est-ce vraiment souhaitable de trouver une méthode simple et sûre ? Imaginez combien déprimante serait la grossesse d'une femme désirant ardemment un garçon et à qui l'on annoncerait qu'elle aurait sûrement une fille. Alors qu'on a constaté, dans un cas semblable, qu'au moment de la naissance, la déception disparaît rapidement devant la vue du nouveau-né.

Peut-on choisir le sexe de l'enfant ?

Il y a des parents qui voudraient aller encore plus loin que de connaître le sexe de l'enfant déjà conçu, ils voudraient commander à volonté une fille ou un garçon. Le rêve est-il réalisable ? Voici ce qu'en pensent les spécialistes.

Fille ou garçon ?

Il semble qu'il y ait des différences entre les spermatozoïdes X (qui fabriquent des filles) et les spermatozoïdes Y (qui fabriquent des garçons). Outre que les spermatozoïdes Y seraient plus petits et plus rapides, ils seraient également moins résistants. C'est pourquoi on a émis l'hypothèse que tout ce qui empêche une union rapide du spermatozoïde et de l'ovule favorise une prédominance des spermatozoïdes X sur les spermatozoïdes Y (ceux-ci, moins résistants, meurent plus vite), et donc la naissance de filles. Ainsi :

- l'acidité vaginale, très néfaste pour les spermatozoïdes, tuerait plus rapidement les spermatozoïdes Y, et diminuerait les chances d'avoir un garçon ;
- les anomalies de la glaire du col agiraient de même en ne laissant passer que les spermatozoïdes X plus résistants ;
- la date du rapport fécondant par rapport à l'ovulation interviendrait également. Plus les spermatozoïdes ont à attendre l'ovule, plus les X prédominent ;
- la fréquence des rapports, qui appauvrit le sperme, toucherait là encore surtout les spermatozoïdes Y.

En résumé, si ces faits étaient vérifiés, vous auriez d'autant plus de chances d'avoir une fille que l'acidité de votre vagin serait plus élevée, que vos rapports seraient fréquents et que le rapport fécondant aurait lieu à distance de l'ovulation. Mais je vous le répète : ce ne sont encore que des hypothèses.

A qui ressemblera notre enfant ?

Les trois questions que vous vous posez

Bien sûr, je ne suis pas capable de vous le dire, mais cela vous intéressera peut-être de savoir comment se transmettent ces cheveux blonds, ces yeux noirs, ce nez busqué, cette jolie bouche, cette haute taille, cette intelligence, ce don musical. De la mère, du père, d'un grand-père ou d'une grand-mère ; et lesquels de ces caractères (ou d'autres) sont héréditaires ? Je vous renvoie à ce qui précède (fille ou garçon) pour faire connaissance avec les chromosomes.

Les gènes. Bien que situé à l'échelon de l'infiniment petit (il mesure quelques millièmes de millimètre), le chromosome apparaît comme un corps de structure très complexe. Vous pouvez l'imaginer, selon votre goût, comme une pile d'assiettes, comme un long ruban plat (un centimètre de couturière), ou encore comme un long fil enfilé de perles. Chaque assiette, chaque graduation du centimètre, chaque perle, c'est un gène. Chacun de ces gènes est chargé de la transmission d'un caractère héréditaire (couleur des yeux par exemple). Pour parler de façon moderne, on dit qu'il est le support du message héréditaire. Un gène peut d'ailleurs être responsable de plusieurs caractères, et un caractète dépendre de plusieurs gènes.
C'est du mot gène qu'est venu le mot génétique qui veut dire à la fois « science de l'hérédité » et « héréditaire ».
Un chromosome étant porteur d'un très grand nombre de gènes (plusieurs milliers), il est donc porteur d'un message héréditaire très important et très complexe.
Il n'est pas possible ici d'entrer dans l'intimité de ces phénomènes très complexes. Mais il vous est facile de comprendre que, lors de la fécondation, l'union des chromosomes maternels et paternels, et la combinaison des gènes entre eux, apportent au futur enfant des caractères physiques et psychologiques qu'il tiendra ainsi pour partie de son père et pour partie de sa mère.

Les ressemblances physiques

En ce qui concerne les caractères physiques, on pourrait logiquement s'attendre à ce que l'enfant ressemble pour moitié à son père et pour moitié à sa mère : avoir, par exemple, la couleur d'yeux de l'un et la forme de nez de l'autre. Cela, vous le savez, n'est pas le cas le plus fréquent et l'enfant n'apparaît pas habituellement comme composé d'une mosaïque dont les éléments reproduiraient fidèlement pour moitié les traits du père et pour moitié ceux de la mère. Ces faits s'expliquent aisément. En effet, chaque parent est lui-même héritier de ses propres parents, et la transmission des caractères d'une génération à l'autre se fait selon des modalités bien précises et des lois bien déterminées.

A qui ressemblera notre enfant

Dominants et récessifs. C'est ainsi que les caractères transmis par les gènes se divisent en « dominants » et « récessifs ». Lors de sa conception, l'enfant va recevoir, pour chaque caractère physique, un gène de son père et un de sa mère. Prenons, par exemple, la couleur des yeux et supposons qu'il hérite sur le gène paternel de la couleur marron, et sur le gène maternel de la couleur bleue (l'inverse serait évidemment tout aussi possible). Ses yeux ne seront pas moitié marron et moitié bleu, mais marron ; car cette couleur l'emporte sur le bleu. On dit qu'il s'agit d'un caractère « dominant ». La couleur bleue est, au contraire, un caractère « récessif », on pourrait également dire « dominé » Voici quelques exemples de caractères dominants : les longs cils, les narines larges, les grandes oreilles, les taches de rousseur ; et de caractères récessifs : les yeux bridés, les cheveux clairs, la myopie.
Mais revenons à cet enfant aux yeux marron : il faut comprendre également qu'il garde dans son capital héréditaire, sur un gène de ses chromosomes, le caractère yeux bleus bien que celui-ci n'apparaisse pas chez lui puisque dominé par le caractère yeux marron.
Imaginons maintenant cet enfant aux yeux marron devenu adulte. Il peut transmettre à sa propre descendance le caractère yeux bleus puisqu'il l'a gardé sur un de ses gènes. S'il en est de même pour sa femme, leur enfant pourra avoir les yeux bleus bien que son père et sa mère aient les yeux marron.
En résumé, bien que possédant tout son patrimoine de ses parents, un enfant peut parfaitement ne pas leur ressembler très étroitement, bien loin de là. En revanche, il tient forcément tous ses caractères des générations précédentes.

Les caractères physiques sont donc héréditaires et un individu ne peut posséder que ceux qu'avaient déjà les générations qui l'ont précédé.
Il existe toutefois des exceptions à ces lois générales.
La première est représentée par l'influence éventuelle d'éléments extérieurs à l'hérédité. Il en est ainsi par exemple de la taille qui dépend non seulement de facteurs héréditaires, mais aussi de la quantité et de la qualité de la nouriture absorbée pendant la période de croissance.
La seconde exception est la conséquence de ce qu'on appelle une mutation.

Les mutations. On appelle mutation un changement brutal, imprévisible, dans la transmission de l'hérédité. Elle se produit par l'apparition chez un individu d'un caractère qui n'existait pas chez ses ascendants.
Certes, parler des mutations ne vous apportera rien de pratique car on ne peut agir sur elles. Je vous en dis un mot néanmoins car c'est un terme qui revient souvent dans les magazines, et il est impossible de parler d'hérédité sans y faire allusion.

Les trois questions que vous vous posez

Il existe deux types de mutations. Les premières intéressent la structure ou le nombre des chromosomes : ce sont les « aberrations » chromosomiques dont je vous parlerai plus loin. Les autres ne concernent qu'un seul gène : ce sont les mutations géniques.

Les conséquences visibles d'une mutation sont très variables. Dans certains cas, elle passe totalement inaperçue, soit parce que le gène qui a muté est récessif, soit parce que, dominant, il détermine un « signe particulier » que personne ne remarque parce qu'il est insignifiant.

Ailleurs, elle est à l'origine de changements considérables. C'est ainsi, par exemple, que la race noire est probablement le résultat d'une mutation. Tout permet de penser qu'un jour, par l'effet d'une mutation, un homme est apparu dont la peau était noire à cause de la grande quantité de mélanine (pigment) qui se trouvait dans sa peau. Cette mélanine eut pour effet d'intercepter les rayons solaires et de permettre à l'homme en question de supporter le soleil mieux qu'un blanc. Le gène nouveau étant dominant, l'homme eut une descendance en majorité noire. Ces noirs, se mariant entre eux, formèrent une race. Voilà, schématiquement exposé d'une manière un peu enfantine dont je prie mes lectrices généticiennes de m'excuser, le destin fabuleux d'une mutation.

La mutation peut aussi ne pas porter sur des caractères « normaux » comme la couleur de la peau, mais avoir un effet néfaste et aboutir à une quelconque malformation.

Elle peut être spontanée, et survenir sans cause apparente, mais elle peut aussi être provoquée par certaines radiations (rayons X, corps radio-actifs, rayons cosmiques) ou par certaines substances chimiques. C'est la raison notamment de certaines précautions recommandées à la femme enceinte et dont je vous parle au chapitre 6.

Il est impossible de connaître la fréquence des mutations dans l'espèce humaine comme il est impossible de prévoir une mutation.

Les ressemblances psychologiques

Les caractères physiques ne sont pas les seuls à se transmettre selon les lois de l'hérédité. Il en est de même de certains traits intellectuels ou psychologiques. La transmission héréditaire se fait de la même façon que pour les caractères physiques ; mais ses conséquences paraissent souvent moins apparentes dans la pratique. En effet, tout ce qui va constituer la structure intellectuelle et surtout psychologique d'un individu est soumis à des influences multiples : mode de vie et comportement des parents, mode d'éducation, classe sociale, etc... C'est d'ailleurs un des mérites de la psychologie moderne que d'avoir mis en évidence l'extraordinaire influence de l'entourage sur la structure psychologique d'un être. Ainsi, bien que l'enfant tienne de ses parents certains traits psychologiques et intellectuels, sa personnalité sera plus ou moins fortement modifiée par les influences extérieures. C'est d'ailleurs ce qu'a spontanément retenu la sagesse populaire en deux proverbes apparemment contradictoires mais qui contiennent chacun un fond de vérité : « Tel père, tel fils » et « A père avare, fils prodigue ».

Vous voyez que si votre enfant a des chances de vous ressembler, ou de ressembler à son père, il pourra tout aussi bien avoir la couleur des yeux de sa grand-mère ou la nature des cheveux de son arrière grand-père. Mais en tous les cas c'est vous qui aurez été le maillon indispensable dans la chaîne de l'hérédité.

Quant à son caractère et à ses goûts, il pourra certes hériter sur ses chromosomes de vos dispositions pour un art : la musique par exemple (encore qu'il soit rare qu'un grand musicien soit le fils d'un grand musicien). Il pourra surtout aimer la musique parce que vous lui en aurez donné le goût. Il pourra aussi, par réaction, l'avoir en horreur.

A qui ressemblera notre enfant

Mon enfant sera-t-il normal ?

Les trois questions que vous vous posez

Parmi les nombreuses questions que vous vous posez, c'est certainement celle qui vous tient le plus à cœur.
Je pourrais vous répondre que le pourcentage d'enfants malformés ne dépasse pas 3 %. C'est peu si l'on tient compte que, dans ce chiffre, entrent un grand nombre de malformations mineures aisément guérissables.
Je pourrais vous dire aussi que la nature ne fait pas si mal les choses et qu'elle fait elle-même sa sélection. Vous avez vu au chapitre des avortements que 70 % des avortements précoces, ceux qui surviennent dans les 6 premières semaines de la grossesse, sont en rapport avec une anomalie des chromosomes. Cela veut dire que la plupart des œufs malformés sont rapidement éliminés. J'y reviendrai plus loin.
Mais sans doute demandez-vous autre chose à ce chapitre. Vous voulez être informée de tout ce qui peut causer une déficience ou une malformation et vous voulez savoir ce qu'une future mère doit faire pour mettre toutes les chances de son côté. C'est pourquoi je vais essayer de répondre à vos questions. Je dis « essayer », car bien des points restent encore inconnus dans ce domaine.

Pourquoi tel enfant n'est-il pas normal ?

Pourquoi certains enfants naissent-ils « différents », je veux dire avec un handicap physique ou intellectuel ?
Souvent, devant un nouveau-né malformé, les médecins sont encore incapables de trouver une explication. On peut quand même distinguer trois causes possibles.

● L'œuf a souffert, pendant son développement dans l'utérus, d'une agression qui peut être infectieuse, chimique, ou physique. Je vous ai dit aux chapitres 6 et 7 qu'un certain nombre de facteurs pouvaient influencer le développement normal de l'œuf, et produire des malformations.
C'est le cas de certaines maladies infectieuses maternelles, comme la rubéole et la toxoplasmose. Cela peut aussi être le cas de certains médicaments, voyez ce que nous en disons p. 105, et si vous avez une inquiétude, parlez-en au médecin.

Ce peut-être enfin l'action de certaines radiations (rayons X, ultra-violets).
Je vous ai déjà parlé des précautions à prendre pour éviter, autant que faire se peut, de tels accidents. Je vous renvoie donc aux chapitres correspondants.
Une émotion, un chagrin, une angoisse ou une dépression nerveuse peuvent-ils être responsables de la naissance d'un enfant anormal ou malformé ? La réponse des médecins est : non.

● La deuxième cause possible est d'ordre génétique. Deux cas peuvent se présenter :

l'anomalie est due à un *défaut des chromosomes*,
l'anomalie est liée à une *particularité d'un gène*, (vous avez vu plus haut ce qu'étaient les chromosomes et les gènes).

Dans le premier cas il s'agit d'aberrations chromosomiques, c'est-à-dire, d'erreurs de la nature dans le domaine des chromosomes, soit qu'à l'un d'eux il manque un fragment, soit que deux chromosomes (vous avez vu, il vont toujours par paire) échangent un fragment, soit qu'il y ait un chromosome supplémentaire, etc., etc.
La recherche et l'étude des aberrations chromosomiques est un domaine tout nouveau de la génétique, mais il marche à pas de géant. C'est seulement en 1959 que furent décrites les deux premières aberrations chromosomiques (dont celle qui correspond au mongolisme). Depuis, on en a reconnu un grand nombre.
Ces anomalies des chromosomes se produisent au moment de la fabrication des cellules sexuelles, ou lors des premiers stades du développement de l'œuf. Elles sont le plus souvent accidentelles ; elles ont peu de chances de se reproduire lors d'une grossesse suivante ; et, comme vous le verrez plus loin, il est possible (dans certains cas), en établissant ce qu'on appelle le caryotype, de savoir s'il y a une aberration chromosomique.
D'ailleurs, un grand nombre d'œufs possédant des chromosomes anormaux sont éliminés. C'est, vous l'avez vu, l'origine des trois quarts des avortements spontanés.

Dans d'autres cas, l'anomalie est due à un gène anormal, un gène porteur de maladie.
Vous avez vu que les gènes transmettaient les traits physiques ou psychologiques d'une génération à l'autre ; ils peuvent aussi transmettre certaines maladies, par exemple, le daltonisme (anomalie de la vue), des myopathies (maladies des muscles), l'hémophilie, maladie du sang qui l'empêche de coaguler et dont vous avez certainement entendu parler, car elle a ceci de particulier qu'elle est transmise par les femmes, mais ne peut donner de troubles que chez les hommes ; autrement dit, la femme est en apparence parfaitement saine, mais elle peut transmettre la maladie à un de ses fils : on dit qu'elle est conducteur de la maladie.

● Dans les cas cités, la malformation a une cause connue. Il reste un certain nombre de cas où l'on ne retrouve aucune cause à l'origine de la malformation, le bec de lièvre, par exemple. Faute d'en savoir davantage (au moins pour le moment), force est d'admettre qu'il s'agit d'un défaut de fabrication, comme la paille dans l'acier.

Quelques notions fausses sur l'hérédité

Les trois questions que vous vous posez

Héréditaire et congénital

Au sens strict, ces deux termes ne sont pas synonymes, bien que la confusion soit souvent faite entre les deux.
On appelle congénitale une maladie (ou une malformation) qui existe à la naissance, et dont l'origine remonte généralement à la vie intra-utérine. Par exemple, un enfant dont la mère a eu la rubéole peut présenter à la naissance diverses malformations. Elles sont congénitales mais non héréditaires : sa mère ne les présentait pas, et il ne les transmettra pas à sa descendance.

On appelle héréditaire une maladie transmise par les gènes. Les parents la possèdent déjà et la transmettent à leurs enfants ; exemple : l'hémophilie. La maladie héréditaire peut n'être pas apparente à la naissance, et ne se manifester que beaucoup plus tard.
D'autre part, s'il est vrai qu'une affection qui apparaît à plusieurs reprises dans une même famille a de grandes chances d'être héréditaire, il n'en est pas toujours ainsi. Elle peut être en rapport avec des conditions communes d'environnement. Exemple : le goître par manque d'iode.

« La syphilis et l'alcoolisme causes de dégénérescence »

Entre parenthèses, ce terme de dégénérescence employé fréquemment par le grand public pour évoquer une malformation physique ou un retard psychique, ne signifie rien pour les médecins. Cela dit, pour répondre à l'idée populaire que les frasques du père ou du grand-père peuvent avoir des conséquences néfastes sur la descendance, je peux vous dire que c'est faux : qu'ils aient été alcooliques ou syphilitiques n'altère en rien leurs chromosomes.
Mais en revanche, c'est la syphilis de la femme enceinte qui peut avoir de graves conséquences (voyez p. 130). Il en est de même de l'alcoolisme chronique maternel qui peut être à l'origine de malformations ou de troubles du développement psychique. L'enfant peut bien souffrir de la syphilis ou de l'alcoolisme mais pas par l'intermédiaire des chromosomes. C'est pendant la grossesse qu'il est atteint. Il ne s'agira pas d'une maladie héréditaire mais congénitale.

« Les maladies héréditaires : toujours graves et incurables »

C'est faux. Un certain nombre de maladies héréditaires ne s'accompagnent d'aucune malformation et sont parfaitement compatibles avec une vie normale. Beaucoup d'entre elles peuvent actuellement être traitées. En revanche, il est évident que l'on ne peut empêcher le sujet de rester porteur du gène responsable et de le transmettre à sa descendance (voir plus loin : la consultation de génétique).

Quel est le risque d'avoir un enfant anormal ?

Il faut bien dire que, le plus souvent, la naissance d'un enfant malformé apparaît comme un accident imprévu et imprévisible. Dans certains cas cependant, on peut penser, a priori, sans avoir bien sûr de certitude, que certains couples prennent des risques plus importants que d'autres. Je voudrais vous en dire quelques mots.

Mon enfant sera-t-il normal ?

L'existence d'une maladie héréditaire

Que ce soit dans votre famille ou dans celle de votre mari, elle augmente certainement vos risques d'avoir un enfant anormal. Mais cela ne veut certainement pas dire qu'il vous est impossible d'avoir un enfant normal.

Les mariages consanguins

Ce sont les mariages dans lesquels les partenaires ont un ancêtre commun. Dans la pratique, le problème se pose surtout pour les cousins germains et issus de germains.
Nous en connaissons tous de très heureux, et dont les enfants sont en excellente santé.
Pourtant, supposons qu'existe dans une famille le gène d'une anomalie et que ce gène soit récessif. Autrement dit, certains membres de cette famille sont porteurs d'un gène anormal : celui de la surdité précoce par exemple. Malgré cela tout le monde est parfaitement normal. C'est parce que, chez chaque individu, le gène anormal est masqué par son homologue normal (celui de l'ouïe normale), qui est dominant.
Deux membres de cette famille se marient entre eux, des cousins germains par exemple. Tous deux sont porteurs, sans le savoir, du gène anormal. Chacun court donc le risque, comme à pile ou face, de transmettre à son enfant le gène récessif porteur de la surdité. Si l'un des enfants hérite des deux côtés le gène récessif, cet enfant sera atteint de surdité.

En somme, la consanguinité ne crée pas l'anomalie, mais elle augmente les risques pour un enfant de voir apparaître une « tare » jusque là cachée parce que récessive.

L'âge des parents

L'âge de la mère augmente indiscutablement le risque de malformations. C'est particulièrement vrai pour certaines aberrations chromosomiques comme celle qui est à l'origine du mongolisme. Cette maladie voit sa fréquence passer de 1/2 000 environ dans la population générale à 1/100 entre 40 et 44 ans et à 1/45 après 45 ans. D'une façon générale, les femmes de plus de 35 ans ne donnent que 13,5 % des grossesses mais 50 % des mongoliens.
Il est d'autres aberrations chromosomiques dont la fréquence semble augmenter avec l'âge maternel.
L'âge du père paraît également susceptible de jouer un rôle.

On admet qu'il peut être cause de mutations génétiques responsables, dans la descendance, de maladies héréditaires dominantes.

La consultation de génétique

Je vous ai dit que les généticiens étaient les médecins qui s'occupent des problèmes d'hérédité. C'est à eux qu'il faut demander conseil. Actuellement, il existe des consultations de génétique dans la plupart des grandes villes de France, et la liste s'allonge chaque jour. Renseignez-vous à l'hôpital le plus proche de votre domicile.

Les trois questions que vous vous posez

A qui la consultation de génétique est-elle utile?

- Tout d'abord aux sujets porteurs d'une maladie ou malformation, qui veulent se marier et souhaitent savoir s'ils risquent de transmettre l'anomalie à leurs enfants.
- Ensuite aux parents qui ont déjà un enfant anormal et veulent connaître les risques de récidive pour une future grossesse (cela ne vaut évidemment pas pour les malformations accidentelles comme celles de la rubéole).
- Aux femmes qui ont déjà fait plusieurs avortements par aberrations chromosomiques. En effet, si la plupart d'entre eux sont accidentels, quelques-uns (2 à 10 % selon les statistiques) peuvent résulter d'une anomalie chromosomique des parents et peuvent donc se reproduire.
- Enfin aux candidats à un mariage consanguin.

Généralement, les généticiens vont établir la carte d'identité de vos chromosomes. Ce que l'on appelle le caryotype. On recueille quelques-unes de vos cellules (habituellement quelques gouttes de sang) et, grâce à des techniques que je ne peux détailler ici, on peut voir vos chromosomes au microscope, les photographier et les classer. Depuis 1960, on s'est mis d'accord sur un certain ordre pour classer les chromosomes (par paires et par taille décroissante) en leur donnant des numéros. Sur cette carte d'identité apparaîtront d'éventuelles anomalies susceptibles d'être transmises à votre descendance.

Les médecins tiendront compte également :

- du caractère certainement héréditaire ou non de la maladie que vous redoutez,
- de son caractère dominant ou récessif,
- de sa transmission par les chromosomes ordinaires ou par les chromosomes sexuels.

Que peut-on attendre de la consultation de génétique?

Munis de ces renseignements, les médecins tenteront de vous éclairer. Je dis qu'ils tenteront, car la consultation de génétique a malheureusement ses limites.

Vous devez comprendre d'abord que l'on ne peut vous donner que des probabilités et non une certitude pour tel enfant à naître. Par exemple, quand il s'agit d'une maladie bien connue dans son mode de transmission, on pourra vous dire que vous courez un risque sur deux ou un risque sur quatre d'avoir un enfant anormal. Dans d'autres cas, vos chances se répartiront entre la naissance d'enfants normaux, celle d'enfants normaux mais porteurs de la tare (conducteurs), enfin celle d'enfants anormaux. Ailleurs, on pourra vous prédire que l'enfant sera normal ou non selon son sexe.

Un autre exemple : si vous avez un enfant mongolien, le risque d'en avoir un autre est très faible car le mongolisme est le plus souvent un accident. En revanche, il existe de rares cas où il est en rapport avec une aberration chromosomique des parents. Il devient alors une maladie héréditaire et peut se reproduire. On sait également que, quand existe une tare familiale, le mariage entre cousins germains expose l'enfant à venir à un risque de 1/16 de présenter cette tare. En revanche, quand il n'existe pas de tare apparente, le risque est beaucoup plus difficile à apprécier. Cependant, les généticiens déconseillent en principe les mariages consanguins.

Mon enfant sera-t-il normal ?

Dans d'autres cas, on ne peut vous donner que des renseignements beaucoup plus vagues, soit parce que le mode de transmission de la maladie est mal connu, soit parce que son caractère héréditaire n'est pas évident.
N'attendez donc pas du généticien une autorisation ou une interdiction (de vous marier, d'avoir un nouvel enfant...). Souvent, il ne pourra pas le faire et ce n'est d'ailleurs pas son rôle.

Une femme enceinte peut-elle savoir si son enfant sera normal?

Oui et non. Je m'explique.
Pendant très longtemps, il a été tout à fait impossible de dépister une anomalie pendant la grossesse, à l'exception des très grosses malformations portant sur le squelette, comme l'hydrocéphalie (augmentation anormale du volume de la tête fœtale).
Depuis peu, une méthode nouvelle permet de dépister certaines malformations et maladies héréditaires. C'est l'étude des cellules du fœtus par ponction du liquide amniotique dans lequel baigne l'enfant. Je vous ai déjà parlé de cette ponction, l'amniocentèse, à propos de la prédiction du sexe.
Elle se fait habituellement entre la 14e et la 16e semaine de grossesse (avant il n'y a pas assez de cellules pour un examen convenable, et on veut éviter pour des raisons compréhensibles de faire des avortements au-delà de la 16e semaine). Les cellules que l'enfant a éliminées dans le liquide sont prélevées, mises en culture, et le caryotype est établi. On peut également faire certaines études chimiques dans les cellules. La ponction de liquide amniotique est proposée :
- aux femmes de plus de 40 ans en raison des risques de mongolisme et de certaines autres aberrations chromosomiques ;
- aux femmes qui ont déjà un enfant anormal et chez qui existe un risque de récidive ;
- aux couples dont le caryotype n'est pas normal.

On profite généralement de la ponction amniotique pour déterminer le sexe de l'enfant.
Toutes les malformations et maladies ne sont malheureusement pas décelables par cette technique. Actuellement, seules certaines

affections en rapport avec une aberration chromosomique, et certaines maladies enzymatiques* familiales peuvent être diagnostiquées. La connaissance du sexe de l'enfant à naître peut aussi donner des renseignements : si le fœtus est de sexe féminin quand la maladie ne touche que les garçons, la future mère sera définitivement rassurée.

En conclusion, vous devez comprendre que cette méthode est encore peu répandue. Elle ne donne une réponse précise que dans un petit nombre de cas et il ne saurait être question, au moins dans l'immédiat, de l'étendre à toutes les femmes enceintes.

* Les enzymes sont des substances qui facilitent ou autorisent certaines réactions chimiques. Leur déficit entraîne des maladies.

10.

L'accouchement

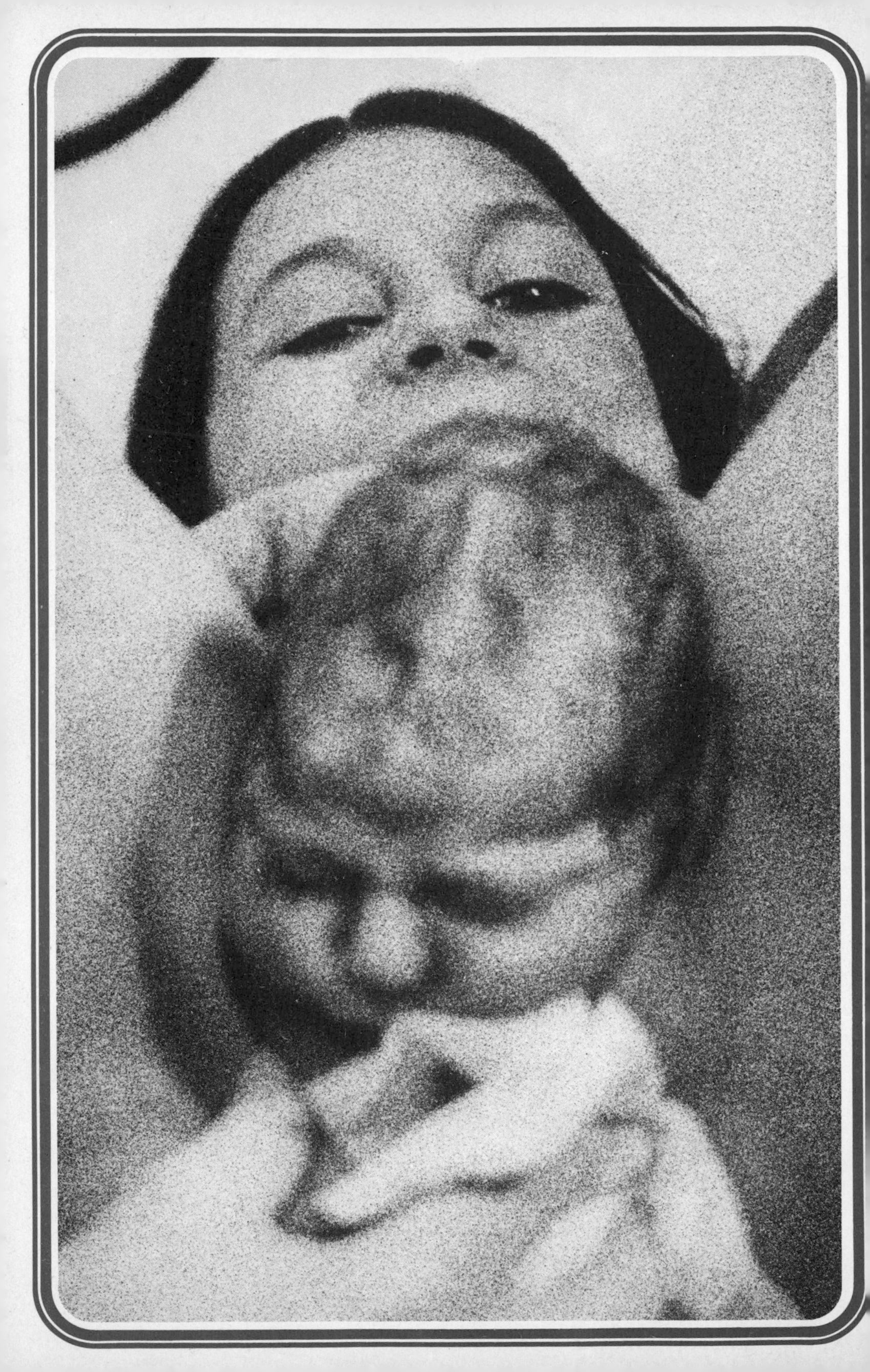

Depuis quelques années déjà, tout ce qui entoure la naissance fascine. L'accouchement sans douleur est à l'origine de cette curiosité et de cet intérêt. Puis est venue l'éducation sexuelle qui a familiarisé le grand public avec un vocabulaire et des mots réservés jusqu'alors à la médecine et à la science.
Et les journaux et les magazines ont été peu à peu envahis de photos de femmes mettant au monde leur bébé, et de nombreux films sur la naissance dans tout son réalisme ont été proposés au grand public.

Quelques explications techniques

Ainsi, l'accouchement s'est-il peu à peu dépouillé de son côté à la fois mystérieux et inquiétant, pour le plus grand bien des futurs parents.
Il n'empêche que la femme qui attend un enfant, et surtout lorsque c'est le premier, même si les images vues lui ont déjà rendu l'événement plus familier, veut tout savoir de l'accouchement : et comment il s'annonce, et comment il débute, et quand il faut partir pour la maternité et si l'on aura mal, et combien de temps dure l'accouchement, etc... Ce chapitre va s'efforcer de répondre à toutes ces questions.

Un accouchement peut se raconter de deux manières :
- vu de l'intérieur, si je puis dire, ce qui permet de comprendre le mécanisme de la naissance, d'observer les forces qui entrent en jeu et les phénomènes physiologiques qui se produisent ;
- vu de l'extérieur, c'est-à-dire vécu par la mère : comment s'annonce pour elle l'accouchement, quelles sont les sensations qu'elle va éprouver, quand devra-t-elle partir pour la maternité, etc...

De ces deux aspects, l'un surtout technique, l'autre essentiellement pratique, il est certain que c'est le second qui vous intéresse avant tout. C'est celui-là que je décrirai le plus longuement dans ce chapitre. Il est néanmoins nécessaire que vous compreniez d'abord les phénomènes mécaniques qui se produisent lors d'un accouchement.

D'abord quelques explications techniques

Voyez la situation de l'enfant à la veille de la naissance. Pour cela, regardez les pages 206 et 207 : l'enfant (la tête en bas dans la plupart des cas) est situé dans l'utérus, entouré (comme dans

un sac) par deux membranes fines. A l'intérieur du sac, le liquide amniotique.
A la partie inférieure de l'utérus se trouve le col qui, pendant toute la durée de la grossesse, reste fermé comme un verrou. Ce col a 3-4 cm de long.

L'accouchement

L'accouchement sera l'expulsion de l'enfant hors de l'utérus, hors des voies génitales de la mère.
Cette expulsion ne peut se faire sans un moteur qui pousse l'enfant en avant. Ce moteur, ce sont les contractions de l'utérus. Ces contractions vont avoir deux effets :

- elles vont ouvrir le col de l'utérus ;
- la porte une fois ouverte, les contractions vont faire franchir à l'enfant le tunnel formé par le bassin et les parties molles du périnée * et de la vulve **.

On peut considérer l'accouchement comme la résultante de deux forces opposées — l'une active, c'est la contraction utérine qui cherche à pousser l'enfant dehors, l'autre passive, c'est le tunnel qui résiste à cette poussée.
Voyons de plus près les forces en présence : le moteur utérin, et l'enfant, puis le tunnel à franchir.

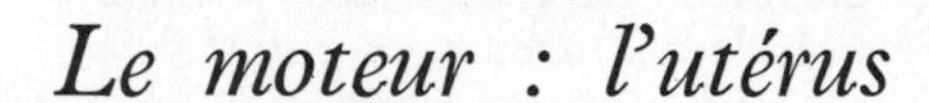

Le moteur : l'utérus

Ce qu'il est, comment il fonctionne

L'utérus est un muscle, comme le biceps par exemple. Mais, à la différence du biceps, l'utérus est un muscle creux; il forme comme une poche à l'intérieur de laquelle se trouve l'enfant. Comme tous les muscles, l'utérus est fait de fibres qui ont le pouvoir de se contracter.
Les contractions de l'utérus sont autonomes, automatiques, c'est-à-dire qu'elles échappent à la volonté : vous ne pouvez ni les diminuer, ni les augmenter ; cela ne veut pas dire pour autant que vous allez rester passive pendant votre accouchement, je vous en reparlerai.
Les contractions peuvent apparaître dans la deuxième moitié de la grossesse, mais c'est seulement au moment de l'accouchement qu'elles « entrent en scène », qu'elles agissent pour de bon.

Un beau jour le moteur se met en marche

Qu'est-ce qui, un beau jour, déclenche les contractions? Pour l'instant, il est impossible de répondre d'une manière précise à cette question. Il semble que l'ocytocine, hormone sécrétée par l'hypophyse, joue un rôle dans le déclenchement de l'accouchement. C'est pourquoi, lorsqu'on veut provoquer artificiellement le travail, on fait des injections d'ocytocine. Cela dit, on ignore le mécanisme intime du déclenchement du travail.

Effet des contractions

L'utérus commence donc à se contracter. Les contractions vont exercer leur force de haut en bas, c'est-à-dire du fond de l'utérus vers le col. Ce faisant, elles vont avoir une action sur le col : en effet, à chaque contraction, les parois de l'utérus tirent le col vers le haut : voyez le dessin. Et c'est ainsi que peu à peu le col va s'ouvrir. Il est en effet indispensable, pour que l'enfant puisse

* Les muscles compris entre le vagin et le rectum forment le périnée.

** La vulve est l'ouverture du vagin.

sortir de l'utérus, que s'ouvre le col comme vous pouvez vous en rendre compte sur le schéma page 209.
Au cours de la grossesse, le col a subi un ramollissement progressif qui rend son ouverture plus aisée. Mais *il ne peut s'ouvrir que grâce à l'action des contractions utérines.*

...dilater le col

Dans un premier temps, le col se raccourcit progressivement jusqu'à disparaître et se confondre avec le reste de l'utérus. On dit qu'il *s'efface*. Mais, comme vous pouvez le voir page 208, il est encore fermé.
C'est dans un second temps qu'il s'ouvre, et toujours sous l'influence des contractions. On dit alors qu'il *se dilate*.
Cette dilatation, on la décrivait il y a encore quelques années selon des critères peu précis (pièce de 2 francs, de 5 francs, petite paume, grande paume). On l'exprime maintenant, de façon plus précise, en centimètres. La dilatation complète du col correspond à une ouverture de 10 cm de diamètre.
Ce n'est qu'au cours du premier accouchement (on dit : chez la primipare) que l'effacement et la dilatation du col constituent deux phénomènes bien distincts qui se suivent dans le temps. Chez la multipare — la femme qui a déjà eu des enfants — ils vont souvent de pair : le col s'efface et se dilate en même temps.
L'enfant ne peut sortir de l'utérus tant que la dilatation du col n'est pas complète, et ce sont les contractions utérines seules qui produisent cette dilatation. Aucun moyen artificiel ne peut les remplacer.

Comment agissent les contractions

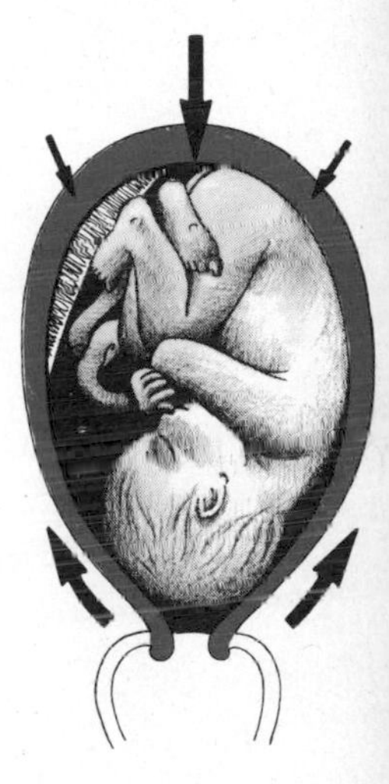

Les contractions tendent à diminuer la longueur de l'utérus. (Un muscle, quand il est contracté - biceps, par exemple - se ramasse sur lui-même.) C'est ce qu'indiquent les flèches : le fond de l'utérus est poussé du haut vers le bas, le col est tiré du bas vers le haut. Ainsi le col est-il amené à s'ouvrir, et l'enfant que contient l'utérus, à sortir.

...pousser l'enfant en avant

Les contractions agissent sur le col pour l'ouvrir, mais elles agissent également sur l'enfant : elles le poussent peu à peu en avant : (voyez le dessin ci-contre). Cette descente progressive de l'enfant se fait simultanément à la dilatation du col.
L'enfant ne pourra sortir de l'utérus que lorsque la dilatation sera complète, mais il faudra auparavant que les membranes qui l'entourent (remarquez-les sur le schéma p. 209) se rompent devant lui pour le laisser passer. Toujours sous l'effet des contractions, une partie des membranes s'insinue dans l'ouverture du col. C'est à cette portion de membranes et au liquide amniotique qu'elle contient qu'on donne le nom de « poche des eaux ».
Cette poche des eaux se rompt en général à dilatation complète, mais le médecin ou la sage-femme peuvent décider de la rompre artificiellement avant que le col ne soit complètement dilaté.

Les contractions, après avoir ouvert le col, vont faire franchir à l'enfant le bassin maternel qui forme comme un tunnel. C'est ce tunnel que nous allons maintenant regarder de plus près.

Le tunnel à franchir : le bassin maternel

Le tunnel à franchir, vous le voyez sur le schéma page 211. Il constitue ce qu'on appelle la filière pelvi-génitale en termes techniques. C'est en la traversant que l'enfant rencontrera sur sa route divers obstacles.

Cette filière est d'abord formée par le *bassin osseux*. Ce bassin est constitué par quatre os : le sacrum et le coccyx en arrière, les os iliaques droit et gauche sur les côtés et en avant, là où ces deux os se rejoignent pour former le pubis (ou symphyse pubienne) (*voir figure page 210*).

Pendant la grossesse, l'enfant est situé au-dessus du bassin. Au cours de l'accouchement, il va devoir y entrer, le traverser, puis en sortir. L'orifice d'entrée du bassin, par où entre l'enfant, est encore appelé : *détroit supérieur*. Il a un peu la forme d'un cœur de carte à jouer.

L'orifice de sortie du bassin est appelé : *détroit inférieur*.

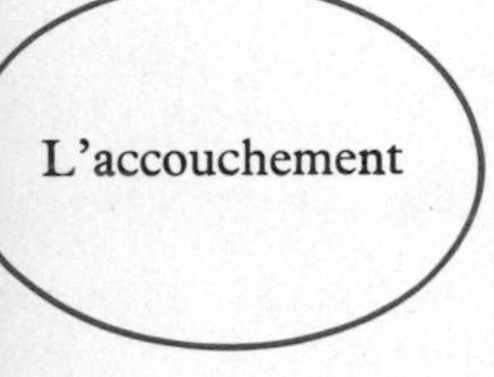

Des muscles ferment en bas le bassin. Ils sont eux-mêmes recouverts par les parties molles du périnée et de la vulve, dont l'ensemble forme ce que l'on appelle parfois le *bassin mou*, par opposition au bassin osseux.

L'enfant, au cours de l'accouchement, devra franchir ces obstacles successifs.

L'enfant

Au terme de la grossesse, au moment où va se déclencher l'accouchement, l'enfant est prêt à effectuer sa sortie. Vous l'avez vu, il est habituellement en position verticale, tête en bas, siège en l'air, entouré par les membranes et par le liquide amniotique, qui le protègent. Reportez-vous aux pages 206 et 207.

Pour franchir les différents obstacles que nous venons de voir, l'enfant va effectuer toute une série de manœuvres qui vont lui permettre de s'adapter aux formes et aux dimensions du tunnel.

La tête commence par franchir l'orifice supérieur du bassin, ou détroit supérieur. On dit qu'elle « s'engage ».

En même temps qu'elle s'engage, la tête s'oriente obliquement : c'est que l'orifice supérieur du bassin offre plus de place pour passer en oblique ; disons qu'il est plus facile d'entrer dans le bassin la tête tournée du côté droit ou du côté gauche, et fléchie vers le bas, que la tête droite : c'est pourquoi l'enfant fait ce mouvement.

Cet engagement, surtout chez la primipare, peut se produire à la fin de la grossesse dans les semaines qui précèdent l'accouchement. (Il est parfois ressenti douloureusement par la future mère qui a l'impression que son enfant « descend ».)

Une fois le détroit supérieur franchi, la tête de l'enfant descend progressivement dans le bassin. En même temps, elle effectue une rotation qui va l'amener dans un grand axe antéro-postérieur. En effet, au niveau de l'orifice de sortie du bassin ou détroit inférieur, l'ouverture la plus grande est, non plus dans un diamètre oblique, comme au niveau de l'orifice supérieur, mais dans le sens antéro-postérieur. Là encore, la tête s'oriente pour profiter au mieux des dimensions maxima de l'orifice. Ainsi, au cours de la traversée du bassin, l'enfant aura modifié deux fois l'orienta-

tion de sa tête ce que vous pourrez constater sur les dessins de la page 211 *.
Après avoir franchi l'orifice de sortie du bassin osseux, la tête de l'enfant rencontre un nouvel obstacle, les muscles du périnée sur lesquels elle va buter un certain temps. Elle force, elle appuie sur eux ; périnée et vagin se dilatent progressivement. Ils le peuvent grâce à leur élasticité. C'est ce qu'on appelle la période *d'expulsion.*

Quelques explications techniques

L'enfant est aidé

La descente progressive de la tête, cette traversée du tunnel, sont facilitées par trois éléments :

- les os du bassin sont soudés entre eux par des articulations. Or, à la fin de la grossesse — et c'est parfois assez douloureux — ces articulations se relâchent, relâchement qui élargit le bassin de quelques millimètres ;
- les os du crâne de l'enfant ne sont pas complètement soudés, leur soudure ne sera définitive que plusieurs mois après la naissance. Ainsi le crâne de l'enfant garde-t-il une certaine malléabilité qui lui permet de se façonner à la taille du passage étroit qu'il doit franchir ;
- enfin, les parties molles — vagin et périnée — ont, je vous l'ai dit, une élasticité naturelle.

L'enfant est passif

Pour terminer, deux remarques fondamentales :

- **Nous avons constamment parlé de la tête comme si elle seule importait : c'est ce qui se passe en pratique, car elle représente la partie la plus volumineuse de l'enfant. Quand la tête a franchi un obstacle, le reste du corps suit sans difficulté.**
- Les différentes manœuvres effectuées par la tête au cours de l'accouchement ne sont pas des phénomènes actifs, mais passifs. L'enfant lui-même n'a aucune manœuvre volontaire, aucun effort à accomplir. Tout est la conséquence des contractions de l'utérus.

En résumé, vous devez comprendre et retenir que la contraction utérine constitue le moteur essentiel de l'accouchement. C'est elle qui permet la dilatation progressive du col et la descente de l'enfant, phénomènes qui se déroulent simultanément. Il n'y a pas d'accouchement normal sans contractions utérines régulières et efficaces.
L'accouchement comprend donc deux phases successives, et de durée inégale : la première (c'est la plus longue) *la dilatation* du col de l'utérus, la deuxième (beaucoup plus courte) *l'expulsion* de l'enfant. Vous retrouverez ces deux phases dans le film de l'accouchement que je vais maintenant vous décrire, comme vous allez le vivre vous-même.
Après la naissance de l'enfant, une troisième phase terminera l'accouchement, phase au cours de laquelle sera expulsé le placenta, et qu'on appelle la *délivrance.*

* On pourrait traduire cela en disant que l'enfant est entré dans le bassin en regardant son épaule (la droite ou la gauche), et qu'il sort en regardant le sol.

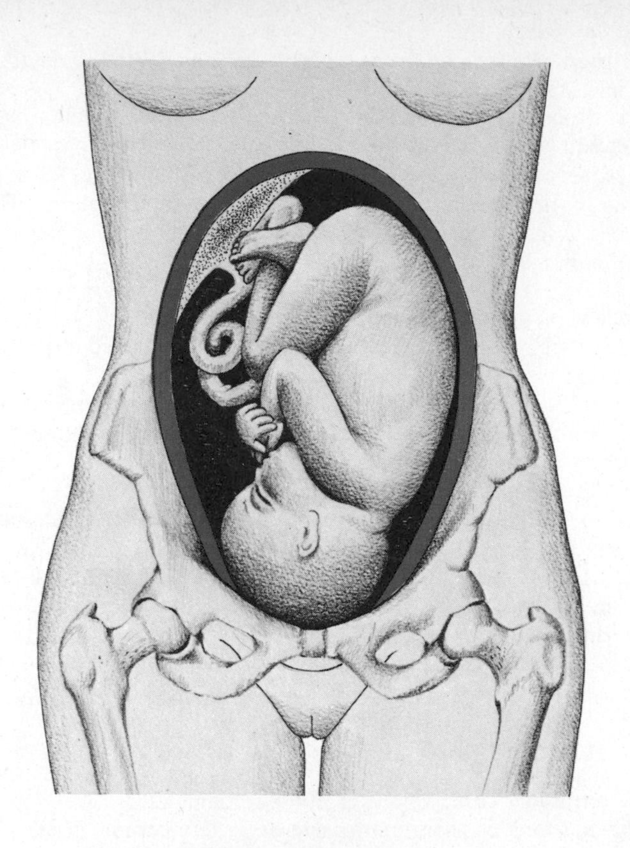

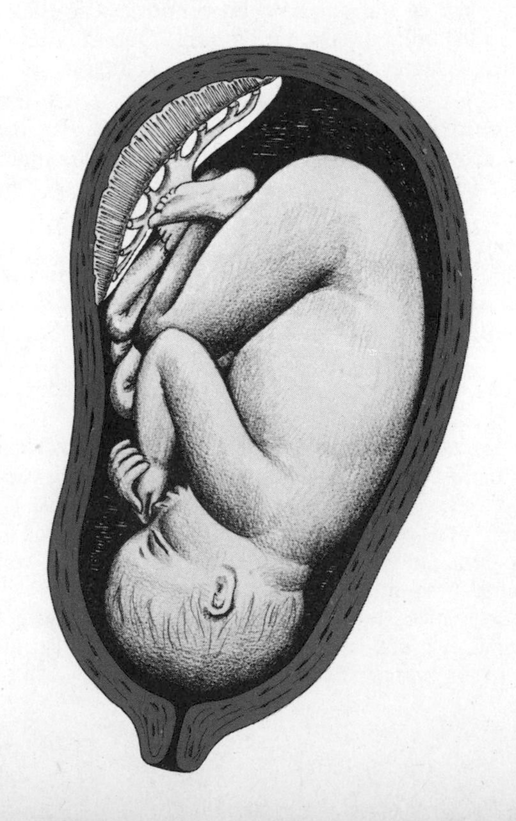

Prélude à l'accouchement

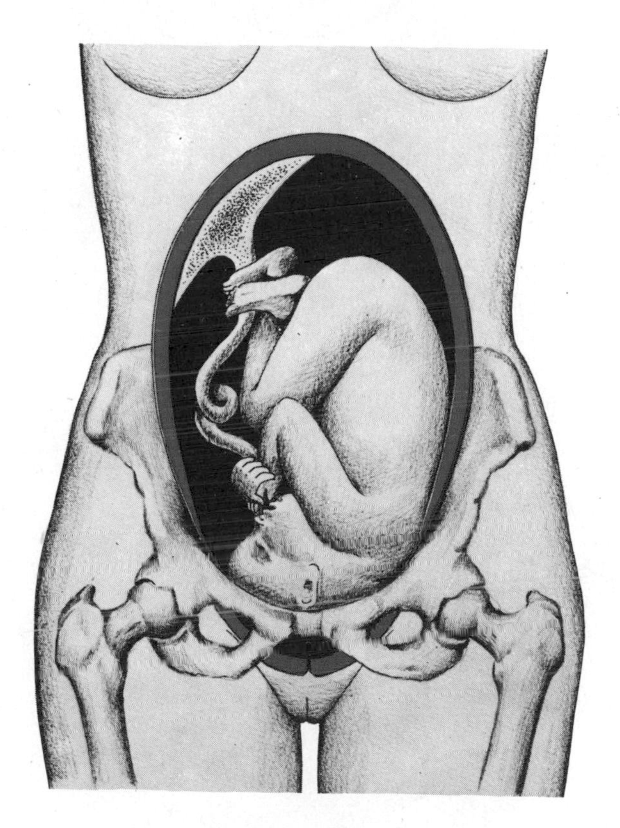

Dans quelques heures, cet enfant sera né. Les images de ces pages nous le montrent au moment où sa vie fœtale s'achève : à gauche en haut, la position de l'enfant, et la place qu'il occupe dans le corps maternel. Au-dessous, on a isolé l'utérus : ainsi, nous voyons que le col de celui-ci est fermé (nous le verrons s'ouvrir aux pages suivantes) ; nous voyons aussi que, bien que l'enfant remplisse presque tout l'utérus, il continue néanmoins à baigner dans l'eau (le liquide amniotique : partie sombre en haut et de chaque côté de la tête). Ci-dessus, bien que l'utérus reste fermé, la tête de l'enfant s'est engagée dans le bassin. C'est le prélude à l'accouchement - ressenti par la mère comme un poids au bas du ventre - quelques jours, parfois quelques heures avant les premières contractions.

La tête, le liquide (petits traits) et les membranes de l'œuf (gros trait de couleur), le tout contenu dans l'utérus, dont le col en bas s'ouvre dans le vagin.

Nous avons schématisé tous ces éléments pour mettre en relief le mécanisme, « ce qui se passe ».

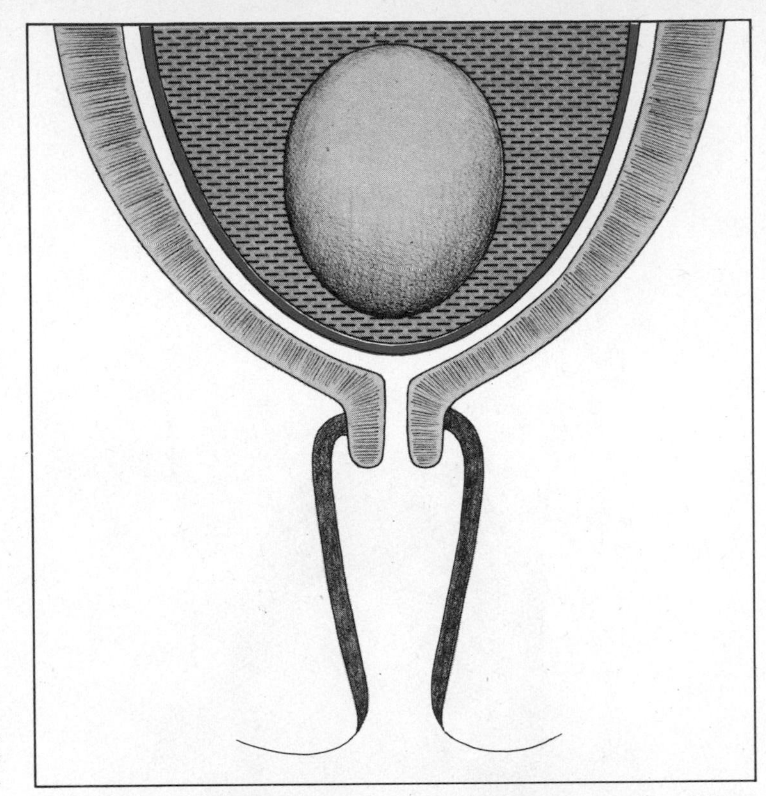

Au début de l'accouchement, le col de l'utérus est fermé (suite ci-dessous).

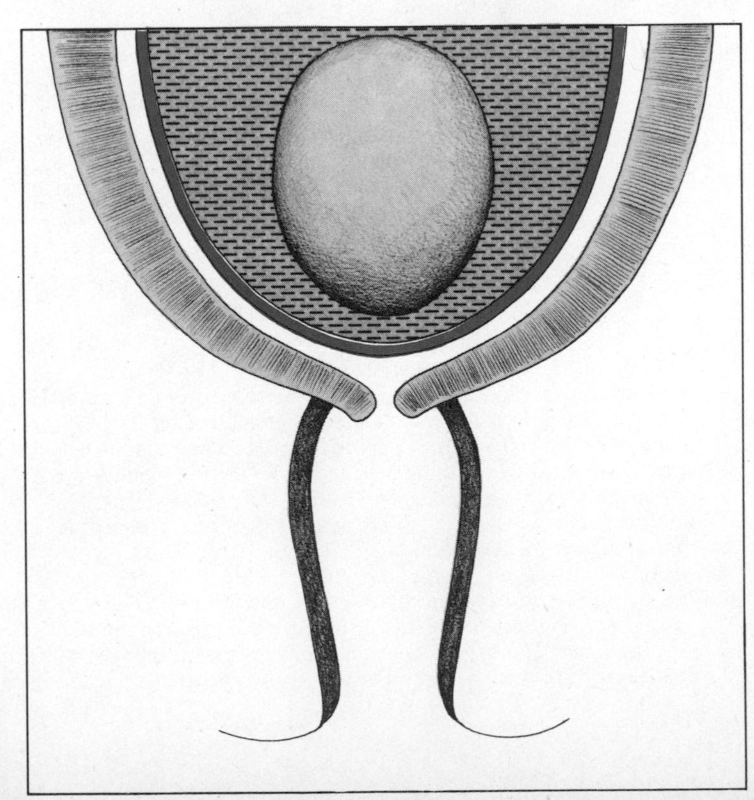

Peu à peu, sous l'effet des contractions, le col perd sa longueur : on dit qu'il s'est "effacé". Mais il reste encore fermé.

Pour sortir de l'utérus

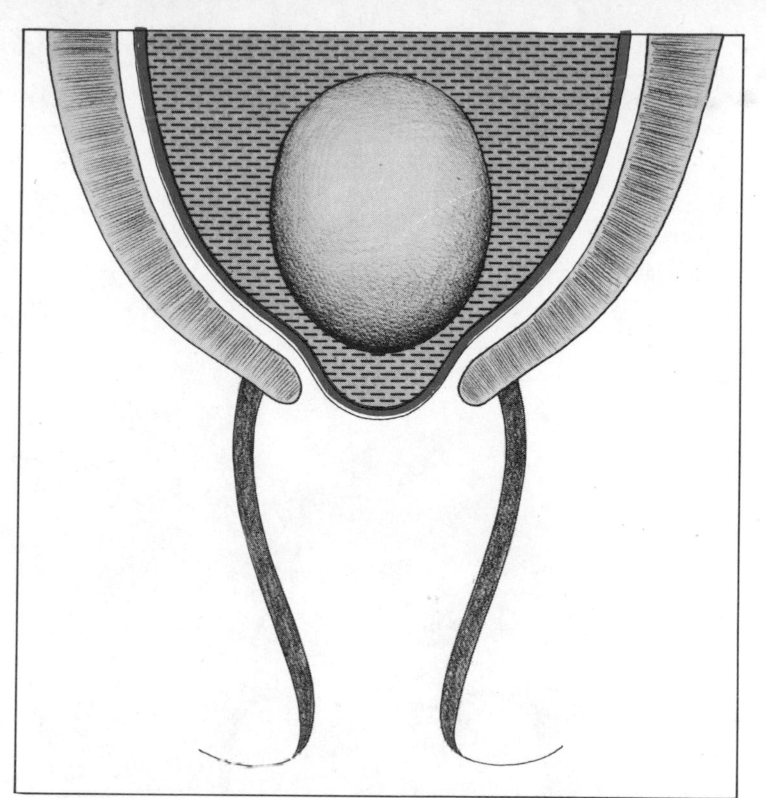

Le col en train de s'ouvrir
Les membranes de l'œuf font saillie, poussées par le liquide amniotique : c'est la "poche des eaux".

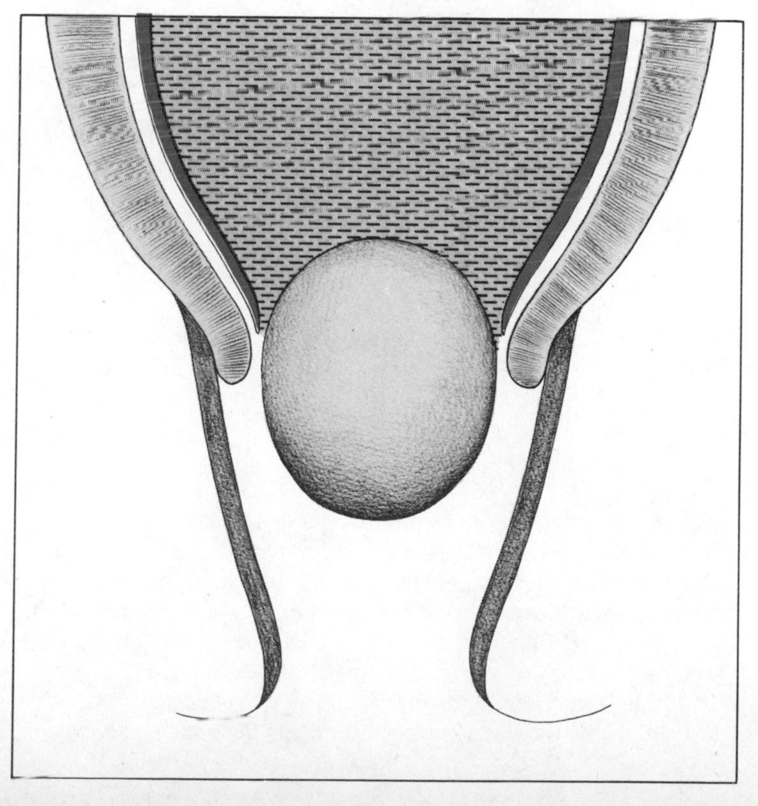

Col ouvert, poche rompue, la tête de l'enfant sort de l'utérus. Elle va maintenant traverser le vagin et la vulve dilatés au maximum.

Comment l'enfant traverse le bassin

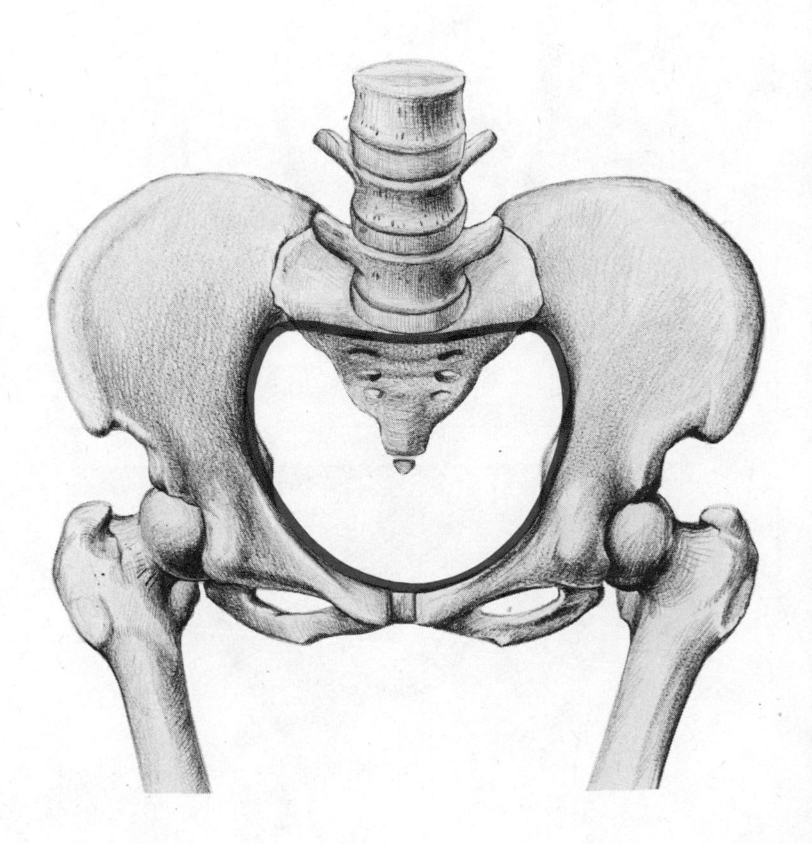

Voici vu d'en haut le bassin de la femme. Nous voyons son "détroit supérieur", les vertèbres lombaires, les os iliaques droit et gauche (larges surfaces), la symphyse du pubis (devant), le sacrum (bas de la colonne vertébrale) et le coccyx (bout du sacrum). Page de droite : comme vous le voyez par ce schéma du canal osseux, vu la femme étant couchée, puis, sur l'image du bas, la femme étant debout, l'enfant qui naît ne sort pas "tout droit". Vous allez voir l'accouchement dans son ensemble, page suivante.

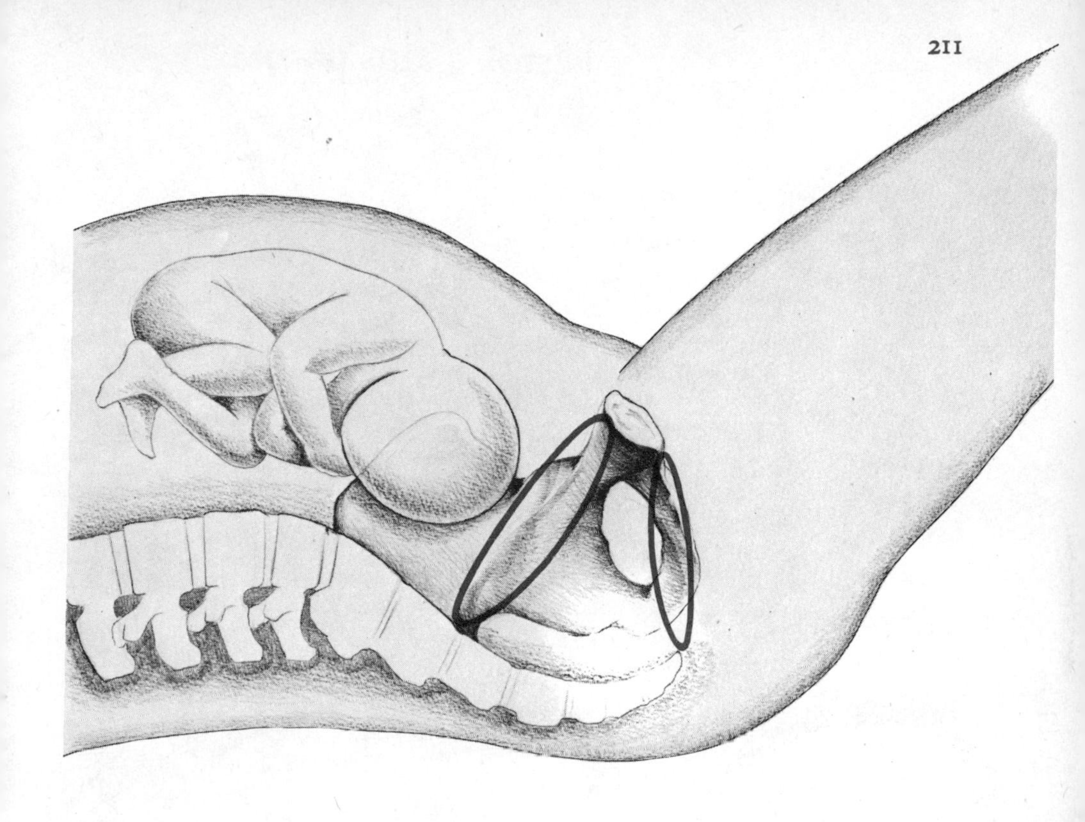

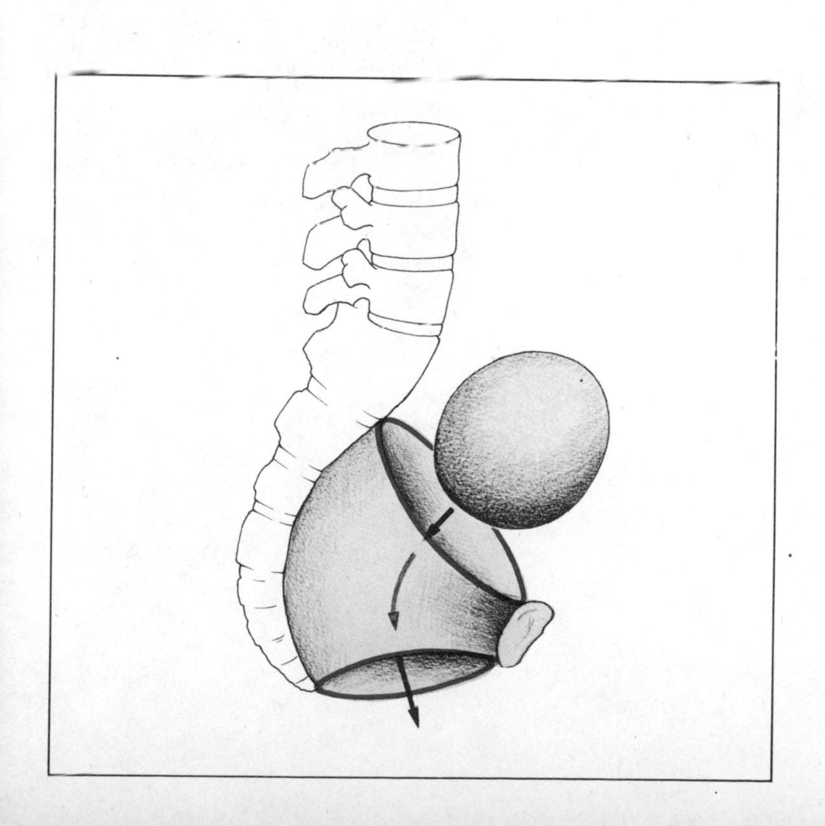

Histoire sans parole

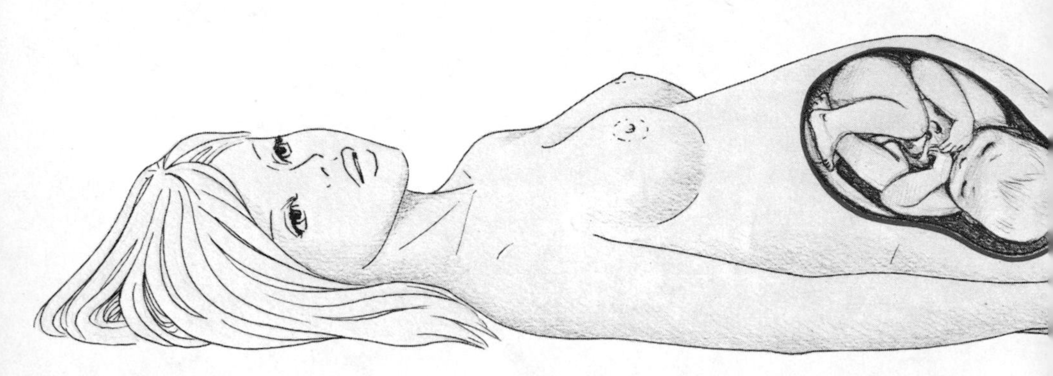

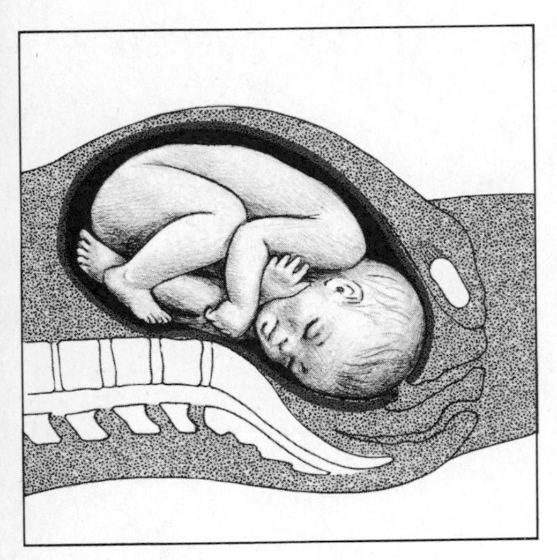

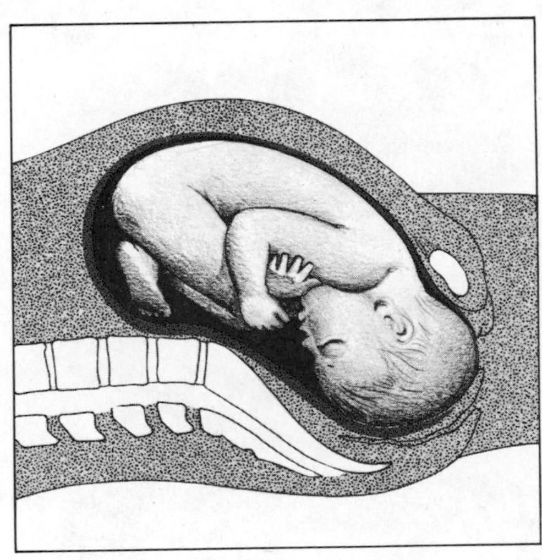

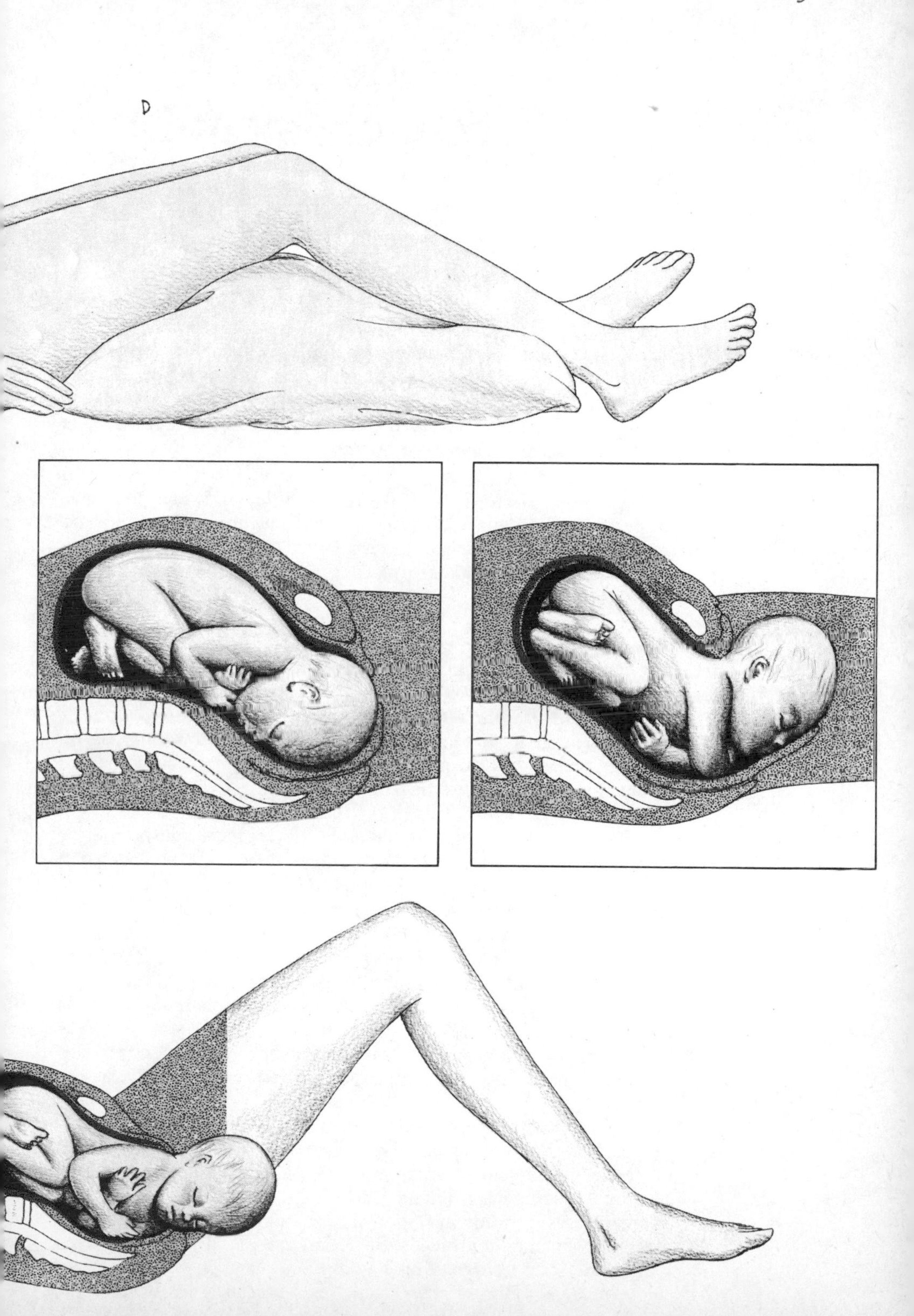

Le film de l'accouchement

Comment débute un accouchement

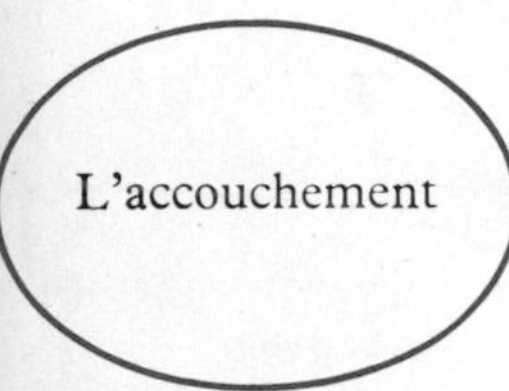

L'accouchement ne débute pas toujours de façon nette, précise et stéréotypée, et il vous arrivera peut-être, surtout si vous accouchez pour la première fois, de vous demander si le moment est venu de partir pour la maternité. Au moins en théorie, le début de l'accouchement est marqué par :

L'expulsion du bouchon muqueux. Elle est caractérisée par la perte de sécrétions glaireuses et assez souvent teintées de sang qui bouchaient le col de l'utérus pendant la grossesse. Cette expulsion peut toutefois précéder l'accouchement de 24 ou 48 heures.

L'apparition de contractions utérines douloureuses. Des contractions peuvent apparaître dans les derniers mois, et surtout dans les dernières semaines de la grossesse. Vous pouvez les percevoir en plaçant la main sur le ventre : vous le sentez durcir de temps en temps. Mais ces contractions n'ont pas de rythme précis, pas de périodicité : elles sont anarchiques et en général indolores. Elles ne traduisent pas le début de l'accouchement.

Il en est de même de certaines douleurs, perçues tantôt comme une sensation de pesanteur, tantôt comme celle d'une distension osseuse et qui peuvent correspondre à l'engagement de la tête ou aux modifications du bassin. Mais ces douleurs ne s'accompagnent pas de contractions.

Ces contractions non douloureuses, ces douleurs sans contractions n'indiquent pas le début de l'accouchement. C'est l'association contraction *plus* douleur qui signe vraiment le début de l'accouchement.

Les premières contractions sont habituellement ressenties dans le ventre, mais elles peuvent aussi être ressenties au niveau des reins.

Il ne faut pas que ce mot douleur vous inquiète. Au début, d'ailleurs, les contractions sont peu intenses, pas toujours faciles à percevoir, ressenties comme un simple pincement, ou comme la douleur qui accompagne souvent les règles.

Lorsque ces pincements sont si discrets qu'on n'est pas sûre qu'ils correspondent bien à des contractions, il y a un moyen simple de s'en assurer, vous l'avez vu : il faut poser la main sur le ventre ; s'il durcit, c'est bien que l'utérus se contracte.

Ne vous inquiétez donc pas déjà à l'idée que les contractions de l'accouchement sont douloureuses. Voyez-y plutôt l'assurance qu'ainsi vous saurez vraiment si votre accouchement a commencé, signal que vous attendez avec impatience.
Je vous reparlerai au chapitre 11 de cette question de la douleur, mais sachez d'ores et déjà qu'elle est plus ou moins forte selon les femmes, et, chose importante, que, une fois que vous saurez reconnaître l'approche, la montée d'une contraction, votre attitude, à partir de ce moment-là, sera capable de diminuer ou d'amplifier la douleur.

Le film de l'accouchement

Si c'est le fait de ressentir les contractions qui vous a donné l'alerte, peu à peu vous remarquerez que ces contractions auront d'autres caractéristiques qui achèveront de lever le doute :
- les contractions sont régulières, elles reviennent selon un rythme précis, vous pouvez d'ailleurs noter le temps qui s'écoule entre deux contractions ;
- elles sont de plus en plus rapprochées ;
- elles sont de plus en plus longues ;
- elles sont de plus en plus intenses.

Vous aurez l'impression qu'elles montent comme une vague, qu'elles vous envahissent, se propagent comme une onde qui naît au milieu du dos, se divise en deux branches qui entourent les hanches, et se rejoignent dans le ventre en enserrant le corps comme une ceinture.
Lorsque vous aurez constaté que les faibles contractions du début, les petits pincements qui vous ont donné l'alerte sont finalement devenus ces contractions bien rythmées de plus en plus rapprochées, de plus en plus longues et de plus en plus *intenses*, vous saurez que c'est vraiment la naissance de votre enfant qu'elles préparent.

Comment être sûre que l'accouchement a bien commencé
Si vous hésitez encore, c'est possible, alors faites ceci : placez à dix minutes d'intervalle 2 suppositoires d'un antispasmodique que vous aura peut-être prescrit le médecin. S'il s'agit d'un faux début de travail, les contractions s'estomperont et disparaîtront. S'il s'agit bien du début de l'accouchement, les suppositoires n'auront aucune action, les contractions continueront.

Pour le cas où vous n'auriez pas de suppositoire antispasmodique, ce seront les caractéristiques des contractions que nous avons décrites plus haut qui vous donneront une réponse. Et si, au contraire, les contractions restent irrégulières, n'augmentent ni en fréquence ni en durée ni en intensité, il y a de fortes chances pour qu'elles n'indiquent qu'un faux début de travail. Au bout de quelques heures, ces contractions disparaîtront comme elles sont venues. Et l'accouchement ne s'annoncera peut-être que quelques jours, ou même quelques semaines plus tard. Les fausses alertes sont-elles fréquentes ? Elles se produisent dix à quinze fois sur cent, et le plus fréquemment au moment de l'engagement de l'enfant dans le bassin.
Dès que vous serez sûre que l'accouchement a bien commencé, ne buvez plus rien et ne mangez plus rien : au cas où une anesthésie serait nécessaire, il est préférable d'avoir l'estomac vide.

Quand partir pour la maternité ?

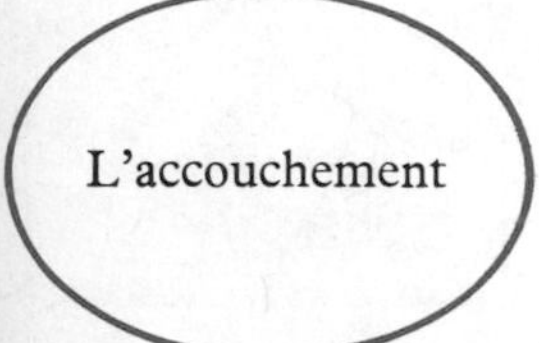

Faut-il partir dès les premières contractions ? à la perte du bouchon muqueux ?
Faut-il attendre d'avoir une quasi-certitude que l'accouchement a bien commencé ?
Cela dépend si vous attendez votre premier enfant ou si c'est le deuxième ou, a fortiori, le troisième. Le premier accouchement est le plus long (voyez plus loin : durée de l'accouchement). Entre les premières contractions et la dilatation complète (dont je vous parle p. 220), il s'écoule plusieurs heures, vous avez donc le temps de voir venir. Pour vous donner quand même une indication plus précise, je vous dirai ceci : notez le rythme de vos contractions, vous n'aurez pas besoin de partir avant qu'elles se reproduisent toutes les 10 minutes environ.
Si vous attendez votre deuxième enfant, la dilatation sera plus rapide, vous partirez dès que les contractions seront régulières et bien rythmées.

Cela dit, pour décider du moment du départ, vous tiendrez évidemment compte d'autres facteurs : jour ou nuit ? distance de la maternité ? quartiers à traverser ? etc... Il est évident que pour un premier enfant s'annonçant la nuit, il est moins urgent de partir que pour un troisième s'annonçant à midi et en pleine ville.
Mais j'ajoute ceci : si vous hésitez encore à partir, allez à la maternité où la sage-femme vous examinera et, selon les cas, vous gardera, ou vous renverra chez vous s'il s'agit d'une fausse alerte. N'ayez pas peur d'être ridicule. Mieux vaut vous déranger inutilement, que partir trop tard en catastrophe. Cela est valable même si vous devez être accouchée par un médecin de votre choix. Ne pensez pas qu'il suffira de l'appeler au téléphone pour avoir son avis : il ne pourra pas vous le donner faute d'examen.

Un cas particulier
Normalement, vous perdrez les eaux pendant l'accouchement, c'est-à-dire lorsque vous serez déjà à la maternité. Mais si cette perte survient alors que vous êtes encore chez vous, même en l'absence de tout autre signe faisant penser que l'accouchement va commencer, vous partirez aussitôt pour la maternité. Si vous le pouvez, vous partirez allongée ou en ambulance. Tout se passera bien sans doute ; mais, lorsque la poche des eaux est rompue, il y a quand même des risques d'éventuelles complications. Soyez prudente, rendez-vous à la maternité rapidement. Je vous rappelle que lorsque la poche des eaux est rompue, vous pouvez prendre une douche, mais pas de bain.

Votre arrivée à la maternité

Le moment de partir est venu. Il faut que ce départ se passe dans le plus grand calme. Vos deux valises, la vôtre et celle du bébé sont déjà prêtes. Ce n'est pas le moment de regarder si rien n'y manque. Votre mari ou votre mère auront toujours le

temps de vous apporter ce que vous aurez oublié. Ne demandez pas à la personne qui vous conduit d'aller vite. Encore une fois, vous avez tout le temps.
Dans les taxis de New York, il y a un petit écriteau : « Seat back and relax », c'est-à-dire : « Installez-vous dans le fond et détendez-vous ». Imaginez que vous avez ce petit écriteau devant les yeux. Vous verrez plus loin pourquoi il est essentiel de suivre ce conseil.
Vous arrivez à la clinique ou à la maternité. Une infirmière vous conduit dans votre chambre ou dans une petite salle réservée aux premiers examens.
La sage-femme de service vous examine. Alors, de deux choses l'une :

- ou c'est une fausse alerte, cela arrive : le travail n'a pas encore commencé et vous n'avez plus qu'à... rentrer chez vous.
- ou la sage-femme constate que le travail a effectivement commencé. Comment le verra-t-elle ? En examinant le col de l'utérus. S'il a commencé à se dilater, c'est bien le début de l'accouchement : la première phase, la dilatation.

Le film de l'accouchement

La sage-femme pourra même vous dire à quel stade en est cette dilatation. Vous avez vu que celle-ci passe par différents stades que l'on mesure en centimètres.
Vous serez alors installée dans une salle dite de travail (ou bien vous resterez dans votre chambre, selon les cas).

Maintenant que vous avez passé le stade du doute, que vous êtes entre les mains expertes de la sage-femme, que vous savez qu'elle va s'occuper de vous régulièrement, vous n'avez qu'une chose à faire : vous détendre, et vous rappeler ce que vous devez faire pendant la dilatation — on vous l'a expliqué, si vous avez suivi des cours de préparation à l'accouchement. De toute manière, je vous le rappelle en détail à la page suivante.
Peut-être d'ailleurs, la monitrice qui vous a préparée sera-t-elle à vos côtés pour vous le redire. Il est également possible que ce soit votre mari qui soit près de vous.

Voilà ce qui se passe en général, mais je suis obligée de vous prévenir : on n'est pas toujours bien reçu dans les maternités. Les médecins n'aiment pas qu'on le dise, mais les faits sont là pourtant, et je pense qu'il vaut mieux en parler pour obtenir un changement.
On croit, mais c'est normal, que tout le monde ouvrira grand les portes et vous accueillera comme une princesse.
Or souvent, pas toujours bien sûr, mais souvent, l'accueil est bien différent ! C'est : « Donnez-moi vos papiers de Sécurité sociale, la sage-femme va venir, en attendant mettez-vous là », avec à peine un regard.
On tombe de haut, et la froideur de l'accueil, par l'énervement qu'il produit, en quelques secondes peut détruire la préparation à l'accouchement qui cherche d'abord à vous détendre.

Tout le monde est d'accord, il faut humaniser les hôpitaux. Voilà une occasion à ne pas manquer. Pour ma part, je verrais bien dans les maternités une personne dont le seul rôle serait d'accueillir les femmes sur le point de mettre au monde leur enfant.

La dilatation

Cette première phase de l'accouchement, la dilatation, qui a commencé lorsque vous étiez chez vous et que vous avez senti les premières contractions, va maintenant se poursuivre.
Il n'est pas possible de vous dire combien de temps va durer la dilatation. Cela dépendra de plusieurs facteurs ; sur ce point, lisez la p. 224.
Pendant cette période, vous serez régulièrement surveillée par la sage-femme ou par le médecin *. Ces examens sont nécessaires pour apprécier :
- l'efficacité des contractions utérines,
- le caractère progressif et régulier de la dilatation du col,
- la progression de la tête dans le tunnel du bassin,
- l'état de l'enfant par l'auscultation des bruits du cœur.

Vous pouvez également, au cours de la dilatation, voir pratiquer un certain nombre de gestes dont il ne faudra pas vous étonner et encore moins vous alarmer :
- il peut être ainsi nécessaire de vous administrer différents médicaments par voie intra-musculaire, c'est-à-dire en piqûre, ou dilués dans un sérum intra-veineux, c'est-à-dire en perfusion. Ils sont destinés à régulariser la marche de l'accouchement et à éviter qu'il ne traîne en longueur.
- de même, si vous n'avez pas perdu les eaux spontanément, la sage-femme ou l'accoucheur rompront les membranes au cours du travail. Ce geste est absolument indolore.

Quand votre col sera complètement dilaté, vous serez emmenée probablement dans une autre salle, la salle d'accouchement proprement dite. Alors commencera une nouvelle phase de l'accouchement qui correspond à la sortie de l'enfant. On appelle cette phase l'expulsion. C'est un terme médical que je suis bien obligée d'employer, mais je ne l'aime pas : une mère n'expulse pas son enfant, elle le met au monde.

Ce que vous devez faire pendant la dilatation

Les contractions, je vous l'ai dit, et vous allez vite vous en rendre compte vous-même, sont involontaires : vous ne pouvez ni les augmenter, ni les diminuer, ni en modifier le rythme. Pour vous donner une idée de leur fréquence et de leur durée, je peux vous signaler qu'en plein travail elles reviennent toutes les 3 à 5 minutes et durent de 40 à 60 secondes.
Mais vous ne devez pas pour autant rester passive. Votre attitude, votre comportement peuvent avoir la plus grande influence sur le déroulement de l'accouchement : il sera d'autant plus rapide que vous serez plus calme et détendue.
C'est le moment de mettre en pratique ce que vous avez appris en préparant votre accouchement.
Je vous le rappelle, il y a deux choses importantes à faire : bien respirer, bien vous détendre. Vous allez comprendre pourquoi :

* Si vous devez être accouchée par un médecin de votre choix, la sage-femme le tiendra régulièrement au courant des progrès du travail, et lui-même jugera quand il devra venir.

Respirer. Lorsqu'un muscle se contracte, c'est-à-dire travaille, il consomme de l'oxygène. Et plus il se contracte, plus il en consomme. Or votre utérus est en train précisément de fournir un travail intense. Il est donc important que vous lui fournissiez sans cesse de nouvelles réserves d'oxygène. Vous devez aussi continuer à en envoyer à votre enfant. Pour cela, un seul moyen : bien respirer.

Vous détendre. C'est important pour deux raisons :

- La détente ou décontraction, c'est le relâchement de tous les muscles volontaires de l'organisme. Or des muscles relâchés, c'est-à-dire au repos, ne consomment pas d'oxygène. Vous détendre c'est donc faire une économie d'oxygène dont bénéficieront et l'utérus et votre enfant.

- Les contractions de l'utérus sont involontaires. Mais si vous ne pouvez les provoquer, vous pouvez les rendre plus ou moins douloureuses. En effet, que fait votre utérus en ce moment? Comme vous l'avez vu, il se contracte régulièrement pour ouvrir peu à peu le col.

Dans des conditions normales, le col s'ouvre graduellement jusqu'à la dilatation complète. Mais lorsque la mère est contractée, le col de l'utérus qui a déjà tendance à résister à la dilatation, résiste encore plus. Résultat : douleur.

Pour l'expliquer, le célèbre accoucheur le docteur Read dont je vous reparlerai plus loin, faisait une comparaison avec la vessie : comme l'utérus, la vessie est fermée par un col. Au repos, celui-ci demeure contracté et empêche l'urine de s'écouler. Lorsque la vessie a besoin de se vider, le col qui la ferme se relâche, les parois de la vessie se contractent et expulsent l'urine. Mais si, à ce moment, vous êtes obligée de « vous retenir », vous vous contractez pour vous opposer à l'ouverture du col qui ferme la vessie. Cet effort, d'inconfortable devient rapidement douloureux ou même intenable s'il se prolonge. La douleur ne disparaît que lorsque vous laissez la vessie dilater son col et se vider.

Pendant la dilatation, il faut donc, pour ne pas contrarier la nature, que vous restiez parfaitement détendue. Pour y parvenir :

- D'abord, vous ne ferez aucun effort pour pousser : à ce stade, en poussant, vous n'aideriez pas le travail, vous le rendriez seulement plus douloureux.

- Ensuite, au moment où vous sentirez la contraction monter, vous éviterez de vous crisper, de résister. Une sorte de réflexe de défense tend à vous raidir contre la contraction. Il faut lutter contre ce réflexe, et, au contraire, vous détendre. Le boxeur se recroqueville, il se couvre pour parer le coup. Vous devez faire le contraire : vous détendre, vous « ouvrir » pour que le coup passe bien. C'est à ce prix que votre dilatation se fera sans encombre et en vous faisant le moins souffrir. Read dit : « A femme contractée, col contracté. A femme détendue, col relâché ». Rappelez-vous bien cette formule, elle vous sera précieuse. Vous trouverez p. 256 des exercices qui vous apprendront à vous détendre complètement.

Quand faut-il respirer? Quand faut-il se détendre?

Dès qu'une contraction approche, vous savez maintenant comment elle s'annonce : respirez profondément en faisant une respiration complète comme il est indiqué p. 253.

La contraction est là : détendez-vous complètement. Puis, respiration superficielle comme indiqué p. 251, avec inspirations et expirations rapides, légères et bien rythmées.
Pourquoi ces respirations légères pendant la contraction? Pour éviter que le diaphragme * n'appuie sur l'utérus, ce qui empêcherait ce dernier de se contracter à fond.
Et plus la contraction est puissante, plus votre respiration doit devenir rapide, légère, superficielle, mais rester bien rythmée.

L'accouchement

La contraction est passée. Respiration complète (ventre et poitrine) : inspirez lentement, expirez à fond en contractant bien le ventre.

Entre deux contractions : repos et respiration normale jusqu'à l'approche de la prochaine contraction.
Et tout recommence, dès qu'une nouvelle contraction monte (voir plus haut).

Quelle est la meilleure position à adopter pendant la dilatation ? Couchez-vous sur le côté. Cette position favorise la détente musculaire.
A la fin de la période de dilatation et surtout si la tête est déjà engagée profondément, il est possible que vous ressentiez, au cours des contractions, le besoin de « pousser ». Ne le faites pas tant que vous n'y serez pas autorisée. Cela aboutirait en effet non à un gain mais à une perte de temps. Pousser sur un col incomplètement dilaté gêne la dilatation et prolonge la durée de l'accouchement. D'autre part, ces efforts prématurés de poussée risquent de vous fatiguer et de vous faire arriver en moins bonne forme au moment où, au contraire, vous devrez participer activement à la naissance de votre enfant, et dépenser toute l'énergie musculaire dont vous disposez.

L'expulsion **

Lorsque la dilatation sera complète, va commencer la deuxième phase de votre accouchement qui sera d'ailleurs beaucoup plus courte : elle durera 20 à 25 minutes pour une première naissance, et beaucoup moins pour les suivantes.
A ce stade, les contractions deviennent plus rapprochées et durent plus longtemps. La tête de l'enfant appuie sur les muscles du périnée et cet appui vous donne le besoin de pousser. Il est alors très important de discipliner vos efforts en suivant les conseils de la sage-femme ou du médecin.
Autrement dit, à la période de la dilatation, vous avez essentiellement à supporter les contractions, à les laisser faire seules leur travail, en restant détendue. Maintenant au contraire, vous allez participer activement à la naissance de votre enfant, vous allez

* Le diaphragme est le muscle qui se trouve entre le thorax et l'abdomen (la poitrine et le ventre). Lorsqu'on respire, il se contracte et s'abaisse. Ainsi, plus la respiration est profonde, plus le diaphragme s'abaisse. Et lorsque la respiration est superficielle et légère, le diaphragme bouge à peine.

** Je souffre chaque fois que j'écris ce mot, mais malheureusement je pense qu'il faudra encore quelques années pour qu'on l'efface du vocabulaire de la naissance.

aider l'utérus à faire son travail pour pousser l'enfant en avant. L'enfant sort du tunnel osseux du bassin, il va franchir le tunnel plus souple formé par le vagin et par le périnée. (Cela, je vous l'ai expliqué p. 203).
Vos efforts de poussée, s'ajoutant au travail de l'utérus, vont aider la tête à franchir ces obstacles.

Ce que vous devez faire pendant l'expulsion

Le film de l'accouchement

Que faut-il faire pour aider l'utérus dans son travail à ce stade? Abaisser le diaphragme et contracter les abdominaux. Ainsi, l'utérus comprimé de haut en bas par le diaphragme, d'avant en arrière par les abdominaux, accentuera sa pression sur l'enfant. Mais l'important c'est que vos efforts de poussée coïncident avec les contractions.
Pour y arriver, voici comment vous procéderez :

La contraction s'annonce : mettez-vous dans la position d'expulsion : dos relevé, cuisses écartées, pieds dans les étriers. Relâchez bien le périnée. Faites une bonne respiration complète (voir page 253)*.

La contraction est là : bouche fermée, inspirez profondément (respiration thoracique, page 251), c'est ainsi que vous abaisserez au maximum le diaphragme. Arrivée au sommet de l'inspiration, bloquez votre souffle. Puis, contractez fortement vos muscles abdominaux à partir du creux de l'estomac pour appuyer le plus possible sur l'enfant et le pousser en avant, tout en vous efforçant de garder le périnée bien relâché. Pour vous aider à pousser, saisissez des deux mains les barres soutenant les étriers, et tirez sur vos mains. Dans l'effort, vos épaules se soulèvent du lit : c'est bien, faites le dos rond ; inclinez la tête sur la poitrine. Si vous n'arrivez pas à bloquer votre souffle aussi longtemps que dure la contraction, rejetez par la bouche l'air que vous avez dans les poumons, reprenez rapidement une bouffée d'air, bloquez de nouveau votre souffle et continuez à pousser jusqu'à la fin de la contraction.

La contraction est passée : vous venez de fournir un violent effort ; il faut que vous fassiez maintenant une respiration profonde en inspirant et en expirant largement.

Entre deux contractions : relâchement musculaire pour récupérer vos forces, et respiration normale.
Sauf indication particulière du médecin, ne poussez pas entre les contractions.

En lisant ce qui précède, vous vous demandez si vous saurez bien distinguer les moments où il faut pousser, ceux où il faut vous détendre. Ne vous faites pas de souci, le médecin ou la sage-femme, à côté de vous, suivront centimètre par centimètre la progression de l'enfant et vous guideront.

*. Vous trouverez plus loin des exercices vous permettant d'effectuer correctement les mouvements recommandés.

Grâce à vos efforts, la tête de l'enfant commence à apparaître dans l'ouverture de la vulve et l'on peut voir les cheveux. A chaque contraction, la vulve se dilate davantage et une plus grande partie de la tête apparaît. A un certain moment, on vous demandera de ne plus pousser. C'est en effet alors au médecin de « dégager » progressivement la tête hors de la vulve, millimètre par millimètre. A ce stade, vous aurez à respirer très vite et superficiellement comme un chien qui halète.
Vous verrez qu'il est impossible de respirer de la sorte et de pousser en même temps. Et lâchez les barres que vous teniez : vous n'avez plus d'effort à faire, au contraire. Un effort de poussée risquerait de faire sortir brutalement la tête et de provoquer une déchirure plus ou moins importante du périnée.

L'épisiotomie

Le dégagement de la tête hors de la vulve peut être plus délicat dans certaines conditions : gros enfant, vulve très étroite, périnée très résistant ou anormalement fragile. Cette fragilité du périnée peut être constitutionnelle (femmes blondes et surtout rousses), ou acquise (prise de poids anormale au cours de la grossesse avec infiltration des tissus). Dans tous ces cas, le médecin est amené, afin d'éviter une déchirure, à pratiquer une incision du périnée (épisiotomie). Cette incision est fréquemment pratiquée au cours d'un premier accouchement. Elle est même faite d'une manière systématique dans certaines écoles d'obstétrique, notamment aux États-Unis.
La tête une fois sortie de la vulve, le médecin dégage une épaule, puis l'autre. Le reste du corps de l'enfant suit sans difficultés.

Le premier cri

Votre enfant est né : ses narines se dilatent, son visage se plisse, sa poitrine se soulève, sa bouche s'entrouvre. Pour la première fois de sa vie, il respire. Il pousse un cri, peut-être de douleur, car l'air s'engouffre dans ses poumons et les dilate violemment.
La sensation que vous éprouverez en entendant ce premier cri est difficile à décrire : satisfaction intense mêlée de fierté; une certaine peine à réaliser que cet enfant que vous venez de porter neuf mois en vous est maintenant à côté de vous ; lassitude à cause de l'effort intense que vous venez de fournir. Ces sentiments seront riches, multiples, envahissants. D'ailleurs qu'importe, vous ne chercherez pas à les analyser, ce qui comptera d'abord pour vous c'est de contempler, examiner sous toutes ses faces, admirer avec émotion cet enfant que vous venez de mettre au monde, cet enfant qui est peut-être même déjà dans vos bras : en effet aujourd'hui de plus en plus, dès la minute de la naissance, on pose l'enfant sur le ventre de sa mère, ainsi le contact mère-enfant est aussitôt établi, ou plutôt rétabli. La mère peut mieux sentir l'enfant, le toucher, mieux percevoir la réalité de son corps. Et lorsque le père est témoin de la naissance, cette soudaine réalisation du triangle est bouleversante, ceux qui l'ont vécu en témoignent.

L'examen du nouveau-né

Il y a maintenant dans la salle d'accouchement une personne de plus. En ce moment, c'est le nouveau-né qui a besoin de soins, pendant que l'utérus se repose avant d'entreprendre la dernière partie de son travail, la délivrance.

Le médecin ligature le cordon ombilical, et le coupe (ce qui est indolore et pour la mère et pour l'enfant). Ce geste fait du nouveau-né un être autonome.

Il est alors posé sur un appareil chauffé et équipé d'un matériel de désobstruction car il n'est pas rare que l'enfant ait absorbé quelques mucosités dont il faut le débarrasser. Un système d'oxygénation peut être également mis en œuvre si nécessaire.

Le film de l'accouchement

Enfin, le médecin instille dans les yeux de l'enfant un collyre pour prévenir toute infection.

Puis, par diverses observations, le médecin contrôle que tout est normal chez le nouveau-né : couleur de la peau, mesure du périmètre crânien, respiration et rythme cardiaque, examen des organes génitaux, etc.

Un nouvel examen est fait dans les jours qui suivent la naissance. Cet examen comprend en particulier la recherche du signe du ressaut de la hanche pour dépister une éventuelle luxation. Lors de cet examen, le médecin vérifie les réflexes du nouveau-né : réflexe de la marche automatique (lorsqu'on tient le nouveau-né debout, appuyé sur un plan dur, il ébauche un pas), grasping des doigts (il referme les doigts si on lui effleure la paume de la main), réflexe de succion qui se produit lorsqu'on introduit un objet dans sa bouche, etc...

Les résultats de ces examens sont codifiés et portés sur le carnet de santé.

Si vous désirez que votre enfant soit suivi par un pédiatre de votre choix, il est souhaitable que celui-ci ait examiné l'enfant à la maternité.

Pendant que la dernière phase de votre accouchement se termine, l'infirmière fait la toilette du nouveau-né : elle débarrasse le bébé de l'enduit qui recouvre son visage, soit avec de l'huile tiède, soit avec de l'eau et du savon. Elle le poudre, le pèse et enfin l'habille rapidement pour qu'il ne se refroidisse pas. Elle met à son poignet un petit bracelet d'identité. Ainsi aucune possibilité de confondre le nouveau-né avec un autre.

La délivrance

Tout n'est pas encore tout à fait terminé pour vous. Dans les minutes qui suivent l'expulsion de l'enfant, vous ressentirez certainement encore quelques contractions utérines mais beaucoup moins intenses que celles de l'accouchement. Elles ont pour résultat de décoller le placenta qui adhérait à l'utérus. Quand le placenta est décollé, le médecin appuie sur l'utérus, et le placenta est alors expulsé. C'est ce qu'on appelle la « délivrance ».

L'accouchement est maintenant tout à fait terminé. Certains médecins font faire alors une piqûre qui aide l'utérus à bien se

rétracter. C'est en effet cette rétraction des fibres musculaires utérines qui assure la fermeture des vaisseaux qui faisaient communiquer l'utérus et le placenta, et sont restés béants après le décollement de ce dernier. Ainsi sont évitées les hémorragies.
Si l'on a été amené à faire une épisiotomie, celle-ci est alors recousue sous anesthésie locale ou générale. Ce petit acte chirurgical est donc parfaitement indolore. Au contraire de ce que redoutent certaines femmes, l'épisiotomie ne laisse aucune suite désagréable. La cicatrice s'efface très vite et n'est pas douloureuse si l'incision a été recousue avec soin.
Enfin, après une toilette locale, vous serez reconduite dans votre chambre. Si vous étiez endormie, c'est là que vous ferez enfin la connaissance de votre enfant.

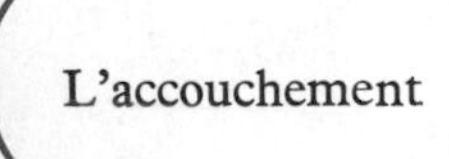

La durée de l'accouchement

Il est impossible de vous dire : un accouchement dure tant d'heures, car trop de facteurs peuvent faire varier cette durée.
Les statistiques permettent cependant de donner un ordre de grandeur : une femme, pour mettre au monde son premier enfant, a besoin en moyenne de huit à neuf heures, pour le deuxième de cinq à six, c'est-à-dire, près de trois heures de moins.
L'accouchement d'un deuxième enfant dure moins longtemps, parce que le col de l'utérus et le vagin, ayant déjà été dilatés, offrent moins de résistance à une nouvelle dilatation.
Mais il faut que vous compreniez bien que ces chiffres ne sont que des moyennes établies sur quelques milliers d'accouchements, et que votre accouchement pourra être plus rapide ou plus lent. Une chose est certaine : aujourd'hui, on ne laisse plus traîner un accouchement en longueur ; on dispose de moyens efficaces pour en régulariser le déroulement et en réduire la durée.
La dilatation du col est la phase la plus longue. Elle représente près des neuf dixièmes de la durée totale, c'est-à-dire sept à huit heures pour un premier enfant, quatre à cinq pour un deuxième.
L'expulsion par contre ne dure en général que vingt à vingt-cinq minutes dans le premier cas, et moins de vingt minutes dans le second. Parfois même pour un deuxième enfant, l'expulsion suit immédiatement la dilatation complète.
Voici quelques-uns des facteurs qui peuvent écourter, ou au contraire, prolonger l'accouchement :

- le poids de l'enfant : habituellement, plus un enfant est gros, plus l'accouchement est long ;
- la présentation : l'accouchement d'un « siège » est un peu plus long que celui d'un « sommet ». (Vous verrez plus loin l'explication de ces mots).
- la puissance et la fréquence des contractions qui varient beaucoup suivant les femmes.

Où faut-il accoucher ?

Comment choisir l'hôpital ou la clinique : je vous en parle dans le *Mémento Pratique*, page 335.

La « naissance sans violence »

Vous avez sans doute entendu parler de la « Naissance sans violence » et vous vous posez peut-être des questions à ce sujet.
En 1974, Frédérik Leboyer, (ancien chef de clinique en Chirurgie et en obstétrique de la Faculté de Médecine de Paris) publiait un livre *qui fit scandale car il remettait en cause des rites bien établis.
Pourquoi un accoucheur prenait-il ainsi le risque de choquer? Parce qu'il était bouleversé par les cris de l'enfant qui vient de naître. Le premier de ces cris est normal et accueilli avec bonheur : il est symbole de vie, il est la preuve que la respiration s'est mise en route et fonctionne; mais pourquoi ce cri, premier et nécessaire, est-il si souvent suivi des hurlements d'un enfant crispé comme s'il souffrait?
« *Se peut-il que naître soit douloureux pour l'enfant, autant qu'accoucher l'était jadis pour la mère?* ». C'est ce que se demandait F. Leboyer, et pour lui la réponse ne faisait pas de doute : l'enfant souffre pour naître, mais dans une certaine mesure, on peut lui éviter cette douleur, on peut l'aider à entrer dans le monde avec plus de sérénité, par quelques gestes simples et un nouvel accueil.
Pour trouver ces gestes, il faut réaliser la difficulté de l'arrivée au monde : sortant de son abri obscur, silencieux, douillet, bien clos, l'enfant se trouve soudain projeté dans le bruit, la lumière vive, l'agitation et les manipulations de toutes sortes.
Pour assurer au nouveau-né une certaine continuité avec le monde qu'il vient de quitter, il faut le traiter avec plus de douceur, dit le docteur Leboyer, faire la pénombre, éviter tout bruit violent, tout geste brutal. Puis poser l'enfant sur le ventre de sa mère où il retrouve le bruit du cœur et le mouvement de la respiration qui ont accompagné sa vie durant 9 mois. Sous la main de sa mère qui le caresse, l'enfant alors se déplie, se détend.
Le cordon n'est coupé que lorsqu'il cesse de battre, pour laisser aux poumons le temps de prendre le relais, (bien sûr si aucune indication d'urgence ne se présente). Puis l'enfant est doucement plongé dans un bain à température du corps, non pour le laver mais pour qu'il retrouve le milieu aquatique dans lequel il a vécu. Alors, il ouvre des yeux sereins, apaisés, confiants...
Ce bain a certes de quoi surprendre une personne non avertie, et de toutes les propositions de F. Leboyer, c'est celle qui a été la plus critiquée. Mais sur le plan médical, dit Leboyer, le bain n'a pas de contre-indication dès lors que le bébé est en bonne santé, et sur l'effet produit il suffit de voir, par exemple dans les films « Naissance » ou dans « Heureux comme un bébé dans l'eau », le visage de l'enfant pour comprendre qu'il atteint alors une vraie béatitude.
Ce n'est qu'après le bain que l'enfant est pris en charge par la puéricultrice qui lui donne ses soins, le pèse et l'habille, après que les examens aient été pratiqués.

La « naissance sans violence »

* « Pour une naissance sans violence » Editions du Seuil.

Voici l'essentiel des propositions de F. Leboyer.
Il faudrait en retenir d'autres, en particulier la participation du père à la naissance — c'est parfois lui-même qui coupe le cordon ou qui donne le bain — le réflexe de l'enfant qui, mis sur le ventre de sa mère, au bout d'un certain moment cherche déjà le sein, etc, etc.
Mais ce qui doit retenir l'attention dans les propositions de F. Leboyer, plus que tel ou tel détail pratique, c'est cette manière d'accueillir l'enfant, cette attention à ses besoins, à ses réactions, le souci constant du respect, de la douceur, de la patience. « *L'enfant est entre deux mondes. Sur un seuil. Il hésite. Ne le brusquez pas* ».

L'accouchement

Et précisément, ce ne fut pas tant sur le but que Leboyer proposait d'atteindre qu'il fut critiqué, mais sur les moyens d'y parvenir : accoucher dans le noir, plonger le nouveau-né dans l'eau, attendre pour couper le cordon, semblèrent des propositions aberrantes. Et ce fut dit en termes... violents.
Les excès de langage passés, la « Naissance sans Violence » a fait du chemin malgré les réticences, malgré l'hostilité de certains milieux médicaux. De nouvelles maternités appliquent ce qu'on a appelé — malgré son auteur — la « méthode » Leboyer; de nouveaux accoucheurs s'y intéressent et d'une manière générale, dans les maternités, une attention nouvelle est portée à l'enfant.
Commencée dans le fracas des critiques et la virulence des mots la « naissance sans violence » influence peu à peu l'obstétrique.
Le chemin parcouru est normal. Les évolutions débutent toujours par une révolution et du bruit, puis les esprits s'apaisent et les mots s'oublient.
Il y a vingt ans l'accouchement sans douleur a suscité les polémiques les plus vives, aujourd'hui la préparation à l'accouchement fait partie de l'obstétrique la plus classique.

De ces deux exemples, il faut retenir un enseignement : il y a comme une alternance, comme un dialogue entre la technique et l'humain, entre les acquisitions médicales, les acquisitions de la psychologie et les intuitions de la sensibilité.
Un jour enfin, mettre au monde un enfant ne devint plus une aventure risquée pour les femmes, (vous ne le savez peut-être pas mais au début de ce siècle, on comptait encore 5 femmes sur 1 000 qui mouraient « en couches »; aujourd'hui ce chiffre est voisin de zéro), car les hantises des accoucheurs : la toxémie, l'infection, les hémorragies avaient disparu.
Alors la sécurité acquise, on put songer au confort, et proposer aux femmes de diminuer les douleurs de l'accouchement.
Et de même pour l'enfant : les remarquables progrès de l'hygiène, du mode de vie, de la médecine et des machines ont complètement transformé la sécurité de la naissance, la chute de la mortalité néo-natale en fait foi. C'est alors qu'est apparu un nouveau désir : naître sans risque, mais aussi en douceur.
Concilier ces deux désirs n'est pas toujours facile, pourtant un pas semble déjà franchi dans l'alliance de la technique et de l'humanisation de la naissance. *

* Pour celles qui voudraient en savoir plus sur la « Naissance sans violence », je recommande l'article du Dr E. Herbinet « Violence, accouchement et naissance » paru dans le premier fascicule des « Cahiers du Nouveau-né » (Naître... et ensuite, aux éditions Stock) car, en quelques pages, cet article résume très bien le véritable esprit de la « Naissance sans violence ».

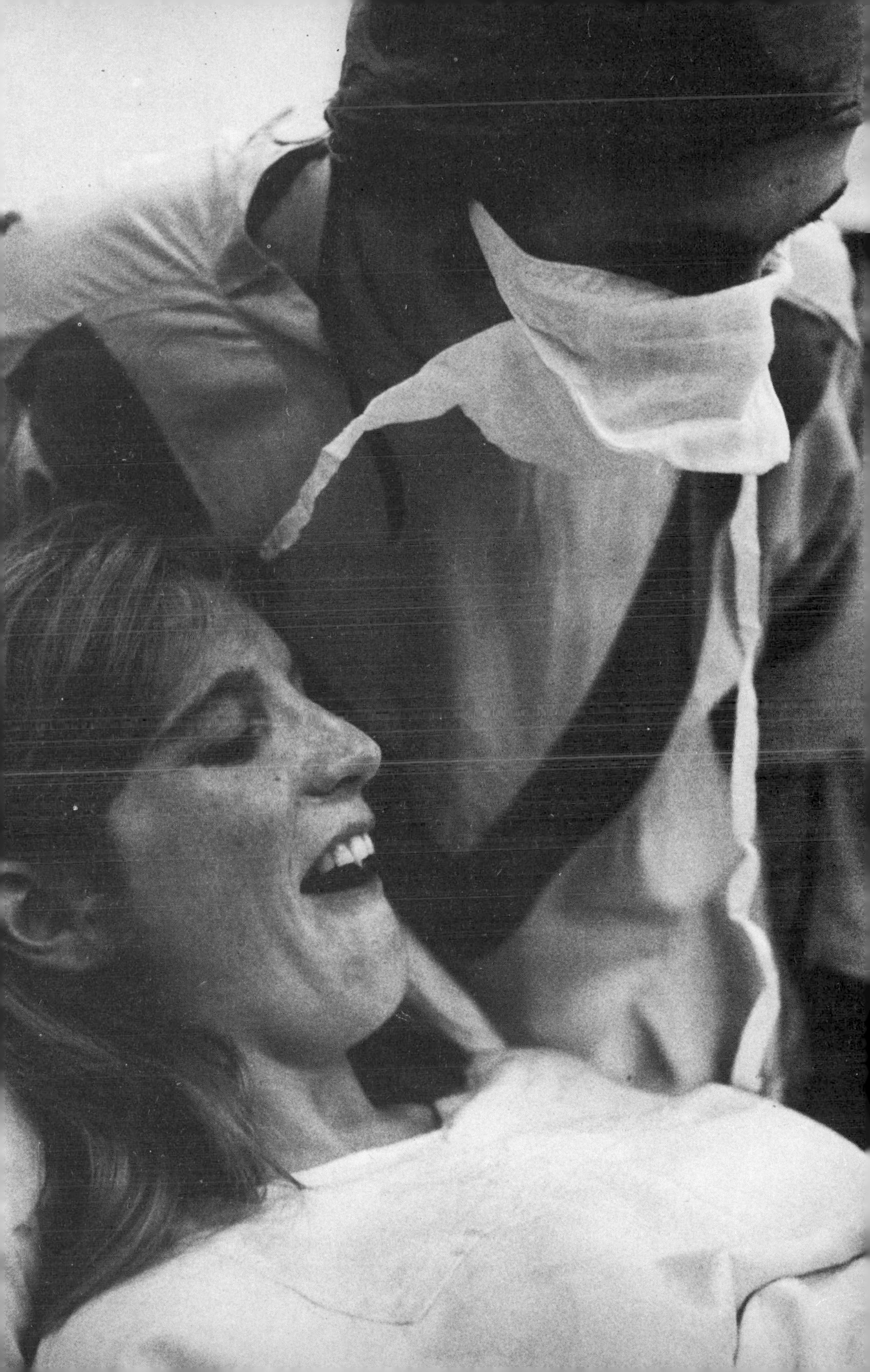

Les accouchements avec intervention

Dans la grande majorité des cas, l'accouchement se déroule grâce aux seules forces de la nature. Mais il peut arriver que le mécanisme naturel de l'accouchement soit troublé, soit que l'enfant se « présente » mal, soit que le bassin soit trop étroit pour que l'enfant puisse le traverser, etc., etc. Il est alors nécessaire, pour éviter que ni la mère, ni l'enfant ne souffrent, d'intervenir en faisant une application de forceps ou une césarienne, dont je vais maintenant vous parler.

L'accouchement

Auparavant, je voudrais vous dire quelques mots de l'accouchement de l'enfant qui se présente par la siège.

La présentation par le siège

Vous l'avez vu, le plus souvent — 95 fois sur 100 — l'enfant s'engage dans le bassin tête la première. C'est le mécanisme habituel, celui que nous avons décrit plus haut.
On appelle « présentation » la partie de l'enfant qui s'engage la première. Lorsque l'enfant s'engage dans le bassin tête la première, on parle de présentation du sommet.
Mais il arrive parfois que l'enfant se présente dans l'autre sens : siège en bas, tête se situant dans le fond de l'utérus. C'est ce qu'on appelle la présentation par le siège.
Cet accouchement ne nécessite pas toujours une intervention, contrairement à ce que croient bien des futures mères .* Mais l'accouchement par le siège est souvent plus long et plus difficile que l'accouchement ordinaire.

Si le médecin a diagnostiqué une présentation du siège, ne vous étonnez pas de le voir prendre, à la fin de la grossesse un maximum de précautions.
Il vérifiera notamment très attentivement les dimensions de votre bassin et demandera souvent, surtout si c'est votre premier enfant, une radiographie.
Au moment de l'accouchement, les difficultés d'expulsion étant plus fréquentes, il n'est pas rare qu'une anesthésie générale soit pratiquée.
Aussitôt que le médecin aura parlé de « présentation du siège », il sera nécessaire de choisir, avec beaucoup de soin, une maternité bien équipée, voir à ce sujet le paragraphe « Où faut-il accoucher ? »

Le forceps

Le forceps est un instrument en forme de pince destiné à saisir la tête de l'enfant et à la tirer hors des voies génitales. Il jouit d'une très mauvaise réputation et c'est souvent avec un certain effroi rétrospectif que telle femme déclare qu'il a fallu « lui mettre les fers ».

* Ce sont les autres présentations, très rares d'ailleurs, présentation transversale par exemple, qui nécessitent toujours une intervention.

Il est d'ailleurs vrai que, il y a plusieurs années, quand la césarienne n'était pas encore entrée dans la pratique, la nécessité d'extraire coûte que coûte l'enfant par les voies naturelles pouvait parfois conduire à des applications de forceps très traumatisantes pour le périnée maternel et surtout pour l'enfant. On le sortait à tout prix, mais à quel prix !
Heureusement, l'utilisation du forceps est maintenant parfaitement codifiée, et n'est conseillée et autorisée que quand elle peut se faire sans aucun risque : sur une tête déjà très descendue et qui se refuse à une expulsion spontanée.
Quand ces conditions sont respectées, et entre les mains d'un opérateur expérimenté, l'application de forceps est sans danger pour l'enfant.
Si elle est nécessaire lors de votre accouchement, vous n'aurez donc rien à redouter, ni pour vous-même ni pour l'avenir de votre enfant.

La césarienne

Il y a cent ans encore, lorsqu'une difficulté grave surgissait qui empêchait l'enfant de naître par la voie naturelle, même avec l'aide d'un forceps, la vie de la mère ou de l'enfant était gravement compromise.
On pratiquait bien l'opération dite césarienne, mais il était rare qu'elle se terminât heureusement. On peut lire dans le *Dictionnaire usuel des sciences médicales* publié en 1892 : « La mortalité en cas de césarienne est de 29 sur 30. » Ce n'est guère que depuis quarante ans que cette opération est pratiquée couramment et sans danger.
La césarienne est une intervention chirurgicale qui consiste à inciser l'abdomen, puis l'utérus, et à extraire l'enfant par l'ouverture ainsi pratiquée. Elle est généralement faite sous anesthésie générale et certaines fois sous anesthésie péridurale (voir ce mot), et ne dure en général que trois quarts d'heure à une heure. Cette opération est si courante que si le médecin vous disait qu'il est nécessaire de faire naître votre enfant de cette manière, vous ne devriez pas la redouter.
On pratique une césarienne dans environ 5 % des cas. Plusieurs causes peuvent nécessiter une césarienne. On peut grouper ces causes sous trois rubriques :

- impossibilité d'un accouchement par voie basse (c'est-à-dire par la voie naturelle), impossibilité qui peut tenir aux dimensions insuffisantes du bassin maternel ; au volume trop important de l'enfant ; à sa présentation en mauvaise position (présentation transversale par exemple) ; à l'existence d'un obstacle, tel un fibrome ;
- nécessité de terminer rapidement l'accouchement pour sauver parfois la vie de la mère, mais beaucoup plus souvent celle de l'enfant, qui peut être menacée par une hémorragie ou une souffrance brutale ;
- obligation d'interrompre la grossesse avant terme si la poursuite en est dangereuse pour l'enfant : certains cas de diabète ou d'iso-immunisation Rhésus par exemple.

Vous voyez donc que, selon le cas, la césarienne peut être prévue à l'avance dès la fin de la grossesse, ou devenir nécessaire, de

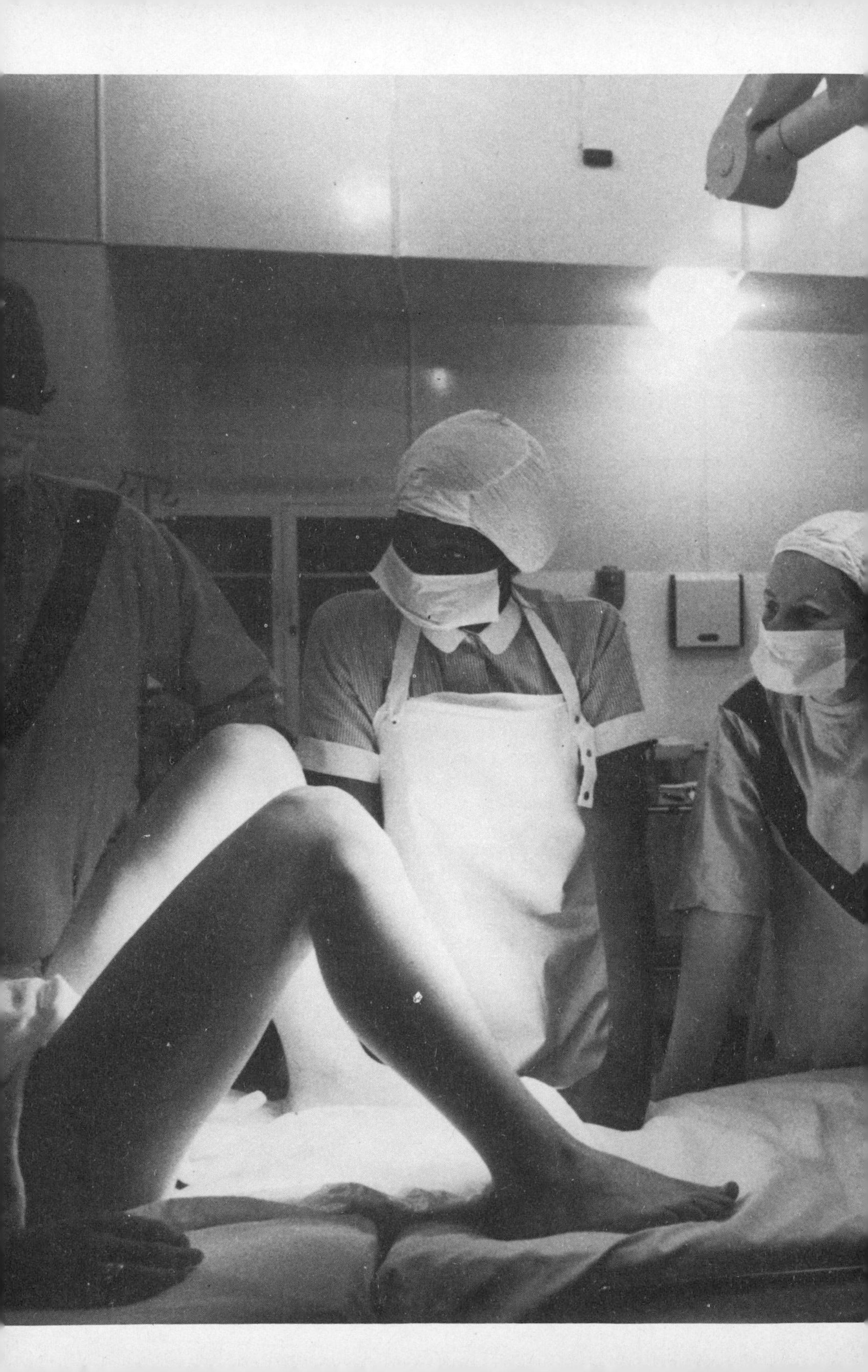

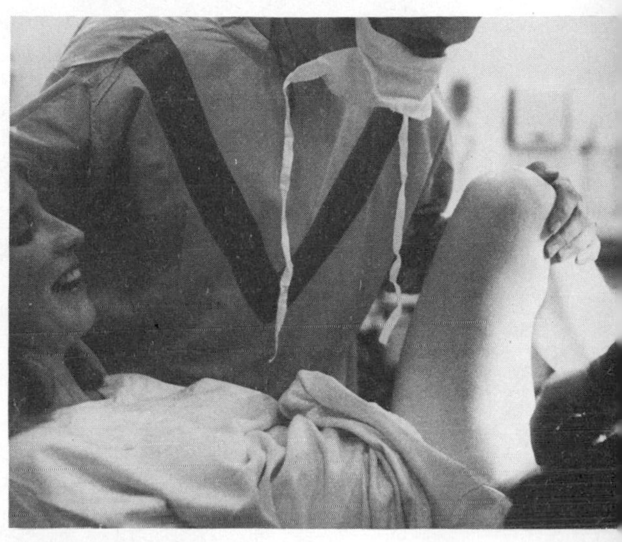

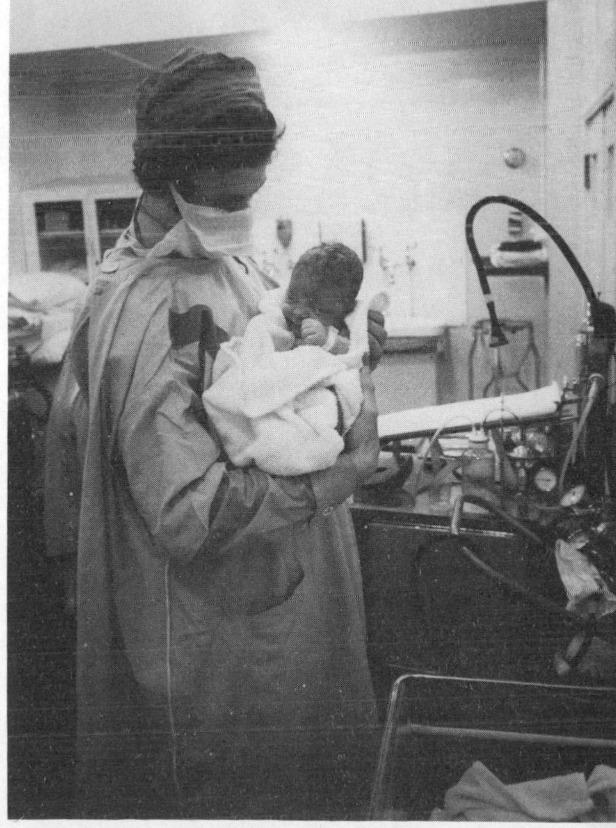

façon plus ou moins impromptue, au cours de l'accouchement. Les suites de la césarienne sont simples, et la durée d'hospitalisation n'est guère allongée que de 48 heures environ par rapport à l'accouchement normal.
Le préjudice esthétique est nul car il est toujours possible de pratiquer l'intervention par une incision basse, transversale, cachée dans les poils du pubis.
Un préjugé veut qu'à une césarienne ne puisse succéder qu'une césarienne. C'est vrai en partie seulement. Si l'opération a été motivée par une cause accidentelle : une soudaine hémorragie ou une toxémie, il n'y a pas lieu de redouter une nouvelle césarienne. Un accouchement ultérieur peut très bien se dérouler normalement, par « voie basse ».

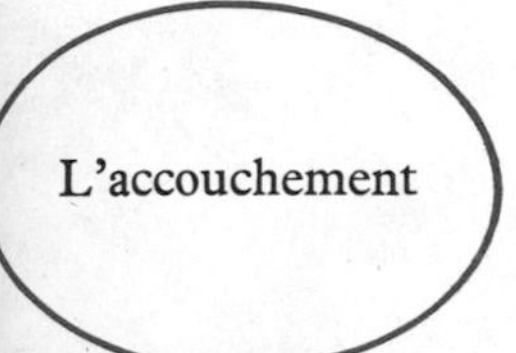

Mais si la césarienne a été nécessitée par une cause permanente, un bassin rétréci par exemple, il est évident qu'une nouvelle césarienne sera nécessaire.
Certaines femmes croient également qu'on ne peut pas avoir plus de trois césariennes successives. Ce n'est pas un impératif catégorique. C'est plus par excès de prudence que pour des raisons parfaitement démontrées par les faits qu'il est habituel de proposer une stérilisation par ligature des trompes lors de la 3e césarienne. Je connais des accoucheurs ayant pratiqué quatre et même cinq césariennes chez des femmes qui le leur avaient demandé.

Le vacuum extractor

Ce nom barbare, qui signifie littéralement : extracteur par le vide, désigne une ventouse en matière souple qui permet « d'attirer » l'enfant vers l'extérieur. Au moment d'une contraction, on tire doucement pour amplifier l'effet de la contraction.
Les indications du vacuum extractor sont les mêmes que celles du forceps. Leur utilisation dépend des préférences du médecin.

L'accouchement sous monitoring

Peut-être avez-vous entendu parler « d'accouchement sous monitoring ». Que signifie ce terme apparemment barbare?
Il désigne simplement des techniques particulières et modernes, dues aux progrès faits par l'électronique, qui permettent une surveillance intensive du comportement de l'enfant au cours de l'accouchement. Certes, vous savez (je vous l'ai expliqué plus haut) que l'on a toujours surveillé l'état de l'enfant du début à la fin du travail, notamment par l'auscultation des bruits du cœur. Mais les médecins estiment que, au moins dans certains cas, cette surveillance traditionnelle est insuffisante.
Au cours de ces dernières années, on a mis au point des appareils électroniques qui permettent deux sortes de mesures :
d'une part l'enregistrement permanent des contractions utérines (intensité, rythme, durée), et celui des battements du cœur fœtal ; d'autre part, l'appréciation de certaines constantes du sang du fœtus (pression des gaz du sang, acidité du sang).

On peut ainsi, tout au long de l'accouchement, dépister toute anomalie qui pourrait conduire à ne pas laisser l'accouchement se poursuivre selon son rythme spontané et à faire, par exemple, une césarienne.
Actuellement, ce matériel de surveillance est encore rare et cher. Il est donc pour le moment réservé aux centres obstétricaux très spécialisés, notamment dans la surveillance et l'accouchement des grossesses à risques. Mais il n'est pas impossible d'imaginer que, dans un avenir plus ou moins proche (c'est une question de crédits d'équipement) toutes les femmes dont l'accouchement poserait le moindre problème bénéficieront de cette surveillance intensive et accoucheront « sous monitoring ».

Le déclenchement artificiel du travail

Vous avez certainement entendu dire que certains médecins, surtout aux Etats-Unis, faisaient accoucher leurs patientes à jour fixe. Peut-être même regardez-vous d'un œil favorable cette technique d'accouchement « sur commande ». Aussi m'a-t-il paru intéressant et nécessaire de faire le point sur cette question en prenant conseil d'un obstétricien qui a toute ma confiance.
Il faut d'abord rappeler, m'a dit ce médecin, que certaines conditions médicales peuvent imposer une interruption prématurée de la grossesse avant la date prévue du terme. Ce sont celles où l'enfant risque de souffrir d'un séjour trop long dans l'utérus maternel tels, par exemple, certains cas de diabète ou iso-immunisation Rhésus. Habituellement, ce sont les dernières semaines qui sont les plus dangereuses pour l'enfant ; il est souhaitable de le soustraire à son environnement néfaste et de déclencher l'accouchement.
Tout différents apparaissent les cas où le déclenchement est fait de propos délibéré, sans raison médicale, mais pour convenances personnelles tenant à la femme ou au médecin. En effet, tout déclenchement artificiel du travail implique l'acceptation de certains risques :

- celui de faire naître un prématuré si la femme est habituellement mal réglée, ou s'est trompée dans le calcul de la date de ses règles, donc si le terme réel ne correspond pas au terme initialement prévu. Chose qui ne peut évidemment se produire si l'on attend le déclenchement spontané de l'accouchement ;
- celui de se solder par un échec si les conditions locales idéales ne sont pas réunies : le col doit être suffisamment ramolli et déjà entr'ouvert, la tête assez basse pour que l'on puisse espérer un succès et un accouchement facile ;
- celui enfin, bien qu'en réussissant à déclencher le travail, de provoquer un accouchement plus long, plus difficile, donc plus traumatisant pour l'enfant. Il arrive même que l'on soit acculé à des situations dont la seule issue est la césarienne, intervention dont on aurait pu se dispenser.

Il apparaît donc que toute tentative de déclenchement équivaut à prendre des risques. Cette attitude est légitime quand il s'agit, pour raison médicale, de soustraire l'enfant à un danger certain. Elle est par contre indéfendable quand il ne s'agit que de convenances personnelles.

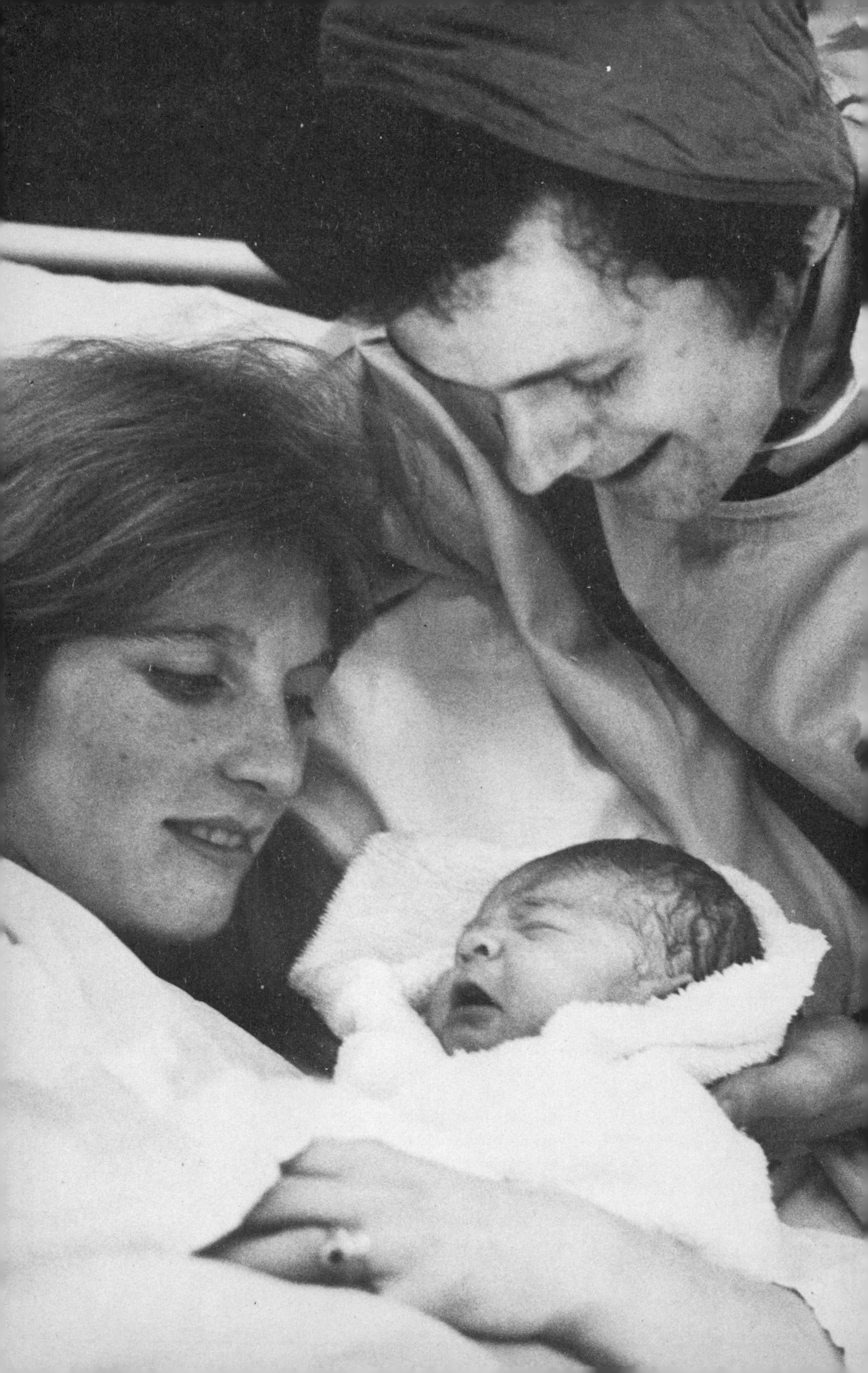

11.

L'accouchement sans douleur

La vérité sur la douleur

« Accouchement sans douleur » : je ne sais qui a trouvé cette formule — sans doute un journaliste de génie —, mais je sais que peu de slogans ont connu pareil succès.
Succès immédiat, et succès durable : malgré les résistances du corps médical, la formule s'est imposée ; quelle est la femme qui ne dit pas : « Je fais — ou je ne fais pas — l'accouchement sans douleur »?
Les médecins ont dû céder : la plupart des accoucheurs emploient aujourd'hui l'expression qui, il y a quelques années encore, les irritaient au plus haut point.
Pourquoi les accoucheurs refusaient-ils de parler d'accouchement sans douleur? Parce que la formule est trop catégorique : il n'est pas raisonnable de promettre à une femme qu'elle ne sentira rien en accouchant.

Tout d'abord, sachez que la contraction de l'utérus n'est pas indolore. Et c'est fort heureux, car c'est le caractère douloureux des contractions qui, avec leur régularité, indique que le travail a commencé, vous l'avez d'ailleurs lu p. 214. Si la mère ne *sentait* pas son utérus se contracter, tous les enfants naîtraient dans des taxis !
Donc un premier point : la douleur obstétricale existe *mais*, et ce mais est très important, cette douleur est éminemment variable. Il y a des femmes qui mettent leur enfant au monde presque sans souffrir et sans l'aide de médicaments, alors que d'autres souffrent ; comme il y a des femmes qui ont leurs règles pendant trente ans sans jamais rien sentir, alors que d'autres sont obligées chaque mois de se coucher un jour ou deux, tant leurs règles sont douloureuses. Et, entre ces deux extrêmes, il y a des femmes qui souffrent, mais d'une manière très supportable ; il y en a qui ressentent la douleur tout au long de l'accouchement, tandis que d'autres ne s'en plaignent que vers la fin.
La douleur est donc variable : suivant qu'elle est plus ou moins sensible, plus ou moins nerveuse, plus ou moins fatiguée, la femme ressentira plus ou moins la douleur provoquée par la contraction.
A douleur apparemment égale (on est obligé de dire apparemment, car la douleur n'est pas mesurable), telle femme fera simplement la grimace, telle autre serrera plus fort la main de la monitrice, telle autre dira : « C'est trop, endormez-moi ».
Et puis, comme me l'a dit un médecin qui a fait des milliers d'accouchements : « Il est bien difficile de savoir la vérité. J'ai vu des femmes, appeler leur mère, jurer qu'elles souffraient le martyre et que jamais plus elles n'accoucheraient, mais déclarer

deux jours plus tard qu'elles seraient ravies d'avoir un autre enfant. D'autres ne bronchaient pas pendant l'accouchement, et le lendemain affirmaient qu'elles avaient souffert. »
Néanmoins, on peut dire que la douleur varie suivant l'intensité de la contraction et la longueur de l'accouchement. Et surtout, qu'elle est beaucoup moins perçue, beaucoup mieux supportée lorsque la femme s'est bien préparée.
Dans ce domaine, l'obstétrique moderne a fait d'immenses progrès et a complètement changé la condition féminine. Dans le temps, les douleurs de l'accouchement étaient considérées comme inéluctables, comme une malédiction qui pesait sur les femmes en couches : c'était le tribut qu'il fallait payer pour être mère. A tel point que des femmes refusaient d'avoir un enfant par peur de l'accouchement. On ne disait d'ailleurs pas : l'accouchement a commencé, mais : « elle est entrée dans les douleurs », et dès cet instant, la femme se mettait à gémir, car si elle était ignorante de ce qui allait se passer, elle était au moins certaine d'une chose : elle allait souffrir. Jusqu'au jour où un certain Docteur Read...
L'histoire de Read est touchante. Écoutez-la.

L'accouchement sans douleur

La trouvaille du Docteur Read

Une nuit de 1903, un jeune médecin accoucheur se hâte vers le quartier le plus pauvre de Londres, le célèbre Whitechapel des romans de Dickens et des débuts de Charlot.
« Il pleuvait et j'avais atteint à bicyclette le bas de Whitechapel Road, raconte Grantly Dick Read. Après avoir tourné à droite et à gauche d'innombrables fois, j'étais arrivé près d'une masure basse proche du pont de chemin de fer ; après avoir tâtonné et trébuché dans un escalier noir, j'ouvris la porte d'une chambre de quelques mètres carrés. Une mare d'eau tachait le plancher ; par une vitre brisée, la pluie pénétrait ; le lit n'avait pas de couvertures dignes de ce nom, et il était soutenu par une caisse à savon. Ma patiente gisait, couverte de sacs, et d'un vieux jupon noir. La pièce n'était éclairée que par une seule chandelle fichée dans le goulot d'une bouteille posée sur la cheminée. Une voisine avait apporté une cruche d'eau et une bassine, et je dus employer mes propres savon et serviettes. Et pourtant, malgré cette installation, qui même à l'époque était la honte d'un pays civilisé, je pris rapidement conscience d'une atmosphère de paix.
« Dans les délais normaux, l'enfant était né. Il n'y eut ni bruit ni embarras. Tout semblait avoir été conduit suivant un plan prévu. Il n'y eut qu'un léger incident : je tentai de persuader ma cliente de me laisser lui donner quelques bouffées de chloroforme, quand la tête apparut et que le dégagement commença. La femme sembla froissée de ma suggestion et fermement, quoique gentiment, refusa mon secours. C'était la première fois dans ma courte carrière que j'essuyais un refus en offrant le chloroforme. Quelque temps après, comme je me préparais à prendre congé, je lui demandai pourquoi elle avait refusé le masque. Elle ne répondit pas tout de suite, mais tourna son regard, de la vieille femme qui m'avait assisté, vers la fenêtre où blanchissaient les premières lueurs de l'aube, et puis, timidement, vers moi :

« Cela ne faisait pas mal. Cela ne devait pas, n'est-ce pas, docteur ? »
Les femmes pourraient élever un monument à l'accouchée de Whitechapel : depuis le jour où Read entendit sa petite phrase candide, il lui chercha une explication. Pourquoi n'avait-elle pas souffert ?
Il chercha, jusqu'au jour où, dit-il, « à travers mon esprit orthodoxe et conservateur, la lumière se fit : les femmes qui souffrent le moins sont aussi les plus détendues. Or, se dit-il, si la femme est détendue, c'est qu'elle n'a pas *peur*.
Ce mot fut la trouvaille du docteur Read, et la base de sa méthode l'accouchement sans crainte : la femme a mal parce qu'elle a peur ; elle a peur parce qu'elle a toujours entendu dire qu'accoucher est une épreuve douloureuse ; elle a peur aussi parce qu'elle est ignorante ; elle ne sait pas comment son bébé vit en elle pendant neuf mois, moins encore comment il va naître ; enfin, elle a d'autant plus peur qu'elle est plus nerveuse.

La vérité sur la douleur

Or, la peur crée une tension exagérée des muscles. Ceux qui devraient être relâchés pour que l'enfant puisse naître sont contractés. Cette contraction cause la douleur. Pour vaincre la douleur, il faut donc vaincre la peur. Comment ? En expliquant à la femme ce qui se passe en elle, comment vit le bébé, comment il va naître. En lui apprenant à détendre ses muscles, ses nerfs, son esprit. En lui faisant faire des exercices physiques et respiratoires qui la prépareront à son accouchement. En un mot, en l'éduquant.

C'est à une conclusion semblable à celle du docteur Read qu'allaient arriver les médecins soviétiques penchés sur le même problème : les douleurs de l'accouchement, mais ils y arrivèrent par des voies différentes.

La méthode scientifique du Docteur Velvoski

Un jour, un accoucheur français, le docteur Lamaze, en voyage en Russie, voit à l'hôpital de Leningrad une femme mettre son enfant au monde avec le sourire, en pleine lucidité, sans anesthésie. « Je ne perdais pas de vue cette femme, raconta-t-il. Je palpais ses jambes, ses bras ; tous ses muscles étaient relâchés ; il n'y avait que son muscle utérin qui semblait travailler au milieu d'un corps complètement détendu, décontracté, comme indifférent à l'acte de l'enfantement. Pas la moindre angoisse dans ses yeux, pas un cri, pas la moindre goutte de sueur ne perlait sur son front, pas une seule contraction du visage. Le moment venu, elle a fait les efforts de poussée dans un calme absolu. »
A la différence de l'accouchée de Whitechapel, celle de Leningrad avait été scientifiquement préparée. Pour vous expliquer comment, il faut remonter aux expériences du père des « réflexes conditionnés » : Pavlov.

Si vous renversez par mégarde de l'eau chaude sur votre main, vous avez mal, vous criez peut-être, en tout cas, vous retirez vivement votre main. Ce geste est indépendant de votre volonté : c'est un « réflexe absolu ». Mais, il existe des « réflexes conditionnés ».

On provoque une douleur chez un chien, une décharge électrique, et en même temps on fait entendre un coup de sifflet. Quand il sent la décharge électrique, le chien retire vivement la patte. On répète plusieurs fois l'opération « décharge électrique — coup de sifflet simultanés ».

Puis, soudain, on donne le coup de sifflet. Mais sans décharge électrique. Le chien retire sa patte, exactement comme les autres fois. Pourtant, cette fois, on ne lui avait pas fait mal. Mais le coup de sifflet a provoqué la même réaction que la douleur. C'est un réflexe conditionné. Pavlov dit : il y a association, ou liaison, entre coup de sifflet et douleur.

L'accouchement sans douleur

Sans savoir ce qu'était un réflexe conditionné, les Bohémiens apprenaient ainsi à danser aux ours : ils chauffaient le dessous de leur cage suffisamment pour que l'ours sautille pour échapper à la brûlure. En même temps, ils jouaient du tambourin. Au bout de quelque temps, le simple son du tambourin faisait « danser » la bête.

Au fond, la future maman, se dit Velvoski, est comme l'animal d'expérience de Pavlov : elle est conditionnée. La femme est « conditionnée » à la douleur. Par le langage. On ne dit pas : « Quand vous ressentirez les premières contractions », mais « Quand vous ressentirez les premières douleurs ». Si bien que, dans l'esprit de la femme déjà bien avant la grossesse, et surtout pendant ces neuf mois, il se crée une association entre ces deux mots : contraction et douleur.

Pour déconditionner la femme, Velvoski explique à la future mère le mécanisme de l'accouchement, lui enseigne les expériences de Pavlov. Il lui dit : « N'écoutez pas les récits de vos amies ». Au besoin, il parle à son mari et à ses proches pour leur recommander de ne pas effrayer la future mère. Il s'agit en somme pour lui de débarrasser la femme de sa peur ancestrale. « Ce faisant, affirmait-il, je « n'endors » par la femme, je ne la berce pas d'illusions, au contraire je la rends plus lucide ». Puis, ayant ainsi agi sur le cerveau pour détruire les réflexes néfastes, Velvoski agit sur le corps pour créer des réflexes utiles : il éduque les nerfs et les muscles qui doivent entrer en jeu au cours de l'accouchement. L'ensemble de cette préparation forme la méthode psycho-prophylactique. Celle qui avait été enseignée à la jeune femme que vit accoucher le docteur Lamaze.

L'expérience de Read et celle de Velvoski aboutissaient donc à la même conclusion : il faut supprimer la crainte de l'accouchement, et pour cela, il faut éduquer la future mère. C'est ainsi qu'est né l'« accouchement sans douleur ».

Vous vous demandez peut-être pourquoi je vous raconte ces histoires vieilles de 20 ans, et alors que l'accouchement sans douleur est maintenant admis par tous. Parce que ces récits n'ont pas qu'un intérêt historique, ils sont exemplaires. Je pense qu'ils vous frapperont et que le moment venu leur souvenir vous aidera à mettre au monde votre enfant.

Les cours de préparation

La préparation à l'accouchement est faite sous différents noms (accouchement psycho-prophylactique, sans crainte, sans peur ou tout simplement accouchement préparé), selon les maternités et les médecins. Mais les principes généraux sont communs, il n'y a que les détails qui diffèrent.

Le premier élément est la confiance qui doit s'établir entre la femme enceinte et celui ou celle qui l'assistera pour son accouchement qu'il soit médecin ou sage-femme. Cette confiance doit évidemment s'étendre à la monitrice qui fera les cours de préparation et qui est habituellement une sage-femme.

Le deuxième point est l'acquisition de connaissances théoriques, certes élémentaires, mais indispensables et qui concernent l'anatomie et la physiologie de la grossesse et de l'accouchement : description des organes sexuels, explication du cycle menstruel et de la fécondation, développement de l'œuf, de la conception à la naissance. Puis la future mère apprend comment se passe un accouchement ; les signes qui l'annoncent, les trois périodes du travail : dilatation, expulsion, délivrance. En général, un cours est consacré au régime et à l'hygiène de la grossesse.

Enfin, la préparation comprend toute une série d'exercices physiques, qui consistent :
- à apprendre les différents modes de respiration qu'il faut utiliser lors de l'accouchement,
- à entraîner certains groupes de muscles qui auront à fournir un travail particulier,
- à prendre l'habitude de la détente et de la relaxation afin de profiter au maximum du repos que les contractions laissent entre elles.

Il est certain enfin que le calme et le confort des locaux (que la future mère aura intérêt à visiter avant l'accouchement), de même que la manière dont elle sera accueillie, contribuent à créer le climat de confiance et de détente nécessaire au bon déroulement de l'accouchement.

Vous voyez donc que cette préparation à la fois physique et psychologique a pour but d'amener à l'accouchement une femme confiante et physiquement en forme, donc capable de participer activement à la naissance de son enfant.

La préparation se fait, selon les méthodes, en 6 à 8 séances. Elle commence vers 5 mois ½ ou 6 mois de grossesse. Le père peut en général y assister. Les cours sont remboursés à 100 %.

Les résultats des cours

L'accouchement sans douleur

Les résultats de la préparation à l'accouchement sont diversement appréciés. Les statistiques semblent montrer qu'un grand nombre de femmes préparées supportent beaucoup mieux les contractions du travail, et sont plus calmes au moment de l'expulsion. Peut-être même, dans certains cas, la durée de l'accouchement est-elle raccourcie. Enfin, et cela n'est pas le moindre intérêt de la méthode, la femme peut voir naître son enfant, l'entendre pousser son premier cri et le prendre aussitôt dans ses bras.

Il est en revanche non moins certain que l'on enregistre aussi des échecs : parfois la femme ne tire qu'un médiocre bénéfice de la préparation et perd tout contrôle de la situation à tel ou tel moment de l'accouchement. Cela se voit plutôt chez les femmes d'une nature anxieuse.

En résumé, il est vrai que l'expression d'accouchement sans douleur ne doit pas être prise au pied de la lettre. Mais il est vrai aussi que, depuis que les femmes préparent leur accouchement, l'atmosphère des maternités a complètement changé. Les femmes ne sont plus passives et soumises ; elles participent, elles collaborent avec le personnel médical ; et cela seul constitue un immense progrès.

Enfin, l'expérience montre que la préparation à l'accouchement peut être aussi utile en cas de menace d'accouchement prématuré. La future mère qui a suivi les cours de préparation à l'accouchement reconnaît plus vite un début de travail, ce début qui est souvent délicat à bien identifier. Ainsi, elle peut arriver suffisamment tôt à la maternité pour qu'on puisse essayer d'arrêter ses contractions.

L'accouchement sous anesthésie

La majorité des femmes préparent leur accouchement, et n'envisagent pas d'être endormies pour la naissance de leur enfant. Il est certain qu'aucune expérience au monde n'est plus extraordinaire que de voir naître son enfant, et l'entendre pousser son premier cri. Même s'il y a un moment désagréable à passer,

le désagrément est largement compensé par cette expérience unique dans la vie d'une femme.
Mais, il y a des futures mères qui n'envisagent qu'une solution : accoucher sous anesthésie.
Elles refusent absolument d'affronter l'accouchement, soit parce qu'elles sont particulièrement angoissées, et considèrent l'accouchement comme une épreuve insurmontable, soit parce qu'elles gardent d'une précédente naissance un souvenir très pénible.
Je vais donc vous dire quelques mots de l'anesthésie employée de propos délibéré, pour réaliser, au sens strict du terme, un accouchement sans douleur, anesthésie qu'on peut donc envisager avant même l'accouchement. (Il est bien évident que je ne parle pas ici de l'anesthésie qu'il est nécessaire de pratiquer au cours de l'accouchement, quand une difficulté surgit.)

L'anesthésie péridurale

Accoucher sous anesthésie est possible. On dispose, en effet, actuellement, d'anesthésiques qui, tout en procurant un sommeil complet à la mère, ne perturbent pas l'évolution de l'accouchement, et ne retentissent pas sur l'état de l'enfant à la naissance.
Si vous désiriez accoucher sous anesthésie, il faut que vous sachiez dès maintenant que vous devrez accoucher avec un médecin et dans une clinique qui prévoient l'anesthésie « à la demande ».
A l'hôpital, en effet, l'anesthésie n'est en général donnée que lorsqu'une difficulté se présente ou lorsqu'une intervention est nécessaire. (Cela ne veut pas dire qu'à l'hôpital rien n'est prévu pour aider le travail ou soulager la mère. Bien au contraire, des régulateurs de la contraction et des calmants sont donnés, si nécessaire.)

Accoucher sous anesthésie ne signifie pas être endormie du début à la fin de l'accouchement. L'anesthésie ne peut être démarrée que lorsque le travail est vraiment commencé et la dilatation du col suffisante (5 cm environ). Elle a l'avantage de soulager la femme pour la deuxième partie de la période de dilatation, et pour la période d'expulsion qui sont habituellement les plus désagréables et les plus fortement ressenties. Cette anesthésie peut se prolonger plusieurs heures sans inconvénient, mais sa durée ne dépasse pas habituellement une heure en moyenne.

Certains sont violemment opposés à cette méthode, prétendant qu'elle fait courir à l'enfant des risques sans rapport avec le confort maternel qu'elle procure. En revanche, d'autres médecins, qui en ont une longue pratique, peuvent témoigner que le risque est nul si l'on dispose d'un anesthésiste entraîné et compétent : c'est une simple question d'organisation.
On a pu faire état de statistiques importantes qui prouvent que l'enfant n'a nullement souffert de l'anesthésie maternelle. Il faut d'ailleurs rappeler que, chez des femmes naturellement angoissées et contractées, l'anesthésie peut constituer une solution à certains problèmes posés par des anomalies de la contraction utérine et de la dilatation, et ainsi, éviter que l'accouchement ne traîne en longueur, et que l'enfant ne souffre d'un travail trop prolongé.
Même si vous avez l'intention d'accoucher sous anesthésie, cela ne doit pas vous empêcher de préparer votre accouchement. La préparation vous sera très utile pour une grande partie de l'accouchement où de toute manière, vous resterez éveillée.

Et peut-être que tout se passera si naturellement que vous ne demanderez même pas à être endormie.

Différentes méthodes sont employées pour obtenir l'anesthésie, je ne vous en parle pas, c'est le médecin qui décide celle qui convient le mieux à chaque femme. Je voudrais seulement vous dire deux mots de **l'anesthésie péridurale**, car on en parle beaucoup, en disant aux femmes que c'est la manière idéale d'accoucher.

L'accouchement sans douleur

L'anesthésie péridurale consiste à injecter, au niveau de la colonne vertébrale, un produit anesthésique qui, tout en laissant la femme consciente, fait disparaître totalement la douleur de l'accouchement. Elle peut même être utilisée pour faire une césarienne.
Séduisante en apparence l'anesthésie péridurale n'a toutefois pas que des avantages : plus que toute autre, elle nécessite la présence d'un anesthésiste entraîné à cette méthode ; elle ne peut s'appliquer ni à toutes les femmes (notamment celles qui sont très nerveuses et agitées) ; ni à tous les cas (par exemple lorsqu'existe une hypertension artérielle) ; enfin, il n'est pas rare qu'elle s'accompagne et soit suivie de petits malaises désagréables.
L'anesthésie péridurale ne représente donc pas, au contraire des affirmations de certains, la panacée universelle de l'anesthésie en obstétrique.

12.

Comment préparer votre accouchement

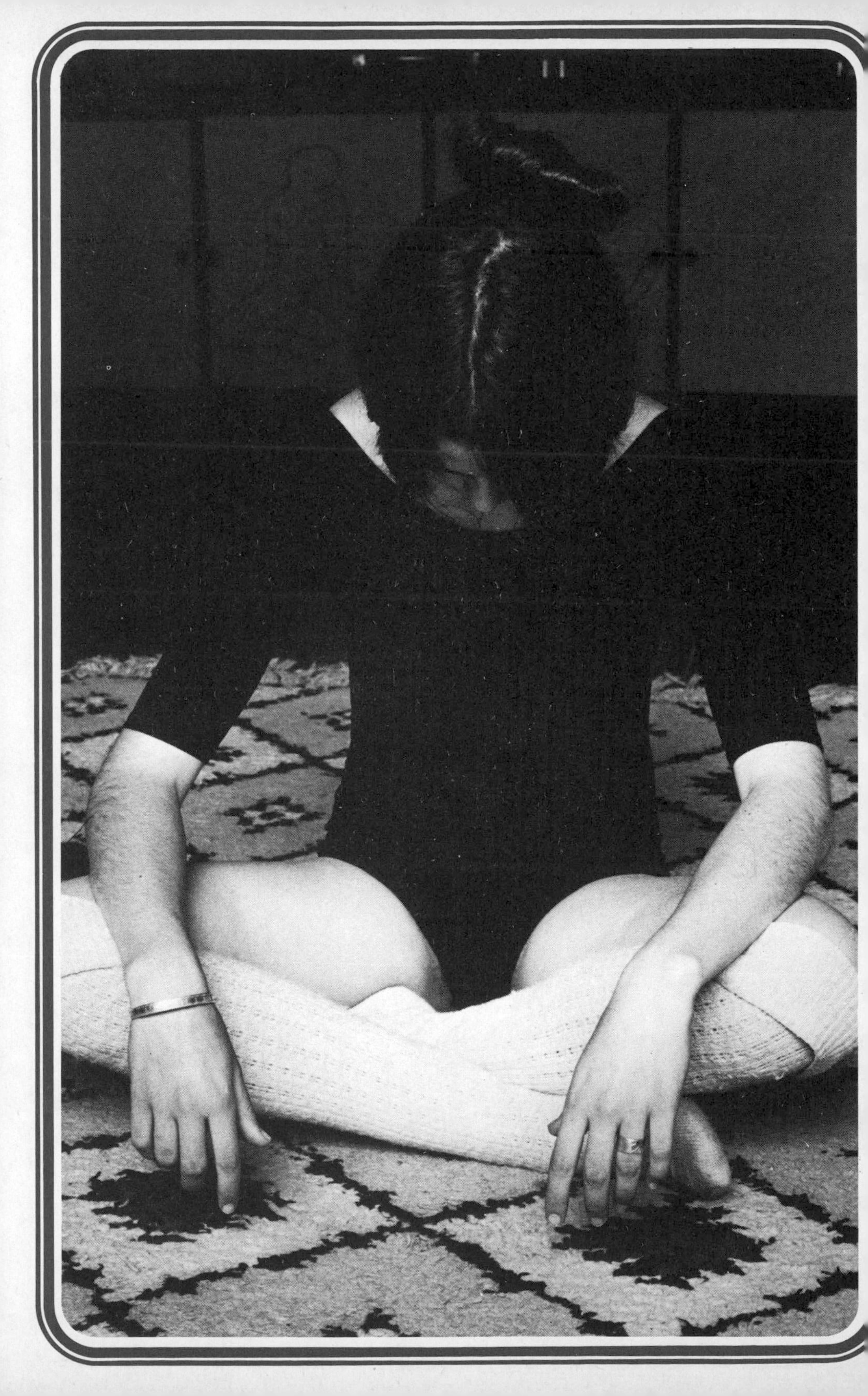

Vous l'avez vu dans les pages précédentes : l'accouchement n'est pas un événement analogue à une intervention chirurgicale, que vous subirez passivement. C'est un acte de la nature qui se déroulera avec d'autant plus de facilité que vous y participerez plus activement. Pour y parvenir, faites comme la nature, préparez-le.
Au moral, vous devez avoir un objectif : arriver à votre accouchement sereine et détendue. Tel est le but de la préparation psychologique que vous trouverez exposée ci-dessous.
Au physique, il faut que vous appreniez à contrôler et à diriger votre respiration, vos muscles, votre décontraction. Vous avez vu qu'à chaque phase de votre accouchement devaient correspondre de votre part une attitude et des mouvements différents : vous y parviendrez d'autant plus facilement que vous serez mieux préparée.

Préparation psychologique

Préparation psychologique

Avez-vous jamais fait l'expérience suivante? Vous avez pris rendez-vous chez le dentiste après bien des hésitations. Vous voyez avec inquiétude le jour fatal arriver. Plus il approche, plus vous devenez nerveuse et tendue. Le moment venu, vous vous asseyez dans le fauteuil, crispée à l'extrême. Vous vous appuyez aux accoudoirs et vos mains transpirent. Vous ouvrez la bouche avec réticence. Le dentiste saisit ses instruments. Avant même qu'il ait touché l'endroit sensible de la dent malade, vous sursautez et vous jurez que vous avez souffert. Vous aviez si peur, vous étiez si prête à souffrir qu'en effet vous avez eu mal.
Même si vous n'avez jamais fait l'expérience du dentiste, vous connaissez l'expression « malade de peur ». Elle constate un fait qui peut être observé tous les jours. La peur, qui est un état d'esprit, peut avoir des conséquences physiques. Elle se traduit souvent par des malaises qui sont parfois très désagréables et souvent douloureux : sueur froide, palpitations, nausées, diarrhées, etc.

La tension nerveuse qui accompagne la peur se traduit par une extrême tension musculaire. Cette tension est fatigante. Lorsqu'elle se relâche, l'organisme est pantelant, les bras cassés, le dos courbatu. Enfin, la peur envahit si bien l'esprit qu'elle l'empêche de s'intéresser à autre chose qu'à ce qui la provoque.
Si vous redoutez votre accouchement, voilà l'état dans lequel vous serez : c'est le moins propice à un accouchement facile. Vous serez contractée alors qu'il faut être détendue; le travail sera ralenti et douloureux ; vous serez fatiguée, lorsqu'il vous faudra participer activement à l'arrivée au monde de votre enfant. Enfin, si votre esprit est envahi par l'appréhension, vous n'arriverez jamais à vous concentrer sur l'attitude que vous devez observer à chaque phase de l'accouchement.

Comment préparer votre accouchement

Les liens étroits qui unissent le psychique au physique ont toujours été connus, mais on ne les avait jamais si bien étudiés et autant mis en vedette que durant ces dernières années. Les statistiques établies dans les grands hôpitaux ont prouvé que 70 à 80 % des troubles digestifs graves, tels que les ulcères à l'estomac, étaient dus à des soucis, des craintes, des émotions, et la tendance actuelle est d'attribuer à de plus en plus de maladies une origine psychique.
Lorsqu'on s'est rendu compte de l'influence considérable de l'esprit sur le corps, on s'est mis à soigner l'esprit pour guérir le corps*. Ce principe est la base même de « l'accouchement sans crainte » du docteur Read dont je vous ai parlé au chapitre 11. Mais heureusement, cette influence s'exerce dans les deux sens : une grande joie donne à l'organisme un équilibre particulier et une force décuplée. N'avez-vous jamais l'impression, lorsque vous êtes heureuse, que vous êtes en pleine forme? Or, il vous arrivera peu d'événements aussi heureux que la naissance de votre enfant. Laissez-vous envahir par cette joie. Vous verrez qu'elle allégera le travail de votre accouchement. Il n'est pas question de vous faire croire que vous ne sentirez rien, mais seulement de vous convaincre que, si vous êtes bien préparée psychologiquement vous aborderez dans les meilleures conditions physiques votre accouchement.

Comment lutter contre la peur ?

En luttant contre ce qui la provoque :
L'ignorance : relisez le chapitre qui concerne l'accouchement autant de fois qu'il sera nécessaire pour ne rien ignorer de son mécanisme. Ainsi l'accouchement perdra-t-il son mystère, et vous saurez ce qui va se passer.

L'isolement : vous ne serez seule ni pendant la grossesse si vous suivez des cours de préparation, ni pendant l'accouchement : vous aurez à vos côtés le médecin ou la sage-femme pour vous guider et vous assister. Peut-être aussi votre mari sera-t-il là. D'autre part, rappelez-vous que vous n'êtes pas un cas isolé : il naît en France 2 300 enfants par jour.

La nervosité : si vous êtes calme, la peur n'aura pas de prise sur vous. Donc évitez les excitants, couchez-vous de bonne

* Ainsi est née, d'ailleurs, la médecine psychosomatique (en grec, psyché c'est l'esprit, et soma, le corps).

heure, marchez une demi-heure par jour, et ne manquez pas de faire régulièrement les exercices de relaxation indiqués plus loin.
Ainsi, lorsque sonnera cette heure que vous aurez attendue neuf mois, vous ne direz pas : « J'ai peur que va-t-il m'arriver ? » mais : « C'est merveilleux, mon enfant va naître. »

Bien sûr, si vous suivez des cours, l'essentiel de ce qui précède vous sera dit ; si je vous le rappelle quand même, c'est qu'il n'est pas inutile de pouvoir relire à tête reposée les conseils donnés oralement par la monitrice.

La gymnastique préparatoire

Les exercices que vous aurez à faire sont de trois sortes : les uns respiratoires, les autres destinés à fortifier, allonger, assouplir les muscles qui joueront un rôle prépondérant au cours de l'accouchement ; les troisièmes vous apprendront le relâchement musculaire, ce qu'on appelle la relaxation.
N'attendez pas le sixième mois pour les commencer. Comme vous l'avez vu au chapitre 2, ils sont autant destinés à préparer votre accouchement qu'à faciliter votre grossesse, et à vous permettre de retrouver rapidement votre ligne parce que vous aurez, par un entraînement régulier, conservé à vos muscles leur tonus et leur élasticité.
Je vous indique combien de fois par jour vous devez exécuter chaque exercice. Mais, c'est seulement lorsque vous serez entraînée qu'il faudra suivre cette indication. Au début, ne faites chaque mouvement qu'une ou deux fois par jour. Votre entraînement doit être progressif et surtout ne pas amener de fatigue.
Il doit de plus être régulier : il vaut mieux faire dix minutes de gymnastique par jour, que vingt minutes tous les deux jours.
Il est très important de faire chaque exercice lentement, calmement ; sinon vous le feriez mal et n'en tireriez aucun profit.
Alternez les exercices respiratoires avec les exercices musculaires.
Faites les mouvements dans une pièce bien aérée, et, si le temps le permet, ouvrez toute grande la fenêtre. Portez un soutien-gorge et une culotte. Étendez sur le sol une couverture sur laquelle vous ferez les exercices à exécuter couchée.
Choisissez pour faire votre culture physique le moment qui vous convient le mieux, mais ne la faites pas pendant la digestion.
Si vous n'avez pas le temps de faire tous les mouvements indiqués, contentez-vous des exercices respiratoires et de relaxation.
Ce sont les plus importants, et pour votre grossesse, et pour votre accouchement.
Et s'il vous a été impossible de faire les exercices ? Écoutez le docteur Read, l'un des pionniers de l'accouchement sans crainte :

« Le principal avantage des exercices, c'est qu'ils permettent à la femme de rester en bonne forme physique pendant sa grossesse et de lui apprendre à bien respirer et à se détendre convenablement. Toutefois, une femme qui n'aura pu faire aucun exercice, mais qui aura bien appris comment se passe un accouchement, mettra son enfant plus facilement au monde que celle qui a un corps d'athlète et qui ignore tout de l'accouchement. Nous ne vous préparons pas pour une performance sportive, mais pour un événement naturel et de bon sens, pour lequel il y a intérêt à être en bonne condition physique. »
Je vous rappelle que des contre-indications aux exercices sont les lésions cardiaques et pulmonaires en activité.

Comment préparer votre accouchement

Avec ces exercices, vous allez pouvoir préparer votre accouchement. Et même si vous suivez des cours, ces exercices qui sont, à de petites variantes près, ceux qu'on vous indiquera, vous permettront, d'abord de les refaire plus facilement chez vous, ensuite de les commencer à votre convenance.

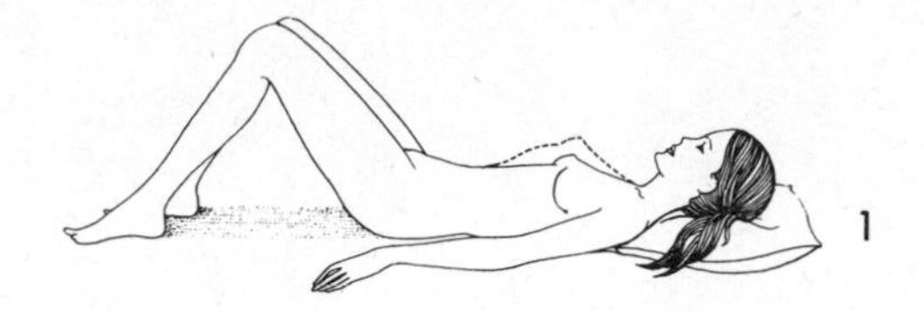

Votre respiration

Exercices à faire à partir du quatrième mois et jusqu'à l'accouchement :
Vous ferez les exercices couchée (figure 1) ou, si cela vous est plus facile au début, assise en tailleur (figure 8), dos soutenu.

Respiration thoracique (figure 1) : posez une main sur le ventre, l'autre sur la poitrine. Avant de commencer l'exercice, expirez à fond. Puis, gonflez la poitrine en inspirant par le nez. La main placée sur le ventre doit à peine bouger, celle qui est sur la poitrine doit se soulever, en même temps que les côtes s'écartent et se soulèvent, et que le diaphragme s'abaisse. Temps d'arrêt au sommet de l'inspiration, puis expiration lente et régulière, bouche ouverte.
En inspirant, ouvrez bien les narines pour faire entrer suffisamment d'air.
Lorsque vous exécuterez convenablement cet exercice, vous vous exercerez à trois types différents de respiration thoracique : les respirations bloquée, superficielle et haletante.

a) *La respiration bloquée* : bouche fermée, inspirez à fond ; arrivée au sommet de l'inspiration, retenez votre souffle, comptez mentalement jusqu'à 10, puis rejetez l'air par la bouche, violemment. Peu à peu, vous arrivez à compter jusqu'à 20 ou même 30, c'est-à-dire à retenir votre souffle une demi-minute.
Cette respiration bloquée vous servira pendant l'expulsion (voir page 221),

b) *La respiration superficielle :* maintenant que vous savez respirer profondément et garder votre souffle, vous vous exercerez à respirer au contraire légèrement et rapidement.
Bouche fermée *, inspirez, expirez légèrement et rapidement sans faire de bruit. Seule la partie supérieure de la poitrine doit bouger ; le ventre reste presque immobile. Cette respiration doit être très rythmée. Veillez donc à ce que le temps d'inspiration soit égal au temps d'expiration. Entraînez-vous à faire cette respiration accélérée et superficielle de plus en plus longtemps ; 10, 20, 30 secondes, etc. A la fin de votre grossesse, vous arriverez à tenir la respiration superficielle près de 60 secondes. Mais attention : n'oubliez pas que cette respiration rapide ne doit pas devenir désordonnée. Il ne s'agit pas de respirer de plus

* Signalons cependant que certaines monitrices font faire cette respiration bouche entrouverte; mais cela nous semble plus difficile.

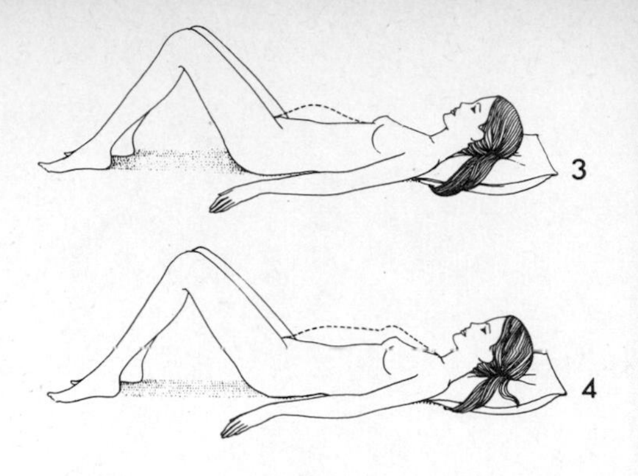

en plus vite, mais de plus en plus longtemps sur le même rythme rapide et régulier : environ une respiration (inspiration et expiration) par deux secondes. Pour y arriver, un conseil : fermez les yeux, et — si vous en avez un — servez-vous d'un métronome.

Cette respiration superficielle vous servira pendant les fortes contractions de la dilatation (voir page 219).

c) *La respiration haletante :* cette fois-ci, le rythme de la respiration doit s'accélérer ; il faut faire environ une respiration par seconde. Bouche entrouverte, inspirez, expirez en tirant même la langue et sans craindre de faire du bruit comme fait le chien, quand il a trop chaud, afin de rafraîchir sa langue pendante et humide. S'entraîner peu à peu à maintenir la respiration haletante 30 secondes, 45 secondes, puis 60 secondes. Pour éviter que l'air qui entre ne vous dessèche la langue, vous pouvez tenir entre vos dents la moitié d'un citron.

Cette respiration haletante vous sera utile à la fin de l'expulsion (voir page 221).

Après chaque exercice, pour vous reposer, respiration complète (voir page ci-contre).

Lorsque vous saurez parfaitement faire ces respirations, vous vous mettrez dans la position que vous adopterez pendant l'expulsion, c'est-à-dire dos relevé par des coussins, jambes repliées et cuisses écartées comme indiqué sur la figure... (Mais quand vous accoucherez, vous poserez vos pieds dans les étriers qui sont au bout du lit, vous saisirez avec vos mains les barres des étriers : vous aurez ainsi de bons points d'appui pour pousser). Et dans cette position, vous ferez l'exercice suivant : respiration bloquée, puis sans transition respiration haletante.

Respiration abdominale (figure 3). Gardez une main sur le ventre, l'autre sur la poitrine. Avant de commencer l'exercice, expirez complètement. Puis, bouche fermée, inspirez en soulevant la paroi abdominale, comme si vous vouliez faire éclater votre ceinture.

La main qui est sur le ventre doit se soulever, celle qui est sur la poitrine doit à peine bouger. Puis expirez lentement et régulièrement, la bouche ouverte, en abaissant progressivement la paroi abdominale, qui, à la fin de la respiration, doit-être revenue à sa position normale. Dans cet exercice, comme dans

le précédent, la main est un témoin qui vous permettra de vous assurer que vous exécutez correctement le mouvement indiqué. Au bout de quelques jours, vous n'aurez plus besoin de ce contrôle.
Cet exercice est destiné à vous faire exécuter correctement la respiration complète décrite maintenant.

Respiration complète (figure 4). Cette respiration combine les deux précédentes. Avant l'exercice, expirez à fond. Puis inspirez lentement en soulevant la paroi abdominale. Continuez d'inspirer en gonflant la poitrine. Marquez un temps d'arrêt au sommet de l'inspiration. Puis, la bouche ouverte, expirez lentement. Videz d'abord la poitrine en baissant les côtes, puis contractez bien le ventre. Reposez-vous quelques secondes avant de recommencer.

Cette respiration complète, faisant entrer un maximum d'oxygène dans les poumons, peut parfois donner le vertige. Il est donc indispensable de l'exécuter couchée et de ne pas faire plus de 3 ou 4 respirations complètes à la suite.

Vos muscles

Exercices à faire du quatrième au septième mois :

Renforcement des muscles abdominaux.
Mettez-vous dans la position indiquée figure 5 : couchée sur le dos, bras allongés, mains à plat, jambes repliées. Puis abaissez les jambes jointes jusqu'au sol, alternativement à gauche et à droite, décrivant ainsi avec vos genoux un demi-cercle (figure 6) Le bassin suivra, faisant accomplir à votre taille un mouvement. de torsion. Pendant l'exercice, le haut du corps doit rester parfaitement immobile. (Six fois.)

L'exercice suivant est également excellent pour renforcer les muscles abdominaux en même temps que ceux des cuisses : couchée sur le dos, bras allongés, jambes fléchies, pieds sur le sol dans la position de la figure 1. Tendez les jambes à la verticale de manière à faire un angle droit avec le sol. Puis, reposez les pieds par terre en abaissant les jambes, c'est-à-dire à la position de départ. Inspirez en levant les jambes, expirez en les abaissant. (Six fois).

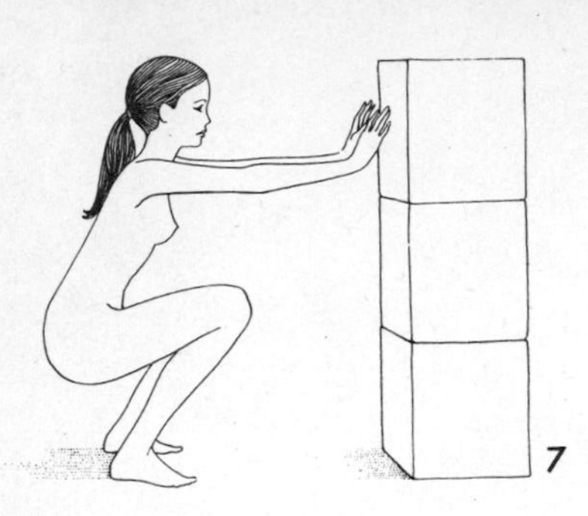

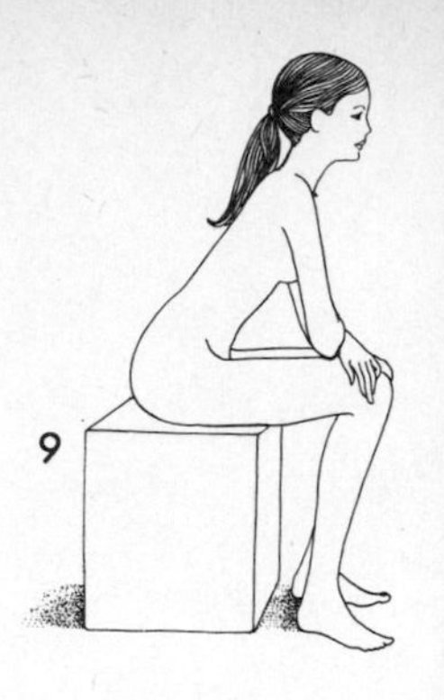

Élasticité du périnée. Élongation des cuisses et souplesse des articulations du bassin.

Figure 7 : Accroupissez-vous comme l'indique la figure. Au début, vous aurez du mal à garder les pieds à plat sur le sol. Vous sentirez les muscles de vos mollets et de vos cuisses se tendre douloureusement. N'insistez pas trop : il suffira de quelques jours pour que vous fassiez l'exercice sans peine. Habituez-vous à prendre cette position chaque fois que vous avez à vous baisser, au lieu de vous pencher en avant.

Figure 8 : Asseyez-vous en tailleur comme indiqué sur la figure : talons sous les fesses, genoux au sol. Au début, vous vous fatiguerez vite. Pour vous délasser, allongez les jambes devant vous. Quand vous aurez pris l'habitude de cette position, adoptez-la pour tricoter, lire, etc.

Figure 9 : Légèrement penchée en avant, les muscles du ventre détendus, vous contractez lentement et avec douceur le périnée, vous maintenez la contraction quelques secondes, puis vous la relâchez. Voici comment vous prendrez conscience de votre périnée : lorsque votre vessie éprouve le besoin de se vider, faites la contraction qui contrarie ce besoin. De même quand vous avez envie d'aller à la selle. Les muscles que vous avez contractés en avant et en arrière forment le périnée. Ce sont ces muscles que vous devez assouplir. Pour cela, il vous suffira donc de faire en même temps les deux contractions indiquées plus haut, dans la position de la figure 9.

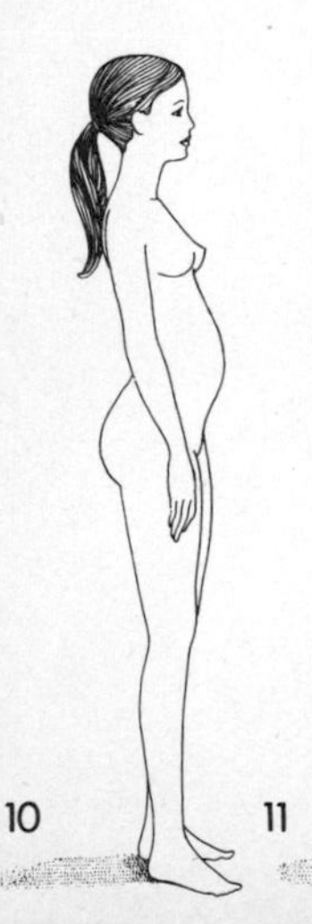

Puisque cet exercice peut être fait assise — aussi bien que debout, d'ailleurs — et qu'il sera invisible pour votre entourage vous pourrez le répéter une douzaine de fois, deux ou trois fois par jour. Vous pourrez sans inconvénient faire ce mouvement jusqu'à l'accouchement.

Contre les « maux de reins » : mouvement de bascule du bassin.

A mesure qu'il augmente, le poids de l'enfant vous force à vous cambrer de plus en plus, et maintient une tension permanente sur la région lombaire. C'est la principale cause du mal au dos et « aux reins » dont se plaignent toutes les femmes enceintes. Pour vous soulager, il faut que vous fassiez le mouvement inverse de la cambrure, en basculant le bassin d'arrière en avant.
1er *temps :* Debout comme indiqué figure 10, reins creusés, ventre

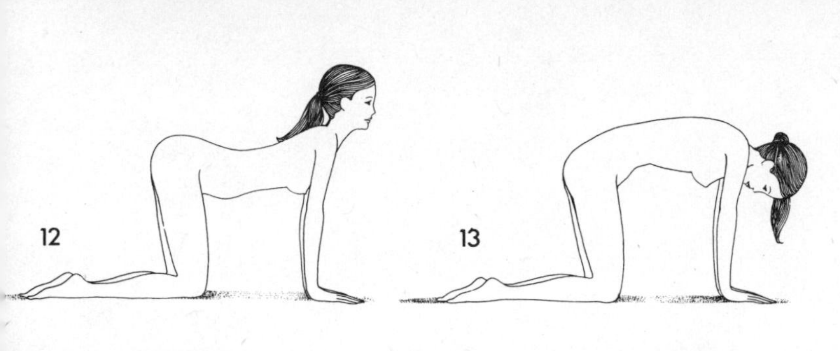

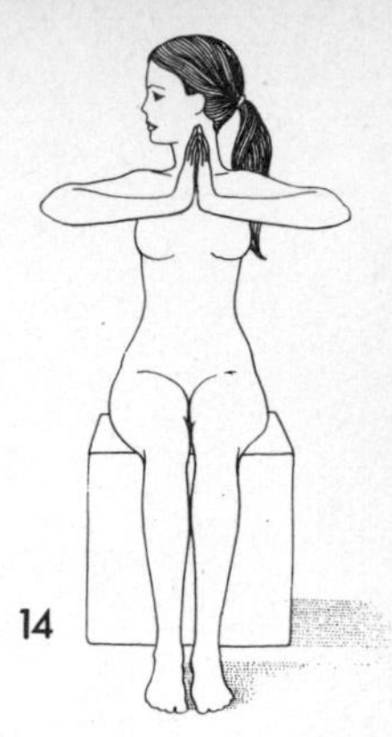

La gymnastique préparatoire

en avant, placez la main gauche sur le ventre, la droite sur les fesses. Inspirez.
2e *temps*, figure 11 : contractez énergiquement les muscles abdominaux, serrez les fesses en les poussant en avant et vers le bas. Expirez. Pour vous aider à bien faire le mouvement, poussez, en l'appuyant, votre main droite vers le bas, et votre main gauche vers le haut ; vous forcerez ainsi votre bassin à basculer. Lorsque vous serez parvenue à faire correctement l'exercice, vous n'aurez plus besoin de l'aide de vos mains.

Faites maintenant le même mouvement de bascule du bassin, mais en vous mettant à quatre pattes : bras bien tendus et verticaux, mains à 30 centimètres l'une de l'autre, cuisses également verticales et genoux à 20 centimètres l'un de l'autre.

1er *temps*, figure 12 : creusez le dos, redressez la tête, relevez les fesses aussi haut que possible. Inspirez en faisant le mouvement et en relâchant le ventre.

2e *temps*, figure 13 : arrondissez le dos comme un petit chat, contractez le ventre, serrez les fesses au maximum en les abaissant vers le sol, baissez légèrement la tête entre les bras. Expirez en faisant le mouvement.

Ce mouvement de bascule du bassin est très important : non seulement il vous permettra de porter sans fatigue et gracieusement votre enfant, mais aussi il assouplira l'articulation colonne vertébrale-bassin, et renforcera vos abdominaux. Faites cet exercice lentement, six fois debout et six fois à quatre pattes.

Pour garder une belle poitrine, faites travailler les muscles qui soutiennent les seins.
1er exercice : figure 14. Coudes levés à la hauteur des épaules, doigts écartés, les mains se touchant par les premières phalanges : appuyez aussi fort que possible les mains l'une contre l'autre. Cessez d'appuyer, mais sans écarter les mains, baissez les coudes, puis recommencez. (Dix fois).

2e exercice : Levez les bras à l'horizontale, puis rejetez-les en arrière en allant le plus loin possible. Ramenez-les le long du corps .(Dix fois).

3e exercice : Décrivez avec les bras bien tendus à l'horizontale des cercles complets, aussi amples que possible. (Dix fois).

Comment préparer votre accouchement

Votre relaxation

Je vais vous indiquer maintenant quelques exercices de relaxation. Je sais bien ce que beaucoup de mes lectrices vont penser : « Me relaxer ? Je le voudrais bien ! Mais comment faire quand on travaille, quand on a son ménage à faire, etc. ? » Je le sais. Et je souhaite que les futures mères soient mieux aidées et soutenues financièrement, afin qu'elles puissent consacrer tout le temps nécessaire à la préparation de leur accouchement.

Ces exercices de relaxation je vous conseille de les commencer à partir du sixième mois, et de les continuer jusqu'à l'accouchement.

Arriver à se relaxer, c'est-à-dire à détendre complètement nerfs et muscles, n'est pas un exercice facile. Pour le réussir, il faut le pratiquer dans les conditions les plus favorables.
Commencez par fermer les portes et les fenêtres de votre chambre pour être loin du bruit. Puis tirez les rideaux : une lumière trop vive empêche la relaxation. Prenez soin de vider votre vessie, sinon vous n'arriverez pas à détendre convenablement les muscles du périnée. Otez vos lunettes si vous en portez.
Puis étendez-vous sur votre lit si le matelas n'est pas trop mou, sinon par terre sur une couverture pliée en deux ou en quatre. Prenez soin de disposer les coussins comme indiqué sur la figure 15 (un sous la tête, l'autre sous les genoux, le troisième servant d'appui aux pieds) de manière que toutes les parties du corps soient bien soutenues et n'aient aucun effort à faire pour rester dans la position indiquée. Si vous le désirez, vous pouvez également mettre un petit coussin sous chaque coude.
L'exercice que vous allez faire a pour but d'obtenir la décontraction de tous les muscles de l'organisme en même temps. Pour y parvenir, il faut d'abord que vous vous rendiez compte de la différence qu'il y a entre contraction musculaire et décontraction. Pour cela, vous allez contracter, puis relâcher l'un après l'autre les différents muscles de votre corps. Concentrez-vous sur ce que vous devez faire, et effectuez très lentement chaque mouvement. Commencez par le bras droit : serrez le poing, mais sans vous crisper ; maintenez la tension quelques secondes, relâchez-la progressivement. Puis contractez maintenant le bras lentement ; maintenez la tension quelques secondes ; relâchez-la doucement. Refaites la même chose avec la main et le bras gauches. Ensuite passez aux jambes. Contractez et relâchez successivement les doigts de pieds, les muscles du mollet, des cuisses. Maintenez

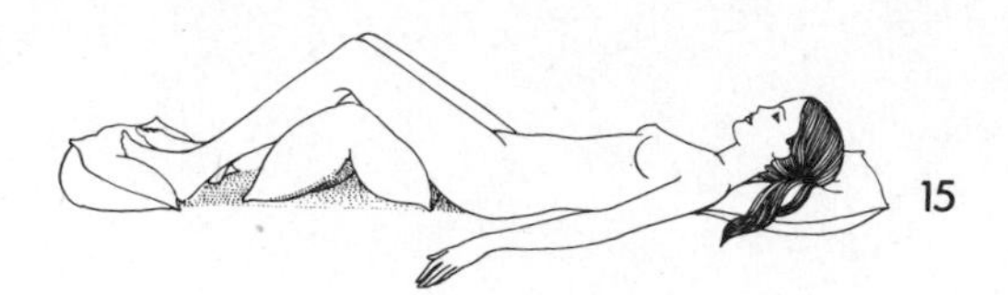

chaque fois la contraction quelques secondes pour vous habituer à bien distinguer contraction musculaire et relâchement. Inspirez toujours en contractant, expirez en relâchant la tension. Des membres, passez maintenant au reste du corps : contractez les muscles des fesses, ceux de l'abdomen, du périnée, etc. Vous finirez pas le visage. Vous aurez au début beaucoup de peine à le détendre complètement, car le visage possède près de soixante muscles. Essayez d'abord de les contracter tous à la fois : fermez bien les yeux et la bouche, contractez les mâchoires, n'oubliez pas le front. Restez ainsi quelques secondes. Relâchez-vous complètement. Répétez l'exercice trois ou quatre fois.

Vous consacrerez votre première séance de relaxation à cette prise de conscience de tous vos muscles. Vous consacrerez les séances suivantes à la décontraction de chaque partie du corps prise séparément, un jour les bras, le lendemain les jambes, le troisième jour le visage, etc. Ce n'est que lorsque vous serez parvenue à vous décontracter par petites zones que vous arriverez à la relaxation totale. Car, pour cela, il faut que vous ayez le contrôle absolu de tous vos muscles. Le test suivant vous permettra de vous assurer que vous y êtes arrivée : détendez parfaitement votre bras, puis demandez à quelqu'un de le soulever. Si la personne y parvient sans rencontrer aucune résistance, et si, lorsqu'elle lâche le bras, ce bras retombe absolument inerte, la détente était parfaite. Faites le même essai avec un pied, ou une jambe.

Essayez maintenant d'obtenir le relâchement de tous les muscles de l'organisme à la fois. Respirez profondément trois ou quatre fois. Puis, en inspirant, contractez tous vos muscles, ceux des bras, des jambes, du ventre, du périnée, du visage. Restez ainsi trois ou quatre secondes. Puis, relâchez-vous complètement en expirant. Au bout de quelques instants, vous aurez l'impression que votre corps est complètement flasque et qu'il s'enfonce dans le lit. Si vous êtes parfaitement détendue, vous devez avoir les paupières mi-closes, la bouche légèrement entrouverte, la mâchoire un peu pendante et le visage inexpressif. Ne vous dites pas qu'ainsi vous ne devez pas être jolie : personne n'est là pour vous regarder. Peu à peu, un grand sentiment de bien-être va vous envahir. Votre respiration sera régulière et paisible. Restez ainsi dix à quinze minutes.

Ne vous levez pas brusquement après votre séance de relaxation, la tête risquerait de vous tourner. Faites auparavant deux ou

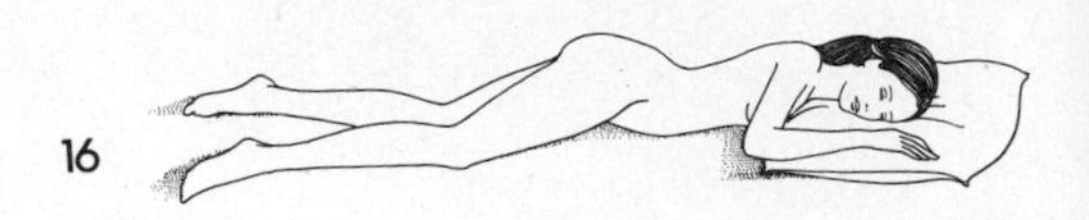
16

trois respirations profondes, étirez bras et jambes, asseyez-vous, puis enfin levez-vous doucement.
Il vous faudra certainement plusieurs jours pour parvenir à vous détendre parfaitement. Ne vous découragez donc pas si au début l'exercice vous semble difficile.
Une détente totale ne pouvant être obtenue sans un réel effort de concentration, au début n'y consacrez que cinq minutes par jour ; sinon vous vous fatigueriez au lieu de vous détendre. Au bout de quelque temps, vous ne pourrez plus vous passer de votre séance quotidienne de relaxation, tant elle vous reposera, particulièrement si vous êtes un peu nerveuse du fait de votre grossesse.
Enfin, ne vous dites pas, si l'exercice de relaxation vous semble au début ennuyeux, que vous le remplacerez avantageusement par un quart d'heure de sommeil supplémentaire. Sommeil ne signifie pas détente complète de l'esprit et du corps : en dormant, vous remuez bras et jambes, vous changez de position, vous êtes tracassée par vos soucis, vous rêvez. C'est pourquoi d'ailleurs, pour avoir une nuit calme, nous vous conseillons de faire votre séance de relaxation le soir avant de vous endormir. La relaxation est la meilleure préparation au sommeil. Sinon, consacrez-lui un quart d'heure après votre culture physique ou votre déjeuner.
Vers le sixième ou le septième mois, lorsqu'en se développant votre enfant deviendra plus pesant et plus encombrant, vous serez mal à votre aise couchée sur le dos, car vous aurez de la peine à respirer. A partir de ce moment-là, faites votre exercice couchée sur le côté comme indiqué figure 16 : le poids du bébé reposant sur le lit. Disposez éventuellement un coussin sous le genou droit.

Exercices à faire après l'accouchement

Dès le deuxième jour — sauf avis contraire du médecin — vous pourrez faire dans votre lit les quatre exercices suivants :

Pour raffermir le périnée. Pour faire l'exercice suivant, vous avez besoin d'une aide : couchée sur le dos, jambes repliées et écartées (figure 17), essayez de rapprocher vos genoux pendant que les mains de la personne qui vous aide vous en empêchent ; 2e exercice : contractez le périnée comme indiqué figure 9, mais en restant couchée.

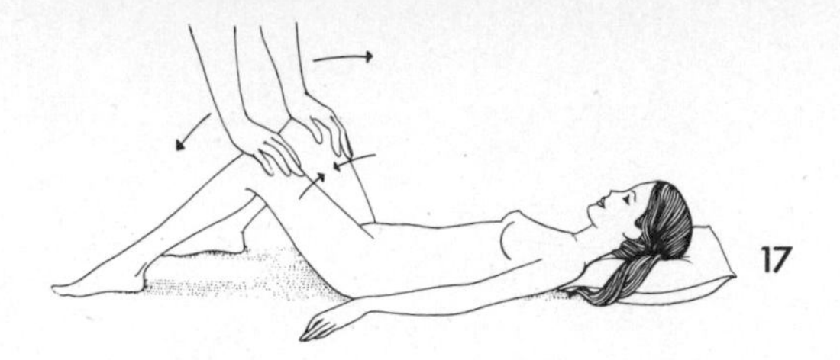

Ces exercices sont contre-indiqués après une épisiotomie.

Pour durcir le ventre : inspirez profondément, puis soufflez lentement par vos lèvres entrouvertes comme pour éteindre une allumette. En même temps que vous soufflez, contractez fortement les muscles abdominaux, comme si vous vouliez écraser l'intérieur de votre ventre. L'expiration terminée, maintenez la pression quelques secondes, puis détendez-vous, et recommencez. Vous pouvez répéter cet exercice plusieurs fois par jour. (Il est contre-indiqué après une césarienne.)

Entre les exercices, vous exécuterez la respiration suivante : toujours couchée sur le dos, inspirez en rejetant les bras en arrière, les mains se rejoignant derrière la tête. Expirez en ramenant les bras le long du corps.

Puis, vous pourrez ajouter les exercices abdominaux suivants :
A partir du quatrième jour : couchée sur le ventre, sans vous aider des bras, qui doivent rester le long du corps, redressez la tête et le buste. Inspirez en vous soulevant, expirez en vous reposant.
A partir du douzième jour : couchée sur le dos, amenez les jambes à la verticale et baissez-les, en les gardant jointes et bien tendues, aussi lentement que possible.
A partir de la troisième semaine : exercices figures 5 et 6.

Pour activer la circulation dans les jambes : couchée sur le dos, jambes allongées :
1° exercice de rotation des pieds autour de la cheville : décrivez un cercle avec vos pieds dans un sens puis dans l'autre (10 fois) ;
2° flexion et extension des pieds : repliez le pied sur la jambe, puis étendez-le lentement et au maximum comme si vous vouliez toucher du bout des doigts un objet placé quelques centimètres plus loin.

Pour garder les seins fermes et bien maintenus. Lorsque vous n'allaiterez plus, vous pourrez recommencer les exercices indiqués plus haut pour garder une belle poitrine. Si vous n'allaitez pas, vous pourrez les faire dès le 15e jour.

Pour retrouver rapidement votre ligne, progressivement et pendant les trois mois qui suivront, vous aurez intérêt à faire une séance quotidienne de gymnastique comprenant les exercices indiqués ci-dessus, mais aussi les exercices destinés à renforcer les muscles abdominaux indiqués page 253 : ces exercices sont en même temps excellents pour affiner la taille.

13.

Accouchement prématuré, grossesse prolongée

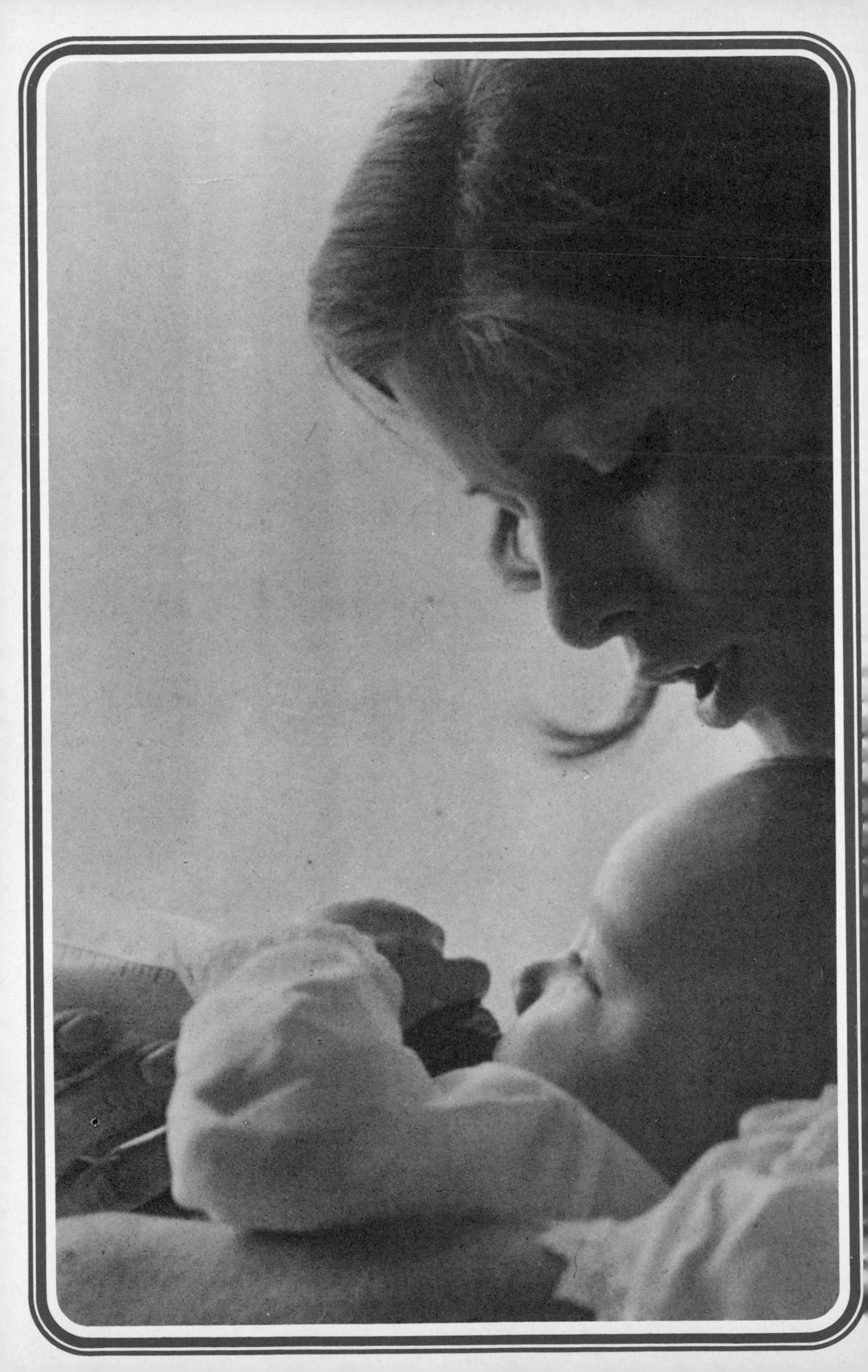

Au premier chapitre de ce livre (sous le titre « Quand accoucherai-je ?) vous avez vu que, si la durée statistique moyenne d'une grossesse est de 280 jours, des variations de quelques jours dans un sens ou dans l'autre sont banales et fréquentes. Elles ne peuvent en aucun cas être considérées comme des complications mais seulement comme des écarts statistiques sans signification. Toutes différentes sont les anomalies franches de durée de la grossesse dont je voudrais vous parler maintenant. Ainsi l'accouchement peut se produire plusieurs semaines avant la date prévue c'est l'accouchement prématuré. Ailleurs, la grossesse se prolonge anormalement sans qu'aucun signe précurseur d'accouchement ne se manifeste : c'est la grossesse prolongée.
Dans ces deux cas, l'enfant court des risques qu'il faut connaître.

L'accouchement prématuré

Autrefois, on classait systématiquement les prématurés d'après leur poids : tout enfant de moins de 2,500 kilos était dit prématuré. C'était une erreur car il existe un certain nombre d'enfants de moins de 2,500 kilos qui sont à terme (je vous en parlerai plus loin).
Aujourd'hui, on appelle prématuré un enfant né à moins de 37 semaines de grossesse comptées à partir du premier jour des dernières règles. Quant au poids, il dépend de « l'âge » du prématuré : plus l'enfant est né tôt, plus son poids est petit.

La fréquence de l'accouchement prématuré n'est pas négligeable : 7 à 8 % pour la France, ce qui représente 60 à 80 000 naissances chaque année. Cette fréquence varie d'ailleurs avec le niveau de développement socio-économique : elle est d'autant plus basse que la surveillance de la femme enceinte est plus stricte, je vous en reparle plus loin.

Prématuré et hypotrophique

Il peut arriver qu'un enfant pèse moins de 2 500 g, et, pourtant, arrive à terme. Il n'est donc pas prématuré ; on l'appelle *hypotrophique*, ce qui signifie : « insuffisamment nourri ». (Les Anglo-saxons disent : « light for date », « léger pour son âge ».)
Il a séjourné dans l'utérus le temps normal d'une grossesse, mais n'a pas, au bout de ces 9 mois, atteint le développement habituel d'un fœtus : il peut peser entre 2 kilos 300 et moins d'un kilo, c'est-à-dire jusqu'à trois fois moins qu'un nouveau-né normal. Son aspect est particulier : peau desséchée, jaune et qui parfois « pèle ». Sa taille, en revanche, est normale.
Que s'est-il passé ? Sa mère a pu être mal nourrie, ou bien elle a souffert d'une maladie dont je vous ai parlé, la toxémie gravidique. Parfois la cause est génétique (trisomie).

Accouchement prématuré, grossesse prolongée

Un point important à signaler : les besoins caloriques de l'enfant hypotrophique sont ceux de son âge et non pas de son poids, il faut donc l'alimenter comme s'il pesait 2,5 ou 3 kilos. Bien sûr, cela pose des problèmes, mais on y arrive en particulier par une nourriture concentrée.
Les naissances d'enfants hypotrophiques sont beaucoup moins fréquentes que les naissances de prématurés.
Mais revenons au prématuré.

Pourquoi l'accouchement a-t-il lieu prématurément ?

Les causes de l'accouchement prématuré sont nombreuses. Certaines sont d'ailleurs communes aux accouchements prématurés et aux avortements spontanés (voyez les pages 119 et suivantes).

Les causes peuvent être accidentelles

- Un traumatisme (accident sur la voie publique par exemple), surtout s'il est violent et s'il porte sur l'abdomen, peut entraîner un accouchement avant terme. On peut en rapprocher les opérations chirurgicales (pour une appendicite par exemple) qui sont capables de provoquer l'accouchement dans les jours qui suivent l'intervention.
- Toutes les maladies infectieuses aiguës contractées dans le dernier tiers de la grossesse peuvent entraîner un accouchement prématuré.
- Il en est de même de la distension anormale de l'utérus. Habituellement, elle est la conséquence, soit d'une grossesse gémellaire (20 à 30 % des prématurés sont des jumeaux), soit d'un excès de liquide amniotique.
- L'insertion anormale du placenta ou placenta praevia (voyez page 123) est également cause d'accouchement prématuré.

D'autres causes sont permanentes

Elles sont locales ou générales. Les causes locales sont représentées par les malformations utérines ou par l'insuffisance de fermeture du col (encore appelée béance de l'isthme) qui ne joue plus son rôle normal de verrou et laisse « échapper » l'œuf.
Les causes générales sont les maladies maternelles (toxémie,

diabète par exemple). Dans ces cas, la maladie elle-même peut entraîner un déclenchement spontané du travail avant terme. Mais il arrive aussi que le médecin prenne la décision d'interrompre la grossesse avant la date prévue d'accouchement quand l'enfant souffre de la maladie maternelle. Cette décision est difficile à prendre puisque l'on oscille entre les risques de la prématurité et ceux de souffrance de l'enfant *in utero*. On dispose actuellement de moyens (examen du liquide amniotique notamment) qui permettent d'apprécier les risques de prématurité.

A coté de ces causes « médicales », les facteurs socio-économiques jouent un rôle incontestable

Il est certain que la fatigue de la femme enceinte augmente le risque d'accouchement prématuré. C'est dire le rôle des conditions de travail (fonction, horaires), de l'éloignement du domicile avec de longs trajets par les transports en commun, des travaux ménagers fatigants. Toutes les statistiques prouvent que l'accouchement prématuré est d'autant plus fréquent que le niveau socio-économique de la femme est moins élevé. C'est pourquoi le repos légal de 6 semaines avant l'accouchement doit être scrupuleusement respecté. En cas de travail pénible, le médecin conseillera généralement un repos plus long.

Avant d'en terminer sur ce chapitre des causes, je voudrais vous préciser deux choses. Tout d'abord, si toutes les causes envisagées peuvent déclencher l'accouchement prématurément, il n'en est pas toujours ainsi. Ne vous inquiétez donc pas si vous êtes dans un de ces cas. Il est tout à fait possible que votre grossesse aille jusqu'à son terme. Écoutez les conseils du médecin qui sait quelles sont les mesures à prendre.

D'autre part, toutes les causes d'accouchement prématuré ne sont pas connues. Elles nous échappent dans 30 % des cas au moins. Aucune mesure préventive n'est alors possible.

Des problèmes pratiques peuvent se poser au moment de cet accouchement tout à fait imprévu. Nous y reviendrons plus loin.

La menace d'accouchement prématuré

Pour vous, elle se traduit essentiellement par l'apparition anormale de contractions utérines. Vous sentez votre ventre « se durcir » et cette contraction peut être douloureuse.

Mettez-vous immédiatement au repos, placez (si vous en avez) un suppositoire d'antispasmodique et prévenez le médecin aussitôt, ou rendez-vous à l'hôpital sans tarder. Le médecin recherchera si votre col s'est modifié. Le raccourcissement et le début d'ouverture du col sont en effet les deux signes qui traduisent que l'accouchement risque d'avoir lieu plus tôt que prévu.

Le médecin prescrira :

- le repos complet au lit ;
- l'administration de médicaments destinés à mettre l'utérus « au repos » et à stopper les contractions utérines ;

● il est possible qu'une hospitalisation soit nécessaire si le risque d'accouchement semble sérieux. Elle permet une meilleure surveillance et un traitement plus intensif.
Dans certains cas malheureusement ces mesures n'empêchent pas la survenue de l'accouchement prématuré.

Les risques de l'accouchement prématuré pour l'enfant

Bien sûr, un enfant qui naît prématurément n'a pas le même aspect qu'un enfant qui naît à terme. En général, il a la peau plus rouge et plus fine. Ses veines sont très visibles. Le duvet est encore abondant ; en revanche, les cheveux sont rares, les ongles peu développés, les fontanelles larges et peu tendues.

Mais ce qui différencie surtout le prématuré de l'enfant né à terme, c'est qu'il n'a pas atteint le même degré de développement, il est comme inachevé, incomplet. On le constate dans toutes les fonctions de son organisme. Et c'est d'ailleurs là que réside la difficulté — plus ou moins grande suivant l'âge de l'enfant à la naissance — de son « élevage ».

On peut classer les prématurés en deux catégories :
● Le prématuré de 35 et 36 semaines, qui est généralement peu exposé. Dans un grand nombre de cas, il est simplement fragile, et soigné dans un centre ordinaire de prématuré.

● Le prématuré né à moins de 35 semaines de grossesse, et qui pèse, en général, moins de 2 kilos. Ce prématuré, qui doit bénéficier de soins particuliers dans les services dits de soins intensifs, est, en effet, exposé aux difficultés suivantes :
— Il a de la peine à respirer, ce qui peut avoir des conséquences graves pour son cerveau qui ne sera pas approvisionné en oxygène (c'est cela qu'on appelle l'anoxie).
— Il est incapable de régler sa température, et donc peut se refroidir. C'est pourquoi, dans l'incubateur, la température est constamment surveillée.
— Il est souvent incapable de téter et son estomac a de petites capacités. On est fréquemment obligé de le nourrir par sonde ou par perfusion. Il ne digère pas bien certains aliments, les graisses en particulier (d'où l'importance du lait maternel).
— Il est sensible aux infections.
— Il est incapable de fabriquer suffisamment de sang, d'où la nécessité de parfois le transfuser.
— Il manque de vitamines et de fer.
— Son sang circule mal.
— Il ne transpire pas car il n'a pas les glandes nécessaires. Il faut donc le mettre dans une atmosphère humide.

Que faut-il faire...

... si vous redoutez un accouchement prématuré

La première chose à faire est de demander conseil au médecin. N'hésitez pas à changer vos projets. Si possible, apprêtez-vous à accoucher dans un hôpital qui possède un centre de prématurés. Dans le cas contraire, assurez-vous que la maternité où vous pensiez accoucher est suffisamment équipée pour donner les premiers soins à un prématuré, et qu'elle possède notamment un incubateur (une couveuse).

C'est en effet dans un incubateur que l'enfant doit être placé immédiatement après la naissance. On peut y faire régner en permanence le degré de température et l'apport d'oxygène les mieux adaptés à chaque cas.

L'accouchement prématuré

C'est ensuite au médecin de décider, en fonction de l'état de l'enfant, s'il peut rester à la maternité, ou s'il doit être transporté dans un centre de prématurés, seul compétent pour traiter un grand prématuré. Celui-ci nécessite en effet une surveillance intensive et des soins particuliers, notamment d'alimentation. Selon son état initial, l'enfant restera dans ce centre quelques jours ou quelques semaines.

... si l'accouchement survient de façon imprévue

Il peut même arriver que vous n'ayiez pas le temps de vous rendre à la maternité. Il importe alors d'éviter à tout prix que le bébé ne prenne froid. Entourez-le de coton hydrophile, disposez autour de lui des bouillottes chaudes. Mais attention aux brûlures : les bouillottes ne doivent pas être placées trop près du corps de l'enfant. Prévenez le médecin qui prendra les dispositions nécessaires pour faire transporter, s'il le juge utile, l'enfant dans un centre de prématurés.

Peut-on éviter l'accouchement prématuré ?

Prévenir l'accouchement prématuré reste actuellement l'un des soucis majeurs des accoucheurs. En effet, la prématurité est responsable de la moitié des morts qui surviennent pendant l'accouchement ou dans les jours qui suivent.

Certes, la médecine a fait de grands progrès, et les soins donnés dans les centres dont je viens de vous parler permettent la survie d'enfants qui auraient été condamnés autrefois. Toutefois, les gains ne sont pas aussi importants que l'on pourrait espérer.

C'est pourquoi le meilleur traitement de la prématurité consiste encore actuellement dans la poursuite de la grossesse le plus loin possible près du terme : le meilleur incubateur c'est vous.

Pour empêcher un accouchement prématuré, vous avez un rôle important à jouer : acceptez de vous soumettre à la surveillance régulière dont je vous ai déjà parlé maintes fois mais qu'il est nécessaire de rappeler ici.

Il y a aussi des cas précis où l'on peut prévenir l'accouchement

prématuré par une intervention ; par exemple la malformation utérine que l'on corrige par la chirurgie ; et la béance du col qui, elle, est corrigée par ce qu'on appelle le **cerclage du col**. A ce propos, je voudrais vous donner quelques détails que l'on m'a souvent demandés.
Le cerclage est pratiqué entre deux mois et demi et trois mois, et consiste à fermer l'ouverture du col en passant un fil solide, comme pour fermer une bourse. Le cerclage est bien évidemment fait sous anesthésie générale. Il nécessite une hospitalisation de quelques jours. Malgré le cerclage, il est nécessaire de prendre des précautions jusqu'à la fin de la grossesse, essentiellement en se reposant. Quelques jours avant le terme, ou au début de l'accouchement lui-même, le médecin ôte le fil.

La grossesse prolongée

C'est une complication plus rare que la précédente (2 à 3 % des cas), mais elle peut aussi être grave et poser des problèmes délicats. Elle peut être grave car l'enfant risque de souffrir — et même de mourir in utero — quand la grossesse se prolonge anormalement. En effet, le placenta, véritable usine d'échanges entre la mère et l'enfant, fournit jusqu'à terme au fœtus les aliments et surtout l'oxygène qui lui sont nécessaires. Le terme dépassé, le placenta vieillit et fonctionne moins bien ; les apports au fœtus deviennent insuffisants d'où le risque de « souffrance fœtale. »

Sur le plan pratique, il est difficile de savoir si une grossesse est véritablement prolongée. Je vous ai déjà dit qu'il était difficile ou impossible de calculer le terme exact avec précision, et que des variations de quelques jours étaient possibles dans un sens ou dans l'autre. En vérité, la situation ne devient sérieuse que si la grossesse se prolonge de 8 à 10 jours ou davantage.
Si votre terme semble dépassé, le médecin a maintenant à sa disposition un certain nombre de moyens pour confirmer ce diagnostic : radiographies, dosages hormonaux, examens divers du liquide amniotique. Muni de ces renseignements, il pourra alors prendre la décision de déclencher l'accouchement. Tout le problème est d'intervenir avant que l'enfant ne souffre.
A la naissance, l'enfant (que l'on qualifie alors de « post-mature ») a souvent un aspect un peu particulier : sa peau est plus fripée que chez l'enfant né à terme et elle ne porte plus aucune trace de couche graisseuse (appelée « vernix »). Elle élimine ses couches superficielles : on dit qu'elle desquame. Enfin, les ongles sont anormalement longs.
Habituellement, l'enfant post-mature ne nécessite pas de soins particuliers.

14.

Votre enfant est né

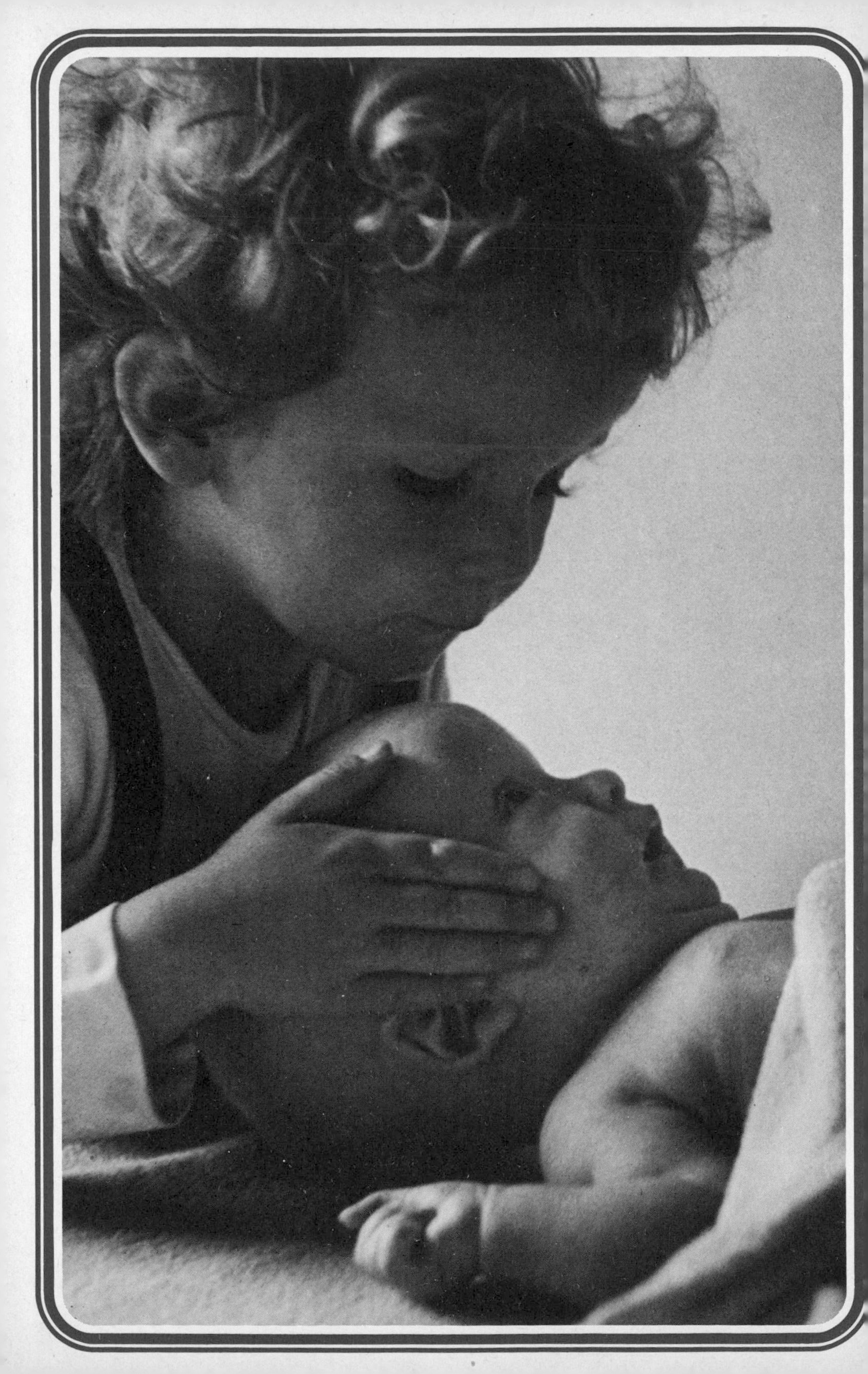

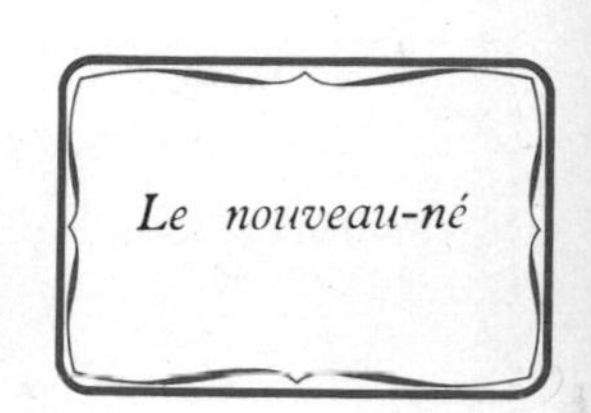

Lorsque Mme de Sévigné vit pour la première fois sa fille qu'elle venait de mettre au monde, elle s'écria : « Mais elle a l'air d'une guenon ! » Puis, se tournant vers la sage-femme qui l'avait accouchée, elle ajouta : « Je ne l'en aimerai pas moins puisqu'elle est ma fille. » La petite guenon devait d'ailleurs devenir « la plus jolie fille de France », comme l'appelait Bussy-Rabutin.
Vous réagirez peut-être comme Mme de Sévigné lorsque vous verrez votre enfant. Car il est bien rare qu'un nouveau-né soit joli. Il est en général rouge et fripé. Il fait des grimaces. Sa tête est souvent déformée. Ses cheveux sont raides et ses mains violettes. Ne vivez donc pas dans l'idée que votre enfant sera un poupon joufflu le jour de sa naissance. Il lui faudra peut-être encore quelques semaines pour être un joli nourrisson.

Le nouveau-né

Dès sa naissance, l'enfant se met à crier et à respirer. Il manifeste ainsi son autonomie, son indépendance toute nouvelle vis-à-vis de l'organisme maternel. Jusque-là, en effet, il en était entièrement dépendant, relié à sa mère par le cordon ombilical qui lui amenait les aliments et l'oxygène dont il avait besoin pour vivre et pour se développer.
Ce passage de la vie placentaire à la vie autonome nécessite des transformations importantes de son organisme. Certaines fonctions s'adaptent progressivement, telle la fonction digestive ; d'autres vont devoir le faire brutalement, d'une minute à l'autre, dès la naissance : c'est le cas, par exemple, de la respiration.

La respiration. Dès que le nez et la bouche de l'enfant entrent en contact avec l'air ambiant, la première respiration s'instaure. Vous voyez la petite poitrine se soulever régulièrement, à un rythme d'ailleurs plus rapide que chez l'adulte. Cette respiration, qui est le premier signe de la vie, est toute neuve. Elle est née avec l'enfant, exactement 60 secondes après sa venue au monde. Avec une rapidité miraculeuse, un profond bouleversement s'est produit dans l'organisme du nouveau-né. Quelques secondes avant de naître, le fœtus vivait encore de l'oxygène que sa mère lui fournissait. Son sang, partant du cœur, arrivait au placenta (par les artères ombilicales), se chargeait d'oxygène qu'il puisait dans le sang maternel, et revenait au cœur (par la veine ombilicale). Le placenta jouait donc le rôle de poumon. Les poumons du fœtus ne fonctionnaient pas encore, et entre le cœur et les poumons du bébé, il n'y avait pas de communication.

L'enfant naît. Il est séparé du placenta. Il faut qu'il se procure lui-même son oxygène. Il ouvre la bouche : l'air s'engouffre dans ses poumons, les déplie, les gonfle, relève brutalement les côtes, qui s'écartent. La cage thoracique se soulève. Les poumons deviennent roses et spongieux. Le sang venant du cœur se précipite dans les vaisseaux pulmonaires à la recherche de l'oxygène qui vient d'arriver : la circulation cœur-poumon est établie.

Votre enfant est né

Le nouveau-né respire maintenant comme un adulte. Mais pendant un an sa respiration sera irrégulière, tour à tour superficielle ou profonde, rapide ou ralentie. Le cœur bat très vite, de 120 à 130 fois par minute en moyenne, presque deux fois plus vite que chez l'adulte. Le sang ne met que douze secondes pour accomplir une révolution complète. Chez l'adulte, il en met trente-deux.

Le poids et la taille. La fierté des parents est souvent proportionnelle au poids de l'enfant. Mais la santé ne se mesure pas au poids.

Dans l'esprit du grand public, le chiffre optimum est sept livres. C'est déjà celui d'un gros bébé. La moyenne est de 3 kilos 300 (100 g de plus pour les garçons, 100 g de moins pour les filles), et, entre des bébés nés à terme, on peut noter des écarts considérables : certains bébés pèsent 2 kilos 500, d'autres 4 kilos et même plus.*

Plusieurs facteurs peuvent faire varier le poids du nouveau-né :

- d'abord l'hérédité, c'est-à-dire la race, la stature du père et de la mère, la tendance familiale ;
- le rang de la naissance : en général chez une même femme, le deuxième enfant pèse un peu plus que le premier, et le troisième plus que le deuxième ;
- l'état de santé de la mère : certaines maladies peuvent soit augmenter le poids de l'enfant (diabète, obésité), soit au contraire le diminuer (toxémie) ;
- l'activité de la mère pendant la grossesse : une activité exagérée a tendance à diminuer le poids de l'enfant.

Par contre le régime alimentaire ne joue qu'un rôle mineur et indirect sur le poids de l'enfant (à l'exception des grandes dénutritions qui ne se voient pas en France). Ainsi, malgré une restriction importante (déconseillée), vous aurez un gros enfant si votre hérédité vous y prédispose. Malgré une suralimentation anormale (déconseillée également), vous risquez d'avoir non pas un enfant gras et joufflu, mais un enfant malingre parce que vous risquez alors de faire une toxémie gravidique.

Quoi qu'il en soit, il importe seulement que le poids et la taille de votre enfant se situent dans les moyennes statistiques. Un poids élevé n'est pas un signe évident de bonne santé (les enfants nés de mère diabétique pèsent habituellement très lourd et sont des enfants fragiles). A l'inverse, vous aurez presque toujours

*Ce qui concerne l'enfant pesant moins de 2 500 g, est traité au chapitre 13.

l'heureuse surprise de voir un enfant de poids peu élevé se développer sans aucun problème.

Dans les jours qui suivront sa naissance, votre enfant perdra environ le dixième de son poids de naissance. Ne vous en inquiétez pas, cette perte est normale. Elle est due au fait que l'enfant évacue les déchets (méconium) qui occupent encore son intestin, et au fait qu'il est fort peu nourri. Dès le troisième jour, il commencera à reprendre du poids, à raison de 20 à 25 grammes par jour environ ; et vers le douzième jour, il aura retrouvé son poids de naissance.
La taille, qui est en moyenne de 50 centimètres à la naissance, ne varie guère de plus de deux ou trois centimètres autour de ce chiffre, d'un bébé à l'autre.

Le nouveau-né

Aspect général. Ce qui vous frappera le plus lorsque vous verrez votre enfant, c'est que les proportions des diverses parties de son corps sont différentes de celles de l'adulte : le nouveau-né n'est pas un adulte en miniature. La tête est très volumineuse. Elle représente à elle seule un quart de la longueur totale, au lieu d'un septième. Le front est immense par rapport au reste du visage. Il en représente les trois quarts, au lieu de la moitié. Le tronc est plus long que les membres. L'abdomen est légèrement saillant, les membres sont courts et grêles, et les bras plus longs que les jambes. Les organes génitaux des petits garçons semblent anormalement développés. Mais il suffira de quelques semaines pour que ces proportions changent, et que votre enfant ait un aspect tout différent de celui qu'il avait le jour de sa naissance.

Attitude. Le nouveau né n'arrive pas à tenir sa tête droite, car elle est bien trop lourde pour les muscles de son cou, qui sont encore très faibles. Il se tient les premiers jours dans la position qu'il avait avant la naissance : ses bras ramenés vers la poitrine et ses cuisses vers le ventre.

La tête et le visage. Ne vous inquiétez pas si votre enfant arrive au monde avec une tête un peu déformée, crâne asymétrique ou en pain de sucre, bosse d'un côté ou de l'autre, etc. Ces petites déformations sont très fréquentes. Elles sont dues aux fortes pressions que la tête subit, lors de l'accouchement. En dix ou quinze jours, elles disparaissent, et le crâne s'arrondit.
Les os du crâne, qui ne sont pas encore soudés, sont séparés par des espaces de tissus fibreux, les sutures. En deux points, ces espaces s'élargissent pour former les fontanelles. Vous sentirez vous-même ces zones molles en passant votre main sur le crâne du bébé. La plus grande, juste au-dessus du front a la forme d'un losange. La plus petite se trouve à l'arrière du crâne. Les fontanelles se rétréciront peu à peu jusqu'à se fermer complètement, la plus petite vers huit mois, la plus grande vers dix-huit mois.

Les cheveux : certains bébés naissent avec une chevelure abondante et généralement noire. D'autres sont presque chauves. Consolez-vous si votre bébé est des seconds. Les premiers perdent la plus grande partie de leurs cheveux dans les semaines qui suivent la naissance. Par la suite, les cheveux repoussent plus clairs et plus fins.

Les yeux sont très grands, leur taille a déjà les deux tiers de ceux de l'adulte. Les paupières sont larges, les cils et les sourcils apparents, mais très fins. Le nouveau-né pleure sans larmes. Celles-ci n'apparaissent que vers la quatrième semaine. Le nez est court et aplati, l'oreille volumineuse par rapport à la face, mais bien dessinée, quoique son lobule ne soit pas encore formé. La bouche paraît démesurément grande, avec le maxillaire inférieur peu développé. Le cou est très court et donne l'impression que la tête repose directement sur les épaules.

La peau. A la naissance, la peau est recouverte d'un enduit sébacé blanchâtre (le vernix caseosa) dont en général on débarrasse l'enfant à sa première toilette. (Certains médecins recommandent cependant de laisser cet enduit, car il joue, disent-ils, le rôle d'un onguent protecteur.)
La peau apparaît alors mince et fragile, de couleur rose foncé, parfois presque rouge. Le duvet qui recouvrait tout le corps au septième mois a presque entièrement disparu.
Les premiers jours, l'épiderme pèle finement, puis il devient plus clair. Mais il arrive aussi très souvent, dans 80 % des cas, que la peau jaunisse le deuxième ou le troisième jour. L'enfant a ce qu'on appelle l'*ictère physiologique du nouveau-né*. Cette petite jaunisse disparaît vers le dixième jour. Elle est due au fait que l'organisme du nouveau-né détruit un certain nombre de globules rouges dont il n'a plus besoin.
Souvent, on peut remarquer, à la racine du nez, une tache rougeâtre bifurquant en Y entre les deux sourcils. C'est l'aigrette du nouveau-né ; elle persistera quelques mois, puis disparaîtra.
Les ongles des mains et des pieds sont bien apparents. Résistez à la tentation de couper des ongles trop longs : souvent, une infection, un « tour d'ongle » en est la conséquence.

Les organes des sens. Les yeux d'un nouveau-né voient dès le premier instant la lumière, la couleur rouge, et d'une manière générale tout ce qui brille. Ils les voient flous, mais ils les voient. Ils peuvent suivre un objet brillant, si cet objet bouge lentement. Les nouveau-nés ont souvent l'air de loucher. C'est parce que les muscles de leurs yeux ne sont pas encore assez développés pour coordonner leurs mouvements *
L'ouïe. L'enfant perçoit les sons. Il est intéressé par les voix. Il sursaute ou pleure à cause d'un bruit violent.
L'odorat. On sait mal jusqu'à quel point un nouveau-né est sensible aux odeurs. On pense cependant que c'est grâce à son odorat qu'il reconnaît l'approche du sein maternel.
Le goût est peu développé. Cependant, le sucre calme le nouveau-né, alors qu'une saveur amère ou acide l'agite.
La sensibilité tactile est surtout développée aux lèvres. Le nouveau-né est très sensible au froid et à la chaleur.

Le comportement. Les premiers mouvements de votre enfant vous paraîtront désordonnés. Ils le sont. Car le système nerveux, celui qui dirige les gestes, est imparfaitement développé

* Bien des parents voudraient photographier le nouveau-né dès les premières heures, mais ils n'osent utiliser un flash. Je peux les rassurer : de l'avis des spécialistes, l'utilisation de la lumière artificielle et du flash pour photographier ou filmer ne présente aucun danger pour la rétine du nouveau-né, ni à court terme, ni à long terme.

chez le nouveau-né. Les mouvements ne s'organiseront qu'à mesure que le système nerveux se développera. L'enfant, à l'inverse de tant d'animaux, naît désarmé. Une demi-heure après sa naissance, le petit poulain est sur ses pattes et trottine ; le petit veau aussi. L'enfant devra attendre un an pour pouvoir marcher. Ses premiers mouvements ne sont que réflexes, telle la succion. Pendant ses premières semaines, il va surtout dormir, se réveiller s'il a faim et pleurer si quelque chose le gêne.

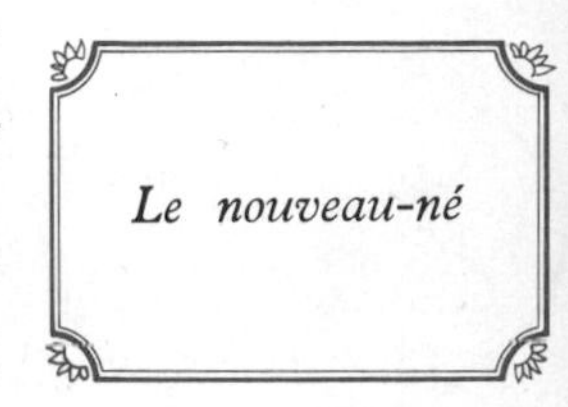

La température. Vous vous demandez peut-être pourquoi, dans l'atmosphère surchauffée de la maternité, votre enfant est si couvert. C'est parce qu'en naissant l'enfant a tendance à se refroidir. Il n'est pas encore capable de régler sa propre chaleur. Il faut qu'on le fasse pour lui. Il vient de vivre pendant neuf mois dans une température, toujours égale, de 37°, la vôtre. Subitement, il se trouve dans une atmosphère de 22°, celle de la maternité. Malgré ses vêtements, il va se refroidir de 1° à 2,5°, et ne récupérera qu'au bout de deux jours environ une température de 37°.

L'appareil urinaire et digestif. Dès la naissance, l'appareil urinaire fonctionne, et il n'est pas rare d'observer une émission d'urine dans les premières minutes qui suivent la naissance. De même, l'intestin élimine dans les deux premiers jours une substance verdâtre, presque noire, visqueuse, collante, ayant l'aspect du goudron : c'est le *meconium* fait d'un mélange de bile et de mucus. Vers le troisième jour, les selles deviennent plus claires, puis jaune doré et pâteuses, au nombre de une à quatre par jour pendant les premières semaines.

Les organes génitaux. Souvent, les seins des bébés, aussi bien garçons que filles, sont gonflés à la naissance. Si on les pressait, il en sortirait un liquide semblable au lait. C'est parce qu'une petite quantité de l'hormone qui provoquera la montée laiteuse chez la mère a passé à travers le placenta dans le sang du bébé avant la naissance, et stimulé le fonctionnement des glandes mammaires. Ne vous en inquiétez pas, et surtout n'y touchez pas. Dix jours après, les seins seront tout à fait normaux.

De même, si vous remarquiez dans les couches de votre petite fille quelques gouttes de sang, il ne faudrait pas vous affoler. Cette autre activité des glandes génitales, qui apparaît une fois sur vingt, disparaît également en quelques jours.
Ces phénomènes caractérisent ce que l'on appelle « la crise génitale du nouveau-né ».

Comment sera suivi le bébé après sa naissance
Comme vous l'avez vu au chapitre 10, à la maternité le bébé est examiné à la naissance par le médecin accoucheur ou la sage femme. Et, avant de partir, il est à nouveau examiné par un médecin. Ensuite, un certain nombre d'examens sont obligatoires au cours de la première année et des suivantes. Je vous en parle à la fin du *Mémento pratique*.

Faut-il allaiter ?

Je le disais en tête de ce livre car je pense que c'est un événement, l'allaitement maternel a gagné une bataille * dans la mesure où plus de 50 % des mères nourrissent leur bébé, au moins pendant les premières semaines.

J'en suis heureuse car j'ai toujours été partisan de l'allaitement maternel pour avoir constaté combien les bébés nourris au sein étaient beaux et épanouis, leurs mères heureuses, et que parmi celles qui avaient donné le biberon dès le premier jour, beaucoup regrettaient qu'on ne leur ait pas donné d'autre choix à la maternité.

Je ne profiterai pas pour autant de cette nouvelle tendance pour conseiller à tout prix à mes lectrices de nourrir leur enfant : je ne veux pas risquer de traumatiser les mères qui ne veulent ni ne peuvent allaiter. Ce serait dommage qu'un enfant en arrivant au monde donne des complexes à sa mère. Aussi je me contenterai ici d'exposer simplement les pour et les contre de l'allaitement maternel. Chaque mère fera son choix.

Arguments pour l'allaitement maternel

- Le lait de la mère appartient à l'enfant. Il est le seul aliment naturel, complet et parfaitement adapté à ses besoins. Il est facile à digérer, et les intolérances au lait de femme sont exceptionnelles. En plus, il est toujours à la bonne température.
- Il protège l'enfant contre certaines infections en lui transmettant les anticorps maternels. Il assure ainsi une protection naturelle au cours des premières semaines de la vie. Il est par ailleurs aseptique, n'apporte pas de microbes à l'enfant.
- L'allaitement maternel est facile et économique.
- Il favorise la naissance de liens affectifs profonds et inappréciables entre l'enfant et sa mère.
- Il est enfin profitable à la mère et favorise le retour à la normale de l'appareil génital. Il y a une connexion étroite entre les glandes mammaires et l'utérus. Lorsque l'enfant tète, il déclenche un réflexe qui provoque des contractions utérines. Celles-ci aident l'utérus à revenir à ses dimensions normales.

* Le mot peut sembler excessif, il ne l'est pas pour ceux qui ont entendu discuter partisans et adversaires de l'allaitement.

Arguments contre l'allaitement maternel

Les partisans de l'allaitement artificiel, qui sont en grande majorité des accoucheurs, réfutent la plupart des arguments précédents :

- La supériorité du lait de femme n'est plus aussi évidente depuis les progrès réalisés dans la fabrication des laits industriels. Leur composition peut varier en fonction des besoins et de la nature de chaque enfant.
- Le manque d'hygiène dans la préparation des biberons peut évidemment être une source d'infection pour l'enfant. Mais il est vrai aussi que les complications infectieuses du sein (lymphangite, abcès) qui se voient parfois chez les femmes qui allaitent, peuvent également infecter l'enfant.
- L'allaitement maternel n'est pas toujours facile quand la sécrétion lactée est insuffisante. Or, l'expérience confirme que dans notre civilisation moderne, les femmes ne sont pas toujours de bonnes nourrices.
- L'allaitement maternel n'est pas toujours compatible avec une reprise rapide de la vie normale ou d'une activité professionnelle. Il constitue une source supplémentaire de fatigue après l'accouchement. Enfin, l'apparition plus tardive du retour de couches peut gêner la mise en œuvre rapide d'un moyen de contraception.
- Enfin, les liens psychologiques entre la mère et l'enfant dépendent vraisemblablement plus de la présence maternelle que de l'allaitement proprement dit.

Faut-il allaiter ?

Et l'allaitement mixte ?

C'est le nom qu'on donne à l'alimentation moitié tétées, moitié biberons. On a recours à l'allaitement mixte pour remplacer pendant un temps, ou compléter, une sécrétion lactée insuffisante ou de mauvaise qualité.

Selon les cas, la mère peut être amenée :

- soit à compléter chaque tétée : cette technique a l'avantage d'entretenir la sécrétion lactée, mais elle nécessite une pesée de l'enfant avant et après chaque tétée pour calculer la dose de complément nécessaire. La durée de chaque repas est ainsi nettement allongée ;
- soit à remplacer une ou plusieurs tétées par un biberon.

L'allaitement mixte pourra être temporaire quand la sécrétion lactée subit une baisse passagère ou quand la mère doit interrompre provisoirement l'allaitement (complications infectieuses du sein par exemple). Il sera définitif quand la prise de poids de l'enfant est insuffisante, quand il a faim après les repas, quand son état de nutrition n'est pas satisfaisant.

L'allaitement abîme-t-il la poitrine ?

Beaucoup de jeunes mères posent la question. Je vais les décevoir : honnêtement, je ne peux répondre ni oui, ni non.
Pour certains médecins, ce n'est pas l'allaitement, mais la grossesse qui peut abîmer la poitrine, puisqu'elle provoque une augmentation suivie d'une diminution des glandes mammaires. En empêchant une diminution trop brusque de ces glandes, l'allaitement serait même plutôt bénéfique. Pour la même raison, arrêter la montée de lait sans précautions suffisantes peut abîmer la poitrine. Ce qui peut également l'abîmer, c'est de trop manger, d'avoir un régime engraissant (pâtisseries, etc.), ce qui est le cas chez beaucoup de femmes qui croient que, plus elles mangeront « riche », plus leur lait sera bon. C'est alors le poids de la graisse qui fait tomber les seins. Mais si l'on porte un bon soutien-gorge et si l'on a une alimentation équilibrée, on a les meilleures chances de retrouver sa poitrine d'avant la grossesse.
Cela dit, il y a des tissus plus fermes que d'autres. Certaines femmes ont allaité plusieurs enfants et gardent une poitrine parfaite. D'autres ont des seins tombants et vergeturés sans avoir jamais allaité. Et puis il y a la gymnastique faite avant l'accouchement, et le sport (la natation en particulier) qui contribuent à la fermeté des muscles soutenant les seins.
En conclusion, il est vraiment impossible d'établir un lien de cause à effet entre allaitement et poitrine abîmée.

Comment la femme qui travaille peut-elle allaiter ?

Les huit semaines de repos obligatoire — insuffisantes d'ailleurs — ne posent pas de problème. Après, la seule solution est de sevrer le bébé.
Mais il faut que les femmes réclament : un allongement du congé de maternité, et un salaire pour la femme qui allaite son enfant. Pour le moment, seule est prévue une petite allocation d'allaitement pour la femme qui nourrit son enfant ; vous le verrez dans le *Mémento pratique*.

Comment choisir ?

Il arrive que le choix soit imposé par des motifs d'ordre médical car il existe des contre-indications à l'allaitement maternel. Certaines raisons tiennent à la mère : maladies générales, aiguës ou chroniques ; causes locales, tels les seins ombiliqués : le mamelon ne fait pas saillie et ne peut être saisi par l'enfant.
D'autres contre-indications à l'allaitement tiennent à l'enfant : malformations des lèvres ou du palais (bec-de-lièvre). En revanche, pour le prématuré, le lait maternel est très conseillé.
Dans tous les autres cas, le choix reste possible entre allaitement maternel et allaitement artificiel.

Vous ne désirez pas allaiter? Ne vous forcez pas à tout prix. Il ne faut pas que ce soit une corvée. Pour l'enfant, il vaut mieux lui donner un biberon avec affection, que le sein avec répugnance : téter est un plaisir pour lui, et ce plaisir il ne faut pas le lui gâter en le nourrissant à contrecœur. Mais, si vous n'allaitez pas, donnez vous-même le biberon, au moins pendant les premières semaines. Plus encore que l'allaitement, ce qui compte pour le bébé, c'est d'avoir établi avec sa mère un lien étroit dès le départ. Et pour que ce lien soit bien établi, je vous donne quelques conseils au chapitre 16.
Vous désirez allaiter? Tant mieux, faites-le, mais attention : il faudra peut-être tenir bon contre le personnel de la maternité ou de la clinique, contre l'avis de vos amies qui n'ont pas allaité, mais aussi contre vous-même car les débuts exigent patience, persévérance et volonté.

Faut-il allaiter?

Pour terminer, je vous signale que si, même après cette lecture, vous avez de la peine à prendre une décision, vous pouvez commencer à allaiter, quitte à vous arrêter rapidement, ce qui est toujours possible. En revanche, si l'on a commencé à donner le biberon, on ne peut pas se mettre à allaiter quinze jours plus tard.
Je ne peux pas m'étendre plus longtemps sur ce sujet. J'en traite en détail : manière de donner le sein, débuts difficiles, régime de la maman (alimentation et vie quotidienne), soins des seins pour éviter les crevasses, sevrage, et aussi préparation des biberons, quel lait choisir, horaire et quantités, dans « J'élève mon enfant ».

Les suites de couches

Votre enfant est né

Après la naissance, que va-t-il maintenant se passer en vous? La grossesse et l'accouchement ont apporté de si profondes modifications à votre organisme qu'un délai de plusieurs semaines sera nécessaire pour que ces modifications s'estompent et disparaissent. De nombreux organes se sont déplacés et hypertrophiés. Ils vont peu à peu retrouver leur place et leur taille. Ainsi, par exemple, l'utérus qui pesait environ 1 500 grammes à la fin de la grossesse et faisait saillie dans l'abdomen, va, en six semaines, retrouver son poids normal (50 à 60 grammes) et sa situation dans le bassin. Parallèlement, le vagin et la vulve retrouvent leurs dimensions habituelles, les ovaires et les trompes reprennent leur place. Mais bien sûr, cette remise en place des différents organes va se produire progressivement.
C'est cette période de réadaptation qui dure six à huit semaines que l'on appelle les *suites de couches*. Elle se termine par la réapparition des règles : c'est le *retour de couches*.
Dans cette période des suites de couches, il faut distinguer :
● les huit premiers jours où vous serez à la maternité,
● les semaines suivantes où vous reprendrez peu à peu, chez vous, votre vie « d'avant ».

Vous êtes à la maternité

Pendant ces huit-dix jours, une de vos principales préoccupations devra être de bien vous reposer, de « récupérer ». Car si l'accouchement est un acte naturel, il est cependant fatigant. Rien ne s'opposera d'ailleurs à votre repos. Votre enfant sera soigné par des infirmières compétentes, et vous-même serez suivie par un médecin ou une sage-femme.

Quand vous lèverez-vous?

Nos grands-mères n'avaient le droit de mettre un pied à terre que vingt et un jours après l'accouchement. Aujourd'hui les médecins n'obligent plus les mères à un repos aussi absolu. Ils estiment en effet qu'un séjour prolongé au lit est affaiblissant, entraîne une atrophie des muscles, empêche la bonne circulation du sang* et par conséquent favorise l'apparition des phlébites**, enfin qu'il retarde le fonctionnement normal de l'intestin et de la vessie, fonctionnement toujours troublé après l'accouchement.

* On estime que, chez une personne couchée, la vitesse de circulation du sang dans les veines des membres inférieurs est réduite au 1/5 du chiffre normal.

** C'est-à-dire la stagnation du sang dans les veines des membres inférieurs et la formation de caillots dangereux, car si l'un d'eux se déplace, il peut provoquer une embolie.

Aussi recommandent-ils aux mères de rester au lit une dizaine de jours, mais de se lever progressivement tous les jours un peu plus longtemps. Certains accoucheurs font même faire quelques pas quelques heures après l'accouchement.
Mais attention, si ce lever précoce présente de grands avantages, il n'en nécessite pas moins les précautions suivantes :

- Vous vous lèverez progressivement ; la première fois, faites-le en présence de quelqu'un : parent, amis, infirmière, etc., et ne regardez pas vos pieds, vous risqueriez de tomber.
- Vous ne sortirez pas de votre lit pour vous asseoir sur une chaise ou rester debout, mais pour faire quelques pas. Ce n'est pas la station debout qui favorise la circulation, mais la contraction des muscles.
- A la suite du lever, vous vous reposerez, complètement allongée dans votre lit et parfaitement détendue.

Les suites de couches

Avec le lever précoce, on conseille en général quelques mouvements de gymnastique, qui ont également pour but d'activer la circulation et de fortifier les muscles. Vous trouverez ces exercices au chapitre 12 : exercices à faire après l'accouchement. Si le médecin est d'accord, vous pourrez les commencer dès le deuxième jour. Faites-les progressivement comme indiqué, et continuez-les pendant plusieurs semaines pour retrouver rapidement votre ligne. L'utilité des massages est discutée. Demandez son avis au médecin.
Votre mère sera peut-être étonnée, et vous le dira, que l'on ne vous bande pas le ventre. Cette pratique ancienne est inutile. C'est grâce à la gymnastique que vous retrouverez vos muscles et un ventre plat. Portez tout au plus, si vous en éprouvez le besoin, une petite gaine élastique pour vous lever.

Le retour de l'utérus à la normale

Dès les heures qui suivent l'accouchement, l'utérus commence à reprendre son volume normal. On dit qu'il s'involue. En même temps, il se débarrasse de la muqueuse qui entourait l'œuf : la caduque. Les débris de la caduque sont expulsés en même temps que le sang qui s'écoule de la plaie laissée par le placenta en se décollant : l'ensemble forme les *lochies*. D'abord fortement teintées de sang et abondantes, les lochies s'éclaircissent ensuite, et deviennent moins abondantes. L'écoulement dure cependant plusieurs semaines, parfois jusqu'au retour de couches. Il n'est pas rare d'observer un écoulement plus important vers le 12e, 15e jour après l'accouchement : c'est *le petit retour de couches*.

Chez les femmes qui ont déjà eu des enfants, les contractions de l'utérus après l'accouchement sont en général douloureuses pendant 4 à 5 jours, et souvent d'autant plus douloureuses que la femme a eu plus d'enfants. Ces douleurs que l'on appelle *tranchées*, et qui sont assez semblables aux douleurs des règles, sont souvent plus fortes lorsque le bébé tète à cause de l'étroite connexion qui unit les seins et l'utérus. Des calmants seront donnés pendant quelques jours si cela est nécessaire.

L'intestin et les urines

La constipation est fréquente après l'accouchement. Un laxatif doux, un petit lavement sont parfois utiles. De même, la formation d'un bourrelet d'hémorroïdes n'est pas rare. Il sera traité par des soins locaux.

Dans quelques cas, et surtout si l'accouchement a été difficile, la maman ne peut vider sa vessie. Cette rétention d'urines est toujours passagère mais peut nécessiter un sondage. Plus rarement, les urines ne peuvent être retenues et s'écoulent involontairement au moindre effort. Signalez ce fait anormal au médecin, mais ne vous inquiétez pas car cette incontinence d'urines guérit habituellement en quelques jours.

Votre enfant est né

La montée laiteuse

Pendant que certains organes régressent, d'autres se développent et s'apprêtent à entrer en fonction : ce sont les glandes mammaires. Même après la naissance, l'organisme ne se désintéresse pas de l'enfant qu'il a abrité. Il se tient prêt à le nourrir pendant quelques mois.

Deux ou trois jours après la naissance de votre enfant, vous sentirez vos seins se gonfler et durcir. Vous aurez l'impression qu'ils sont congestionnés : la peau se tend, les veines apparaissent très dilatées. Cette sensation d'inconfort s'accompagnera peut-être d'une légère hausse de votre température. Ne vous en inquiétez pas. Ces manifestations ne sont que les signes extérieurs et sensibles de la montée laiteuse. Vos glandes mammaires s'apprêtent à sécréter le lait. Voici comment :
Pendant la grossesse, ces glandes, sous l'action des ovaires et du placenta, se sont multipliées. De même, les petits canaux qui conduiront le lait au mamelon. L'hypophyse s'est mise à sécréter une nouvelle hormone, la *prolactine*, qui déclenchera la production du lait. Mais cette hormone n'est là qu'en attente. Elle n'agira que lorsque le placenta aura disparu. L'accouchement a lieu, le placenta est expulsé. Le sang transporte la prolactine de l'hypophyse aux glandes mammaires. Celles-ci se mettent alors à fonctionner. Les deux ou trois premiers jours, elles sécrètent un liquide jaunâtre, le colostrum, riche en albumine et en vitamines. Ce n'est que le troisième ou le quatrième jour que le lait apparaîtra.
Mais pour que l'hypophyse continue à produire de la prolactine, il lui faut un stimulant. C'est l'enfant qui, en tétant, stimulera l'hypophyse et assurera une production régulière de lait. C'est pourquoi, quand la maman a décidé d'allaiter, on n'attend pas la montée laiteuse pour mettre l'enfant au sein. En général, on fait téter le bébé pour la première fois dans les heures qui suivent l'accouchement ⋆. Le colostrum qu'il boit est d'ailleurs excellent pour lui. Il agit comme un léger purgatif et l'aide à se débarrasser du méconium qui se trouve encore dans ses intestins.

Si vous ne désirez pas allaiter, signalez-le au médecin. Vous recevrez alors un traitement destiné à éviter la montée laiteuse. On vous conseillera également de ne pas trop boire car l'eau augmente la production du lait. Le bandage serré des seins n'a aucune utilité. Il écrase les seins, ce qui les rend plus douloureux et favorise leur affaissement. Portez, par contre, un soutien-gorge normal.

⋆ Si la mère n'allaite pas, jusqu'à maintenant on ne donnait durant les premières 24 heures que quelques cuillerées d'eau sucrée. Actuellement, on commence l'alimentation lactée dès le premier jour.

Qu'allez-vous faire pendant ces journées passées à la maternité?

Tout d'abord, vous allez en profiter pour vous reposer. Vous en sentirez d'ailleurs le besoin. Et moins vous serez fatiguée en rentrant chez vous, mieux vous pourrez vous occuper de votre enfant, et plus vite vous pourrez reprendre une vie active.
Vous reposer sera d'ailleurs facile, car un personnel compétent et bienveillant vous déchargera de toutes les tâches matérielles, s'occupera et de vous et de votre bébé.
Vous allez aussi profiter de ces 10 jours pour vous distraire, et ne croyez pas que ce sera inutile ou futile : se distraire est en fait le meilleur moyen de se reposer, de se détendre. Lisez le roman que vous n'avez jamais eu le temps de lire, écoutez la radio, ou regardez la télévision si vous en avez une près de vous.
Vous recevrez des visites qui vous apporteront des nouvelles de l'extérieur ou celles des enfants que vous avez laissés chez vous (vous savez que les enfants de moins de 15 ans ne sont pas admis dans les maternités). Mais attention, ces visites risquent de vous fatiguer si elles sont trop nombreuses ou trop longues. Et elles risquent aussi de fatiguer votre bébé.
Et puis surtout, ces 10 jours vous allez les passer à faire connaissance avec votre enfant.
Autrefois, les nouveau-nés passaient leur huit jours de clinique à la nursery. Maintenant, de plus en plus, on les laisse dans la chambre de leur mère, pour la journée tout au moins. Si c'est le cas dans votre maternité, vous aurez donc tout loisir pour découvrir votre bébé, pour suivre ses progrès — vous verrez, ils sont très rapides.
Après chaque tétée, gardez votre bébé un moment près de vous avant de le recoucher : pas de meilleure occasion de faire connaissance que ce moment où le bébé, heureux d'être nourri, sourit s'il est dans les bras de sa mère, et découvre la béatitude.
L'infirmière (ou la puéricultrice) changera votre enfant devant vous. Suivez avec soin ses gestes pour apprendre à habiller votre enfant, et à lui faire sa toilette. Avant de quitter la maternité, quand vous serez assez reposée pour rester debout le temps nécessaire, changez-le vous-même devant l'infirmière, pour n'être pas prise au dépourvu quand vous serez seule.

Les suites de couches

Vous pouvez aussi pendant ces 10 jours commencer à rédiger le livre de bébé. Souvent, à la naissance, les mères reçoivent un bel album où texte et photos retraceront les premières années de la vie de l'enfant. En général, les premières pages sont remplies, puis le zèle tombe et l'on n'écrit plus rien. C'est dommage car un tel livre est un précieux souvenir et pour l'enfant (devenu grand) et pour les parents.
Sans même avoir un album à votre disposition, sur un simple cahier notez les événements — ou incidents — des premiers jours, collez les photos, et, si vous le pouvez, continuez par la suite *.
Vous reposer, vous distraire, faire connaissance avec votre enfant, voilà qui remplira largement vos journées et c'est ce qu'il faut. L'essentiel est de ne pas rester sans rien faire à regarder passer les heures. Vous garderez le meilleur souvenir possible de votre séjour à la maternité, et vous aurez ainsi d'autant plus de chances

* Mais ne confondez pas l'album de bébé avec le carnet de santé qui vous sera remis à la sortie de la maternité. Ce carnet est un document médical où sont notés poids, taille, vaccinations, maladies, changements d'alimentation, etc. Tous ces renseignements sont précieux. Rappelez-vous dès aujourd'hui qu'il faut apporter ce carnet au médecin chaque fois que vous le consulterez.

d'échapper à la petite dépression si fréquente à cette période. Je vous en reparlerai.

Vous rentrez chez vous

Votre enfant est né

Si vos suites de couches se déroulent normalement, vous pourrez rentrer chez vous au bout de huit à dix jours. Il se peut que vous ayez envie de rentrer plus tôt. Je ne vous le conseille pas. Vous ne trouverez sûrement pas chez vous le même repos et la même tranquillité d'esprit qu'à la maternité. Une fois rentrée chez vous, si vous le pouvez, tâchez de vous reposer encore pendant une dizaine de jours. Tant pis si dans la maison tout n'est pas impeccable. Mieux vous vous reposerez pendant les suites de couches, plus vite vous pourrez reprendre votre vie active sans fatigue excessive. N'essayez pas de forcer la nature : il faut six semaines à vos organes pour revenir à leur état normal, et environ deux mois à l'organisme pour qu'il retrouve complètement ses forces. Pendant cette période, évitez donc de vous fatiguer, ne montez pas trop d'escaliers, ne portez pas de lourdes charges, faites une bonne sieste après le déjeuner. L'idéal serait que vous ayez près de vous quelqu'un pour vous aider pendant les deux premières semaines, mère, belle-mère, amie, aide extérieure, etc.

Soins corporels

Les douches sont permises dès le lendemain de l'accouchement. Vous pourrez donc en prendre dès que vous en aurez envie. Les bains ne sont autorisés qu'à partir du 10-12e jour, à condition qu'ils ne soient pas trop prolongés, surtout si l'on vous a fait une épisiotomie.

Les soins locaux sont faits à la maternité. Vous les continuerez chez vous pendant huit à dix jours : 3-4 fois par jour, de préference avec de l'eau stérile. Par contre, les injections vaginales sont déconseillées.

Si vous allaitez, le médecin ou l'infirmière vous indiqueront les soins spéciaux pour les seins.

Les rapports sexuels et la contraception après l'accouchement

Les rapports sexuels peuvent être repris 3 à 4 semaines après l'accouchement. Il peut arriver, surtout si l'on vous a fait une épisiotomie, que les premiers rapports avec votre mari soient un peu douloureux. Ne vous en inquiétez pas car il ne s'agit que d'un incident passager. Tout rentrera dans l'ordre en quelques jours.

Certaines femmes n'ont pas hâte de reprendre les rapports sexuels. Je vous le signale car cette attitude est fréquente, mais transitoire. En ce qui concerne la contraception, je vous renvoie au chapitre 15, consacré à cette question.

Le retour de couches

Je vous l'ai dit, on appelle retour de couches les premières règles qui surviennent après l'accouchement. Habituellement, ces règles sont un peu plus abondantes et plus longues que les règles normales.

La date du retour de couches varie selon que vous allaitez ou non votre enfant.
Si vous nourrissez votre bébé, les mécanismes de la lactation bloquent le fonctionnement de vos ovaires. Il n'y a pas de règles pendant l'allaitement (et pratiquement jamais d'ovulation). Le retour de couches peut se faire attendre jusqu'à la fin de l'allaitement sauf si celui-ci était prolongé de nombreux mois, ce qui est maintenant exceptionnel.
En l'absence d'allaitement, le retour de couches se produit entre six et huit semaines après l'accouchement. Puis les cycles habituels reprennent, mais il n'est pas rare qu'ils soient légèrement perturbés pendant quelque temps.

La consultation post-natale
Ne considérez pas cette consultation comme une corvée qui vous est imposée par la Sécurité sociale.
Un examen gynécologique et un examen général sont en effet indispensables pour s'assurer que l'appareil génital et l'organisme tout entier ont retrouvé un état satisfaisant.
Le médecin ou la sage-femme vous donneront aussi les conseils nécessaires si vous avez gardé quelques ennuis après votre grossesse (varices, hémorroïdes, etc.)
La balance vous montrera souvent que vous avez gardé de votre grossesse quelques kilos en trop. Il faudra vous employer à les perdre (voyez plus loin).

Enfin, à l'occasion de cette consultation, vous pourrez aborder avec le médecin le problème de la contraception.

Votre régime pour retrouver la ligne

Vous avez hâte de retrouver votre ligne, et c'est bien légitime. Pour y parvenir, il vous faudra perdre environ 3 kg 500, chiffre correspondant à une femme de 1 m 60 pesant en temps normal 55 kilos, ayant pris 10 kilos pendant sa grossesse, et en ayant perdu un peu plus des deux tiers du fait de l'accouchement et des suites de couches.
Un peu de discipline alimentaire viendra facilement à bout de cet excédent de poids.
Mais il va de soi que si vous allaitez, tout régime amaigrissant devra être reporté à plus tard, à la fin de la période d'allaitement. Allaiter, en effet, c'est dépenser des calories : ce n'est donc pas le moment de vous les refuser.
Si vous n'allaitez pas, ou si vous n'allaitez plus, voici quelques conseils pour vous aider à retrouver rapidement votre taille et votre poids d'avant la grossesse :
L'excédent de poids dont vous devez vous défaire est représenté par de l'eau (pour un peu plus de la moitié), et par de la graisse. Il vous faut perdre l'une et l'autre.
Pour éliminer l'eau qui alourdit votre organisme, vous allez commencer par boire un peu moins, mais sutout par réduire le sel au minimum dans votre alimentation *. Vous aviez peut-

* Vous trouverez des conseils relatifs au régime sans sel au chapitre 3.

être pratiqué le régime sans sel pendant les six dernières semaines de votre grossesse : il serait raisonnable de poursuivre le régime pendant encore quelques semaines, jusqu'à ce que vous ayez retrouvé votre poids habituel.
Pour éliminer l'excès de graisse, vous serez presque aussi sévère à l'égard du sucre qu'à l'égard du sel : pas de pâtisseries, de bonbons, etc. Rationnez également le beurre, les sauces, les graisses animales, la charcuterie, etc. En revanche, vous veillerez à ce que votre alimentation soit riche en viande, œufs, fromages, légumes et fruits, et à ce qu'elle soit très variée. Reportez-vous au chapitre 3 où je vous dis ce qu'est une alimentation variée.

La gymnastique et les sports

L'exercice physique sera un excellent moyen pour vous aider à retrouver votre ligne. Mais n'en faites pas trop tôt, car il n'est pas bon de faire travailler des muscles nécessairement ramollis par la grossesse. Pour aller progressivement, reportez-vous à ce qui vous est indiqué chapitre 12 sous le titre : Les exercices à faire après l'accouchement.
Quant à une activité sportive, elle ne doit pas être reprise avant le retour de couches pour les femmes qui n'allaitent pas, avant la fin de l'allaitement pour celles qui allaitent. De toute manière, il ne faut pas faire de sports violents avant deux mois après l'accouchement.

N'ayez pas peur des «idées bleues»

Vous êtes rentrée chez vous ; vous avez retrouvé le cadre qui vous est familier ; votre enfant est installé dans le berceau que vous avez préparé avec amour. Vous avez toutes les raisons d'être heureuse et de voir la vie en rose. Il se peut au contraire que vous la voyiez en noir, et qu'une indéfinissable angoisse vous envahisse. Ne vous en inquiétez pas. Cette petite dépression est courante après l'accouchement. Il faut que vous le sachiez, pour ne pas vous faire un inutile souci. On l'appelle en France « le cafard des accouchées ». En Angleterre, le nom est plus joli : c'est le « blue feeling », « les idées bleues ».
Vous venez de subir un choc profond, au physique et au moral. Votre organisme tout entier a participé au travail considérable de l'accouchement. De grands changements ont dû se produire pour rendre cette naissance possible. Vous avez vécu une attente de neuf mois, dont le terme a été peut-être mêlé d'angoisse et d'énervement. Vous êtes encore fatiguée, et vous vous trouvez tout d'un coup seule responsable des soins à donner à cet inconnu, votre enfant, alors que, pendant votre séjour à la clinique, vous n'aviez eu ni ce souci, ni cette peine. Voilà pourquoi vous êtes peut-être inquiète, énervée, prête à pleurer, à prendre peur.

Pire : peut-être de folles idées vous passent-elles dans la tête, des idées que vous ne confieriez à personne.
Si le découragement vous saisit, ne restez pas seule. Appelez une amie pour vous tenir compagnie. Tâchez d'avoir quelqu'un qui s'occupera de votre enfant pendant les premiers jours, jusqu'à ce que vous soyez reposée et détendue. Je vous parle comme si vous étiez seule dans la vie et que cet enfant n'avait pas de père, mais le père, sauf situation exceptionnelle, est loin pendant la journée et effectivement, vous vous retrouvez seule en face de votre bébé, c'est cela qui parfois impressionne au début.
Cet état de dépression survient aussi bien chez les mamans toutes jeunes que chez des mères de famille nombreuse. Il est bien connu des médecins. Si vous en êtes victime, sachez qu'il disparaîtra comme il est venu. Vous aurez des moments de détente complète, auxquels succéderont des retours de cafard *. Cela peut durer quelques semaines, quelques mois à la rigueur, mais jamais plus de six mois, avec un mieux progressif. Puis, tout rentrera dans l'ordre. Si vous êtes vraiment déprimée, parlez-en au médecin sans aucune gêne ; il pourra vous comprendre et vous aider en vous donnant les remèdes indiqués dans votre cas.

N'ayez pas peur des « idées bleues »

Cet accouchement, vous l'avez attendu avec quelle impatience ! Et maintenant que cet enfant que vous avez abrité et protégé vous a quittée, vous avez peut-être l'impression d'un vide à la fois physique et moral ? C'est absolument normal. Je vous promets que toutes les mamans qui viennent d'accoucher ressentent cette impression, plus ou moins marquée. Et, à ce point de vue, il est certain qu'allaiter est une bonne chose : le vide semble se combler et le lien se renouer.
Et puis, vous craignez de ne pas savoir soigner cet enfant qui vous paraît si fragile ? Dites-vous bien qu'il est beaucoup plus solide que vous ne le croyez, que votre instinct sera plus fort que votre ignorance et vous guidera avec une sûreté dont vous serez vous-même étonnée. Ayez sous la main un bon livre de puériculture, et le numéro de téléphone d'un médecin.

Cette mélancolie d'après l'accouchement s'accentue lorsque la mère n'est pas envahie dès le premier jour par l'amour maternel. Si cela vous arrive, ne croyez pas que vous soyez une mauvaise mère. L'amour maternel n'est pas toujours un coup de foudre. Il ne se développe souvent que peu à peu, semaines après semaines. (Je vous en reparlerai d'ailleurs.) Vous n'en prendrez peut-être pleinement conscience que le jour où, pour la première fois, vous serez obligée de vous séparer de votre enfant.
En attendant, occupez-vous de lui avec joie. Prenez chaque jour un moment, après l'avoir baigné, nourri, changé, pour vous asseoir près de lui, lui parler, lui sourire. Ses yeux vous voient encore mal, mais son cœur vous entend. S'il pleure, ne fermez pas la porte de sa chambre, prenez-le dans vos bras. On vous dira que c'est une mauvaise habitude. Est-ce bien sûr ? Lorsqu'un bébé pleure, ce n'est pas toujours par caprice. Ses cris sont souvent des cris du cœur, : il réclame sa mère parce qu'il a besoin d'elle.
Vous serez largement récompensée de vos peines lorsque votre enfant vous adressera son premier sourire, et lorsque le premier

* Cafard en particulier au moment du sevrage qui est comme une deuxième séparation de l'enfant, et au moment du retour des règles.

mot que ses lèvres prononceront sera votre nouveau nom : Maman. Lisez ces quelques lignes de France Quéré, voilà ce qui vous attend : « Tu es là, et j'aime à te serrer dans mes bras, comme dans un songe. J'aime contenir ton épaule dans le creux de ma main, ton corps dans la courbe de mon bras. Voici : une conversation entre nous commence. Pendant des années nous allons bâtir ensemble le grand rêve exaucé ce matin. Notre imagination sera la reine, ta chambre le vert paradis. Nous rirons ensemble, nous jouerons, nous inventerons des histoires, notre vie sera poésie.

Si ce n'est pas le bonheur, cela, qu'on me dise comment ça s'appelle.* »

Votre enfant est né

* « La femme avenir » France Quéré. Éditions du Seuil 1976.

15.

La contraception

Vous venez d'accoucher et vous êtes toute à la joie de cette naissance. Vous souhaitez cependant, ne pas redevenir enceinte trop rapidement. Sur le seul plan médical, les grossesses rapprochées ne sont pas conseillées, car elles fatiguent anormalement une femme.

Qu'est-ce que la contraception?

Ces problèmes de contraception, il faudra les aborder avec le médecin lors de la consultation post-natale. Il est toutefois utile que vous connaissiez auparavant les arguments qui sont ceux de la plupart des médecins et qui vous aideront pour votre choix. Vous aurez d'ailleurs quelques semaines pour y réfléchir et en parler avec votre mari. Pendant les suites de couches, en effet, peu de méthodes sont applicables, ainsi que je vous l'expliquerai plus loin. Ce n'est qu'après le retour de couches que le choix vous sera véritablement offert entre les différents procédés actuels de contraception.

Qu'est-ce que la contraception ?

Les moyens de contraception (ou anticonceptionnels) sont ceux qui permettent au couple d'avoir des rapports sexuels sans que puisse survenir une grossesse. Il ne faut pas confondre la contraception avec deux autres moyens d'éviter les naissances :

- l'interruption de la grossesse à son début, c'est-à-dire l'avortement provoqué ;
- la stérilisation : intervention chirurgicale pratiquée soit chez la femme (ligature des trompes), soit chez l'homme (ligature des canaux déférents) et qui est pratiquement toujours définitive.

Une des caractéristiques de la contraception est en effet de pouvoir être interrompue, à la demande, quand le couple le souhaite. Nous reviendrons sur ce point.
Vous savez peut-être que le désir de limiter les naissances remonte à la plus haute antiquité. Mais les moyens étaient très incertains et il n'y a guère plus d'une vingtaine d'années que sont apparues des méthodes vraiment efficaces dont je vais vous parler.

Auparavant, je voudrais vous préciser que les médecins jugent les qualités d'une méthode de contraception en fonction d'un certain nombre de critères. Ce sont :

● **l'efficacité.** On l'exprime habituellement en pourcentage d'échecs. Toutes les méthodes n'ont pas la même efficacité bien que les chercheurs du monde entier essayent de rendre chaque méthode aussi efficace que possible ;
● **l'acceptabilité.** Elle varie avec chaque individu. Telle femme répugne à prendre la pilule, tel homme à utiliser des préservatifs ;
● **l'inocuité.** Une méthode de contraception ne devrait faire courir aucun risque de santé à la femme, à l'homme ou à l'éventuel enfant à venir ;
● **la réversibilité.** La méthode de contraception doit pouvoir être interrompue quand le couple souhaite un nouvel enfant. Sa fécondité ne doit pas être compromise, c'est pourquoi il est difficile d'envisager la stérilisation comme une méthode de contraception.

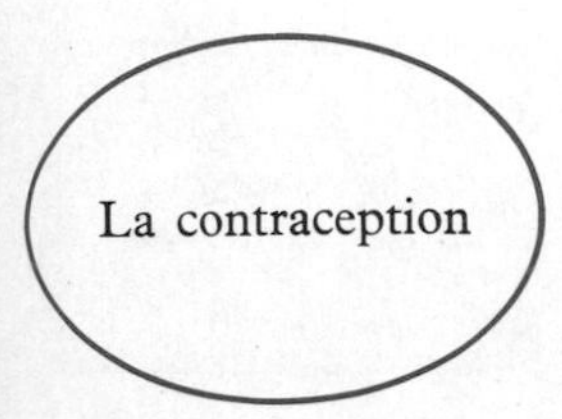

Tout moyen de contraception a pour but d'empêcher la fécondation, c'est-à-dire la rencontre de l'ovule et des spermatozoïdes. Certains s'adressent à l'homme, d'autres à la femme.

La contraception masculine

Pendant longtemps, elle a été la seule pratiquée car la seule efficace. Deux méthodes restent largement utilisées : le retrait (ou rapport interrompu) et le préservatif.

Le retrait

La méthode consiste à interrompre le rapport avant l'émission des spermatozoïdes (ou éjaculation).
Elle a l'avantage de ne rien coûter, de ne nécessiter ni préparation, ni recours à un quelconque instrument. Selon certaines études, elle reste la méthode la plus utilisée en France.
Elle donne satisfaction à de nombreux couples. On peut toutefois lui reprocher :
● son efficacité relative : 15 à 20 % d'échecs ;
● sa difficulté d'emploi pour certains hommes qui n'apprécient pas la discipline et le contrôle qu'elle réclame. Elle n'est guère à conseiller chez les jeunes, inexpérimentés, et chez ceux qui ont des difficultés sexuelles ;
● son retentissement parfois sur l'équilibre du couple. Le retrait peut perturber l'harmonie sexuelle, et entraîner un sentiment de frustration chez l'un ou l'autre partenaire, notamment chez la femme.
De plus en plus nombreux sont les couples qui ne s'en satisfont plus et viennent demander au médecin des conseils pour changer de méthode.

Le préservatif

Le préservatif masculin reste, lui aussi, très utilisé en France. Les premiers ont pourtant été fabriqués en Angleterre, au XVIIIe siècle, avec de l'intestin de mouton. Actuellement les préservatifs sont faits en latex, souvent lubrifiés et, pour certains, parfumés. Leur efficacité est bonne puisque les échecs ne dépassent pas 5 à 8 %. Il faut détruire une légende qui veut que ces échecs soient dus à des préservatifs défectueux. En fait, ils subissent un contrôle de fabrication qui les met à l'abri des imperfections. Les échecs s'expliquent plutôt par une mauvaise utilisation et notamment par l'emploi de préservatifs à la seule période présumée féconde du cycle, celle-ci étant mal calculée.
Certains couples répugnent à utiliser les préservatifs pour des raisons essentiellement psychologiques. Nombre d'utilisateurs restent pourtant fidèles à leur emploi. Il faut ajouter que les préservatifs représentent une méthode facile de « dépannage » lorsque telle ou telle autre méthode, peut-être plus séduisante, n'est pas momentanément applicable : les suites de couches par exemple. En effet il est peu recommandé de faire poser un stérilet ou de prendre la pilule avant le retour de couches comme vous le verrez plus loin.

La contraception féminine

Les méthodes efficaces de contraception féminine n'ont guère plus de vingt ans. C'est leur apparition et surtout leur perfectionnement qui ont entraîné dans ce domaine le véritable bouleversement que vous connaissez.
Si l'on excepte la douche vaginale (dont l'efficacité est quasi nulle) et les spermicides (produits qui tuent les spermatozoïdes) dont l'efficacité, employés seuls, est plus qu'aléatoire, il existe quatre méthodes de contraception féminine : l'abstinence périodique, le diaphragme, le stérilet, la pilule.

La méthode de la température

Elle mérite de figurer dans les méthodes de contraception féminine puisque c'est la femme qui reconnait ses périodes de fécondité, mais elle concerne en fait le couple puisqu'elle consiste à n'avoir de rapports sexuels que lorsque la femme est certainement inféconde.
Je vous ai expliqué au chapitre 1 comment la méthode des températures est utilisable pour celles qui désirent un enfant. Je vous en reparle ici car elle est également utilisable comme méthode contraceptive. En effet, dans un cas comme dans l'autre, la femme cherche à connaître ses périodes de fécondité et de stérilité.

Pour ce faire, vous pouvez employer la méthode Ogino (du nom du médecin japonais qui l'a préconisée). Elle consiste à calculer la date approximative de l'ovulation avec un simple calendrier.
Les médecins la déconseillent car elle a donné plus de grossesses qu'elle n'en a évitées.
C'est à votre thermomètre qu'il faut faire confiance. Je vous ai expliqué au chapitre I comment vous pouvez repérer la date de l'ovulation. Celle-ci connue, vous pouvez considérer que vous êtes féconde :

- 5 jours avant l'ovulation car les spermatozoïdes peuvent rester vivants plusieurs jours après un rapport ;
- 3 jours après l'ovulation. L'ovule meurt certainement au bout de 24 heures, mais on rajoute 48 heures de sécurité.

C'est donc pendant ces 8 jours qu'il faut vous abstenir de tout rapport sexuel.
Ce laps de temps ne correspond pas à celui qui est indiqué p. 26, il est nettement plus long, mais c'est compréhensible : si l'on veut éviter une grossesse, il faut compter plus large.
Ainsi comprise la méthode de la température a des avantages incontestables. Elle est parfaitement naturelle et exclut tout artifice mécanique ou chimique. Elle est d'autre part la seule approuvée par l'Eglise Catholique.

L'efficacité de la méthode de la température dépend de la manière dont on interprète et on utilise cette méthode.
La température doit être prise de manière régulière et constante. En effet, si quelques courbes vous font penser que l'ovulation se produit, par exemple, le 14e jour, vous ne pouvez en conclure qu'il en sera toujours de même. Un changement de climat, les vacances, un choc affectif, une maladie peuvent faire avancer ou reculer l'ovulation et aboutir à un échec.
Il faut n'avoir de rapports que dans la période qui suit l'ovulation. Je vous ai dit plus haut que la période fertile commence 5 jours avant l'ovulation.
Cela laisse supposer que, avant cette date, vous pouvez avoir des rapports sans risques. Or, c'est généralement vrai mais pas toujours. Je viens de vous expliquer en effet que l'ovulation peut parfois être avancée. Si cela doit arriver, il n'y a aucun moyen de le prévoir. La date de l'ovulation ne peut être connue avec certitude que quand elle a eu lieu, mais pas avant.

Appliquée avec rigueur (température prise régulièrement, rapports uniquement après l'ovulation) la méthode de la température est d'une efficacité presque absolue. Dans les autres cas, le taux d'échec atteint 10 % au moins.
Les inconvénients de la méthode tiennent :

- au refus de certaines femmes de prendre régulièrement leur température, ce qu'elles considèrent comme une servitude ;
- à la difficulté d'interpréter correctement certaines courbes (15 % d'entre elles sont ininterprétables) ;
- et surtout à la limitation de l'activité sexuelle à une période très courte du cycle. Cette contrainte est souvent mal acceptée.

Le diaphragme

C'est un appareil en caoutchouc, en forme de petite coupe, que la femme place elle-même dans le vagin avant chaque rapport. Il forme ainsi, devant le col, un obstacle à l'ascension des spermatozoïdes. On le recouvre d'une crème ou d'une gelée spermicide afin de doubler la barrière mécanique d'une protection chimique.

Les diaphragmes sont vendus librement en pharmacie mais c'est le médecin qui vous donnera les conseils pratiques pour la mise en place de l'appareil, et vous indiquera la taille qu'il faut acheter (elle n'est pas la même pour toutes les femmes).

L'efficacité de la méthode est bonne. Les échecs sont de l'ordre de 8 %. Ils sont habituellement dûs :

- soit à une erreur d'utilisation. Ainsi, par exemple, le diaphragme doit être laissé en place au moins 8 heures après le rapport ;
- soit à une mise en place défectueuse. Il est indispensable que vous fassiez contrôler par le médecin que vous mettez correctement votre diaphragme ;
- soit enfin (comme pour le préservatif masculin) à un usage intermittent aux seules périodes présumées fécondes, avec les incertitudes que cela comporte.

Les avantages du diaphragme sont incontestables. Il est, là encore comme le préservatif, d'une totale inocuité et ne fait courir aucun risque à la santé.

Ses inconvénients peuvent tenir :

- soit à l'impossibilité d'une mise en place correcte, pour des raisons locales (rétroversion de l'utérus, relâchement des muscles du périnée par exemple) ;
- soit, de la part de certaines femmes, au refus des manipulations locales nécessaires, qui leur déplaisent ;
- soit enfin à la perception du diaphragme par le mari qui invoque une gêne. Celle-ci correspond presque toujours à un refus psychologique.

Le stérilet

C'est un petit appareil en plastique qui se place à l'intérieur de l'utérus. Connu depuis l'antiquité, le stérilet doit en fait son dévelloppement à l'apparition des matières plastiques : elles ont rendu son insertion facile et sa tolérance excellente. Il en existe actuellement de nombreux modèles de formes très variées.

Un examen gynécologique est indispensable avant la mise en place de l'appareil, afin de dépister les affections locales qui contre-indiquent son emploi : infections du col ou des trompes, polypes, fibromes, etc...

L'insertion du stérilet ne peut être pratiquée que par un médecin ; en revanche, elle ne nécessite ni hospitalisation ni anesthésie. Elle se fait, de préférence, à la fin des règles. Au stérilet est attaché un fil qui sort du col et que vous pouvez sentir dans le vagin avec le doigt. Ceci vous permet de contrôler que votre stérilet est bien en place. S'il est bien toléré, il peut être gardé au moins deux à trois ans.

L'efficacité est très grande. Avec les stérilets « classiques », les échecs sont de 2 à 4 %. Depuis peu, on inclut dans le stérilet une petite quantité de cuivre qui permet d'abaisser ce taux à 1 ou 2 %, et sur ce petit pourcentage de grossesses non désirées, on compte encore 10 à 15 % d'avortements spontanés. Mais si la grossesse se poursuit, elle évolue normalement et il n'y a pas à craindre de malformations pour le bébé.

L'avantage majeur du stérilet est de ne nécessiter aucun soin particulier, aucune précaution et de permettre ainsi à la femme d'oublier qu'elle utilise un moyen de contraception.
Il a toutefois aussi des inconvénients :

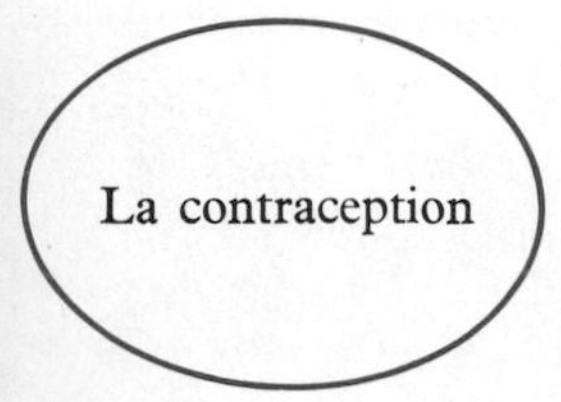

- dans 10 à 15 % des cas, le stérilet n'est pas supporté. Il est expulsé de l'utérus ou encore entraîne des pertes de sang permanentes qui obligent à le retirer. (Il faut savoir en revanche que de petites pertes sont fréquentes dans les semaines qui suivent la mise en place) ;
- beaucoup plus rarement, on peut voir se développer une infection au niveau de l'utérus ou des trompes ;
- exceptionnellement, on a décrit des perforations de l'utérus.

Malgré leur rareté, l'existence de ces complications pousse un certain nombre de médecins à déconseiller le stérilet aux jeunes femmes qui n'ont jamais été enceintes, ou à celles qui désirent d'autres enfants, en raison du retentissement éventuel sur leur fertilité ultérieure.

La pilule

Tout a été dit et écrit sur la pilule, y compris de nombreuses bêtises. Que devez-vous réellement en penser?
La pilule est un médicament composé de deux hormones normalement secrétées par l'ovaire : la folliculine et la progestérone. On utilise des hormones synthétiques, fabriquées chimiquement, ce qui permet un prix de revient peu élevé. Il existe en fait deux variétés de pilules. Dans la pilule « classique » chaque pilule contient à la fois de la folliculine et de la progestérone. C'est la plus utilisée. Les produits dits « séquentiels » comprennent deux sortes de pilules à prendre successivement : les premières ne contiennent que de la folliculine ; seules les cinq à six dernières du mois renferment à la fois les deux hormones. Cette variété est moins utilisée que la pilule classique.

Comment agit la pilule?

Pour empêcher la fécondation, la pilule agit par trois mécanismes distincts :
- le plus important est le blocage de l'ovulation ;
- mais la pilule agit aussi sur la muqueuse utérine (endomètre) qui devient mince, atrophique et impropre à la nidation ;
- enfin, elle modifie la glaire du col à travers laquelle les spermatozoïdes ne peuvent plus ascensionner.

Sur ordonnance seulement

Vous ne pouvez prendre la pilule sans l'avis (et sans une ordonnance) du médecin. C'est à lui de choisir parmi les nombreuses marques celle qui vous conviendra le mieux.

La plupart des pilules sont présentées en boîtes ou en plaquettes de 21 comprimés. Vous devez prendre le 1er comprimé le 3e jour des règles, et prendre ensuite un comprimé chaque jour pendant 21 jours. Peu importe le moment de la journée, à condition que ce soit régulièrement à peu près à la même heure afin d'éviter les oublis.
Lorsque les 21 comprimés ont été pris, vous arrêtez le traitement pendant 7 jours. Vos règles arriveront (quel qu'ait été votre cycle auparavant) pendant cette période. Elles seront souvent moins abondantes qu'habituellement.
Le huitième jour, vous entamez une nouvelle plaquette et vous recommencez un traitement de 21 jours.
En cas d'oubli d'une pilule, il est préférable d'en prendre deux le lendemain. Toutefois, l'oubli d'une seule pilule n'entraîne en règle générale aucune conséquence. Si, en revanche, vous oubliez deux jours consécutifs (ou a fortiori davantage), il est préférable d'arrêter de prendre la pilule, d'éviter les rapports sexuels, et de recommencer une nouvelle plaquette le troisième jour des règles.

Vous pouvez avoir des rapports sans risques dès le premier jour de pilule. Il est évident que vous êtes à l'abri d'une grossesse même pendant les 7 jours d'interruption entre deux plaquettes.
Vous pouvez prendre la pilule pendant plusieurs années à condition de vous soumettre à un examen médical de contrôle au moins une fois par an. C'est seulement aux femmes très jeunes que l'on conseille un arrêt de un à deux cycles tous les 12 à 18 mois.

Avantages de la pilule

Son avantage majeur est l'efficacité, qui est pratiquement absolue, au moins pour la pilule « classique ». Les exceptionnelles grossesses observées sont la conséquence d'un oubli. En revanche, l'efficacité de la pilule « séquentielle » est un peu moins grande. C'est pourquoi on la réserve habituellement aux femmes qui ne supportent pas la pilule classique.
D'autre part, de nombreuses femmes apprécient la simplicité et la facilité de ce mode de contraception qui les libèrent de toute action locale et permet de disssocier la contraception de l'acte sexuel.

La pilule est-elle dangereuse?

C'est dans ce domaine que l'on a dit et écrit le plus d'erreurs, au point de créer, chez certaines femmes, une véritable psychose de la pilule.
Quand on parle des risques de la pilule, il faut distinguer les incidents et les accidents.

Les incidents. Décrits surtout avec les premières pilules, ils sont devenus moins fréquents avec les pilules moins dosées. Il peut s'agir :
- de troubles digestifs : nausées, vomissements, « crises de foie » qui rappellent beaucoup les symptômes de début d'une grossesse ;
- de troubles nerveux : angoisse, nervosité, irritabilité qui apparaissent surtout chez les femmes à tendance dépressive ;
- de gonflement des seins ;
- de petites pertes de sang entre les règles.

Aucun de ces ennuis n'est grave. Ils disparaissent presque toujours spontanément au bout de 2 ou 3 cycles de traitement. Il est rare qu'ils nécessitent un changement de pilule. D'ailleurs, pour beaucoup d'entre eux, ils semblent moins traduire une intolérance à la pilule qu'un refus psychologique inconscient de ce moyen de contraception.
Une prise anormale de poids est particulièrement redoutée par de nombreuses femmes. En fait, les nouvelles pilules faiblement dosées n'ont pratiquement aucune influence sur la ligne. Tout au plus la pilule peut-elle être accusée dans les premiers mois d'augmenter l'appétit.
Contrairement à ce que l'on a dit, la pilule n'a pas d'action sur la chute des cheveux. Elle a plutôt une action favorable sur l'acné. Elle est parfois responsable de l'apparition d'une pigmentation anormale, identique au masque de la grossesse, qui ne disparaît qu'avec l'arrêt du traitement.

Les accidents. On a accusé la pilule de donner le cancer. Toutes les statistiques sont formelles sur ce point : on n'observe pas plus de cancers utérins ou de cancers du sein que dans la population générale. En revanche, l'existence d'une lésion suspecte est une contre-indication à l'emploi de la pilule.
Le seul véritable risque de la pilule est vasculaire : c'est celui de thrombose, c'est-à-dire de formation de caillot dans les veines ou les artères. Ce risque est statistiquement minime, 1 pour 50 000 à 1 pour 100 000, mais il n'est pas niable. Il semble d'ailleurs plus fréquent chez les femmes qui présentent des anomalies des graisses du sang. C'est pourquoi la surveillance médicale des femmes prenant la pilule doit comprendre une prise de sang au moins une fois par an.

Que se passe-t-il à l'arrêt de la pilule?

Il faut savoir d'abord que le premier cycle qui suit l'arrêt de la pilule est souvent anormalement long avec une ovulation retardée. Si vous ne souhaitez pas être enceinte, prenez donc d'autres précautions que vos précautions habituelles de dates. Vous risqueriez d'être surprise. Ce sont d'ailleurs ces troubles de l'ovulation avec risques de grossesse qui sont à l'origine d'une légende : vous n'êtes pas plus féconde après l'arrêt de la pilule.
Si vous souhaitez devenir enceinte, n'ayez aucune inquiétude :
- la pilule n'a aucune action sur l'enfant à venir. Les enfants malformés ne sont pas plus nombreux que chez les autres femmes ;
- la pilule n'a jamais augmenté le nombre de grossesses gémellaires.

Il est cependant préférable d'attendre trois cycles pour que l'appareil génital ait retrouvé ses caractéristiques normales.

En conclusion, on peut dire que la pilule ne mérite certainement pas les nombreux reproches qui lui ont été faits. Elle est parfaitement tolérée dans plus de 95 % des cas, et la peur qu'éprouvent certaines femmes n'est pas du tout justifiée.

Le choix d'un moyen de contraception

Comme je vous l'ai dit au début de ce chapitre, les mêmes choix ne vous sont pas offerts avant et après le retour de couches.

Dans la période des suites de couches

Je vous rappelle d'abord qu'il est souhaitable de ne reprendre les rapports sexuels que trois à quatre semaines après l'accouchement. D'autre part, au contraire de ce que croient de nombreux couples, les suites de couches ne représentant pas une période toujours infertile. Certes, il est rare de voir survenir une ovulation (surtout chez les femmes qui allaitent), mais ce n'est pas absolument impossible. Aussi devez-vous prendre des précautions pour ne pas être enceinte.
Certaines méthodes ne sont pas applicables :
- il est impossible d'utiliser un diaphragme tant que les organes génitaux ne sont pas revenus à la normale ;
- on a tenté de placer des stérilets dans les jours suivant l'accouchement, mais on a observé un grand nombre de complications (perforations utérines, rejets du stérilet) et un taux important d'échecs (grossesse) ;
- il n'est pas souhaitable de prendre la pilule. Elle peut perturber le jeu hormonal normal, la survenue du retour de couches, l'allaitement, et nuire à l'enfant si vous le nourrissez.

Que vous reste-t-il ?
- l'établissement de votre courbe de température (voyez au 1er chapitre). Vous ne devrez avoir de rapports qu'après l'élévation de température marquant l'ovulation. L'inconvénient de cette méthode est que, si vous n'avez pas d'ovulation jusqu'au retour de couches, vous ne pourrez avoir de rapports pendant cette période ;
- le rapport interrompu ;
- le préservatif masculin.

Après le retour de couches

Tous les choix vous sont offerts, mais vous devez savoir qu'il n'est pas toujours facile de choisir un moyen de contraception.
Aucune des méthodes actuelles n'est parfaite. Si le moyen de contraception idéal existait, il resterait seul car les autres seraient abandonnés. Tous ont des avantages et des inconvénients, et

votre choix sera la conséquence d'un compromis entre les avantages et les inconvénients.
Je dis votre choix car c'est au couple que vous formez avec votre mari de choisir, et non au médecin.
Bien sûr, il est indispensable que vous ayiez avec lui une conversation et qu'il vous examine. Mais son rôle est essentiellement de vous informer des moyens qu'il peut mettre à votre disposition.
Ce n'est que rarement qu'il aura à vous déconseiller pour des raisons médicales qui vous sont propres, tel ou tel moyen de contraception. Par exemple, il ne vous prescrira pas de pilule si vous avez des antécédents de phlébite ; il ne vous mettra pas de stérilet si vous avez un fibrome.
Dans les cas (les plus fréquents) où vous n'avez ni maladie générale, ni maladie locale, tous les choix vous sont offerts. Les critères de choix vous sont en effet personnels ; ils dépendent du nombre de vos enfants, de votre situation matérielle, de votre vie sexuelle, de votre caractère, de votre psychologie.

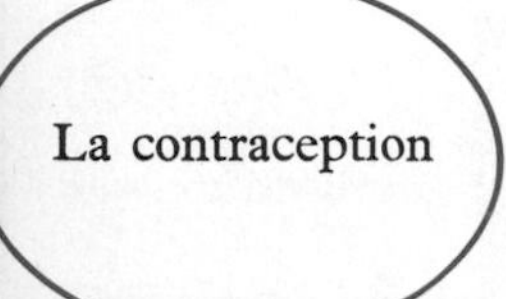

En fait, dans de nombreux cas, ce qui rend le choix difficile, c'est moins l'hésitation entre les avantages et les inconvénients des différents moyens de contraception, qu'une certaine réticence profonde (et inconsciente) à la contraception elle-même. Les causes de cette résistance sont nombreuses et complexes et je me contenterai d'en citer quelques-unes : peur du caractère éventuellement nocif de la contraception (de nombreuses campagnes de presse ont semé le doute dans l'esprit des femmes), complexe de culpabilité devant la possibilité d'avoir une vie sexuelle sans risques, etc... Il est nécessaire de prendre conscience des raisons profondes de ces réticences.

La contraception de demain

L'absence actuelle du moyen idéal de contraception, la place que celle-ci prend progressivement dans la vie de la femme moderne et, il faut bien le dire, l'importance des intérêts financiers mis en jeu, tous ces facteurs font que, dans le monde entier, on cherche à mettre au point des techniques plus efficaces ou mieux tolérées que celles dont nous disposons actuellement.
Ces recherches se font dans des directions très variées et il est bien difficile de dire aujourd'hui ce que sera la contraception de demain.
Les stérilets ont déjà été très améliorés depuis vingt ans. L'adjonction de cuivre en a augmenté l'efficacité. On propose maintenant d'y ajouter des hormones (de la progestérone notamment).
On essaye également de placer dans le vagin des anneaux libérant les hormones absorbées par la muqueuse vaginale et bloquant l'ovulation.

Dans le domaine hormonal, les recherches sont extrêmement nombreuses. Les principales d'entre elles concernent :

- l'amélioration de la pilule actuelle. Mais on ne peut diminuer indéfiniment les doses d'hormones car l'efficacité ne serait plus absolue ;
- la pilule du lendemain. Elle n'existe pas vraiment mais il est certain que de fortes doses d'hormones administrées après la fécondation et avant la nidation peuvent empêcher la grossesse. L'importance des effets secondaires fait que l'on ne peut employer cette méthode qu'à titre exceptionnel ;
- la pilule du mois ou du trimestre : elle repose sur le même principe que la pilule actuelle, mais les hormones sont administrées en injections intra-musculaires. Elle est en expérimentation dans certains pays ;
- l'administration de produits agissant comme des anti-hormones dont l'action s'opposerait aux hormones responsables de la grossesse. Il est impossible de prévoir l'avenir de cette méthode.

Chez l'animal, on a pu immuniser la femelle contre les spermatozoïdes du mâle. Il faudra de nombreuses années pour arriver au même résultat chez la femme.

Le choix d'un moyen de contraception

Chez l'homme, on connaît de nombreux produits capables d'inhiber la spermatogenèse, c'est-à-dire la production de spermatozoïdes. Ils ne sont pas actuellement d'un emploi courant, et il est peu vraisemblable que les hommes, qui confondent si souvent fertilité et virilité, acceptent facilement de se soumettre à de tels traitements. On a également essayé chez l'animal d'obstruer momentanément les canaux déférents avec des substances à base de silicones ou des appareils rappelant le stérilet.

En fait, aucune de ces méthodes ne semble susceptible d'avoir des applications pratiques dans un avenir proche, et vous n'avez pour le moment à votre disposition que les moyens que je vous ai décrits plus haut.

16.

Un enfant s'attend à deux

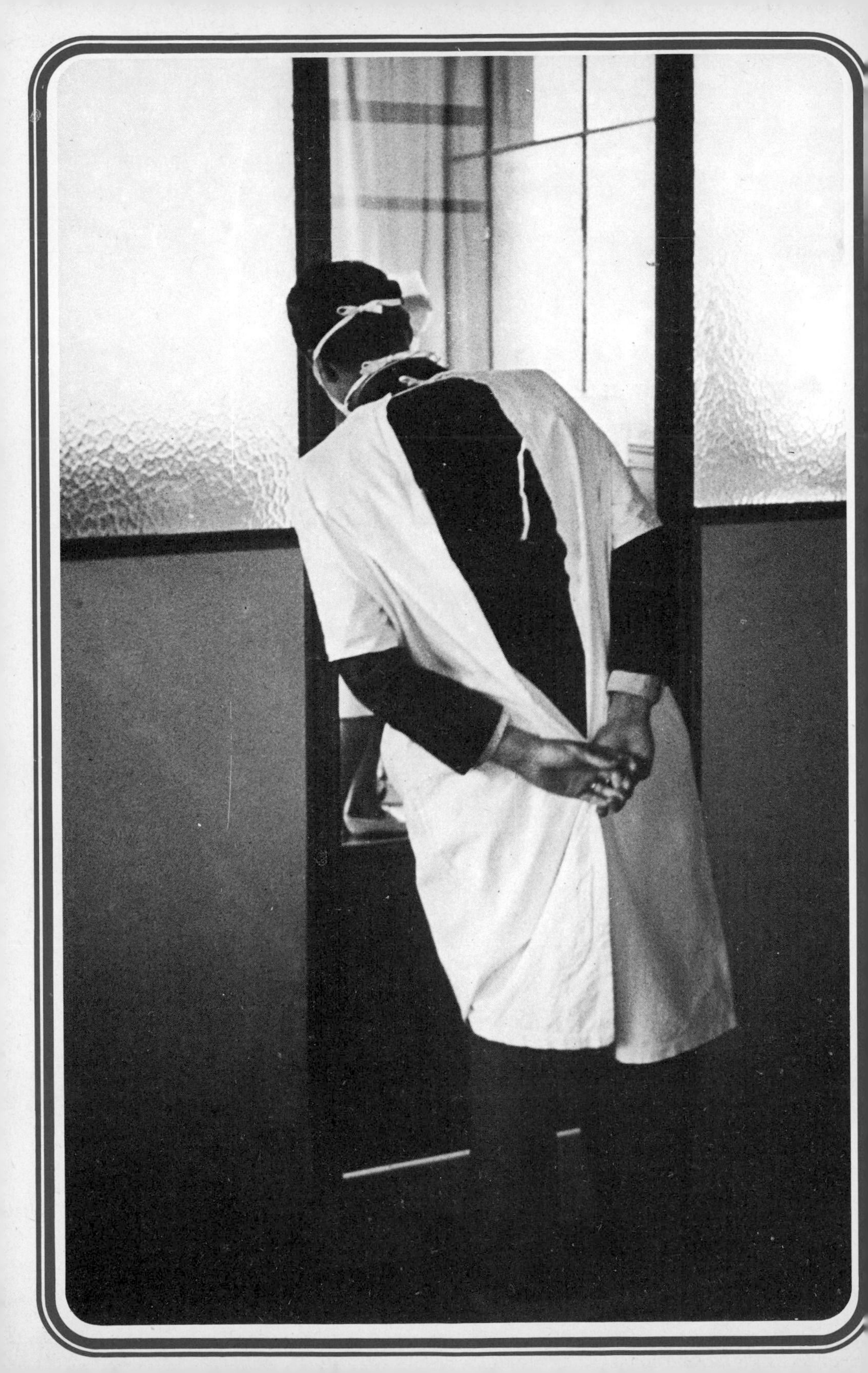

Un enfant s'attend à deux. C'est une phrase qui peut paraître évidente mais elle gagne à être approfondie : attendre à deux, cela veut dire connaître les pensées de l'autre. Pour le futur père, être averti des changements psychologiques qui se produisent chez une femme qui attend un enfant, et réciproquement. Sans cette connaissance, il est difficile de comprendre, et si l'on ne comprend pas, on ne peut partager. Il est également difficile d'aider si nécessaire.
Or une future mère ne dit pas toujours à son mari ce qu'elle pense, parfois elle s'étonne elle-même de certaines de ses réactions. C'est également vrai pour son mari.
C'est pourquoi, je voudrais vous parler un peu de l'état d'esprit d'une femme qui attend un enfant, et de celui du futur père.

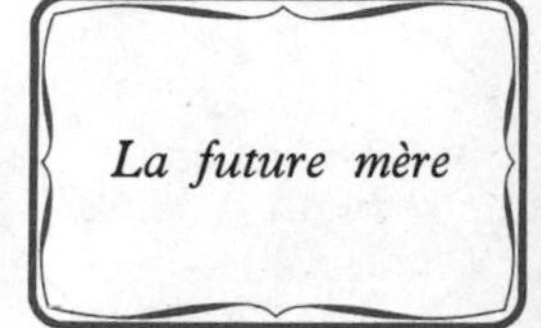

La future mère

Avant de parler de la psychologie de la future mère, il faut prendre certaines précautions.
Il y a des femmes qui en devenant enceintes changent complètement. Il y en a d'autres chez qui la maternité semble ne rien changer : ni le caractère ni le comportement. C'est pourquoi vous estimerez peut-être, en lisant ce chapitre, que nous avons trop insisté sur telle ou telle particularité de la future mère, ou au contraire que nous l'avons insuffisamment mise en valeur. La psychologie n'est pas une science exacte ; chaque femme a sa manière à elle de devenir mère, manière qui dépend de son âge, de son éducation, de son entourage, de son caractère. Mais hormis les extrêmes, signalés plus haut, d'une manière générale une future mère a une psychologie particulière qui évolue avec les mois. Cette évolution est d'ailleurs, et c'est normal, si intimement liée à l'évolution physique, que l'on peut, sans crainte de vouloir systématiser, diviser la grossesse au point de vue psychologique en trois trimestres, exactement comme on la divise en trois trimestres du point de vue physiologique.

Le premier trimestre est un trimestre d'incertitude et d'adaptation. Incertitude d'abord en attendant le diagnostic du médecin. (D'ailleurs, même lorsqu'une femme sait qu'elle attend un enfant, elle n'en sera vraiment convaincue que lorsque, cet enfant, elle l'aura senti vivre en elle.)

Incertitude aussi de ses sentiments. Une femme très heureuse d'être enceinte hésite, au début, entre la joie et la crainte. Pas encore crainte de l'accouchement, mais peur de l'inconnu (surtout pour un premier enfant), ignorance de « ce qui se passe », inquiétude de l'avenir : comment faire face aux problèmes matériels que pose l'arrivée de l'enfant, crainte que le mari ne s'écarte pendant quelques mois.

Nausées, insomnies, manque d'appétit : causes ou conséquences de ces sentiments mélangés, rendent les premières semaines souvent fatigantes.

Un enfant s'attend à deux

Une autre crainte domine également le premier trimestre : celle d'un accident, car les femmes sont généralement averties que les avortements (fausse-couches) se produisent surtout au cours des trois premiers mois.

Ce mélange de joie, de refus, de crainte caractérise vraiment le premier trimestre. Même si au début le refus domine, tout changera lorsque la future mère sentira son enfant. Le désir de maternité correspond à un instinct si profond que même la femme qui avait juré ne pas vouloir d'enfant, inconsciemment le désire. Et il n'est pas rare de voir une femme qui avait pleuré quand elle s'était vue enceinte, devenir en l'espace de quelques mois très maternelle. La nature, dans sa volonté de préserver l'espèce, fait bien les choses.

La crainte de l'inconnu rapproche la femme enceinte de sa mère qui, elle, a vécu cette période et qui, elle, sait.

Ce rapprochement est naturel. Si mère et fille entretiennent de bons rapports, il peut être très utile. Le mari ne devrait pas être jaloux du dialogue qui s'engage, mais comprendre que ce dialogue est normal. Avant de devenir mère, une femme se sent redevenir une enfant qui a tout à apprendre. Souvent, d'ailleurs inconsciemment, elle se plaît à ce rôle qui lui permet de se faire mieux dorloter. Mais en même temps qu'elle vit cette régression infantile, la future mère se sent devenir adulte, et l'égale de sa mère puisqu'à son tour elle va avoir un enfant.

Ainsi de même qu'au début elle oscille entre la joie et la crainte, de même est-elle partagée entre ces deux tendances : redevenir enfant et devenir pleinement adulte. Il est important que le mari comprenne les pourquoi de ces sentiments contradictoires pour pouvoir les admettre.

Le deuxième trimestre est celui de l'équilibre. Il est possible d'essayer d'expliquer à un homme l'état d'esprit d'une future mère, mais je ne crois pas qu'il soit possible de lui décrire les sentiments d'une femme qui pour la première fois sent vivre en elle son enfant. L'émotion est si forte, si profonde qu'une femme n'en parle d'ailleurs pas facilement, comme si la pudeur l'en empêchait. Avec ces premiers mouvements commence entre elle et son enfant un dialogue singulier, mystérieux, qui cessera apparemment avec la naissance, mais qui, en réalité, continuera toute la vie. Même lorsque son enfant est grand, la mère inquiète sent sa crainte retentir au plus profond d'elle-même, viscéralement, là où elle portait son enfant.

Ces premiers mouvements ont une importance capitale pour toutes les futures mères. Celles qui n'osaient montrer leur joie s'y abandonnent maintenant qu'elles sont sûres d'une présence ; celles qui ne faisaient que tolérer leur grossesse l'acceptent franchement. Et, pour les femmes qui au début refusent cet enfant, cette période des premiers mouvements est capitale. Souvent, elle marque le tournant décisif entre le refus et l'acceptation. Lorsque l'acceptation l'emporte, elle sera plus longue à s'exprimer, mais au fil des mois elle se fera plus certaine. Elle dépendra bien sûr beaucoup de l'entourage, mari, parents, amis, mais elle aura eu pour point de départ un signal venu de l'enfant lui-même.

Cette présence de l'enfant agit vraiment comme une grâce sur l'esprit, mais aussi sur le corps, tant l'un et l'autre sont liés. Du jour au lendemain, par exemple, le ptyalisme (salivation exagérée), incident fort désagréable des premiers mois, cesse brutalement. En même temps, les nausées disparaissent, le sommeil revient, l'appétit également. Ce deuxième trimestre s'ouvre sous les meilleurs auspices. Il s'écoulera paisible ; les incidents sont rares, les complications exceptionnelles chez la femme en bonne santé. Vers 4-5 mois, la grossesse commence à se voir, mais elle n'est pas gênante. Les jeunes femmes d'aujourd'hui ont appris à surveiller leur poids, et elles savent aussi qu'il n'est pas nécessaire de rien changer à leurs activités, à moins de prescriptions particulières.

C'est d'ailleurs ce que fait naturellement une future mère, car elle est alors au mieux de sa forme. Elle n'est pas fatiguée, elle n'a pas de malaises, elle a souvent le teint plus éclatant qu'à l'ordinaire. On voit maintenant qu'elle est enceinte, et cet enfant qu'elle porte est la preuve qu'elle est aimée. C'est d'ailleurs pourquoi certaines jeunes femmes sont pressées de mettre une robe de femme enceinte.

Le troisième trimestre est celui du repli. Au premier trimestre l'enfant était un espoir, puis une certitude, mais il n'avait aucune réalité ; au deuxième, il est devenu présence ; au troisième trimestre, il est le centre exclusif des pensées, des intérêts, des préoccupations de la future mère.
Tandis que les événements qui font la trame de la vie quotidienne paraissent la toucher de moins en moins au fur et à mesure que passent les semaines, la mère concentre toutes ses pensées sur l'enfant qu'elle porte : attentive à sa croissance, à sa position et à ses changements de position, à la fréquence de ses mouvements, elle s'inquiète de son volume, de ses périodes de calme ou d'agitation. Elle en parle comme s'il était né, lui attribue des qualités, redoute des défauts physiques ou intellectuels, le replace dans le cadre familial, compare éventuellement sa grossesse actuelle aux précédentes.
Ce repli sur l'enfant est le fait primordial de ce troisième trimestre ; il est très important que le futur père en soit averti et le comprenne pour l'admettre. Sinon, il risque d'être agacé, même choqué, ou jaloux. Cette évolution de la future mère est normale.
L'enfant bouge de plus en plus, même et surtout pendant le sommeil de sa mère, et par ses mouvements il attire chaque jour

un peu plus son attention. A épier ces mouvements, la future mère sent son instinct maternel se développer. Cette présence de plus en plus encombrante rappelle les préparatifs à faire : un berceau à acheter, une layette à tricoter, des cours d'accouchement à suivre.

Entièrement préoccupée par l'enfant à naître, on dirait parfois qu'elle désire s'isoler, même de ceux qu'elle aime : les jeunes enfants le sentent, et cherchent à provoquer par tous les moyens l'attention et le contact de leur mère : ils refusent de s'habiller, de manger seuls, ils exigent leur mère au coucher, ils l'appellent au cours de la nuit.

Un enfant s'attend à deux

Il est certain que c'est au père de rétablir l'équilibre, mais en prenant soin de ne pas dire aux enfants : « Votre mère est fatiguée par le bébé qui va naître », ce qui éveillerait trop tôt une jalousie qui ne demande qu'à se manifester. En effet, si, à l'annonce d'une naissance, les frères et sœurs sont intéressés, ils sont toujours plus ou moins jaloux après. Je vous le signale dès maintenant pour que vous ne soyez pas étonnés : la jalousie est un sentiment parfaitement normal ; il disparaît d'autant mieux que les parents l'admettent et le comprennent.

Plus indifférente dans le domaine affectif, la mère le devient aussi intellectuellement : elle a de la peine à s'intéresser à son travail, elle devient moins attentive, elle a des défaillances de mémoire ; le coefficient d'erreur des comptables, calculatrices, téléphonistes, mécanographes s'élève rapidement ; c'est un fait connu dans les entreprises.

Mais toute entière concentrée sur le bébé, la future mère n'en conserve pas moins son caractère. La grossesse est une évolution, et non pas une révolution. Qu'elle soit de tempérament actif, elle courra les magasins, voudra installer le coin du bébé ou peindre sa chambre; qu'elle soit d'un naturel passif, elle s'enfoncera dans ses rêveries ou lira des livres de maternité ou de puériculture. Mais dans les deux cas, toutes ses pensées, toutes ses préoccupations tourneront toujours autour de l'enfant.

Puis, à mesure que les semaines passent, que le bébé pèse plus lourd, que la future mère est moins alerte, une certaine lassitude apparaît, et avec elle le désir que maintenant les événements se précipitent.

La dernière semaine semble pourtant plus longue que les neuf mois qui précèdent. D'ailleurs, cette impatience a un avantage : elle estompe l'appréhension de l'accouchement si celle-ci persistait. A la veille d'accoucher, la future mère est saisie d'une activité fébrile et surprenante, d'une envie dévorante de rangements, de nettoyage, de mise en ordre, de déménagement de mobilier, énergie qui contraste avec la lassitude des jours précédents. C'est signe que la naissance est proche mais c'est à l'entourage d'écarter échelles et escabeaux.

Le futur père

Si l'instinct maternel, cet instinct qui vient du fond des âges ★ est profondément enraciné au cœur de chaque femme, (petite fille, elle joue à la poupée, plus grande elle dit « quand j'aurai des enfants »), l'instinct paternel n'existe pas — tout au moins avant la naissance — : le petit garçon ne pense pas aux enfants qu'il aura, et lorsqu'un homme apprend qu'il va être père, cette nouvelle n'a aucune résonance sentimentale, et aucune réalité : il ne fera la découverte de la paternité que le jour où il verra son enfant.

Le futur père

Avant la naissance de son enfant, la femme est déjà mère dans son corps, l'homme, lui, ne peut être père qu'avec son esprit, avec son imagination. Ce bébé, il ne lui prête pas de visage, il reste dans le domaine des idées. S'il essaie de l'imaginer, il ne le voit pas nouveau-né, mais déjà grand : écolière qu'il aidera à faire ses devoirs, adolescent avec lequel il aura de longues discussions.
Mais l'idée qu'il va avoir un enfant provoque chez l'homme de nombreuses réactions, souvent contradictoires, tant en ce qui le concerne que vis-à-vis de sa femme.

Tout d'abord, il est fier, et fier à un double titre : il a été capable de transmettre la vie (pour un homme, savoir qu'il ne peut procréer est ressenti comme une profonde humiliation, comme une atteinte à sa virilité), et il est fier parce qu'il continue la lignée de son père, de son grand-père, de ses aïeux : quelqu'un portera son nom.
Futur père, il se rapproche de son père, il devient son égal : ce dont il rêve depuis qu'il est enfant.
Mais, en même temps, ce changement l'inquiète : il va devenir un autre. Sera-t-il à la hauteur? Ce sentiment d'inquiétude est renforcé par l'entourage, les amis qui se font un plaisir de lui répéter : « Tu vas voir comme c'est difficile d'élever un enfant. »
Il a peur de ne pas savoir être père, mais auparavant de ne pas savoir être le mari d'une femme enceinte. Il redoute que sa femme organise un monde à deux où il n'ait pas sa place.

Parfois cette inquiétude renforce un égoïsme latent : il n'aura plus sa femme pour lui seul ; ses besoins, ses exigences ne pourront plus être satisfaits. Et facilement, même sans se l'avouer, l'homme voit dans le bébé qui va naître un rival. (La femme aura l'intuition de ce sentiment : elle devra mettre toute sa diplomatie à l'apaiser et à montrer à son mari que deux tendresses peuvent faire bon ménage.)

★. Les plus anciens objets symboliques — les premières « œuvres d'art » — ramenés au jour par des archéologues sont des « déesses-mères », statuettes de femmes au ventre proéminent.

Même s'il ne ressent pas ces inquiétudes, le futur père se rend compte que matériellement la vie de son ménage va se modifier : les projets ne seront plus à faire pour deux mais pour trois, certains deviendront même impossibles — au moins au début — ; cet enfant, il faudra le loger, l'habiller, le nourrir. Et l'homme se sent d'autant plus responsable de cette nouvelle organisation que souvent sa femme s'en remet à lui pour s'en charger, elle considère qu'elle a suffisamment de sa précieuse tâche : porter et mettre au monde un enfant.

La fierté d'un futur père, à l'idée d'avoir un enfant, lui fait éprouver pour sa femme de l'admiration, de la reconnaissance et de la tendresse. Ces sentiments divers rapprochent encore plus l'homme de la femme, et il n'est pas rare de voir des couples prêts à se séparer, réunis à nouveau par l'annonce d'une naissance.

Un enfant s'attend à deux

Mais en même temps, cette femme qui va devenir mère semble tout à coup étrangère à son mari : il sent qu'elle devient une autre personne — il a raison d'ailleurs — une personne qu'il lui faudra découvrir. Et voilà que l'homme fier de tout à l'heure devient un homme timide. Et d'autant plus timide que souvent il ne comprend pas certaines réactions de sa femme.

Ces sentiments sont plus ou moins ressentis, d'un futur père à l'autre. Mais il est une réaction quasi générale : c'est la crainte. Tous les maris ont peur pour la santé de leur femme, beaucoup plus qu'elle-même d'ailleurs. Leur crainte vient d'un vague sentiment de culpabilité, d'une méconnaissance quasi générale des phénomènes de la grossesse, et des récits lointains qui souvent traînent encore dans les familles. Il y a des hommes si angoissés qu'ils en deviennent malades, ne dorment plus, ont des nausées, des vomissements, prennent du poids, comme leur femme. Pour les médecins, ce sont les symptômes de « couvade ».

Les sentiments d'un futur père sont donc variés, et contradictoires en apparence :

- il a le sens de ses responsabilités nouvelles, mais son égoïsme en souffre ;
- il est reconnaissant à sa femme, et jaloux en même temps ;
- il se sent renforcé dans sa valeur d'homme, en même temps qu'il a une impression d'inutilité vis-à-vis de sa femme ;
- il s'inquiète pour sa santé, en même temps qu'il s'irrite de la voir tellement préoccupée par ce bébé qui pour lui n'a pas de réalité corporelle ;
- devant sa femme, il est comme un jeune homme intimidé, et en même temps, il sent qu'il devient davantage un homme en étant bientôt père. Et c'est vrai : après la naissance de son enfant, il dira un adieu définitif à l'adolescence. *

Mais en attendant, quelle attitude le futur père a-t-il dans la vie quotidienne vis-à-vis de sa femme?

Il y a plusieurs sortes de maris, suivant que tel ou tel des sentiments décrits plus haut domine.

- Le mari égoïste ne veut pas que la grossesse de sa femme, empiète sur sa vie : il vit à l'écart, indifférent. Pour se justifier il se persuade que la grossesse est affaire de femmes, qu'il ne veut pas s'en mêler, qu'il n'y connaît d'ailleurs rien. Attitude du

*. Il est bien évident que ce n'est vrai que pour l'homme qui devient père pour la première fois. D'ailleurs, d'une manière générale, les réactions de l'homme devant la paternité sont valables surtout pour le premier enfant. Seules reviendront ses craintes pour la santé de sa femme. Au contraire, pour une femme chaque grossesse amènera de nouvelles impressions. A chaque fois, elle fera une expérience nouvelle de la maternité.

père à l'antique, qui laisse entre les époux se creuser un fossé. Mais il y a pire :

● Le mari hostile — rare heureusement — fait plus qu'ignorer la grossesse, il en rend sa femme responsable. Mais il est remarquable que cette attitude, illogique et sans issue, ne permette en rien de préjuger de l'accueil qui sera réservé à l'enfant par son père : il n'est pas impossible que cet enfant devienne rapidement sa passion, comme si l'affectivité se réveillait devant le fait accompli.

● Le mari optimiste — voyant l'inquiétude généralement exprimée par les autres futurs pères — décide que la grossesse est un phénomène naturel, qu'attendre un enfant n'est pas une maladie — c'est d'ailleurs vrai, mais... —, et qu'il n'est pas nécessaire de modifier en aucune manière ni la vie quotidienne, ni les projets de vacances, ni les sorties du soir : les femmes sont faites pour avoir des enfants. Ce type d'homme peut rendre une grossesse épuisante.

Le futur père

● Le mari inquiet se laisse aller à toutes ses angoisses : il redoute, il craint, il lit les articles spécialisés et n'en retient que le pire, il est au courant de toute la pathologie, il mélange tout, il téléphone au médecin, il écrit de longues listes de questions (d'ailleurs souvent oiseuses). Il impose à sa femme le lit, le repos, les médications les plus absurdes. Il transforme en rude épreuve la grossesse la plus normale.

● Heureusement ces différentes catégories de maris sont en voie de disparition. La plupart du temps, le mari n'est ni indifférent, ni hostile, il ne dramatise rien. Il sait le geste qui aide, le mot qui réconforte, l'initiative qui évitera quelque fatigue ou quelque peine. Il entoure sans ennuyer. En un mot, il comprend et il partage. D'ailleurs, c'est seulement ainsi qu'il peut vraiment aider : un enfant conçu à deux s'attend à deux.

Lorsqu'un mari montre à sa femme son bonheur de cette future naissance, sa femme vit une grossesse heureuse ; car, il faut bien le dire, le comportement d'une future mère est profondément déterminé par l'attitude de son mari.

C'est certainement l'un des grands mérites de l'accouchement sans douleur d'avoir invité le père à participer activement à la grossesse de sa femme. Aujourd'hui, certains pères sont présents aux cours de préparation, il y en a qui font répéter les exercices à leur femme, certains assistent à l'accouchement. D'autres ne font rien de tout cela, mais l'accouchement sans douleur, et plus récemment la « naissance sans violence », ont changé les mœurs : la grossesse et l'accouchement ne sont plus seulement l'affaire de la femme, mais du couple.

Comment vous pourrez aider votre femme pendant ces neuf mois

Futur père qui êtes en train de nous lire, voilà ce que pratiquement vous pouvez faire pour aider votre femme :

— vous assurer qu'elle se fait suivre régulièrement par la sage-femme ou le médecin ;

— vous rappeler, et lui rappeler, que tant que sa grossesse est normale, ce que précisément on lui indiquera au cours des visites, c'est un état physiologique qui ne nécessite qu'un minimum de précautions et ne doit pas devenir un esclavage. Cela est aussi bien valable pour l'alimentation — dans un pays comme la France, il n'y a pas de risque de malnutrition, il n'y a qu'à se promener dans un marché pour le constater — que valable pour les sports : il y en a peu d'interdits, que pour les voyages, et que pour le travail. Mais qu'au contraire, devant des phénomènes pathologiques, le médecin imposera des mesures temporaires désagréables : régime, surveillance, si nécessaire hospitalisation, conseils qu'une femme accepte d'autant mieux, qu'on ne lui aura pas rendu la vie impossible jusque-là avec des interdits, des prescriptions inutiles. Comme le dit un obstétricien éminent : « Laisser les futures mères vivre, c'est sûrement le plus grand service que nous puissions leur rendre. »
Voilà pour la santé de votre femme.

Pour son « moral », il faut que vous connaissiez l'évolution psychologique d'une future mère, c'est pourquoi j'en ai parlé plus haut. Vous vous attendez peut-être à des changements de caractère, à une certaine nervosité. Mais il y a des comportements plus difficiles à comprendre, parce que plus inattendus, en particulier le repli du troisième trimestre, et cette mélancolie si fréquente après la naissance, qui étonne toujours l'entourage car elle cadre mal avec l'événement heureux qui vient de se produire. Je vous en ai parlé à la fin du chapitre 14.

Et puis, encouragez sa coquetterie : une future mère a souvent peur de perdre un peu son mari parce qu'elle est moins jolie avec sa taille alourdie. D'ailleurs, maintenant, on rappelle tant aux femmes qu'elles ne doivent pas prendre trop de poids pendant leur grossesse qu'on ne voit plus de femmes aussi fortes qu'autrefois. Si l'attention qu'une future mère porte à son corps et à son visage est accentuée pendant la grossesse, c'est une attitude parfaitement normale : elle a peur de conserver des traces de sa grossesse et de ne pas retrouver sa forme. Cette attitude est d'ailleurs positive : elle prouve que la femme réagit au lieu de rester passive devant des petits inconvénients, comme le masque de grossesse par exemple, qui peuvent être évités dans une large mesure si l'on y prend garde.

Et si malgré tout votre femme a peur d'un accident, peur de l'accouchement — il y a des femmes qui vivent 9 mois de crainte, surtout lorsqu'une grossesse précédente s'est mal terminée — d'abord, écoutez-la : savoir qu'elle peut tout vous dire, la libérera déjà un peu de ses craintes ;
puis essayez de la rassurer, dites-vous bien d'ailleurs qu'elle ne demande que cela, et n'oubliez pas que les mots ont un pouvoir magique, ils peuvent inquiéter : une amie racontant un accouchement difficile peut plonger une future mère dans l'angoisse, mais les mots peuvent aussi rassurer. Ces mots, je suis sûre que vous saurez les trouver.
Si c'est l'accouchement qu'elle redoute, proposez-lui d'aller voir avec elle un film montrant un accouchement, il y en a d'ad-

mirables dont une future mère ne peut sortir qu'avec un sentiment d'apaisement.
Si vous n'êtes pas arrivé à rassurer votre femme, parlez-en au médecin, et proposez à votre femme d'aller le voir avec elle.

Je vous demande enfin de réfléchir à ceci : en ce moment, chez votre femme une force prodigieuse s'exerce. C'est la plus grande force qui existe dans la nature : celle qui est capable de faire naître un enfant. Aucune autre ne peut lui être comparée. Songez que dans le corps de votre femme, un œuf, gelée de quelques millièmes de millimètres, est en train de produire un être humain. Quel est le savant qui détient un pouvoir comparable, si ce n'est pour détruire ? Les pouvoirs dont l'homme s'est rendu maître (fission de l'atome par exemple) sont dérisoires à côté de cette force. N'est-il pas normal que cette force ait une contrepartie ? Cette contrepartie, c'est une certaine faiblesse de la femme elle-même, variable bien sûr selon les femmes. Mais certaines futures mères sont très vulnérables moralement. Un mot, une plaisanterie peuvent laisser une trace ineffaçable. Un psychologue citait le cas d'une jeune mère dont l'enfant était né petit, quoique tout à fait normal. La sage-femme s'était écriée, en le voyant : « En voilà, un drôle de microbe ! ». La mère, *malgré elle*, fut si impressionnée qu'elle passa des années à obliger l'enfant à manger plus qu'il ne voulait, à lui faire faire de la culture physique intensive, et, hantée par le désir de le faire grandir, elle fit tant et si bien que l'enfant devint un névrosé, qu'il fallut faire soigner par un psychiatre.
Enfin un dernier conseil pratique pour aider votre femme : lorsqu'elle sera à la maternité, arrangez-vous pour qu'elle trouve en rentrant le berceau prêt et, si elle n'allaite pas, tout ce qu'il faut pour préparer un biberon. Vous ne pouvez vous imaginer ce que votre femme en sera soulagée.

Assisterez-vous à la naissance de votre enfant ?

Votre présence sera très utile pendant la première période de l'accouchement, la dilatation : pour un premier enfant, cette période peut durer plusieurs heures, vous le lirez au chapitre 10, et d'ailleurs, cela vaut la peine que vous lisiez tout le chapitre pour savoir comment se passe un accouchement.
Votre femme sera beaucoup plus détendue si vous êtes près d'elle, si elle peut vous parler. Il lui faut du calme : elle va accomplir un gros effort, faire une dépense d'énergie comparable à une épreuve sportive de fond, et l'on sait combien les sentiments peuvent influer sur la bonne forme physique.
Mais attention : il y a des pères angoissés qui n'arrivent pas à dominer leur inquiétude. On dit même que les plus agités se rencontrent dans les professions libérales, le corps enseignant et plus encore peut-être dans le milieu médical.
Or, rien n'est plus contagieux que l'angoisse. Si vous n'arrivez pas à dominer la vôtre, sans hésitation laissez votre place à une sœur, à une amie ou à la mère de votre femme, et allez, image classique du futur père, fumer une cigarette dans le couloir.

Et dites-vous que votre femme est sous la surveillance d'une équipe obstétricale qui prendra grand soin d'elle.

Un enfant s'attend à deux

Assisterez-vous à la naissance de votre enfant? Avant l'accouchement sans douleur, il était rare qu'un père pénètre dans la salle de travail. Aujourd'hui, c'est de plus en plus fréquent, et surtout dans les maternités où se « fait » la naissance sans violence. Si vous vous posez la question, il faut d'abord vous assurer que votre présence sera admise dans la maternité où votre femme accouchera. Certains médecins sont hostiles à la présence du père. Pour diverses raisons, psychologiques d'abord :

L'accoucheur — disent-ils — est responsable et de la mère et de l'enfant. Il n'a pas à se charger de surveiller le mari, de le maintenir à sa place, de répondre à ses questions, de le rassurer dans son inquiétude, ni de le ranimer en cas de syncope (les hommes sont terriblement impressionnables). Les gestes qui paraissent les plus naturels à l'accoucheur (mesure du pH, amnioscopie, tocographie, pose d'une électrode sur le crâne de l'enfant) sont impressionnants pour le profane, qui imagine aisément que toute mesure de surveillance instrumentale est motivée par une anomalie. Plus encore, faire sortir le mari lorsqu'une intervention se révèle nécessaire ne fera qu'accentuer l'inquiétude de la mère qui aura évidemment tendance à interpréter cette mesure dans le sens du pire.

A ce propos, je vous rappelle que dans tous les cas, avant d'assister à l'accouchement, le mari doit signer un papier par lequel il accepte d'avance de sortir de la salle de travail si on le lui demande.

Les médecins opposés à la présence du père pensent également que pour de simples raisons d'aseptie, il est inutile d'introduire une personne supplémentaire dans cette salle de travail où l'on prend tant de mesures pour se protéger contre l'infection. Un homme qui sort de l'autobus, qui arrive de son travail, peut apporter avec lui des poussières septiques et dangereuses.

Enfin, les accoucheurs pensent souvent que la femme, surveillant son mari pour voir ses réactions, sera moins disponible pour écouter les recommandations qui lui sont faites.

La femme elle-même est parfois contre la présence de son mari : elle a peur d'offrir un spectacle peu flatteur, peur que ce spectacle ne compromette les relations sexuelles futures (en fait cela arrive très rarement).

En face de ces objections, quels sont les arguments en faveur de la présence du père? D'abord ceux des responsables de la préparation à l'accouchement : pendant la dilatation, lorsqu'entre les examens médicaux la femme est seule et souvent inquiète, le mari apaise ses angoisses, lui rappelle quand elle doit respirer ou se détendre. D'après tous les témoignages recueillis, ce soutien est réel et très apprécié par les femmes. Et, plus tard, fermer au nez du mari la porte de la salle d'accouchement, au moment de la naissance, c'est le rejeter injustement : cet enfant est l'enfant du couple. Un père peut en concevoir une grande amertume s'il a suivi la grossesse de sa femme activement, et s'il l'a aidée à préparer son accouchement. L'argument du père qui inonde la salle d'accouchement de ses microbes ne tient pas, disent les défenseurs : il suffit de mettre une blouse en entrant.

Parmi les arguments « pour », il y a évidemment le désir du père, fréquemment exprimé, mais chose curieuse, pour des motivations parfois inattendues que révèle l'auteur d'une thèse : « La présence du mari en salle d'accouchement », le Docteur Françoise Nore-Lamoureux.

40 % viennent pour aider leur femme à accoucher : ce sont les « maris ». « Ils se tiennent au chevet, vers la tête de leur femme, et n'en bougent pas ; ils encouragent leur femme discrètement, soutiennent sa nuque et l'aident dans le mouvement de flexion à chaque effort expulsif, essuient son visage ; leur comportement est tendre » ; ils demandent « s'il y en a encore pour longtemps ».

10 % viennent pour voir naître leur enfant : ce sont les « pères ». Si peu ? Ce chiffre correspond bien à ce que je vous disais plus haut : un homme ne se sent pas père avant la naissance.
Ces « pères » « s'occupent beaucoup de leur femme, mais dans le but de la faire bien accoucher ; ils ne disent pas « il n'y en a plus pour bien longtemps », mais « pousse plus fort ».

Enfin, et c'est la surprise de cette thèse, 50 %, c'est-à-dire la moitié, viennent voir un accouchement : « Ils se tiennent loin du lit, ont un air gêné, coupable, ou au contraire sûr d'eux-mêmes, voire agressif. »
Mais 95 % des pères ayant assisté à une première naissance déclarent qu'ils assisteront à la suivante.
Il est certain que, pour un homme, voir naître son enfant est une expérience unique. Comme le disait un père : « lorsque mon enfant sera grand, je pourrai lui dire : j'étais là. »

Assisterez-vous à la naissance de votre enfant ? Ce qui vous permettra de prendre une décision sera votre désir *commun :* il faut que vous en ayez envie tous les deux. La présence du père n'a de sens que si elle est la conséquence de l'entente profonde du couple. Si le père vient assister à la naissance, et que le lendemain la femme se retrouve seule en face du bébé, cela n'a pas de sens.

Les mères célibataires

Il y a aujourd'hui beaucoup de mères célibataires. Elles sont célibataires pour différentes raisons.
Certaines ne désirent pas se marier : le mariage est une institution à laquelle elles ne veulent pas se conformer. Cela ne les empêche pas de vivre avec le futur père. Elles attendent donc à deux, comme un mari et une femme.
Il y a des mères célibataires qui ne veulent ni mari, ni compagnon ; cet enfant, elles l'ont voulu pour elles-mêmes. L'aventure est risquée, elle peut se révéler décevante, mais, en attendant,

la volonté qui est au départ de cette maternité leur permettra de vivre une grossesse sans heurt.
Il y a enfin les mères célibataires qui se retrouvent seules, parce que le père, effrayé par ses responsabilités, est parti.
C'est évidemment à ces jeunes futures mères que je pense, car leur grand ennemi, c'est la solitude.
Pour celles qui ont la chance de vivre dans une famille compréhensive qui sait les entourer, cette solitude sera très atténuée. Mais pour les autres, celles qui sont complètement seules, la meilleure solution est, sans aucun doute, d'aller dans une maison maternelle où elles vivront avec d'autres futures mères, célibataires comme elles, où elles seront entourées d'une atmosphère réconfortante, et encadrées par des femmes qui connaissent leurs difficultés et qui y ont consacré leur vie.

Un enfant s'attend à deux

Mais, dans un cas comme dans l'autre, ces futures mères tireront le plus grand bénéfice à suivre des cours de préparation à l'accouchement. Elles seront en contact avec d'autres jeunes femmes, avec des sage-femmes. Et surtout, elles y trouveront une atmosphère débordante d'activité. C'est cela qui est important : elles apprendront comment la volonté peut vaincre un obstacle ; elles apprendront à ne plus être passives devant un événement important qui les concerne toute entière. Elles se rendront compte de la force qu'elles ont en elles. Et finalement, elles acquerront une plus grande confiance en elles-mêmes, à un moment où elles se sentent seules, où elles ne peuvent compter que sur elles pour trouver l'équilibre indispensable pour mettre au monde cet enfant, et plus tard pour l'élever ⋆.

Le face à face

Je ne vais pas vous décrire les réactions d'un homme et d'une femme à la naissance de leur enfant (qu'il soit premier ou deuxième, le rang importe peu). Quand les circonstances sont normales, je veux dire quand l'homme et la femme s'aiment, ces sentiments font partie de la vie intime du couple, ils ont été abondamment décrits dans la littérature, et vous n'aurez pas besoin de moi pour les découvrir. Je voudrais seulement vous dire deux mots de quelques réactions qui souvent surviennent, et parfois surprennent.

La mère devant l'enfant

L'infini soulagement d'une mère après l'accouchement, c'est de constater tout d'abord que le bébé est normal, et une mère ne finit pas de le contrôler même lorsqu'elle a été rassurée par le médecin.
Si l'enfant n'est pas du sexe désiré, l'acceptation par la mère sera d'autant plus facile que le père ne montrera pas sa déception. Et de toute manière, si une déception subsiste chez les parents,

⋆ Les futures mères célibataires ne connaissent pas toujours leurs droits : elles les trouveront plus loin, dans le Mémento pratique. Ces droits sont nombreux. Sur le plan matériel, une mère célibataire peut être soutenue d'une manière appréciable.

il est très important que jamais l'enfant ne la sente : l'enfant est si dépendant de ses parents qu'il risquerait d'en souffrir profondément.
Ce qui surprend la femme qui vient d'accoucher, c'est le sentiment d'étrangeté, plus ou moins accentué, qu'elle éprouve devant son bébé : à le voir couché dans son berceau, elle l'identifie mal au début avec l'enfant qu'elle portait : elle regarde cet être qui faisait partie d'elle et elle ne le « reconnaît » pas, il est si différent de ce qu'elle attendait, moins présent, moins joli, moins souriant.
Elle éprouve une autre surprise : alors qu'elle attendait depuis des mois que cet enfant se sépare d'elle, maintenant qu'il vient de la quitter, maintenant que ses mouvements qui accompagnaient les nuits et les jours se sont tus, la mère sent en elle comme un grand vide. Elle ne faisait qu'un avec cet enfant.

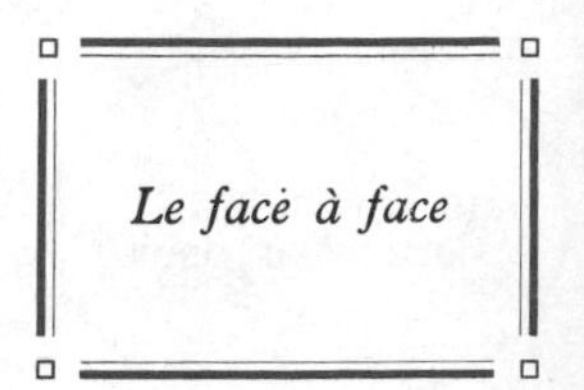

La rupture au début la déroute. Et la déroute d'autant plus, que devant ce berceau, elle ne ressent pas toujours monter en elle l'amour maternel qu'elle s'attendait peut-être à éprouver tout de suite. A cette heure, domine surtout l'inquiétude : comme un flot l'envahit le sentiment de sa responsabilité : « Il a besoin de moi, mais saurai-je m'en occuper ? ». L'inquiétude peut venir de l'inexpérience si l'enfant est un premier né ; mais elle est renforcée par la fatigue qui suit toujours l'accouchement.
Ces surprises, ces sensations, que la mère les perçoivent distinctement ou qu'elles restent confuses, vont heureusement s'effacer devant les retrouvailles : la mère va prendre son enfant dans les bras pour le nourrir, elle va refaire un avec lui. Et ce moment va marquer le début d'une longue histoire d'amour.
Cette histoire ne s'écrira pas en un jour ; l'amour maternel n'est pas un coup de foudre, il se développe lentement au fil des jours en même temps que l'enfant grandit, avec la joie qu'il donne, mais aussi avec les soucis qu'il procure : ainsi une maladie ou une séparation resserrent encore plus les liens qu'un bonheur sans nuage.
Nourrir son enfant pour la première fois procure à la mère une sensation aussi profonde que celle que, future mère, elle a ressenti à percevoir les premiers mouvements du bébé. Comme l'écrit Marianne Roland-Michel : « L'allaitement est la voie royale de la maternité... » Et elle ajoute : « Avec le lait, la mère lui donne force et vie ; mais en prenant ce don, il lui accorde la pleine maternité. Un dialogue muet, fait d'échange, s'établit, mais le langage ne s'instaure vraiment que lorsque l'enfant est repu, comblé. La mère, alors, parle, murmure, dit son amour à travers des petits noms, des litanies *. »

Le père devant l'enfant

Paradoxalement, lorsqu'un père voit son enfant pour la première fois, il est moins surpris que la mère. La mère s'était fait une image précise de son enfant ; or le père, lui, n'avait encore dans la tête qu'une idée. Aussi lorsqu'il voit le nouveau-né, rien ne l'étonne, ni ne le déçoit : seul peut-être le sexe, s'il avait à ce sujet formulé un souhait précis.
Mais le grand moment de la vie d'un homme qui devient père, surtout d'un premier enfant, se situe quand, ce nouveau-né,

* M. Roland-Michel : *Attendre un enfant.* Casterman éd.

il le prend dans ses bras. La femme, pour se transformer en mère, a déjà vécu neuf mois de grossesse et un accouchement. Rien de semblable pour le père. Il n'a peut-être jamais tenu un enfant dans ses bras.
Aussi, pour lui, la révélation de la paternité lui arrive-t-elle souvent comme un choc dans ce geste où, pour la première fois il tient cet enfant qui est le sien dans ses mains maladroites.

Un autre geste important pour le père sera la déclaration de l'enfant à la mairie. Il faut avoir assisté à ce qu'on appelle une formalité, mais qui en réalité est un acte essentiel dans la vie d'un homme, pour comprendre tout ce qu'elle représente. D'ailleurs, un père ne devrait pas se décharger sur un tiers de cette déclaration de naissance.

Un enfant s'attend à deux

J'ai assisté un jour à une scène merveilleuse. Dans un village en Provence, un jeune père venait déclarer la naissance de son fils ; après avoir recommencé trois fois la fiche, il la tendit à la préposée : « Vi-ta-lis ? C'est pas un nom » dit-elle. « Mais si, c'est mon nom, et c'est le nom de mon père. »

Si, au début, chez le jeune père, ces deux sentiments dominent : fierté d'avoir un enfant, reconnaissance pour sa femme qui l'a mis au monde, d'autres sentiments apparaissent, que certains mots traduisent : « Je dois », « Il faut ». Les responsabilités pressenties pendant la grossesse se précisent devant l'enfant couché dans son berceau. Elles donnent d'ailleurs au père une impression d'utilité, d'efficacité qu'il ne ressentait pas toujours pendant la grossesse. Mais en même temps, ces responsabilités nouvelles, le plongent parfois dans un certain désarroi, plus ou moins durable, le temps qu'il s'y habitue, et surtout le temps que sa femme se remette de son accouchement, qu'elle revienne à la maison, dans cette maison qui, désormais, s'appellera un foyer.

Vous pensez déjà à son éducation

Pendant que vous attendez cet enfant, vous pensez peut-être à la manière dont vous allez l'élever. Vous avez raison, l'accouchement n'est pas qu'un but, c'est aussi un début : le début des relations entre les parents et l'enfant. Je ne vais pas en quelques pages vous parler de l'éducation de votre enfant. Mais avant que vous ne soyez prise par les soins et les soucis quotidiens, j'aimerais vous faire réfléchir sur quelques points qui me semblent importants.

On a vécu longtemps dans l'idée qu'un bébé, au début de sa vie, n'était qu'un tube digestif qui se réveillait pour manger, et se rendormait pour digérer ; qui n'était capable que de réflexes, et ne ressentait rien, ni plaisir, ni tristesse, quoiqu'on fasse pour lui, et autour de lui. Cette théorie a prévalu des siècles. Le père n'avait donc aucune raison de s'occuper d'un bébé qui n'exigeait que des soins pratiques habituellement donnés par les femmes. La psychanalyse et la psychologie des cinquante dernières années ont complètement bouleversé cette croyance du bébé tube digestif. Elles ont découvert qu'en réalité le bébé était d'une extrême sensibilité, et capable d'émotions dès le début. Vous le constaterez vous-même : il faudra très peu de temps à votre enfant pour éprouver et manifester par son sourire, ses pleurs, ses gestes, des émotions aussi variées que la joie, le chagrin, et un peu plus tard, l'angoisse.

Vous pensez déjà à son éducation

On a constaté également que le bébé tout petit était sensible aux stimulations les plus diverses : aux couleurs, au bruit, au cadre et à l'atmosphère qui l'entourent, aux attentions qu'on a pour lui, et à celles qu'on n'a pas. Ainsi, le père peut apporter au bébé des sensations très différentes de celles que lui apporte sa mère : il a une voix différente, il a d'autres gestes, en général il n'est pas présent aux mêmes heures, ses mains n'ont pas le même contact, il sent peut-être le tabac, etc. Et puisque la sensibilité du bébé est comme une cire molle dans laquelle se gravent toutes les impressions, toutes les sensations, la présence d'une personne autre que celle qu'il voit toute la journée sera pour lui un enrichissement considérable.

Le bébé a besoin de son père autant que de sa mère. Et ce contact régulier sera aussi très bon pour le père : c'est ainsi que peu à peu se développera sa fibre paternelle. Il est important que le père voit tous les jours son bébé : pas seulement une minute en rentrant, penché sur le berceau pour constater que tout va bien. Non. Qu'il prenne le bébé dans ses bras, qu'il lui parle, qu'il le change de temps en temps, qu'il le console s'il pleure. Je le rappelle mais les jeunes pères d'aujourd'hui s'occupent plus de leur bébé que ceux d'hier, et sinon c'est à la mère de favoriser toutes les occasions où le père peut prendre l'enfant, s'occuper de lui ; il ne faut pas qu'elle considère que le bébé est sa chose, dont elle est seule responsable.

Si la mère demande à son mari son avis sur ce qui concerne l'enfant, si elle lui demande de l'aider pour un biberon ou pour la toilette, mari et femme feront ensemble l'expérience des petits détails, ils seront plus proches. Et c'est ainsi que peu à peu ils formeront vraiment avec le bébé un triangle. Rien n'est plus mauvais qu'une famille où mère et enfant sont d'un côté, et de l'autre le père : impuissant, inutile, bientôt indifférent.

Il y a un autre point important dont il faut vous souvenir : en arrivant au monde, le bébé a très faim, pas les premiers jours où il se remet de l'émotion de sa naissance, et où il maigrit, mais dès le troisième ou le quatrième jour, il se jette sur le sein, ou le biberon, avec avidité et dévore 6 ou 7 fois par jour. Le résultat est d'ailleurs impressionnant : en 4 mois, il double son poids de naissance.

Mais pour se développer, ce dont un enfant à besoin avant tout c'est d'affection : un enfant privé d'affection, même s'il est correctement nourri — d'ailleurs il perdra vite l'appétit —, se développe mal, dort mal, a des troubles digestifs, devient indifférent à ce qui l'entoure.

Vous vous demandez peut-être pourquoi je vous parle de l'affection dont a besoin un enfant puisque même avant qu'il naisse, vous aimez déjà le vôtre. Certes, mais il faudra qu'il le sente. Il faudra qu'il se rende compte que vous ne le nourrissez pas par devoir, mais avec plaisir. Ne lui donnez pas le biberon en regardant la télévision, ou le sein en parlant à une amie. A ce moment-là, il vous veut toute à lui. Que vous ayez un quart d'heure de retard pour lui donner le sein, que le biberon soit tiède, comptent beaucoup moins pour lui que la manière dont vous le nourrirez.

Comme le dit Winnicott : « Le bébé ne désire pas tant qu'on lui donne un repas convenable à une heure convenable que d'être nourri par quelqu'un qui aime le nourrir. Le plaisir de la mère doit être là. Sinon tout est mort, sans utilité et mécanique*. »

Un enfant s'attend à deux

En consacrant à votre bébé l'attention qu'il demande, en somme vous le traiterez comme une personne. Or, en arrivant au monde, le bébé est déjà une personne. Il arrive avec tout le bagage que lui donne l'hérédité : un caractère, des tendances, une émotivité, une intelligence, des dons particuliers. Il n'est pas tel un morceau d'argile que vous allez pouvoir modeler selon votre désir ou vos ambitions. Comme l'a dit Pestalozzi, il y a déjà un siècle et demi, vous devrez être pour cet enfant un jardinier, pas un potier. Et, cette émotivité, ces tendances, ce caractère, vous les découvrirez en observant votre enfant.

Ce dont il faudra vous souvenir également, c'est que ce bébé porte en lui une force vitale, un élan qui vont le pousser en avant. Et cette force ne dépend pas de vous, elle est propre à l'enfant, elle est la vie même.

Cet élan vital va lui permettre de se développer à un certain rythme, et, ce rythme, vous ne pourrez pas le changer, ni pour le développement du corps, ni pour celui de l'esprit. En d'autres termes, un enfant part dans la vie pour être petit, moyen ou grand, il aura des dents à 6 mois ou à 1 an, il marchera à 12 mois ou à 18. Vous pouvez d'ailleurs constater ces différences en observant les enfants qui vous entourent. Ne soyez donc pas obsédés par le temps. Les parents ont toujours envie que leur enfant fasse des progrès plus rapides, parle plus vite, marche plus tôt que l'enfant de la voisine. Dans ce domaine, l'orgueil est mal placé et inutile.

Je vais prendre un exemple de la vie courante : votre voiture n'ira pas plus vite parce que vous aurez mis deux fois plus d'essence dans le moteur. Il en est de même de votre enfant : il ne grandira pas plus vite si vous le nourrissez deux fois plus que nécessaire, il risque seulement de devenir trop gros.

Cet enfant porte la vie en lui, qui va le pousser en avant, mais il faudra bien sûr que vous lui procuriez des stimulations : de même que vous lui fournirez des aliments pour que son corps se développe, de même vous devrez lui donner des aliments pour que se développe son esprit. Lorsqu'on sort un enfant, c'est pour qu'il profite de l'air et du soleil, mais c'est aussi pour qu'il voie un autre cadre que celui de sa chambre, qu'il voie bouger les feuilles, qu'il voie et entende des animaux. Lorsqu'on lui donne des jouets,

*. *L'enfant et sa famille*. Dr. D. W. Winnicott, Petite bibliothèque, Payot.

c'est pour qu'il s'amuse, mais en touchant ces jouets, il découvrira, de nouvelles formes et de nouvelles couleurs, il fera de nouveaux gestes.

Ces sensations, ces formes, ces couleurs, ces gestes vont ouvrir son esprit, développer son intelligence. C'est dans ce sens qu'on peut dire que l'éducation commence au berceau, puisque tout ce qui entoure l'enfant l'éduque, puisque tout ce qu'on fait pour lui, tout ce qu'on lui donne l'impressionne et le forme. Avant même que l'enfant ait compris un seul mot, il a déjà beaucoup appris.

D'ailleurs, même lorsque l'enfant parle et comprend, l'environnement continue à jouer un rôle essentiel ; ce qu'il voit, ce qu'il entend, contribue à le former — ou le déformer — pendant toute l'enfance.

Vous pensez déjà à son éducation

Et l'exemple que lui offre ses parents est déterminant : si ce qu'on lui demande de faire est en contradiction avec l'image qu'on lui offre, ce n'est pas les mots qu'il retiendra, c'est l'exemple. C'est en ce sens qu'on peut parler d' « éducation silencieuse ».

Vous voyez qu'éduquer, c'est bien autre chose que permettre ou défendre.

Certains parents pensent qu'il est mauvais de satisfaire toutes les demandes d'un bébé, car cela pourrait lui donner de mauvaises habitudes : il pleure, il faudrait le laisser pleurer, il a soif, il faudrait attendre l'heure de la tétée, etc., etc. C'est méconnaître les besoins d'un bébé.

Pendant de longs mois, il est entièrement dépendant de sa mère, aucun être vivant dans la nature ne l'est plus que lui : regardez donc le petit poulain se mettre sur ses jambes quelques heures après la naissance.

Tant qu'il est dans cette dépendance totale, l'enfant a besoin d'être assuré qu'on veille sur lui. S'il appelle et que personne ne vient, il croit qu'on ne s'intéresse pas à lui, ce qui développe chez lui un sentiment d'insécurité.

Au contraire, à partir du moment où il deviendra plus indépendant, où il commencera à parler et à marcher, il aura besoin de règles : ce sont elles qui alors lui donneront la sécurité dont il a besoin, qui lui montreront qu'on s'intéresse à lui.

Ces notions découlent d'une observation attentive de l'enfant, de ses besoins et de la manière dont il se développe. Mais ne croyez pas, si l'on vous parle connaissance de l'enfant et psychologie, que vous ne pourrez plus vous fier à votre instinct pour élever votre enfant. Au contraire, l'observation de l'enfant a démontré le mécanisme des acquisitions : comment un enfant apprend à sourire, à parler, à marcher ; elle a montré qu'un enfant ne pouvait faire de progrès sans affection.

Mais ces constatations, loin d'écarter l'instinct, le renforcent. Une mère, n'ayant jamais lu de livre sur le développement de l'enfant, sait que son bébé a besoin de toute sa tendresse. Mais une mère, au courant des connaissances actuelles sur l'enfant, y trouve la confirmation de ce qu'instinctivement elle avait senti. Elle ne pourra qu'en tirer des arguments supplémentaires pour suivre ce que la nature lui dicte.

Un jour, une jeune fille m'a dit en me montrant un livre dont elle achevait la lecture :
— En tout cas, je n'aurai jamais d'enfants.
Je lui demandai pourquoi.
Elle me tendit le livre : il traitait de l'éducation des enfants. C'était un de ces livres qui commencent par : « Attention ! Tout le destin de votre enfant dépend des trois premières années ! » et qui se terminent par : « Des parents doivent être très attentifs à ne pas créer ni entretenir les situations conflictuelles qui viennent d'être décrites. Le bonheur, l'équilibre et la santé mentale de leur enfant en dépendent. »
— Je n'aurais jamais cru que c'était aussi difficile d'élever un enfant, me dit la jeune fille, sincèrement consternée.

Un enfant s'attend à deux

Et j'ai rencontré récemment une jeune femme qui venait d'avoir une petite fille et qui m'a dit : « Je vais la mettre à la crèche, je ne saurai jamais l'élever moi-même ! »
Pourtant je puis vous assurer qu'élever un enfant est plus facile qu'on ne le dit en général. Mais plus facile si on fait confiance à la nature, c'est-à-dire à l'enfant, et à son instinct, c'est-à-dire à soi-même.

17.

Mémento pratique

Vous préparez la venue de votre enfant physiquement et psychologiquement. Il faut aussi que vous la prépariez matériellement, ce qui veut dire aussi bien coudre ou tricoter que remplir les formalités administratives. Dans ce Mémento pratique, j'ai réuni tous les renseignements qui vous sont nécessaires.

Ce dont votre enfant aura besoin

Pour ne rien oublier de ce qui sera nécessaire au nouveau-né, pensez qu'il faudra : l'*habiller* (layette), l'*abriter* (son lit et sa chambre), le *nourrir* (matériel de cuisine), le *laver* (baignoire et accessoires), le *promener* (voiture).
Nous allons passer en revue tout ce que vous devrez préparer pour satisfaire ces cinq besoins, en vous indiquant pour chacun d'eux ce qui est indispensable et ce qui ne l'est pas, ce qui est urgent et ce que vous pouvez vous procurer plus tard.

La layette de votre bébé

C'est de la layette qu'il faudra vous occuper d'abord, car c'est elle qui doit être prête en premier lieu. Si votre enfant arrivait plus tôt que prévu, vous auriez toujours le temps de vous procurer la voiture, dont il ne se servira que plusieurs semaines après sa naissance, ou le berceau, dont il n'aura besoin qu'au retour de la maternité. Mais, dès la première heure, il faudra l'habiller. Pour composer votre layette, il faut que vous teniez compte de plusieurs faits :

Au début, votre enfant va grandir et grossir très vite. Et c'est parce que le poids et la taille d'un enfant changent si vite, que l'on divise les six premiers mois en deux âges, auxquels correspondent des vêtements de taille différente :
le premier âge de la naissance à 3 mois, le deuxième âge de 3 à 6-7 mois.
Pour faire vos achats, tenez donc bien compte de la croissance de votre enfant. Prévoyez peu de vêtements du premier âge : votre

enfant les portera très peu puisqu'en trois mois il grandira de 10 centimètres, autant qu'au cours des neuf mois qui suivront. Et, si vous tenez à avoir tout de suite une layette très complète, achetez dès le début les vêtements du deuxième âge que votre bébé mettra à quelques semaines et portera jusqu'à sept mois environ.

Il faut qu'il soit bien couvert. Au cours des premières semaines et des premiers mois, il sera très sensible au froid et aux changements de température. Aussi, qu'il naisse en été ou en hiver, prévoyez des lainages.

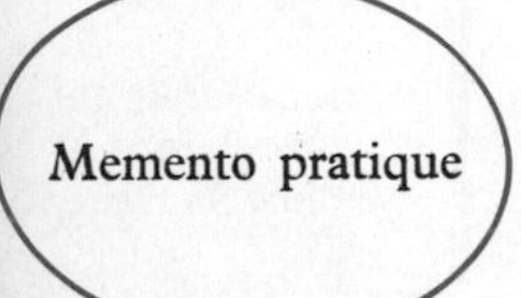

Il faut qu'il soit à son aise et que vous n'ayez pas de peine à lui enfiler ses brassières. Aussi achetez-les suffisamment amples.

Sa peau est fine, rien ne doit la blesser : taillez les brassières de tissu dans une jolie toile fine et ne faites pas de coutures sous les bras. Tricotez les brassières dans une laine très souple. Les fabricants de layette font actuellement des chemises et brassières en matières synthétiques. N'en achetez pas trop avant de savoir si votre bébé les supportera. Il y a en effet des nourrissons qui sont allergiques aux matières synthétiques.

Il est sensible à l'infection : tout ce qui l'entoure doit être d'une impeccable propreté. Ayez suffisamment de vêtements faciles à laver pour les changer souvent.

Pour le premier et le deuxième âge, les vêtements doivent donc être chauds, amples, douillets, lavables et faciles à entretenir.

Autant qu'à son confort, pensez à sa sécurité :

- Ne mettez pas de rubans pour serrer les brassières à la hauteur du cou : le bébé pourrait tirer dessus et s'étrangler.
- Ayez des brassières qui croisent suffisamment dans le dos pour éviter d'avoir à les fermer par des épingles de sûreté. Vous pouvez aussi choisir des brassières qui se boutonnent, ou bien qui se ferment avec du velcro.

Enfin, il vaut mieux acheter bien que beaucoup. Pour les lainages, choisissez une bonne laine qui ne feutre et ne se rétrécisse pas, sinon, après quelques lavages, les vêtements auront perdu toute leur souplesse. Achetez des couches de bonne qualité : elles vont avoir à supporter des centaines de lessives.

Comment habillerez-vous votre enfant? Aujourd'hui, les bébés sont habillés d'une manière beaucoup plus libre qu'hier. Il y a quand même, pour les premiers mois, quelques principes à suivre.
Sur le haut du corps, vous lui mettrez une chemise fine (interlock ou toile fine) et une brassière de laine.

Pour le bas du corps, il y a deux méthodes d'habillement : la française (le lange), et l'anglaise (la culotte). La première consiste à envelopper le bébé de la taille aux pieds dans un lange. La deuxième, à lui mettre seulement une culotte. L'habillement à l'anglaise donne plus de liberté à l'enfant, mais le protège moins bien du froid.
Aujourd'hui, on ne lange plus guère un bébé si ce n'est parfois la nuit, à la maternité. Le jour, il porte tout de suite une culotte et des chaussons, ou une grenouillère. Et — s'il ne fait pas trop froid — dès le retour à la maison, on lui met la nuit un pyjama en babygros.
Sous le lange ou la culotte, vous mettrez à votre enfant soit des couches en tissu, soit des couches à jeter. A signaler, une formule chère mais très pratique, surtout en voyage : le change-complet (pointe de plastique et couche) qui se jette. Et au début, tant que la plaie ombilicale n'est pas cicatrisée, vous mettrez à votre bébé une bande autour du ventre.

Ce dont votre enfant aura besoin

La layette de base	*Premier âge*	*Deuxième âge*
Chemises (très douces) en toile fine ou interlock.	3	3
Brassières de laine	3	3
Bandes pour le ventre (7 cm de hauteur)	3	
Vestes de laine (à emmanchures raglan pour pouvoir facilement les enfiler sur la brassière)	1	1
Chaussons ou chaussettes	4	4
Culottes de laine — ou de coton — ou grenouillères : selon la saison	2	3
Culottes de plastique	2	2
ou un sachet de pointes en plastique		
Bonnet	1	1
Couches carrées (de préférence à double tissage) *	18	
Pyjamas en babygros	2	2
Serviettes (pour les repas)		6

Telle est la layette de base. Évidemment, vous l'adapterez à la saison où naîtra l'enfant et à la région que vous habitez. Vous pouvez compléter cette layette par un petit peignoir de bain, avec capuchon, très pratique pour essuyer la tête du bébé. Vous pouvez également acheter un nid d'ange en lainage, rhovyl ou nylon matelassé, très pratique pour les sorties parce qu'il enveloppe parfaitement le bébé.
Vous ajouterez à cette layette un ou deux langes si vous avez l'intention d'en utiliser.

Ce que vous pourrez faire vous-même : presque tout si vous aimez coudre, tricoter et si vous avez du temps : chemises, peignoir de bain, draps ; et tout ce qui est en laine : brassières, vestes,

* Vous pouvez également vous abonner à un service de couches (s'il y en a dans votre ville) qui, deux ou trois fois par semaine, même à la clinique, livre des couches propres et reprend les sales, ce qui résout le problème du lavage. Dans ce cas, n'achetez que quelques couches et pointes de « dépannage ». Pour avoir l'adresse d'un service de couches, renseignez-vous à l'hôpital ou à la clinique, ou bien dans un magasin spécialisé. Malheureusement, c'est coûteux. A réserver pour les débuts quand vous êtes très fatiguée.

chaussons, bonnets, etc. Vous trouverez des modèles dans les albums de layette, ou dans les magazines féminins.

Son lit

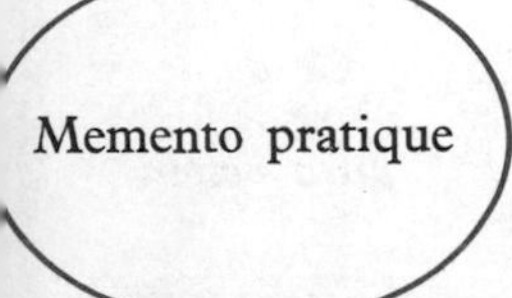

Pour coucher votre enfant, vous aurez le choix entre le classique berceau taille 90 cm sur 40 cm, que vous achèterez tout garni ou que vous garnirez vous-même, et un vrai petit lit, longueur 1,20 m ou même 1,40 m, largeur 60 cm ou 70 cm, en bois ou en rotin. Si vous n'avez pas déjà un lit ou un berceau et que vous hésitiez à acheter l'un plutôt que l'autre, nous vous conseillons le lit. Dans un berceau, un enfant ne peut dormir que quelques mois ; dans un lit, il peut rester jusqu'à 2 ou même 3 ans, suivant sa taille. Une solution intermédiaire : le lit en toile monté sur tube métallique, qui est économique, facile à transporter et à laver, mais qui sert moins longtemps.
Quelle que soit la solution que vous adoptiez, il faut que le lit soit :
d'un entretien aisé. S'il est en bois laqué, vous le savonnerez facilement. S'il est entièrement garni de tissu, il faut que la garniture soit détachable et facile à laver ;
transportable, c'est-à-dire monté sur roues caoutchoutées ;
très stable, pour que votre enfant ne risque pas de le renverser en remuant ;
enfin qu'il comporte une **capote** ou un rideau léger monté sur une flèche, pour que votre bébé soit à l'abri des mouches, des courants d'air et d'une lumière trop forte.

Et si vous suivez notre conseil d'avoir tout de suite un vrai lit, achetez-le avec de hauts barreaux (lit anglais) : votre bébé ne pourra pas tomber, vous pourrez vous absenter sans risque, et ce qui est très important, même si votre bébé est couché sur le ventre, à travers les barreaux il pourra voir tout ce qui se passe autour de lui.

La literie

Dans les lits d'enfant, il n'y a pas de sommier, le matelas est posé directement sur un simple châssis de bois. Ce matelas, vous pouvez soit le faire vous-même, soit l'acheter tout fait. Pour le faire, confectionnez une housse de coutil ou de toile lavable de la taille du lit, et garnissez-la de crin végétal.
Si vous achetez le matelas tout fait, vous avez le choix entre le matelas garni de crin végétal, ou le matelas à ressort, plus cher mais qui a l'avantage de ne pas se déformer. On trouve également dans le commerce des matelas avec enveloppe de plastique : les pédiatres ne les recommandent pas. Ils sont moins sains que les matelas en coutil car ils font transpirer. En outre, comme la matière plastique est glissante, les draps ne tiennent pas bien.
Pour protéger le matelas, il y a deux solutions : l'alèze molletonnée en coton imperméabilisé, douce, pratique, qui est très confortable et qui peut bouillir, ou l'alèze en caoutchouc, que l'on recouvre d'un molleton et d'un drap de dessous.

L'oreiller. Aujourd'hui, en France, on couche de plus en plus les bébés sur le ventre, Dans cette position, l'oreiller est inutile et même déconseillé.
Si vous tenez à coucher votre bébé sur le côté, prévoyez un oreiller, mais cet oreiller vous le mettrez sous le matelas plutôt que dessus. En effet, un oreiller, surtout lorsqu'il est mou, est dangereux pour le bébé : les nouveau-nés y enfoncent leur figure, et risquent de s'étouffer. En une année, dans le seul département de la Seine, 25 bébés sont morts de cette manière.

Les draps. Deux ou trois draps de dessus, que vous pouvez faire vous-même facilement et sans grosse dépense. Choisissez du tissu de coton de bonne qualité, mais léger à cause du lavage. Piquez au bord du drap blanc soit un galon brodé, soit une ganse de couleur. Ou sur du Vichy quadrillé, mettez un gros croquet blanc. Vous pouvez aussi broder le bord du drap, mais évitez les applications de dentelles que le bébé déchirerait.

Ce dont votre enfant aura besoin

Trois ou quatre draps de dessous, moins élégants, que vous pourrez couper dans des draps usagés. (Il faut plus de draps de dessous, car il faut les changer plus souvent.) La taille des draps dépend évidemment de celle du lit ou du berceau. A titre d'indication, pour un berceau il faut des draps de 80 × 115, pour un lit de 110 × 150.
A signaler, parce que très pratique, le drap housse qui s'emboîte sur le matelas et ne bouge plus.

La couverture. Une bonne couverture de laine, assez grande pour qu'elle serve longtemps. Au début, vous pourrez la mettre en double.
Attention : Votre enfant doit avoir chaud dans son lit et être bien couvert. Ce n'est pas une raison pour accumuler sur lui plusieurs couvertures, qui pèseraient trop lourd sur son corps et le gêneraient. C'est pourquoi vous avez intérêt à acheter une couverture de laine de bonne qualité qui tout en étant légère soit suffisamment chaude.
Nous déconseillons l'édredon, dangereux car le bébé le tire souvent sur sa tête ; en plus, un édredon c'est trop chaud.
Si votre enfant doit naître en été, prévoyez une moustiquaire. Vous pouvez également acheter un fixe-couvertures pour attacher sa couverture lorsqu'il commence à beaucoup remuer, sinon il sera tout le temps découvert, ou bien vous pouvez, soit acheter, soit faire vous-même une sorte de petit sac de couchage. Vous en verrez des modèles dans les magasins spécialisés ou les grands magasins.

Sa chambre

Que vous ayez la possibilité de transformer une pièce de votre appartement en chambre d'enfant, ou que vous consacriez à votre enfant un coin dans une pièce, il faut que vous pensiez suffisamment tôt à installer l'un ou l'autre. Si vous avez des peintures à y faire, il faut leur laisser le temps de bien sécher. On ne peut mettre un nouveau-né sans risque de l'intoxiquer dans une pièce

sentant encore la peinture fraîche. Voici quelques conseils pour installer la chambre de votre enfant :
Tâchez de choisir la pièce la mieux exposée, la plus aérée et la plus calme de votre appartement.

Pour l'installer, pensez à l'époque où votre enfant sera dans son parc, se traînera à quatre pattes ou commencera à marcher. Sa chambre sera alors son royaume. Il faut qu'il n'y trouve rien d'hostile, qu'il puisse y jouer sans crainte de se cogner à des coins de table trop aigus, que la couleur des murs ne soit pas trop délicate. Enfin, il faut que votre enfant puisse se traîner par terre sans crainte de s'enfoncer des échardes dans les mains ou les genoux. Tout ce qui se trouve dans sa chambre doit être solide, lavable, sans danger, pratique et propre. Évitez les nids à poussière : tapis de laine, tentures, bibelots.

Memento pratique

Le sol. Si vous le pouvez, faites poser une moquette. Il y en a à tous les prix, et certaines sont lavables.
Il vaut mieux ne pas mettre de tapis dans une chambre d'enfant : les petits bébés qui commencent à marcher s'y prennent les pieds, et tombent sans cesse.

Les murs. Mettez-y soit un papier peint lavable, soit une peinture lavable au moins jusqu'à 1 mètre de haut : les enfants découvrent rapidement qu'on peut crayonner aussi sur les murs.

Les couleurs. Cherchez à réaliser entre les murs, le plafond et le sol une harmonie de couleurs discrète, reposante et unie. C'est fatigant pour les yeux d'un enfant de voir autour de lui des murs entièrement recouverts de dessins ou de petits sujets. Réservez les couleurs vives et les dessins pour les rideaux. Une solution intermédiaire : posez le papier à motifs sur un mur ou deux, et peignez les autres dans un ton uni assorti.

Les rideaux. Ils doivent être suffisamment opaques pour que votre bébé ne soit pas réveillé trop tôt.

En installant la chambre de votre enfant pensez dès maintenant à déplacer les prises de courant placées trop bas. Les enfants touchent toujours les prises quand elles sont à portée de leurs mains. Pour être hors d'atteinte, elles doivent se trouver à 1 m 50 du sol. Il existe d'ailleurs des prises de courant dans lesquelles les enfants ne peuvent pas enfoncer les doigts.

Voici pour le cadre. Passons aux meubles. Le plus important sera, bien entendu, le lit ou le berceau que vous aurez pris soin de bien choisir, puisque votre enfant y passera la plus grande partie de son temps pendant les premiers mois.
Un meuble sur lequel vous changerez votre enfant, qui sera soit un meuble à langer que vous aurez acheté spécialement pour cet usage (ces meubles comportent une planche qui se rabat comme dans un secrétaire et sur laquelle on pose l'enfant, une place pour la cuvette, une autre pour les accessoires de toilette, des tiroirs pour les couches, etc.), soit une commode que vous consacrerez à votre bébé et qui vous rendra les mêmes services si vous la pré-

parez pour cet usage (une commode est plus pratique qu'une simple table, car elle permet d'avoir sous la main tout ce qui est nécessaire pour changer le bébé).
Pour éviter de salir le dessus de votre commode, recouvrez-la d'un tissu en matière plastique. Pour poser le bébé quand vous le changerez, préparez un coussin assez grand rempli de crin que vous glisserez dans une enveloppe de plastique ou achetez un matelas à langer. Il existe un modèle très pratique à bords incurvés.
Pendant les premiers mois, vous n'aurez besoin dans cette chambre que d'un lit et d'un meuble pour changer votre bébé. Mais si vous voulez, dès maintenant, meubler entièrement la chambre, mettez-y un parc, une chaise haute et transformable ou un petit fauteuil inclinable, un coffre à jouets.
Si vous pensez allaiter votre enfant, tâchez de vous procurer un petit fauteuil bas du genre fauteuil crapaud ou une chaise basse : vous y serez beaucoup plus à l'aise qu'assise sur une chaise de hauteur normale.

Ce dont votre enfant aura besoin

Si vous ne disposez pas d'une chambre, réservez dans une pièce un coin qui cera celui de votre enfant. Vous y réunirez ce dont il a besoin (lit, meuble à langer, balance) pour faciliter son confort et votre tâche. Installez ce coin dans la chambre la plus tranquille. N'oubliez pas que votre enfant aura besoin de calme pendant les premiers mois. Mais, si dans la journée, il doit dormir dans votre chambre, il vaut mieux qu'il n'y reste pas la nuit. Roulez son lit dans une autre pièce. Votre sommeil et le sien seront meilleurs.

Attention : Vous peindrez peut-être vous-même le lit de votre enfant ou les meubles. Ne vous servez jamais de peinture à base de plomb. Les bébés sucent tout ce qui leur tombe sous la main, les rebords de leur lit aussi bien que leurs jouets. Or, le plomb est un dangereux toxique. Pour la même raison, ne donnez pas à votre enfant de timbale en étain. L'étain est rarement pur, il contient parfois jusqu'à 80 % de plomb.

La température de la chambre. Les nouveau-nés sont très sensibles au froid et aux variations de température. Dans la pièce où ils se trouvent, il faut maintenir une température constante de 18 à 20° (ayez un thermomètre pour vérifier la température). Comment chauffer la pièce ? Puisque le chauffage idéal — feu de bois dans la cheminée — est devenu aujourd'hui un luxe, parlons du chauffage central et des poêles. Dans le premier cas, mettez deux saturateurs aux radiateurs, et remplissez-les d'eau chaque jour. Dans le second, assurez-vous qu'aucune fuite d'oxyde de carbone n'est possible.

Sa toilette

Quinze jours environ après sa naissance, lorsque la cicatrice ombilicale sera tout à fait sèche, vous donnerez à votre bébé son premier bain, soit dans une baignoire pour bébé (il y a plusieurs modèles), soit dans une bassine que vous poserez sur une table, soit simple-

ment dans un lavabo — mais seulement les premières semaines car le lavabo sera vite trop petit.
En plus de la baignoire, ayez une petite cuvette double en matière plastique pour laver votre bébé lorsque vous le changerez. Vous aurez besoin en outre pour sa toilette des objets et produits suivants (ne tardez pas trop pour les préparer car ils vous seront utiles dès votre retour de la maternité) : d'un thermomètre de bain ; d'une boîte pour mettre le coton ; d'une boîte de talc ;
d'un savon pur sans parfum ni colorant : le plus sain, le savon de Marseille ;
d'une huile pour bébés ou d'une lotion crème ;
de petits flacons : d'alcool à 60°, d'éosine à l'eau 1 ou 2 % ;
de sérum physiologique ;

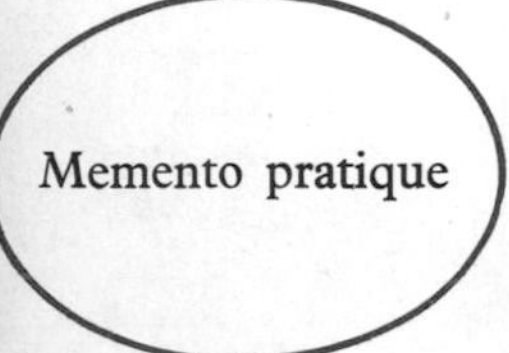

de deux ou trois gants de toilette en tissu très doux (comme celui des couches), le tissu éponge irrite la peau fragile des nouveau-nés. Les gants de toilette sont plus propres que les éponges car on peut les faire bouillir ;
(c'est à dessein que nous ne mentionnons pas l'eau de Cologne ; il est préférable de ne pas frictionner un bébé avec de l'alcool, même faible. Mais il existe de l'eau de Cologne glycérinée sans alcool) ;
d'une douzaine d'épingles spéciales pour bébés, c'est-à-dire courbées, en métal inoxydable et munies d'une fermeture spéciale. N'uilisez pas vos vieilles épingles ;
de deux serviettes éponge suffisamment grandes pour envelopper votre enfant lorsqu'il sort de son bain ;
d'une paire de petits ciseaux spéciaux pour couper les ongles. Et si vous voulez acheter dès maintenant une brosse à cheveux, prenez-la en soie et non en nylon.

Très utile :
un petit panier doublé de tissu plastique où vous mettrez tous les objets nécessaires à la toilette de votre enfant et ses vêtements propres ;
un seau ne rouillant pas pour y mettre tremper les couches sales en attendant de les laver ;
un pèse-bébé que vous louerez chez le pharmacien. Une prise de poids régulière pendant les premiers mois est le meilleur indice de la bonne santé de l'enfant. Si vous avez une balance, vous pourrez donc mieux surveiller son poids. Elle vous sera d'autant plus utile si vous nourrissez votre enfant, car vous contrôlerez plus facilement ce qu'il aura pris. Pour les prématurés, un pèse-bébé est indispensable. Signalons qu'un hamac peut être adapté sur certaines balances de ménage qui se transforment ainsi en pèse-bébé.

Sa nourriture

Si vous n'avez pas l'intention d'allaiter votre enfant, voici le matériel nécessaire pour préparer les biberons :
Un stérilisateur à panier métallique pouvant contenir 7 biberons à la fois. Mais un fait-tout peut aussi bien faire l'affaire, à condition que vous le réserviez pour la stérilisation. Après, il vous servira dans votre cuisine courante.

7 biberons gradués en verre incassable, genre Pyrex, à large goulot pour faciliter le nettoyage.
7 protège-tétines.
7 tétines : il en existe différents modèles. Le plus pratique est celui qui comporte une fente, mais vérifiez qu'il s'adapte bien au goulot de vos biberons.
Une brosse longue appelée goupillon pour nettoyer les biberons.

Vous rendront également service : un chauffe-biberon électrique, un thermos à biberon, un mixer, car il permet en un minimum de temps d'obtenir une bouillie sans grumeaux, un maximum de finesse pour les purées, la viande, le poisson, etc. Il y a des mixers à tous les prix ; le modèle le plus simple suffit. Par la suite, vous pourrez acheter différents accessoires qui vous rendront de grands services pour la cuisine familiale.

Ce dont votre enfant aura besoin

Sa voiture

Avoir une voiture est indispensable. Votre bébé y fera toutes ses promenades, été comme hiver. De plus, à la belle saison, si vous avez un jardin, votre enfant pourra y dormir. Mais, acheter un landau représente une grosse dépense. C'est pourquoi de nombreux magasins consentent des facilités de paiement. Et il faut bien dire qu'un landau est un objet qui se prête souvent dans les familles ou entre amis.
Si vous avez décidé d'acheter une voiture, voici quelques conseils pour bien la choisir :
bien suspendue pour que le bébé ne soit pas secoué ;
assez haute pour qu'il soit loin des poussières de la rue et des odeurs d'essence ;
assez profonde pour que l'enfant ne puisse pas tomber lorsqu'il commencera à s'asseoir et à gesticuler ;
assez longue pour qu'il puisse s'y allonger et dormir ;
solide, car cette voiture servira longtemps ;
transformable en poussette, ce qui est d'ailleurs presque toujours le cas.
Les meilleures voitures sont celles du type landau, avec suspension à la Daumont (2 lames d'acier souples et recourbées maintenant la caisse de la voiture grâce à des courroies de cuir) ; longue d'environ 85 à 90 cm, avec des roues de 35 cm de diamètre montées sur roulements à billes, une capote de toile (moins chaude au soleil, et plus solide que la moleskine), et une poignée à 90 cm du sol, pour qu'on puisse la pousser sans avoir à se voûter.
Vous choisirez la couleur extérieure qui vous plaira le plus. Mais évitez les capotes doublées de blanc : elles sont trop éblouissantes pour les yeux d'un bébé lorsqu'il y a du soleil.
La garniture intérieure est la même que celle d'un lit : 1 matelas, 1 alèse, 2 draps, 1 ou 2 couvertures suivant la saison, plus un oreiller en crin.
Pour l'été, n'oubliez pas une moustiquaire.
● Utile : un sac adaptable au landau pour mettre biberon, change, etc.
Mais avant même d'acheter une voiture, ce qui vous rendra le plus grand service, c'est un porte-bébé qui vous permettra,

comme son nom l'indique, de transporter partout votre bébé, pour commencer le jour où il sortira de la maternité. Il y a de nombreux modèles, soit en osier, genre couffin, soit en toile comme le landau. Il y a d'ailleurs des landaus transformables dont la nacelle forme un porte-bébé.

Les cadeaux de vos amis

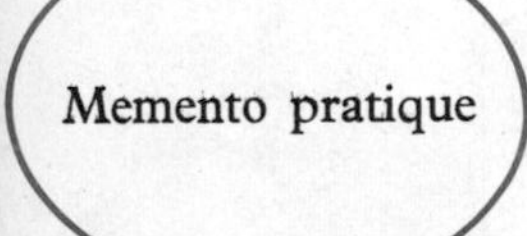

Vous aurez peut-être des amis qui, avant de vous faire un cadeau, vous demanderont ce que vous aimeriez recevoir pour votre enfant. Si la question vous embarrasse, car vous ne connaissez pas encore bien les besoins d'un bébé, voici quelques suggestions de petits et de plus grands cadeaux :

- Des chaussons ou chaussettes.
- Ses premières chaussures.
- Un chauffe-biberon électrique pour le voyage, à piles ou à capsule chauffante.
- Une sacoche amovible que vous accrocherez à la voiture et où vous pourrez mettre tout ce dont un enfant a besoin pour sa promenade.
- Un pyjama ou une grenouillère.
- Pour emporter en promenade, un thermos à biberon.
- Un bon livre de puériculture. C'est d'ailleurs à votre intention que j'ai écrit : *J'élève mon enfant.*
- Un album où vous noterez les événements importants de la vie de votre enfant.
- Un parc et un tapis pour le garnir.
- Pour les voyages en automobile, un petit siège qui s'adapte à l'arrière de la voiture.
- Une chaise haute transformable.
- Un petit berceau pliant pour le voyage, facile à porter grâce à ses anses.
- Un petit fauteuil inclinable qui permettra à votre enfant de passer en douceur de la position couchée à la position assise.
- Ou encore un « siège sac à dos » pour transporter facilement votre enfant à partir du moment où il tient bien sa tête.

Comment choisir l'hôpital ou la clinique

● Vous désirez accoucher dans un certain hôpital ; dans ce cas, vous devez vous y faire inscrire le plus rapidement possible et passer les examens médicaux obligatoires pendant votre grossesse aux consultations du service maternité de cet hôpital.

● Le dispensaire, ou centre de P.M.I., où vous passez les visites pendant votre grossesse n'est rattaché à aucun hôpital. Dans ce cas, vous pouvez soit choisir votre hôpital ou votre clinique, soit vous laisser conseiller par le médecin ou la sage-femme sur le choix de cet hôpital.

Dans un cas comme dans l'autre, il faut vous inscrire à l'hôpital où vous désirez accoucher. Un hôpital ne peut refuser une femme sur le point d'accoucher, mais celle-ci risque d'avoir un lit dans un couloir si elle n'était pas inscrite d'avance.

● Vous désirez accoucher dans une clinique. Deux cas peuvent se présenter.
1er cas : on vous a parlé d'une clinique offrant le maximum de confort hôtelier (chambre agréable, nourriture abondante, téléphone, etc.). Ce n'est pas le point le plus important. Préoccupez-vous surtout de savoir si l'équipement médical est complet, s'il existe une salle d'opération, s'il est possible d'avoir rapidement du sang, s'il y a le matériel nécessaire à la réanimation du nouveau-né. Et sachez que les établissements d'hospitalisation privée qui recoivent des femmes enceintes doivent avoir dans leur équipe un médecin spécialisé en anesthésie-réanimation et un médecin qualifié en pédiatrie (décret du 7-8-75). Le confort de la chambre ne doit jamais passer avant l'équipement médical. S'il ne vous est pas possible de trouver cette clinique bien équipée, préférez l'hôpital.
2e cas : vous devez être accouchée par un médecin ou une sage-femme de votre choix. Ils vous indiqueront la ou les cliniques où ils ont l'habitude d'accoucher.

Mais, dans l'un et l'autre cas, pensez à la question budget. En effet, selon que la clinique est conventionnée ou agréée, vous pouvez accoucher gratuitement, ou bien avoir une somme plus ou moins importante à débourser (voir plus loin au paragraphe *Frais de séjour et d'accouchement* tous les détails). Au moment de votre inscription, il est donc nécessaire de bien vous renseigner : demandez ce que vous aurez exactement à régler, si les honoraires du médecin ou de la sage-femme sont compris dans ce prix (car cela dépend des cas), etc. Cette précaution vous permettra d'établir correctement votre budget clinique et vous épargnera la surprise d'une note plus élevée que prévue. Et pensez que pourront

s'ajouter à cette note tous les suppléments (boissons, communications téléphoniques, télévision, location de couches, etc.).
Enfin il y a un dernier élément à prendre en considération : si votre mari désire vous « assister » pendant votre accouchement, il faut que vous choisissiez un médecin et une clinique qui le permettent.

Et l'accouchement à domicile? La question revient à l'ordre du jour à l'époque du retour à la nature. Accoucher dans son cadre et dans sa famille est tentant, mais ce n'est pas prudent pour le cas où surviendrait une complication. Certes, dans un pays comme la Hollande, 50 % des accouchements se font à domicile, mais les futures mères passent au moins 12 visites avant la naissance, et le plus souvent 15 ; les derniers mois, elles sont vues toutes les semaines. Dans ces conditions, tous les risques de complications possibles sont pratiquement décelés, et n'accouchent chez elles que les femmes pour lesquelles on peut être quasiment sûr que rien d'imprévu n'arrivera.

Les deux valises que vous emporterez

Si vous accouchez dans un hôpital, vous n'aurez besoin d'emporter avec vous que vos objets personnels et votre nécessaire de toilette. Tout le linge, pour vous-même et votre enfant, vous sera fourni. Cependant, si vous le désirez, vous pouvez apporter vos chemises de nuit. Pour votre bébé, il suffit d'apporter les vêtements qu'il mettra le jour où il quittera l'hôpital.
Par contre, si vous accouchez dans une clinique, vous devrez apporter le linge et les objets dont vous-même et votre bébé aurez besoin pendant votre séjour.

Votre valise
Une chemise de nuit ordinaire, ou mieux encore, une veste de pyjama : vous la mettrez à l'arrivée à la clinique et vous la garderez pendant l'accouchement, il ne faut pas que vous regrettiez de la voir tachée avec du mercurochrome ou un autre désinfectant.
Deux chemises de nuit, et si vous allaitez votre enfant, prenez-les faciles à ouvrir devant.
Deux soutien-gorge s'ouvrant également devant.
Des petites compresses (en gaze) que vous mettrez dans votre soutien-gorge pour protéger vos bouts de seins.
Des serviettes hygiéniques, et, ce qui est très pratique, des culottes en papier.
Une robe de chambre : vous la porterez dès que vous serez autorisée à faire quelques pas.
Une paire de pantoufles.
Vos objets de toilette : peigne, brosse, brosse à dents, savon, pâte dentifrice, gants de toilette, eau de Cologne, etc. De quoi vous maquiller et faire vos ongles, une glace : vous voudrez être belle pour recevoir votre mari et vos parents et amis.
Un shampoing sec.
Des mouchoirs, deux serviettes de toilette, une ou deux serviettes de table.
Éventuellement, une gaine légère pour mettre après l'accouchement.
Pour finir, si vous avez un magnétophone emportez-le, vous enre-

gistrerez les pleurs et cris de votre enfant ; si vous avez une caméra, prenez-la également : votre enfant aura ainsi des souvenirs audiovisuels de ses tout premiers jours, ce qui l'amusera beaucoup.

Mettez également dans votre valise une enveloppe contenant : votre carnet de maternité (indispensable pour les formalités à remplir après la naissance), votre livret de famille (nécessaire pour la déclaration de naissance) ou, à défaut, une pièce d'identité, le reçu du paiement que vous avez effectué pour vous inscrire à la clinique, votre carte de groupe sanguin. Un ou deux bons romans, un stylo, du papier à lettres. Enfin, si vous avez l'intention de tenir un cahier où vous inscrirez au jour le jour les renseignements concernant la santé, le développement et le régime de votre enfant, emportez-le pour noter les événements des premiers jours.

Comment choisir l'hôpital ou la clinique

La valise de votre bébé
18 couches ;
2 langes ;
6 chemises fines ;
3 brassières de laine ;
3 grenouillères ou culottes ;
3 bandes pour le ventre de 7 cm de hauteur ;
1 sac à linge sale
(vous y mettrez les couches sales, si vous les faites laver chez vous) ;
et pour la sortie :
1 bonnet ;
1 burnous ou un nid d'ange.
Dans certaines maternités, on demande également à la mère d'apporter draps, couvertures et taies d'oreiller pour le berceau. Dans d'autres, les couches sont fournies par la maternité. Renseignez-vous avant de faire sa valise.

Important : Laissez bien en vue les achats que vous aurez faits pour le bébé. La veille de votre retour, votre mari, ou une parente, pourra ainsi préparer le berceau, et éventuellement stériliser les biberons si vous n'allaitez pas.

Voici, très brièvement expliqué, comment il faut stériliser les biberons :
— remplir les biberons d'eau jusqu'au goulot ;
— les fermer avec les tétines et les protège-tétines ;
— les placer dans le panier réservé à cet usage ;
— remplir la marmite d'eau,
— mettre le couvercle, et laisser bouillir 30 minutes à partir des premiers bouillons d'ébullition.
Placer le tout ensuite au frais (en laissant les biberons fermés).
Lorsque vous reviendrez, vous n'aurez qu'à préparer les biberons de lait après avoir jeté l'eau de la stérilisation. (Pour cela, vous aurez fait acheter 2 boîtes du lait choisi, et deux litres d'eau de coupage.)

Sécurité sociale et prestations familiales

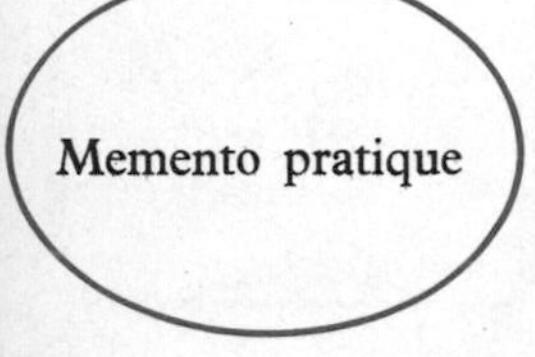

Si vous attendez votre premier enfant, vous ne savez peut-être pas encore que vous pouvez bénéficier d'avantages substantiels qui vous aideront à couvrir une grande partie des frais que va entraîner pour vous la naissance de votre enfant.
Ces avantages sont accordés par deux organismes distincts :
D'une part, par la *Caisse de Sécurité sociale.* Les différents avantages accordés par la Sécurité sociale aux futures mamans sont englobés sous le titre général d'*Assurance Maternité* ;
D'autre part, par la *Caisse d'Allocations Familiales.* Les différentes primes versées par les Allocations Familiales sont englobées sous le titre gĕnéral de *Prestations Familiales.*
Vous trouverez ci-après tous les renseignements concernant l'*Assurance Maternité* et les *Prestations Familiales :* avantages offerts, conditions pour en bénéficier, formalités à remplir, etc.

L'assurance maternité

La Sécurité sociale accorde aux femmes enceintes les avantages suivants :

- remboursement des frais occasionnés par la grossesse, l'accouchement et ses suites ;
- des indemnités de repos aux futures mères personnellement assurées sociales, pour leur permettre d'arrêter leur travail six semaines avant l'accouchement et dix semaines après ;
- des primes aux femmes qui se soumettent aux examens prénatals et post-natals, et à celles qui conduisent régulièrement leur bébé aux consultations de nourrissons ; ces primes (d'un faible montant) ne sont pas versées dans tous les départements ;
- des primes d'allaitement pour les femmes qui nourrissent leur enfant, ou des bons de lait, dans certains départements, au cas où la mère est dans l'incapacité physique d'allaiter.

C'est l'ensemble de ces avantages qui constitue ce qu'on appelle : l'assurance maternité.

Qui peut en bénéficier?

- La femme personnellement assurée sociale.
- La femme légitime d'un assuré social lorsqu'elle n'est pas elle-même assurée sociale.
- La fille à charge d'un ou d'une assurée sociale.

Peuvent également bénéficier de l'assurance maternité :

- Les jeunes femmes — ou leur conjoint — à la recherche d'un premier emploi, ainsi que les épouses de jeunes gens accomplissant leur service militaire (même s'ils n'ont jamais été inscrits à la Sécurité sociale).

● Les femmes vivant en concubinage avec un assuré social, mais à condition de vivre sous le même toit que l'assuré et d'être à sa charge.
● Les veuves et les femmes divorcées depuis moins d'un an. Ce délai est prolongé jusqu'à ce que le dernier enfant ait atteint l'âge de 3 ans.
● Les personnes qui ont cessé leurs études bénéficient de la Sécurité sociale pendant 12 mois au plus après la fin de leurs études sans avoir besoin de cotiser.

Les assurés sociaux se divisent en trois catégories :
I. Les salariés (régime général et régime agricole).
II. Les exploitants agricoles (non salariés).
III. Les non salariés non agricoles des professions industrielles, libérales, commerciales et artisanales.

A quelles conditions?

I. Pour les salariés
Deux points sont à considérer :
— le droit au remboursement des soins ;
— le droit aux indemnités journalières.
● Le droit au remboursement des soins.
Pour y avoir droit, il faut justifier d'un emploi salarié de :
— 120 heures dans le mois civil ayant précédé le mois du début de grossesse ;
— ou de 200 heures, soit au cours des 3 mois ayant précédé la date présumée du début de grossesse, soit au cours du trimestre civil ayant précédé le mois du début de grossesse ;
— ou de 1 200 heures dans l'année civile précédant la date présumée du début de grossesse.
Si aucune de ces conditions n'est remplie, les droits seront alors étudiés 42 jours avant la date prévue d'accouchement. Il faut alors justifier de :
— 120 heures de travail salarié avant la date du début du repos prénatal ;
— ou de 120 heures avant la date réelle d'accouchement, s'il a lieu avant l'arrêt de repos prénatal.
● Le droit aux indemnités journalières.
— Il faut avoir été immatriculé à la Sécurité sociale depuis au moins 10 mois à la date du début de grossesse.
— Il faut également prouver avoir travaillé 200 heures avant cette date de début de grossesse. A défaut, il faut prouver avoir travaillé 200 heures avant la date du repos prénatal, ou la date de l'accouchement si celui-ci a lieu avant l'arrêt de travail.
● A noter :
— Pour un salarié qui en est à son premier emploi, il n'y a pas de conditions de délai pour l'ouverture des droits aux indemnités journalières.
— En cas de perte de son emploi, l'assuré doit s'inscrire au chômage le plus rapidement possible et avant la fin du 3ᵉ mois suivant la date de la cessation de l'activité salariée pour conserver ses droits à la Sécurité sociale.

Tableau des prestations auxquelles vous avez droit selon votre cas

	Sécurité Sociale	
IMPORTANT : le droit à ces prestations n'est pas automatique. Si vous faites partie de l'une des catégories indiquées ci-dessous, vous devez remplir des conditions précises que vous trouverez détaillées dans ce chapitre à leur rubrique respective.	remboursement frais maternité	indemnités journalières
mariée salariée ou assimilée, régime général ou agricole		●
mariée ne travaillant pas, mari salarié régime général ou agricole	●	
mariée ne travaillant pas, mari travailleur indépendant, commerçant, artisan, exploitant agricole		
mariée ne travaillant pas, mari non plus : ne s'est pas inscrit au chômage dans les délais (3 mois)		
mariée, ne travaillant pas, mari non plus : s'est inscrit au chômage dans les délais (3 mois)		
mariée ne travaillant pas, mari étudiant		
mariée ne travaillant pas, mari assuré volontaire		
mariée ne travaillant pas, mari au service militaire (ancien salarié)		
célibataire salariée ou assimilée régime général ou agricole		●
célibataire assurée volontaire ayant des ressources		
célibataire travailleur indépendant, commerçant, artisan, exploitant agricole		
célibataire ne travaillant pas, non inscrite à l'assurance volontaire ayant des ressources		
célibataire ne travaillant pas, non inscrite à l'assurance volontaire sans ressources		
en instance de divorce, ne travaillant pas, mari salarié ou assimilé		
célibataire, divorcée ou veuve, vivant en concubinage ne travaillant pas		
célibataire ou divorcée, vivant en concubinage (salariée)		●

Prestations Familiales										Aide Sociale		
allocation prénatale	allocations postnatales	allocation salaire unique	allocation mère au foyer	allocations familiales	allocation déménagement	allocation logement	allocation mineurs infirmes	allocation orphelins	allocation frais de garde	aide sociale allocation	carte de priorité	maisons maternelles
*	*			*	*	*	Cette allocation dépend de l'enfant et non de la situation des parents		Suivant les ressources		●	Toutes les futures mères peuvent aller dans les maisons maternelles si elles présentent un "cas social"
*	*	*		*	*	*					●	
*	*		*	*	*	*					●	
*	*			*	*	*				suivant ressour.	●	
*	*	*		*	*	*				suivant ressour.	●	
*	*			*	*	*				suivant ressour.	●	
*	*	suivant l'activité du mari		*	*	*					●	
*	*	*		*	*	*				suivant ressour.	●	
*	*	*		*	*	*		*			●	
*	*			*	*	*		*			●	
*	*		*	*	*	*		*			●	
*	*			*	*	*		*			●	
*	*			*	*	*		*		●	●	
*	*	*		*	*	*				suivant ressour.	●	
*	*	suivant l'activité du concubin		*	*	*				suivant ressour.	●	
*	*			*	*	*					●	

II. Pour les exploitants agricoles et les non salariés, non agricoles

- Il faut avoir été immatriculé à la Sécurité sociale dix mois avant la date présumée de l'accouchement.
- Il faut justifier du versement des cotisations exigibles à la date de la première constatation médicale.

Si vous n'appartenez à aucune des catégories relevant du régime de la Sécurité sociale et des Allocations Familiales, vous entendrez peut-être dire que vous pouvez contracter une assurance personnelle. Méfiez-vous, car, pour en bénéficier, il faut être à jour dans le paiement des cotisations. Donc si vous êtes enceinte aujourd'hui, il est trop tard pour vous inscrire et bénéficier de l'assurance personnelle.

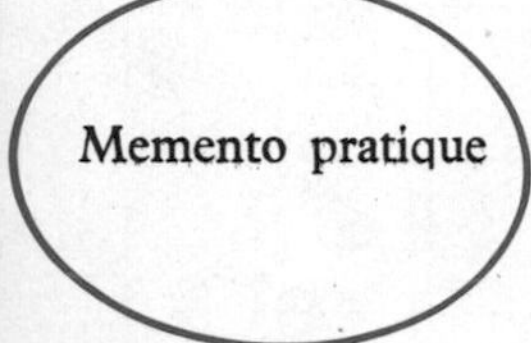

Que faire pour bénéficier de l'assurance maternité

1. Déclarer sa grossesse à la Caisse de Sécurité sociale. La déclaration doit être faite :

- dès que l'intéressée a connaissance de son état, et au plus tard dans les 15 semaines du début de la grossesse (sous peine de perdre une partie des avantages accordés aux futures mamans) ;
- sans qu'il soit nécessaire que ladite déclaration soit accompagnée d'un certificat de constatation de grossesse ;
- soit par simple lettre, soit verbalement au guichet ou même par téléphone.

Dès que la déclaration est enregistrée, la future maman est munie par les soins de la Caisse de feuillets lui permettant de subir en temps utile le premier examen prénatal obligatoire. (Le médecin peut donner les feuillets pour le premier examen prénatal.)

2. Demander à la Caisse de Sécurité sociale **un carnet de maternité**. Pour l'obtenir, remettre à la Caisse de Sécurité sociale les bulletins de salaire des trois mois précédant le début présumé de la grossesse (ou une attestation de versement des cotisations pour les assurés volontaires) et, dûment rempli par le médecin traitant, le volet 2 du feuillet d'examen prénatal vous ayant permis de passer le premier examen médical obligatoire. Les volets 1 et 3 de ce feuillet d'examen prénatal sont destinés à la Caisse d'Allocations familiales (voir page 348).

Ne pas oublier de porter sur le dossier ainsi constitué le numéro d'immatriculation à la Sécurité sociale. Dès réception du dossier, la Caisse étudie les droits du demandeur à l'assurance maternité, et si les conditions exigées sont remplies, délivre à la future maman le carnet de maternité. Ce carnet est nécessaire pour accomplir tous les actes médicaux et formalités indispensables pour bénéficier de l'assurance maternité et des allocations familiales.

3. Passer aux dates indiquées les examens médicaux obligatoires : quatre avant l'accouchement, un après :

- avant la fin du 3e mois un examen général comportant en outre : une prise de sang avec recherche de la syphilis, du groupe

sanguin et du Facteur Rhésus, un examen d'urines. L'examen obstétrical doit être passé avant la fin du 3ᵉ mois alors que les examens complémentaires peuvent être passés dans les 15 premiers jours du 4ᵉ mois.
Un examen dentaire n'est pas obligatoire, mais conseillé et remboursé ;

- au cours du 6ᵉ mois, un examen obstétrical et des examens de laboratoire ; si une radio pulmonaire est prescrite, elle sera remboursée à 100 % ;
- dans les 15 premiers jours du 8ᵉ mois un examen obstétrical et des examens de laboratoire ;
- pendant la 1ʳᵉ quinzaine du 9ᵉ mois un dernier examen obstétrical et des examens de laboratoire ;
- dans les 8 semaines qui suivent l'accouchement, un examen médical et gynécologique.

Ces examens médicaux peuvent être passés soit chez votre médecin habituel, soit dans un centre de P.M.I., ou dans un établissement de soins agréé (hôpital, clinique, etc.).

4. Envoyer aux dates prescrites les feuillets du carnet de maternité à votre Caisse. Le carnet de maternité comprend différents feuillets correspondant à tous les actes médicaux donnant lieu à un remboursement par la Caisse de Sécurité sociale (examens médicaux, accouchement, etc.) et aux formalités que vous devez accomplir pour bénéficier d'avantages tels que le repos de maternité.
Si vous passez la visite dans un centre, vous remettrez le feuillet destiné à la Sécurité sociale au centre lui-même.
Après chaque visite, envoyez un feuillet à la Sécurité sociale, l'autre à la Caisse d'Allocations Familiales (vous verrez plus loin pourquoi).

Attention : Si vous passez une visite supplémentaire, ne manquez pas de faire remplir par le médecin une feuille de maladie ordinaire pour que la consultation vous soit remboursée par la Sécurité sociale.

Examen médical du père : votre mari peut également, au cours du 3ᵉ mois, subir un examen médical complet qui lui sera remboursé. Un feuillet de votre carnet de maternité correspond à cet examen. Cet examen est facultatif, mais recommandé, et donne lieu à une prime dans certains départements (5 F environ).

Après l'accouchement : vous enverrez à votre Caisse, *dans les 48 heures*, le feuillet correspondant du carnet de maternité signé par le médecin, accompagné d'un certificat d'accouchement délivré par l'établissement dans lequel a eu lieu votre accouchement.

5. Arrêter votre travail 6 semaines avant la date prévue pour votre accouchement si vous êtes assurée sociale personnellement. Six semaines, c'est la durée du congé avant la naissance ; après, vous avez droit à 10 semaines de repos. Le congé de maternité, c'est donc en tout 16 semaines.
Vous pouvez prendre un repos moins long, mais pour toucher les indemnités journalières de repos (voir plus loin), il faut que vous

arrêtiez votre travail au moins *huit semaines en tout*. De toute façon, il faut que votre arrêt de travail soit effectif : des contrôles ont lieu. Et si vous *décidez* (et non pas si l'accouchement a lieu plus tôt que prévu) de vous arrêter moins de 6 semaines avant la date prévue pour l'accouchement, dans ce cas, il n'est pas possible de rallonger d'autant le congé post-natal ; autrement dit, il n'est pas possible de s'arrêter 2 semaines avant la date prévue pour l'accouchement et de reporter la différence de 4 semaines après l'accouchement.
A propos de ce congé de maternité, voici quelques renseignements importants.

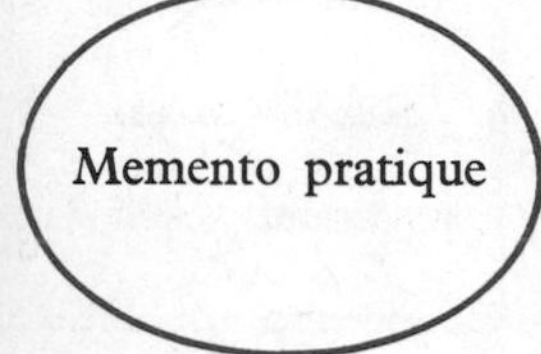

Le congé de maternité

La date du repos prénatal est fonction de la date prévue pour l'accouchement, mais divers cas peuvent se présenter.

Date de l'accouchement et durée du repos pré et post-natal :

● L'accouchement a lieu à la date prévue :

$$\frac{\text{6 semaines avant}}{\text{10 semaines après}} = \boxed{\text{16 semaines}}$$

● L'accouchement a lieu plus tôt que prévu : le repos post-natal est prolongé d'autant pour faire 16 semaines en tout. Exemple :

$$\frac{\text{3 semaines avant}}{\text{13 semaines après}} = \boxed{\text{16 semaines}}$$

Si l'accouchement a lieu sans repos pré-natal, il y aura :

$$\boxed{\text{16 semaines de repos post-natal}}$$

● L'accouchement a lieu plus tard que prévu : la mère a quand même droit à ses 10 semaines après. Elle aura donc en tout plus de 16 semaines. Exemple :

$$\frac{\text{6 sem. avant} + \text{2 sem. retard}}{\text{10 semaines après}} = \boxed{\text{18 sem.}}$$

Indemnités journalières de repos : le montant représente environ 90 % du salaire de l'assurée, exactement 90 % du gain journalier de base. Actuellement ces indemnités journalières ne peuvent dépasser un maximum de 134,10 F et ne peuvent être inférieures à 17,53 F.

Les employeurs ne sont pas tenus de verser (sauf si une disposition de la convention collective ou du contrat de travail le prévoit) de salaire à leurs employées durant leur repos de maternité. En fait, la grande majorité continue à leur verser soit 10 % de leur salaire, complétant ainsi l'indemnité de la Sécurité sociale, soit un salaire entier. Si l'employeur verse le salaire entier, il peut demander à son employée, ou directement à la Sécurité sociale, de lui reverser le montant des indemnités journalières.

* Dernière minute :

Pour percevoir vos indemnités, vous adresserez à votre Caisse une déclaration sur l'honneur indiquant votre date d'arrêt de

travail, déclaration qui se trouve dans le carnet de maternité. Et votre employeur remplira l'attestation portant la mention « maternité ». Le paiement des indemnités journalières est automatique et s'effectue tous les 14 jours. Mais pour le paiement de la dernière quatorzaine, vous enverrez à votre Caisse une attestation de votre employeur de reprise de travail, ou bien, si vous ne reprenez pas votre travail, une attestation sur l'honneur de non-reprise de travail.
Pour le calcul des congés payés, les périodes de congé pré et postnatal comptent comme des périodes de travail.

Pour les agricultrices non salariées, il existe un congé de maternité (allocation de remplacement), à condition qu'elles arrêtent leur travail huit jours au moins. Cette allocation peut être versée pour une durée maximum de 18 jours. Le taux de cette allocation est fixé à 85 % des frais réels, le maximum ne pouvant pas dépasser 220 F à taux plein par jour, et 27,50 F par heure pour moins de 8 heures par jour. Ce congé sera étendu aux professions artisanales, industrielles et commerciales non salariées.

Cas où le congé de maternité peut être prolongé

- En cas d'état pathologique à partir du 6e mois de la grossesse, la future maman peut bénéficier d'un repos prénatal de 2 semaines. Ces 2 semaines sont indépendantes des 6 semaines légales, mais sont également indemnisées à 90 %. Les autres congés maladie que la future mère peut être amenée à prendre pendant sa grossesse sont indemnisés au tarif maladie (environ ½ salaire). Dans certains cas, vous pourrez demander une aide financière à la Sécurité sociale pour compenser une partie du « manque à gagner » occasionné par l'arrêt de travail. Demandez à une assistante sociale quelles sont les démarches à faire.

- Si vous êtes malade *après* la naissance, sur ordonnance du médecin, votre congé post-natal pourra être prolongé jusqu'à 12 semaines de repos en tout. Et vous pourrez percevoir l'indemnité journalière de maladie (environ ½ salaire).

- En cas de naissance de jumeaux, le congé postnatal est prolongé de deux semaines (indemnisées à 90 %).

- En cas d'hospitalisation de l'enfant : si l'enfant est encore hospitalisé six semaines après sa naissance, vous pouvez reprendre votre travail et vous pourrez utiliser la suite de votre congé de maternité lorsque votre enfant sera de retour chez vous.

- Vous pouvez, à l'expiration de votre congé de maternité, ne pas reprendre votre travail. Plusieurs possibilités vous sont offertes suivant l'endroit où vous travaillez.
— Dans le secteur public, les fonctionnaires — et les agents communaux — peuvent obtenir un congé sans solde pendant 2 ans. A la fin de ce congé, la mère sera réintégrée dans son emploi.
— Dans le secteur privé, deux cas peuvent se présenter :

le congé parental : il sera accordé, pour une durée de 2 ans, soit à la mère, soit au père qui travaille dans une entreprise de 200 salariés au moins. A l'expiration de ce congé, le salarié retrouvera son emploi précédent ou un emploi similaire. Dans le cas où ce congé est demandé par le père, la mère doit adresser, par lettre recommandée avec A.R., une demande à l'employeur du père dans laquelle elle précise qu'elle ne peut pas, ou ne veut pas, bénéficier pour elle-même de cc congé ;
le congé sans solde d'un an : il peut s'appliquer au père ou à la mère qui travaille dans une entreprise de moins de 200 salariés. Le salarié aura à son retour une priorité d'embauche en conservant les droits acquis.

Memento pratique

*Un employeur n'a pas le droit de licencier une future maman lorsque la grossesse a été médicalement constatée. Il ne peut pas non plus licencier une jeune mère pendant les 14 semaines qui suivent l'accouchement**. *Et pendant son repos légal, il n'a pas le droit de l'employer pendant une période de huit semaines au total, dont six après l'accouchement.*
Plusieurs lois récentes ont renforcé la protection de la femme enceinte qui a une activité professionnelle : — il est interdit à un employeur de tenter d'obtenir des renseignements sur l'état de grossesse éventuel d'une candidate à un emploi ; — le licenciement d'une salariée est annulé * *si, dans un délai de huit jours à compter de sa notification, l'intéressée envoie à son employeur (par lettre recommandée avec A.R.), un certificat médical justifiant qu'elle est enceinte ; — les changements de poste des salariées enceintes sont subordonnés à une décision du médecin du travail ; — la salariée, après son congé de maternité, devra retrouver son emploi précédent.*

Remboursements

I. Pour les salariés et pour les exploitants agricoles

Visites médicales obligatoires : passées dans un centre de P.M.I. ou un dispensaire, elles sont gratuites. A l'hôpital, vous payez et la Sécurité sociale vous rembourse totalement. Chez un médecin particulier conventionné, vous serez remboursée à 100 % du tarif de la Sécurité sociale, c'est-à-dire 40 francs pour un omnipraticien, 60 francs pour un gynécologue. Chez un médecin non conventionné, vous aurez également 100 % du tarif prévu pour ce cas, tarif qui varie suivant les régions entre 2,80 et 8 francs.

Visites médicales supplémentaires : normalement, les centres de P.M.I. et dispensaires font payer le ticket modérateur. Mais certains centres, dans le cadre des visites prénatales (même non obligatoires), pratiquent la gratuité. Renseignez-vous. Chez un médecin particulier, ou à l'hôpital, vous serez remboursée à 75 ou 80 % du tarif de la Sécurité sociale.

Médicaments : les médicaments prescrits sont remboursés à 100 %, 70 % ou 40 % suivant les cas (comme pour l'assurance maladie), à condition de coller les vignettes sur les ordonnances.

* Sauf si l'employée a commis une faute grave, ou si elle arrive au terme d'un contrat à durée déterminée, ou si l'employeur est dans l'impossibilité de continuer à l'employer pour un motif étranger à la grossesse ou à l'accouchement.

Sur le feuillet du carnet de maternité, un cadre est prévu pour le pharmacien.

A noter : pendant les 4 derniers mois de la grossesse, le ticket modérateur est supprimé pour tous les soins dispensés aux femmes enceintes (autrement dit, les remboursements sont à 100 %).

Ceinture de grossesse : si le médecin vous conseille de porter une ceinture de grossesse, la Sécurité sociale vous la remboursera à condition que vous l'achetiez à un fournisseur agréé par la Sécurité sociale et que votre médecin vous donne un certificat. Demandez une facture au magasin où vous achèterez votre ceinture, et envoyez-la à votre Caisse.

Accouchement sans douleur : si vous suivez des cours de préparation à l'A. S. D. (dont le nom officiel est « accouchement psycho-prophylactique »), ces cours vous seront remboursés à 100 % jusqu'à concurrence de 6 au maximum, et à condition qu'ils soient donnés par un médecin ou une sage-femme.

Frais d'accouchement et de séjour : les remboursements varient suivant l'endroit où vous accoucherez :

1. *à l'hopital :* l'intégrité des frais est réglée directement par la Caisse de Sécurité sociale à l'hôpital, sauf si vous êtes hospitalisée en « service privé ». En effet, dans les hôpitaux, les médecins peuvent recevoir leur clientèle privée, et les conditions sont les mêmes que pour les cliniques agréées. Renseignez-vous ;

2. *en clinique conventionnée :* ces cliniques ont passé une convention spéciale avec la Caisse de Sécurité sociale suivant laquelle les frais de séjour — et dans certains cas les honoraires de l'accoucheur — sont réglés directement par la Caisse de Sécurité sociale à la clinique.

Que l'accouchement soit fait par un médecin ou par une sage-femme, un forfait est prévu ; toutefois le forfait de la sage-femme comprend en outre la surveillance du nourrisson pendant 30 jours.
Actuellement, le forfait est de :
650 francs pour un accouchement simple,
750 francs pour un accouchement gémellaire.

- Pour un médecin non conventionné :

70 à 96 francs pour un accouchement simple, suivant les régions,
82 à 104 francs pour un accouchement gémellaire, suivant les régions.

- Pour une sage-femme conventionnée :

390 francs pour un accouchement simple,
445 francs pour un accouchement gémellaire ;
22 francs pour une consultation.

3. *dans une clinique agréée par la Sécurité sociale :* forfait pour les honoraires de l'accoucheur et les frais pharmaceutiques ; forfait également pour les frais de séjour, la différence entre le remboursement de la Sécurité sociale et le prix effectif du séjour étant à la charge de l'assurée.

Le séjour à l'hôpital ou en clinique ne doit pas dépasser 12 jours. Si une prolongation du séjour est justifiée médicalement, les frais en sont remboursés par l'assurance maladie ;

4. *à domicile ou dans une clinique non agréée :* remboursement des frais médicaux et pharmaceutiques sous forme de forfaits ;

5. *frais de transport en ambulance :* la mère peut obtenir sur présentation de la facture le remboursement des frais.

A noter : en cas de césarienne, l'intervention chirurgicale est remboursée à 100 % du tarif de la Sécurité sociale.

Allocations d'allaitement et bons de lait : pour en bénéficier il faut envoyer tous les mois à la Caisse un certificat du médecin constatant le mode d'allaitement du bébé (feuillets correspondants du carnet de maternité) ; la durée maximum d'attribution est de quatre mois. Le montant total des primes d'allaitement est de 85,25 F, et celui des bons de lait est de 20 F.

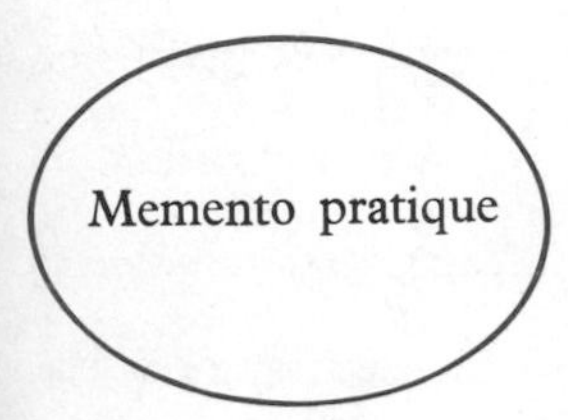

Massages ou gymnastique. Après votre accouchement, vous pouvez bénéficier d'une série de massages (maximum 10), ou de séances de gymnastique post-natale. Il faut auparavant faire une demande d'entente préalable à la Caisse de Sécurité sociale. Ces séances sont remboursées à 100 % si le kinésithérapeute est conventionné.

Indemnités journalières de repos : voir plus haut *Le congé de maternité*.

II. Pour le régime des non salariés, non agricoles

Les remboursements sont calculés à 100 % du tarif de la Sécurité sociale pour les examens prénataux et postnataux, et les frais d'honoraires qui se rapportent à l'accouchement.

En ce qui concerne les autres frais relatifs à la grossesse, à l'accouchement et à ses suites, les remboursements varient ; il vaut mieux vous renseigner dans vos Caisses.

Les remboursements sont effectués soit à la Caisse elle-même sur présentation des pièces nécessaires (carte d'immatriculation, livret de famille si vous n'êtes pas assurée sociale vous-même, bulletins de paie, ou attestations de versements des cotisations pour les non salariés), soit à domicile par mandat postal sans frais, après que toutes les pièces nécessaires ont été envoyées à la Caisse ; soit sur demande par virement à un compte en banque ou à un compte chèque postal, soit enfin par envoi d'un mandat Colbert (mandat réservé à la Sécurité sociale) que l'on peut toucher dans n'importe quel bureau de poste. Les femmes qui ne sont pas assurées sociales et qui n'ont pas de ressources suffisantes pour subvenir aux frais d'une grossesse et d'un accouchement, peuvent bénéficier de différents avantages (allocation mensuelle, accueil dans une maison maternelle avant et après l'accouchement, etc.). Voir plus loin le paragraphe : *Si vous êtes seule*.

Dans certaines caisses primaires de Sécurité sociale, les formalités à accomplir pour bénéficier de l'assurance maternité sont légèrement différentes de celles que nous indiquons ci-dessus. Les futures mamans dépendant de ces caisses trouveront les détails des formalités à accomplir dans le carnet de maternité qui leur sera remis au début de leur grossesse.

Les prestations familiales

Les prestations familiales, qui se décomposent en plusieurs allocations, ont pour but d'aider les familles à subvenir aux besoins de leurs enfants. Vous trouverez ci-dessous les conditions à remplir pour bénéficier de chacune de ces différentes allocations. Toutefois une condition leur est commune : habiter en France métropolitaine. A noter : dans les départements d'outre-mer, il faut se renseigner car certaines prestations n'existent pas, ou leur montant est différent.
Le montant respectif de ces différentes allocations varie suivant le salaire de base à partir duquel elles sont calculées (le montant du salaire de base est fixé 2 fois par an par décret).
Les prestations familiales sont payables chaque mois. Les paiements sont effectués, suivant les villes, soit par un agent payeur à domicile, soit par mandat postal, soit au guichet de la Caisse, soit, sur demande, par virement à un compte en banque ou à un compte chèque postal.

Les allocations prénatales

Il s'agit d'une prime mensuelle versée pendant les 9 mois qui précèdent la naissance.

Qui peut en bénéficier? Toutes les futures mamans, salariées ou non, mariées ou non.

Conditions à remplir. Déclarer sa grossesse dans les 15 premières semaines. L'envoi du premier feuillet d'examen prénatal dans cette période équivaut à une déclaration.
Se soumettre aux examens médicaux obligatoires, des 3e, 6e et 8e mois de la grossesse.

Formalités

1. *Vous êtes assurée sociale ou à la charge d'un assuré social.*
Vous avez déclaré votre grossesse et reçu le feuillet d'examen prénatal. Avant la fin du 3e mois *, vous passez le 1er examen médical obligatoire. Aussitôt après, vous adressez à votre Caisse d'Allocations Familiales, dûment remplie, une *demande d'allocation prénatale* que vous aura procurée soit l'employeur de votre mari, soit le vôtre, soit la caisse d'Allocations Familiales ou le centre de Sécurité sociale. Cette demande devra être accompagnée des volets 1 et 3 correspondant au 1er examen prénatal.

2. *Ni vous-même, ni votre mari n'êtes assurés sociaux :* pour bénéficier de l'allocation prénatale, vous devez avoir également un carnet de maternité et passer les mêmes visites médicales que les assurés sociaux (voir plus haut au paragraphe : Que faire pour bénéficier de l'Assurance maternité ?). Pour obtenir votre carnet de maternité, déclarez votre grossesse à votre Caisse d'Allocations Familiales, en produisant un certificat de grossesse avant la fin du 3e mois.

* L'examen du 3e mois doit être envoyé avant la fin du 4e mois, car les examens de laboratoire peuvent être passés dans les 15 premiers jours du 4e mois.

Si, pour une raison quelconque, vous n'avez pas eu la possibilité de faire constater votre grossesse par un médecin avant la fin du 3e mois, déclarez-la quand même à votre Caisse le plus rapidement possible pour ne pas perdre vos droits à l'allocation prénatale. Un décret récent précise que si, pour une raison indépendante de votre volonté, vous n'avez pas pu passer les examens prénataux dans les délais prévus, la Caisse d'Allocations Familiales peut accorder les allocations prénatales par une décision prise sur avis du médecin chargé de la protection maternelle et infantile.

Après le 1er examen, vous aurez droit au versement de 2 mensualités (soit 417,50 F).

Ensuite : vous passerez votre 2e examen au cours du 6e mois et vous enverrez le feuillet correspondant. Vous aurez alors droit à 4 mensualités (soit 835,10 F).

Puis, vous passerez votre 3e examen médical dans les 15 premiers jours du 8e mois et enverrez le feuillet correspondant à votre caisse. Vous aurez droit à 3 autres mensualités (soit 626,35. F).

Pour le 4e examen, celui que vous passerez au début du 9e mois, vous n'aurez pas de feuillet à adresser aux Allocations Familiales car cet examen ne donne pas droit au paiement d'une nouvelle mensualité d'allocations prénatales.

A noter : il n'y a que pour le 1er examen que le délai d'envoi du feuillet est important. Les autres examens doivent être passés dans les délais prescrits, mais l'envoi tardif à la caisse n'a pas d'importance : les versements sont faits au reçu des feuillets d'examens (Il y a prescription au bout de 2 ans).

Montant. La prime mensuelle représente 22 % du salaire de base. L'allocation est versée en 3 fois (voir plus haut). Le montant total de l'allocation prénatale est de 1 879 F.

Attention : Vous *perdrez* le bénéfice des allocations prénatales :

- si vous ne passez pas les examens médicaux obligatoires ;
- si vous ne les passez pas dans les délais prescrits.

Et si vous attendez des jumeaux, l'allocation prénatale sera-t-elle double ? Non, l'allocation reste la même, quel que soit le nombre d'enfants à naître.

Interruption de la grossesse : En cas d'avortement, il faut envoyer dans les 15 jours qui suivent un certificat médical attestant l'interruption de la grossesse, et la date de cette interruption, à la Caisse d'Allocations Familiales. Celle-ci verse une partie des Allocations prénatales calculée en fonction de la date de l'avortement.

Les allocations postnatales

Il s'agit d'une prime payée en plusieurs versements après la naissance d'un bébé.

Qui peut en bénéficier? Toutes les mères de famille, qu'elles soient assurées sociales ou non, qu'elles bénéficient des Allocations Familiales ou non. Seules, les conditions suivantes doivent être remplies.

- L'enfant doit être né viable.
- L'enfant (de nationalité française ou étrangère) doit résider en France métropolitaine.
- La mère doit résider de manière régulière en France métropolitaine au moment de la soumission de l'enfant aux examens médicaux. (Si elle ne réside en France qu'au moment du 3e examen, par exemple, elle ne percevra que le troisième versement.)

La mère de nationalité étrangère doit être en possession d'un titre de séjour en cours de validité.

Formalités.

- Au moment de la naissance, envoyer à la Caisse une fiche familiale d'État civil.
- Faire passer à l'enfant trois examens médicaux :
  - — dans les huit jours qui suivent la naissance de l'enfant ;
  - — au cours du 9e ou 10e mois de l'enfant ;
  - — au cours du 24e ou 25e mois de l'enfant.

Envoyez à votre Caisse sans tarder les certificats médicaux (qui sont insérés dans le Carnet de Santé de l'enfant) pour qu'elle puisse verser les allocations. Lorsque les délais prévus pour les examens n'ont pu être respectés pour des raisons indépendantes de la volonté de l'intéressée, la Caisse d'Allocations Familiales peut accorder le bénéfice des Allocations postnatales sur avis du médecin chargé de la protection maternelle et infantile.

Montant : Le 1er versement est égal à 130 % de la base mensuelle des Allocations familiales, soit : 1 233,70 F. Les 2e et 3e versements sont égaux à 65 % de la même somme, soit 616,85 F chacun.

A noter : En cas de naissance de jumeaux, chaque naissance est considérée comme distincte : des jumeaux donnent donc droit à 2 allocations postnatales.

Le complément familial

Cette nouvelle allocation remplacera progressivement trois allocations : le salaire unique, la mère au foyer, les frais de garde.

Qui peut en bénéficier?

Les personnes résidant en France, quelle que soit leur nationalité, ayant ou non une activité professionnelle.

Conditions à remplir

Avoir un enfant de trois ans, ou avoir au moins trois enfants à charge. Avoir des ressources qui ne dépassent pas un certain plafond. C'est le revenu net imposable après abattement qui est pris en considération.

- Pour les ménages : si les deux membres du couple ont exercé une activité professionnelle pendant l'année de référence, et si le revenu net par conjoint est au moins égal à six fois la base mensuelle de calcul des allocations familiales pour cette même année, ils bénéficient d'un abattement de 6 330 F sur leurs revenus.

● Pour les personnes seules : que leurs revenus proviennent d'une activité professionnelle ou non, elles bénéficient également d'un abattement de 6 330 F.

● Pour les personnes n'ayant pas disposé de ressources imposables en France pour la période de référence, le montant des ressources pris en considération :

— pour celles qui exercent une activité salariée, ce montant est égal à 2 fois la rémunération mensuelle perçue lors de l'ouverture des droits ;

— pour celles qui exercent une autre activité professionnelle, ce montant est égal à 2 080 fois le S.M.I.C. horaire au 1er janvier qui précède la date d'ouverture des droits.

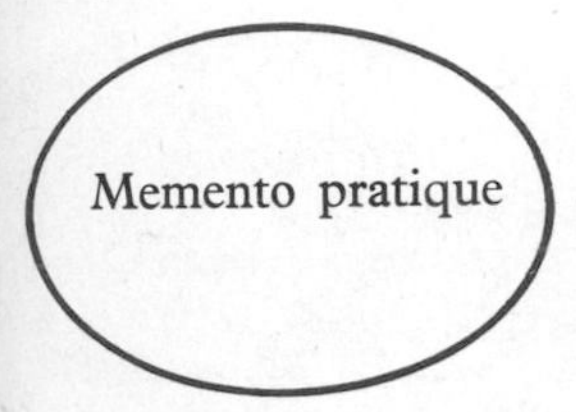

● Le plafond de ressources pris en considération pour l'année 1978 (année de référence pour les allocations versées du 1er juillet 1979 au 31 juin 1980) est de 31 920 F, avec une majoration de 25 % par enfant à charge.

Compte tenu de ce plafond, de la composition de la famille, du nombre de revenus professionnels entrant au foyer et de l'abattement, le tableau ci-après donne les limites de revenus encaissés en 1978, à ne pas dépasser pour bénéficier du complément familial.

Nombre d'enfants à charge	Ménage ayant un seul revenu professionnel	Personne seule. Ménage ayant deux revenus professionnels
Un enfant	39 900 F	46 910 F
Deux enfants	47 880 F	54 890 F
Trois enfants	55 860 F	62 870 F
Par enfant en plus	7 980 F	7 980 F

Montant :

Il est de 395 F. Comme pour les autres allocations, les droits sont réexaminés et les plafonds modifiés au 1er juillet de chaque année.

L'allocation différentielle

Cette allocation est destinée à ceux qui dépassent de peu le plafond de ressources fixé pour bénéficier du complément familial. Les Caisses d'A.F. vous donneront les chiffres précis.

Dispositions transitoires

1. Les familles qui bénéficiaient des anciennes prestations mais qui ne peuvent avoir droit au complément familial continueront à percevoir les anciennes allocations.

2. Les familles qui ont droit au complément familial mais qui perçoivent avec les autres allocations un montant de prestations supérieur au complément familial, continueront à toucher ces prestations jusqu'à ce que le montant du complément familial atteigne la même valeur.

Les allocations de salaire unique, de la mère au foyer et de frais de garde

Ces allocations ne sont plus attribuées. Elles continuent toutefois à être versées aux personnes qui y avaient droit et qui ne peuvent toucher le complément familial (par exemple les familles de deux enfants de plus de trois ans et qui ont de petits revenus).

L'allocation familiale

C'est une prime mensuelle versée aux personnes ayant la charge de 2 enfants au moins jusqu'aux limites d'âge classiques, 16, 18 ou 20 ans.
A noter : les enfants de 17 ans, à la recherche d'un premier emploi, continuent à donner droit aux allocations familiales, à condition qu'ils soient inscrits à l'Agence Nationale pour l'Emploi.

Qui peut en bénéficier?

- Toutes les personnes exerçant une activité professionnelle normale (salariés ou assimilés, et également employeurs et travailleurs indépendants) ;
- les personnes justifiant d'une impossibilité de travailler (malades non assurés sociaux, pères de famille effectuant leur service militaire, et d'une manière générale, toute personne apportant par tous moyens la preuve de son impossibilité de travailler) ; les femmes seules élevant au moins deux enfants ainsi que les personnes recevant, pendant leur période d'inactivité, des indemnités, rentes ou pensions, en remplacement d'une rémunération, sont présumées par la loi être dans l'impossibilité de travailler.
- peuvent également bénéficier de cette allocation, les étudiants poursuivant leurs études, à condition qu'ils puissent justifier de leur impossibilité de travailler.

Conditions à remplir : Au moins 2 enfants à charge. Que ces enfants, s'ils ont moins de 2 ans, soient soumis aux examens médicaux obligatoires.

Formalités. Dès la naissance de l'enfant qui vous donne droit à l'allocation familiale, adressez à votre Caisse les pièces officielles constatant la naissance de l'enfant : bulletin de naissance, fiche d'état civil.

Montant. Pour 2 enfants, 23 % du salaire de base, soit 218,25 F. Pour 3 enfants, 61 % de ce salaire, soit 518,90 F. Pour 4 enfants, 98 %, soit 930 F. A partir du 5e enfant, et pour chaque nouvel enfant, on ajoute 35 %, soit 332,15 F.
Dans les familles comportant 2 enfants, le cadet bénéficie d'une majoration de 9 % (soit 85,40 F) à partir de 10 ans, et de 16 % (soit 151,85 F) à partir de 15 ans. Dans les familles de 3 enfants et plus, chaque enfant, y compris l'aîné, bénéficie d'une majoration de 9 % à partir de 10 ans et de 16 % à partir de 15 ans. Ceci jusqu'à l'âge de 20 ans si les enfants continuent leurs études.

L'allocation logement

Signalons que le fait de bénéficier d'une des prestations familiales énumérées peut permettre dans certaines conditions de bénéficier de l'allocation logement (mais les ménages avec un enfant à charge qui ne perçoivent pas d'allocation peuvent néanmoins obtenir l'allocation logement). Cette allocation est une prestation qui s'ajoute aux prestations familiales proprement dites. Elle peut atteindre 75 % du loyer payé par l'allocataire, à condition que ce loyer ne dépasse pas un certain plafond.
Les ménages sans enfants peuvent bénéficier de cette allocation les 5 premières années de leur mariage à condition que les époux n'aient pas dépassé l'un et l'autre 40 ans au moment du mariage.

Memento pratique

Il ne nous est pas possible de donner ici tous les renseignements sur les conditions et formalités à remplir pour bénéficier de cette allocation. Mais vous pourrez trouver tous renseignements sur l'allocation logement à votre Caisse d'Allocations Familiales.

L'allocation de déménagement

En outre, les allocataires qui déménagent pour habiter dans un logement leur donnant droit à cette allocation logement, peuvent, dans les 3 mois qui suivent leur déménagement, demander une allocation de déménagement.

L'allocation d'éducation spéciale pour mineurs handicapés

Cette allocation, accordée sur une décision d'une Commission départementale d'éducation spéciale qui appréciera l'état de l'enfant, est versée pour compenser le « surcroît éducatif » occasionné par tout enfant handicapé n'ayant pas dépassé 20 ans.

Conditions à remplir. Peut obtenir cette allocation :
— soit l'enfant qui a une incapacité permanente égale à un pourcentage de 80 % au moins, et qui n'a pas été admis dans un établissement d'éducation spéciale, ou pris en charge au titre de l'Éducation spéciale.
Un complément d'allocation sera versé et modulé suivant les besoins, pour l'enfant atteint d'un handicap dont la nature et la gravité exigent des dépenses particulièrement coûteuses.
— Soit l'enfant handicapé qui est admis dans un établissement, ou pris en charge par le service d'Éducation spéciale ou de soins à domicile.
Cette allocation ne sera pas versée si l'enfant ne présente qu'une infirmité légère, ou s'il est placé dans un internat et que les frais de séjour sont pris intégralement en charge par l'assurance maladie, l'État, ou l'Aide sociale. Pour bénéficier de cette allocation, il n'y a pas de conditions de ressources pour la famille.

Montant :

a) de l'allocation : 303,68 F par mois ;
b) du complément :

— pour la 1re catégorie, c'est-à-dire pour un enfant ayant besoin de l'aide constante d'une tierce personne : 48 % de la base mensuelle fixée pour le calcul des A.F. (soit 455,50 F) ;
— pour la 2e catégorie, c'est-à-dire pour un enfant ayant besoin de l'aide quotidienne d'une tierce personne, mais d'une aide discontinue : 24 % de la base ci-dessus (soit 227,75 F).

L'allocation de parent isolé

Cette allocation est destinée à garantir un revenu familial minimum à toute personne qui se trouve subitement seule pour assumer la charge d'un ou plusieurs enfants, ou qui se trouve en état de grossesse.

Conditions :
— résider en France,
— avoir un ou plusieurs enfants à charge (si la mère vit dans sa famille, elle est présumée assumer la charge des enfants dont elle a la garde), ou être enceinte. Les enfants peuvent être légitimes, naturels ou reconnus.
Les femmes enceintes doivent avoir déclaré leur grossesse, et subir dans les délais les examens prénatals.
— vivre seul : c'est-à-dire être célibataire, veuf, séparé, divorcé, abandonné et ne pas vivre maritalement,
— avoir des ressources inférieures à un minimum garanti. Ce minimum est de 1 423,50 F pour une personne seule, plus 474,50 F par enfant à charge.

Montant
Le montant de l'allocation versée est égal à la différence entre les sommes indiquées et les ressources personnelles. Il varie donc d'un bénéficiaire à l'autre.

Durée
L'allocation sera versée au maximum pendant douze mois, mais cette durée pourra être prolongée jusqu'à ce que le dernier enfant ait atteint l'âge de 3 ans. Le montant de l'allocation sera révisé tous les trois mois en fonction des revenus du trimestre écoulé.

L'allocation en faveur des orphelins

Cette allocation concerne le régime général et le régime agricole.

Qui peut en bénéficier? Tout orphelin de père ou de mère, ou dont un des parents est absent : parent ayant abandonné l'enfant, ou ne l'ayant pas reconnu.
Le bénéficiaire de cette allocation est :
— le père ou la mère qui assume la charge effective et permanente de l'enfant ;
— ou la personne qui assume la charge effective et permanente de l'enfant orphelin de père ou de mère.
(L'allocation n'est pas due si le parent se remarie, ou vit maritalement.)

Conditions à remplir. Exercer une activité professionnelle ou justifier de l'impossibilité de travailler. (Les femmes seules sont dispensées de cette justification.)
Les conditions d'âge sont les mêmes que pour les allocations familiales.

Montant. Les taux sont fixés en pourcentage de la base mensuelle de calcul des allocations familiales : 30 % (soit 284,70 F) pour un enfant orphelin de père et de mère, 22,5 % (soit 213,50 F) pour un enfant dont un seul parent est décédé ou absent, 22,5 % pour un enfant dont la filiation n'est établie qu'à l'égard de sa mère.

Memento pratique

Les renseignements que nous donnons sur les formalités à accomplir pour bénéficier des Allocations Familiales, ainsi que sur la manière de les percevoir, s'appliquent à la région parisienne. Quoiqu'ils soient dans les grandes lignes valables pour toute la France, dans certaines caisses départementales les formalités et modes de paiement sont un peu différents. Les futures mamans dépendant de ces caisses trouveront auprès de celles-ci tous renseignements nécessaires.
Si les formalités peuvent légèrement varier d'un département à l'autre, le taux permettant de calculer le montant des Allocations Familiales est le même pour toute la France.

La négligence peut coûter cher

Vous voyez les avantages dont vous pouvez bénéficier lorsque vous attendez un enfant.
Ces avantages sont importants. Encore une fois, pour en bénéficier, vous devez vous soumettre aux formalités qui vous sont demandées et ce, dans les délais prescrits.
N'oubliez pas que si la loi prévoit que vous devez passer des examens médicaux à des dates précises avant de vous envoyer des mandats, c'est qu'elle veut vous obliger à veiller à votre santé et à celle de votre enfant.
Chaque année, nombreuses sont les jeunes mères qui ne perçoivent que partiellement remboursements et primes dont elles pourraient bénéficier, parce qu'elles sont négligentes ou mal informées.

Nous vous rappelons que vous pouvez remplir vos formalités sans vous déplacer en envoyant vos papiers par la poste et en recevant vos allocations et remboursements à domicile. Lorsque votre dossier est constitué, relisez-le avec soin avant de l'envoyer pour vous assurer qu'il est bien lisible et complet (30 % *des dossiers adressés aux Allocations Familiales sont incomplets*). Sinon, on vous le renverra et vous aurez perdu de précieuses semaines. En particulier, n'omettez pas de porter sur toute votre correspondance votre numéro d'immatriculation.
Si votre cas est spécial — et que nous ne l'ayons pas prévu ici —, si vous avez besoin d'un conseil, allez voir l'assistante sociale de votre mairie, ou consultez celle qui est attachée à votre entreprise.

En attendant, voici *2 aides financières* que vous ne connaissez peut-être pas :
Une mère ayant peu de ressources et n'ayant pas droit aux allocations familiales peut obtenir **l'allocation d'aide à l'enfance.** C'est un secours mensuel accordé pour tout enfant que son père, sa mère ou ses ascendants ne peuvent élever faute de ressources suffisantes.

Formalités. Voir la mairie.

Montant. Il varie suivant le cas. En principe, il n'est pas possible de cumuler les allocations familiales et les allocations d'aide sociale à la famille, sauf dans des cas très exceptionnels.

Une mère qui n'a pas droit aux allocations familiales et dont le mari est appelé sous les drapeaux peut bénéficier de **l'Aide sociale aux familles dont le soutien de famille effectue son service militaire.**

Formalités. Voir la mairie.

Conditions. Ne pas avoir de ressources suffisantes pour assurer la subsistance de la famille.

Montant. A une allocation principale de valeur variable suivant les cas, s'ajoute une majoration pour les enfants à charge, qui peut atteindre le montant des allocations familiales.

Et si vous êtes seule

Les femmes seules (célibataires, séparées, divorcées, veuves) peuvent bénéficier des avantages et droits énumérés ci-dessus à certaines conditions. En outre, si elles sont dépourvues de ressources, elles peuvent bénéficier d'avantages spéciaux.

Memento pratique

1. La Sécurité sociale

● La femme seule peut bénéficier des prestations de Sécurité sociale pour elle et ses ayants droit si elle exerce une activité professionnelle salariée ou non salariée. Elle bénéficie donc du régime de maternité (voir plus haut les conditions).
● Les jeunes mères célibataires à charge d'un assuré social (dans la limite d'âge prévue par la loi) bénéficient des prestations de Sécurité sociale comme ayants droit d'un assuré social.
● Les étudiantes bénéficient du régime des étudiants ; elles ont droit aux prestations de Sécurité sociale pour elles et leurs ayants droit.
● En ce qui concerne les femmes divorcées et les veuves, les prestations de l'assurance maternité continuent à leur être versées pendant un an (après la transcription du divorce, ou le décès du conjoint), ou jusqu'à ce que le dernier enfant ait plus de 3 ans.
● En cas de mariage postérieur à la conception ou à la naissance du bébé, une mère non-assurée sociale bénéficie des prestations de Sécurité sociale, à partir de la date du mariage, sur le compte de son mari.

2. Les Prestations Familiales

Les conditions sont les mêmes que pour les femmes mariées (voir plus haut).

3. Protection sociale

Les futures mères dépourvues de ressources ou disposant de ressources insuffisantes peuvent bénéficier de diverses allocations d'aide sociale, et peuvent loger dans des maisons maternelles et hôtels maternels.

● Une allocation mensuelle peut être accordée pendant les 6 semaines qui précèdent la naissance.
Le montant varie en fonction des ressources de la future mère. Cette allocation est versée à partir du jour de la demande.
Pour tous renseignements, s'adresser à la mairie, au bureau d'aide sociale ;

● la gratuité de l'accouchement est assurée aux femmes privées de ressources ;

● l'allocation mensuelle peut être maintenue après l'accouchement ou accordée à la mère qui n'a pas assez de ressources pour vivre. Cette allocation peut se cumuler avec les allocations familiales.

4. Les maisons maternelles et hôtels maternels

Les maisons maternelles accueillent sans formalités les femmes enceintes d'au moins 7 mois. Une femme sans ressources, ou demandant le secret, peut être accueillie plus tôt.

* Les étudiants bénéficient jusqu'à 26 ans de la Sécurité sociale, mais toutes les écoles n'y ouvrent pas droit. D'autre part, ceux qui ne peuvent bénéficier de la Sécurité sociale de leurs parents peuvent être inscrits à la Sécurité sociale des étudiants avant 20 ans.

La maison maternelle reçoit également les mères après l'accouchement, pendant 3 mois. La naissance n'a pas lieu dans la maison maternelle, mais dans le service hospitalier le plus proche.
Si une mère désire le secret, elle est alors isolée et n'a aucun contact avec les autres pensionnaires ; elle donne son nom sous enveloppe fermée.
Le service social de la maison maternelle aide la jeune mère à trouver du travail et à organiser sa vie à la sortie de l'établissement. Elle peut alors aller dans un hôtel maternel.

Les hôtels maternels sont le prolongement des maisons maternelles. Ils permettent à la mère d'être logée et de garder son enfant avec elle : une crèche est organisée pour garder l'enfant pendant les heures de travail de la mère. Le séjour en hôtel est en principe limité à un an.
Pour avoir les adresses de maisons maternelles et d'hôtels maternels, les futures mères doivent s'adresser au service social de la mairie.

Les centres nourriciers : dans la région parisienne, ces centres prennent les enfants jusqu'à l'âge de 5 ans pour une somme modique, suivant les ressources de la mère. Les demandes se font à l'hôpital Saint-Vincent de Paul, 74, avenue Denfert-Rochereau.

A noter : dans les départements où il n'y a pas de maisons maternelles, les hôpitaux susceptibles de recevoir les femmes enceintes doivent obligatoirement recevoir les femmes enceintes qui le demandent durant le mois qui précède l'accouchement et celui qui le suit, et ceci gratuitement si elles n'ont pas de ressources. Les femmes peuvent demander le *bénéfice du secret à l'admission.*

5. Le livret de famille

Les mères célibataires peuvent obtenir un livret de famille.

6. Renseignements divers pour les mères célibataires

● Même si votre enfant a été reconnu par son père, sachez que c'est vous seule qui exercez l'autorité parentale (du fait que vous n'êtes pas mariée).
● Si elles le désirent, les mères célibataires (comme d'ailleurs toutes les célibataires) peuvent se faire appeler « Madame », par leur employeur, dans leur correspondance avec l'administration, la Sécurité sociale, etc.
● Une mère célibataire peut recevoir des subsides pour son enfant non reconnu par le père, c'est-à-dire qu'elle pourra demander pour élever son enfant une indemnité à celui qui a eu des relations avec elle pendant la période légale de conception (période allant du 300ᵉ au 180ᵉ jour avant la naissance). Il faudra qu'elle prouve ses relations (par des lettres, etc.). L'assistance d'un avocat est nécessaire pour engager cette procédure (dite « action à fins de subsides »). Une mère ayant peu de ressources peut bénéficier de l'aide judiciaire totale ou partielle, c'est-à-dire qu'elle n'aura rien ou pratiquement rien à payer pour la procédure.
● Si une mère célibataire désire améliorer sa formation professionnelle, sa candidature à un stage de formation agréé par l'état sera retenue en priorité, si elle élève seule son enfant. Et

le fait d'avoir un enfant à charge lui permettra de bénéficier d'une rémunération égale à 120 % du S.M.I.C.

- La mère célibataire a droit dans sa déclaration de revenus à porter l'enfant pour une part (ceci n'est valable que pour le premier enfant). Pour les suivants, elle n'a droit qu'à ½ part par enfant. Les mêmes dispositions sont valables pour la mère divorcée.
- La mère célibataire (ou veuve ou divorcée) dont les revenus de 1978 n'excèdent pas un plafond de 125 200 F, peut déduire de ses revenus professionnels la somme de 3 000 F par an pour les frais de garde d'un enfant de moins de 3 ans. Si elle a un autre enfant de moins de 3 ans, elle peut déduire 3 000 F de plus.

Memento pratique

Pour finir, voici quelques adresses qui peuvent vous aider. Comme nous ne pouvons donner les adresses pour toute la France, nous citons le Siège social en général à Paris, c'est là que vous pourrez obtenir les adresses en province.

— L'association des mères célibataires
  135, bd de Sébastopol
  75002 PARIS — Tél. : 236.47.70
— Le Planning familial
  2, rue des Colonnes
  75002 PARIS — Tél. : 742.02.64
— Le Centre d'Information féminin
  69, rue de Varenne
  B.P. 400
  75327 PARIS cédex 07 — Tél. : 705.33.60
— La D.D.A.S.S. (Direction départementale de l'Action sanitaire et sociale)
  Place de l'Hôtel de Ville
  75004 PARIS — Tél. : 277.15.40

Pour obtenir l'adresse de la D.D.A.S.S. de votre département, vous pouvez demander à l'assistante sociale de votre mairie.

Aides familiales, nourrices, crèches, pouponnières

Vous allez accoucher dans une clinique ou à l'hôpital, mais vous n'avez personne qui puisse s'occuper des enfants que vous laissez à la maison ; vous pouvez, dans ce cas, demander au service social de votre mairie de vous procurer une **aide familiale.** Après enquête, on vous enverra une aide qui sera prise en charge par votre Caisse d'Allocations Familiales dans une proportion déterminée par vos ressources et le nombres de vos enfants.
Si vous travaillez et que vous désirez une solution pour la journée, vous savez que vous pouvez confier votre enfant soit à une nourrice qui le prend chez elle, soit le mettre dans une crèche. Voici, pour ces deux cas, quelques renseignements utiles.

Sécurité sociale et prestations familiales

Pour trouver une **nourrice***, il faut s'adresser au service social de la mairie qui connaît les nourrices agréées puisqu'il est chargé de la surveillance de ces nourrices. Si vous confiez votre enfant à l'une de ces personnes pour plus de huit jours, vous devez en faire la déclaration à votre mairie. La personne qui prend votre enfant chez elle doit également le déclarer. Elle est tenue à certaines formalités, qui sont une garantie que votre enfant est bien soigné et qu'il vit dans un milieu sain. La nourrice doit passer régulièrement des visites médicales. Elle reçoit la visite régulière d'une assistante sociale qui contrôle son comportement. Enfin, le B.C.G. est obligatoire pour tout enfant gardé en nourrice.
A titre d'indication, le prix d'une nourrice (à Paris) est actuellement de 28 à 30 F par jour (nourriture non comprise).

Pour les **crèches**, c'est également au service social de la mairie que vous pouvez demander des adresses. Mais pensez à vous en occuper dès que vous savez que vous êtes enceinte, les places sont limitées. Ensuite, tous les mois, il vous faudra confirmer cette inscription, soit par téléphone, soit en y allant. Et sachez que même en procédant ainsi aucune certitude n'est acquise.
Les crèches ont pour objet de garder pendant la journée, durant le travail de leur mère, les enfants bien portants ayant moins de 3 ans accomplis. Les enfants y reçoivent tous les soins qu'exige leur âge. Une surveillance médicale est assurée régulièrement dans ces établissements. Le prix est fonction des ressources des parents. Il varie de 0 à 40 F par jour dans la région parisienne, mais dans certains départements les plafonds sont plus élevés.
A côté de ces crèches collectives, il commence à y avoir maintenant des crèches familiales qui assurent la garde des enfants chez des gardiennes agréées et surveillées à tous points de vue (santé, logement, hygiène, etc.) par une équipe de puéricultrices D.E. Pour avoir des adresses, s'adresser à la mairie, ou au bureau de Sécurité sociale. Mais signalons que, pour le moment, ces crèches sont peu nombreuses.
En dehors des crèches, il y a des **pouponnières**; mais la pouponnière n'a pas le même rôle que la crèche : elle a pour particularité de garder *jour et nuit* les enfants de moins de 3 ans accomplis qui ne peuvent ni rester au sein de leur famille, ni bénéficier d'un placement familial surveillé. Il y a deux catégories de poupon-

* Appelée maintenant assistante maternelle.

nières : les pouponnières à caractère sanitaire gardent les enfants ayant besoin de soins médicaux spéciaux ; les pouponnières à caractère social gardent les enfants ne nécessitant pas de soins médicaux, mais qui ne peuvent rester dans leur famille.
Enfin, si vous avez l'intention de prendre quelqu'un à domicile pour s'occuper de votre enfant, sachez que les employées de maison, qu'elles soient là à mi-temps, à plein temps, ou seulement quelques heures, doivent passer un examen médical avant d'être embauchées, et qu'en plus, elles doivent tous les ans se soumettre à une visite de contrôle (loi du 15 décembre 1971). Il est particulièrement important d'observer cette loi quand il y a un nouveau-né dans la maison.

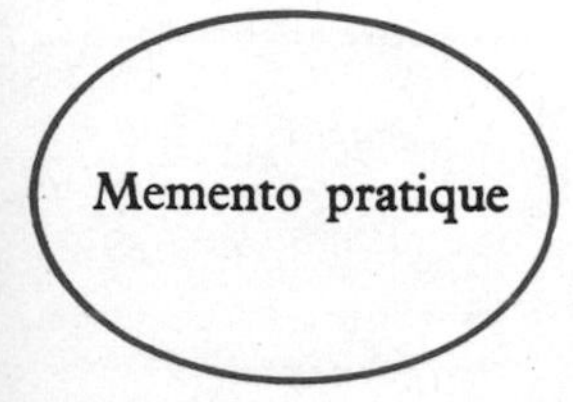

Vos obligations et vos droits

Avant la naissance : la carte de priorité

Dès le 4e mois, vous pouvez avoir une carte de priorité : ne négligez pas cet avantage. Il vous épargnera bien des fatigues. Grâce à cette carte, vous pourrez obtenir une place assise dans les transports publics, et éviter de faire la queue aux bureaux des administrations et services publics (PTT, mairie, etc.) et chez les commerçants. Pour avoir cette carte , allez à la mairie de votre quartier et remettez au bureau qui s'occupe des cartes de priorité
— votre carnet de maternité (ou un certificat de grossesse),
— votre livret de famille et une photographie.
Sur le vu de ces pièces, on vous délivrera votre carte de priorité valable jusqu'à la date de votre accouchement, mais renouvelable après. La carte sera valable 6 mois après la naissance.
Signalons en outre qu'une maman a droit à la carte de priorité :
avec 2 enfants, jusqu'à que ce l'aîné ait 4 ans,
avec 3 enfants, jusqu'à ce que l'aîné ait 14 ans,
avec 4 enfants, jusqu'à ce que l'aîné ait 16 ans.
Avec 5 enfants, la carte de priorité est accordée de façon permanente (et la maman en outre a droit au diplôme de la famille française).
Dans tous les cas la carte est renouvelable chaque année.

Après la naissance

La déclaration de naissance : Dès la naissance de votre enfant, le médecin ou la sage-femme vous remettra un certificat attestant la naissance de votre enfant.
Votre mari — ou à défaut une personne mandatée par la maternité —, muni du livret de famille et de ce certificat, déclarera à la mairie de la commune où a eu lieu l'accouchement, la naissance de votre enfant. Les services de la mairie doivent remettre un carnet de santé pour l'enfant en enregistrant la naissance.

* Cette carte de priorité n'est pas délivrée dans tous les départements.

Cette déclaration doit être faite dans les 3 jours qui suivent la naissance, et sera portée sur votre livret de famille. Passé ce délai, l'officier d'état civil n'a plus le droit de dresser l'acte de la naissance avant qu'un jugement du tribunal ne soit intervenu, ce qui entraîne des formalités longues et coûteuses.
Une déclaration faite en retard peut, en outre, entraîner un emprisonnement de 4 jours à 6 mois et une amende de 40 à 720 francs (plus les frais).
Votre mari demandera en même temps 4 fiches d'état civil qui vous seront nécessaires pour vos démarches ultérieures, carte de priorité, allocations familiales, etc.

Sécurité sociale et prestations familiales

Vous avez un congé de maternité (avant et après la naissance), mais **votre mari a aussi droit à un congé spécial** à l'occasion de la naissance de son enfant : 3 jours, congé payé bien sûr. Attention, ce congé doit obligatoirement être pris dans les 15 jours qui précèdent ou qui suivent la naissance. Ce « qui précèdent » vous étonne mais il est légal ! Mais, sauf cas rares, les pères prennent leur congé après la naissance.

La surveillance médicale de l'enfant. Au cours de la première année, 9 examens sont obligatoires : dans les 8 jours qui suivent la naissance, avant la fin du 1er mois, et au cours des 2e, 3e, 4e, 5e, 6e, 9e et 12e mois.
Au cours de la 2e année, 3 examens sont obligatoires : ceux des 16e, 20e et 24e mois. Enfin, au cours des 4 années suivantes, un examen est obligatoire tous les 6 mois.
Parmi ces examens, 3 donnent lieu à l'établissement d'un certificat de santé (ceux des 8e jour, 9e ou 10e mois et 24e ou 25e mois). Et de l'envoi de ce certificat de santé à la Caisse d'Allocations Familiales dépend le paiement des allocations postnatales et des allocations familiales.
Tous ces examens, vous pouvez les faire faire par un médecin de votre choix, ou par le médecin de la consultation de P.M.I. de votre quartier. Dans ces centres, les consultations sont gratuites. Mais si vous faites suivre votre bébé dans un centre de P.M.I., il est bon que le médecin de votre quartier le connaisse, car c'est lui que vous appellerez lorsque l'enfant sera malade : le centre de P.M.I. n'est pas un centre de soins ni de traitement, et il n'est ouvert qu'à certaines heures. Le carnet de santé, s'il est bien rempli, fera le lien entre les différents médecins que vous serez amenés à voir.

Le renouvellement de la carte de priorité : vous obtiendrez une prolongation pour 6 mois à la mairie qui vous a délivré la carte, en présentant un bulletin de naissance.

La retraite de la mère de famille

1. Pour les mères qui travaillent, chaque enfant élevé pendant 9 ans avant leur 16e anniversaire leur donne une bonification de 2 années par enfant.
2. Pour une mère de trois enfants, le montant de la retraite est augmenté de 10 %.
3. Pour les mères qui ont élevé 5 enfants pendant 9 ans au moins avant leur 16e année et qui ne dépassent pas un certain plafond de ressources (assez bas), il existe une allocation aux mères de famille.
4. Les mères ayant élevé au moins trois enfants, qui ont 30 ans d'assurance sociale et qui justifient de 5 années de travail manuel au cours des 15 dernières années précédant leur demande, peuvent obtenir à partir de leur 60e année leur pension au taux prévu à 65 ans.
5. Les mères qui ont à leur foyer un enfant handicapé dont l'incapacité permanente est d'au moins 80 %, à condition que cet enfant ne soit pas placé en internat, sont affiliées obligatoirement à l'assurance vieillesse. Les cotisations sont versées par la Caisse d'allocations familiales.
6. Pour toutes les femmes, à condition d'avoir 37 ans et demi de cotisations à la Sécurité sociale, le droit à la retraite à 60 ans est accordé au taux prévu à 65 ans (c'est-à-dire à 50 % du salaire moyen des dix meilleures années).
7. Les mères de famille qui bénéficient du complément familial, sont affiliées à l'assurance vieillesse (de même que les personnes qui continuent à percevoir la majoration de salaire unique ou de la mère au foyer), si elles remplissent les conditions suivantes :
— avoir un enfant de moins de 3 ans ou au moins 4 enfants à charge ;
— que les ressources (revenu net imposable) des mères ou celle du ménage ne dépassent pas un plafond égal à 2130 fois le taux horaire du SMIC (plafond majoré de 25 % par enfant à charge).
Par ailleurs les revenus propres des intéressées, provenant d'une activité professionnelle, ne doivent pas excéder six fois la base mensuelle de calcul des allocations familiales (cette dernière condition n'est pas exigée dans le cas des femmes seules ou dont le conjoint n'exerce pas d'activité professionnelle).
Les cotisations sont à la charge de l'organisme débiteur des prestations familiales.

L'aide-mémoire de votre grossesse

Les examens et formalités exigés par la Sécurité sociale et les Allocations Familiales doivent être faits à des dates précises comme vous venez de le voir. Pour vous permettre de n'en oublier aucun, j'ai rassemblé tous les examens et formalités dans un grand tableau mois par mois. J'ai ajouté, également mois par mois : différentes démarches à faire, les indications principales concernant votre santé, et les différentes étapes de l'évolution de votre enfant. Ce tableau sera un véritable aide-mémoire de votre grossesse.

Par ailleurs, je ne saurais trop vous conseiller de tenir un petit mémento de votre grossesse, c'est-à-dire :

- *de noter les événements importants concernant votre santé : malaises, maladies s'il y a lieu, etc ;*
- *de recopier les ordonnances qui vous auront éventuellement été remises par votre médecin, avant de les envoyer à la Sécurité sociale ;*
- *de reporter sur le tableau prévu à cet effet, les résultats des analyses d'urine. Ces résultats étant donnés sur des feuilles séparées, vous risqueriez de les égarer ;*
- *de noter les chiffres de vos pesées successives sur la page prévue à cet effet.*

Le jour ou vous attendrez de nouveau un enfant, tous ces renseignements seront d'une très grande valeur pour votre médecin. Ils l'aideront à diriger au mieux votre nouvelle grossesse.
J'ajoute, et cela est très important, que je n'ai indiqué que les examens médicaux obligatoires, mais, comme vous l'avez déjà vu au cours de ce livre, il y a des cas ou vous devez voir le médecin plus souvent : c'est le médecin lui-même qui vous dira si vous êtes dans l'un de ces cas.

	Votre santé	Examens
1er mois	• Date des dernières règles le .... • Dès le 8e jour de retard des règles, un test peut permettre d'établir un diagnostic de grossesse.	
2e mois	• Mettez-vous au régime alimentaire future maman. • Prenez l'habitude de vous peser tous les 15 jours. • Au cours de ce mois, il n'y a pas d'examen obligatoire, mais n'hésitez pas à consulter un médecin si nécessaire. • Si vous pensez allaiter, commencez dès maintenant à faire les exercices indiqués au chapitre 12 pour garder une belle poitrine,	
3e mois	• Prenez l'habitude de marcher 1/2 heure par jour. • Pensez à votre régime.	• 1er examen prénatal obligatoire par un médecin : examen général et obstétrical. • Examen bucco-dentaire non obligatoire mais conseillé et remboursé. • Examen du père facultatif mais recommandé et remboursé.
4e mois	• Commencez les exercices respiratoires et musculaires.	• Si vous avez tardé pour les examens complémentaires du 3e mois, vous avez encore 15 jours pour les passer.
5e mois	• Nouvel examen obligatoire au 6e mois seulement, mais n'hésitez pas à consulter un médecin si nécessaire. • N'oubliez pas de vous peser régulièrement.	
6e mois	• Poids : vous ne devez pas engraisser de plus de 350 à 400 grammes par semaine. • Ne négligez pas la gymnastique prénatale : commencez les exercices de relaxation.	• 2e examen prénatal obligatoire : examen obstétrical. Et si nécessaire examen radiologique pulmonaire.

Formalités	Votre bébé	Vos préparatifs
• Déclaration de grossesse : le plus tôt possible. Faites cette déclaration par lettre, verbalement ou par téléphone au centre de S.S. ou d'A.F.	• A la fin de ce premier mois il mesure 5 mm et pèse 1 gramme.	
	• Il mesure 3 cm et pèse 11 grammes. • A 8 semaines, l'ébauche de tous ses organes est formée.	
	• Son sexe se précise et ses cordes vocales naissent. • Il mesure 10 cm et pèse 45 grammes.	• Que vous accouchiez à l'hôpital ou dans une clinique, pensez à retenir un lit. • Si vous avez l'intention de mettre votre enfant dans une crèche, inscrivez-le dès maintenant : les places sont rares.
• Remettez à la consultation ou envoyez à la S.S. le feuillet correspondant au 1er examen. Envoyez duplicata aux A.F. • Versement des 2 premières mensualités de l'allocation prénatale.	• Au cours de ce mois, ses mouvements deviennent perceptibles. • Ses cheveux poussent. • Il mesure 18 cm et pèse 225 grammes.	
	• Ses ongles sont maintenant visibles et le médecin peut entendre battre son cœur. • Il mesure 30 cm et pèse 500 grammes.	• Faites la liste de la layette et commencez à coudre et à tricoter ce que vous ferez vous-même.
• Remettez à la consultation ou envoyez à la S.S. le feuillet du C. de M. correspondant au 2e examen. Envoyez duplicata aux A.F.	• C'est le mois des muscles et il bouge beaucoup. • Il mesure 31 cm et pèse 1 kg.	• Si vous désirez suivre les cours d'A.S.D., inscrivez-vous à un centre.

	Votre santé	Examens
7ᵉ mois	• Cessez les exercices musculaires. Continuez les autres jusqu'à l'accouchement. • A partir de maintenant, examen d'urines tous les 15 jours.	
8ᵉ mois	• Votre congé de maternité commence 6 semaines avant la date prévue pour l'accouchement. Profitez-en pour vous reposer vraiment. • N'oubliez pas de vous peser régulièrement.	• Dans les 15 premiers jours du 8ᵉ mois, 3ᵉ examen prénatal obligatoire : examen obstétrical.
9ᵉ mois	• Le plus important au cours de ce dernier mois, c'est de vous reposer. • Examen d'urines toutes les semaines.	• Pendant la première quinzaine du 9ᵉ mois, 4ᵉ examen prénatal obligatoire : examen obstétrical.

Après la naissance

	Votre santé	Examens
1ᵉʳ mois	• Pour être rapidement en forme, reposez-vous vraiment après la naissance. Si vous travaillez, vous avez droit à 10 semaines de repos. • Si vous allaitez, pensez à votre régime. • Dès le 2ᵉ jour, vous pouvez faire quelques exercices. • Si vous n'avez pas eu la rubéole (à vérifier par sérodiagnostic), c'est le moment de vous faire vacciner, à condition de n'avoir pas de rapports ou de prendre la pilule pendant 2 mois.	
2ᵉ mois	• Pour retrouver rapidement votre ligne, pensez aux exercices de gymnastique.	• Examen postnatal obligatoire : examen général, gynécologique et si nécessaire radiologique.

Formalités	Votre bébé	Vos préparatifs
• Versement des 4 mensualités de l'allocation prénatale.	• C'est le mois des nerfs. • Il mesure 40 cm et pèse 1 700 grammes.	• Pensez au berceau de votre bébé et préparez son coin.
• Remettez à la consultation ou envoyez à la S.S. le feuillet du C. de M. correspondant au 3ᵉ examen. Envoyez le duplicata aux A.F. • Envoyez à la S.S. attestation arrêt de travail plus déclaration sur l'honneur.	• C'est le mois du fignolage. • Il mesure 45 cm et pèse 2 400 grammes.	• Préparez votre valise et celle de votre bébé.
• Remettez à la consultation ou envoyez à la S.S. le feuillet du C. de M. correspondant au 4ᵉ examen. • Paiement des 3 mensualités de l'allocation prénatale.	• Votre bébé est prêt à naître : il pèse environ 3.300 grammes et mesure 50 cm.	

Formalités S.S. et A.F.	Formalités diverses	Votre bébé
• Dans les 48 h suivant la naissance, envoyez à la S.S. certificat d'accouchement et aux A.F. bulletin de naissance. • A la sortie de la maternité, envoyez à la S.S. reçu des frais d'accouchement, et 1ᵉʳ certificat constatant mode d'allaitement. • Quatre semaines après l'accouchement, envoyez à la S.S. 2ᵉ certificat constatant mode d'allaitement.	• Dans les 3 jours déclarez la naissance à la mairie. • Faites renouveler à la mairie votre carte de priorité. • Si vous désirez prendre un congé sans solde, prévenez votre employeur par lettre recommandée avec A.R.	• Deux examens sont obligatoires : dans les 8 jours qui suivent la naissance et avant la fin du 1ᵉʳ mois.
• Remettez à la consultation ou envoyez à la S.S. avant la 8ᵉ semaine le feuillet du C. de M. correspondant à l'examen postnatal. • Envoyez à la S.S. attestation de reprise ou non-reprise de travail et certificat constatant mode d'allaitement.		• Examen médical obligatoire.

Votre poids

		Poids	Date
Avant la grossesse			
1er mois			
2e mois			
3e mois			
4e mois			
5e mois			
6e mois	1re quinzaine		
	2e quinzaine		
7e mois	1re quinzaine		
	2e quinzaine		
8e mois	1re quinzaine		
	2e quinzaine		
9e mois	1re semaine		
	2e semaine		
	3e semaine		
	4e semaine		

Analyses d'urine

Taux de l'albumine	1er mois	2e mois	3e mois	4e mois	5e mois	6e mois	7e mois		8e mcis		9e mois			
							15 j	15 j	15 j	15 j	8 j	8 j	8 j	8 j
1 gramme														
0,90 g														
0,80 g														
0,70 g														
0,60 g														
0,50 g														
0,40 g														
0,30 g														
0,20 g														
0,10 g														
0,05 g														
traces														

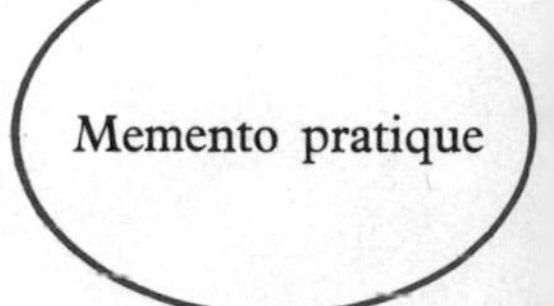

Index

A

Accouchement
à domicile, 336, 347
à la maternité, 335
comment il s'annonce, 214
comment il se déroule, 214 et suiv.
date, 31 et suivantes
déclenchement artificiel, 33, 233
durée, 224
en images, 206 à 213 et 227 à 234
frais, 347
prématuré, 263, et suiv.
préparation physique, 249
préparation psychologique, 247
psychoprophylactique, 237
retard, 268
remboursement, 346 et suiv.
sans douleur, 237 et suiv.
sur commande, 33, 232
sous monitoring, 232
Aérophagie, 85
Age de la mère, 101, 108
et conception, 25, 195
Aides Familiales, 361
Albuminurie, 121
Alcool, 67, 194
Aliments, *voir aussi régime*
à éviter, 68
Allaitement maternel
avantages, 276
inconvénients, 277
contre-indications, 278
allaitement mixte, 277
Allocation familiale, 353
Alpinisme, 45
Amnios, 167
Amniocentèse, 111, 186, 197
Amnioscopie, 111
Analyse d'urine, 102, 103 121, 369
Anémie, 121, 139
Anesthésie, 242
Anesthésie péridurale, 244
Appendicite, 132
Appétit
troubles de l'appétit, 20, 66
Assurance personnelle, 342
Avion *voyage en,* 43
Avortement
causes, 119
chromosomique, 118
à répétition, 119
spontané, 116
symptômes, 116
thérapeutique, 132

B

Bains
après l'accouchement, 284
de mer et de rivière, 46
de soleil, 46
pendant la grossesse, 40
Ballonnement, 85
Bassin
description, 203
Bateau, *voyage en,* 43
Bébé, *avant la naissance*
comment il vit, 165
développement mois par mois, 157 à 164
ses mouvements, 161, 164
Bec-de-lièvre, 192
Berceau, 328
Bicyclette, 45
Boissons, 66
Bouchon muqueux, 172
expulsion, 214, 216
Brûlures d'estomac, 85

C

Café, 66
Calcium
besoins en, 60
Calories
besoins en, 49
tableau des, 58, 59
Candida albicans, 92
Cardiaques *maladies,* 132
Carie dentaire, 78
Carnet
de maternité, 342
de surveillance, 104
de santé de l'enfant, 223, 283, 363
Carte de priorité, 362
Caryotype, 196
Ceinture de grossesse
faut-il en porter, 75
remboursement, 346
Célibataire, *mère,* 315, 359

Cerclage, 267
Césarienne, 229
Chat, 128
Chaussures, 75
Cheveux, *soins des,* 79
Choc, en voiture, 42
psychologique, 193
Chômage, 339
Chorion, 148, 165
Chromosome, 183
Chute, 45
Cigarettes, 41
Clinique
agréée, 335, 347
choix, 335
conventionnée, 335, 347
départ pour la, 216, 336
non agréée, 347
valises à emporter, 336
Cœlioscopie, 120
Cœur
battement du cœur du fœtus, 157, 161
maladies du cœur et grossesse, 132
Col de l'utérus
béance du, 119, 264, 267
Colibacillose, 90
Colostrum, 171, 282
Complément familial, 350
Conception, date, 30
mécanisme, 143 et suiv.
période favorable, 26
Congé de maternité 344
prolongation, 345
Congé de naissance, *du père de famille,* 363
Congénitales, *maladies,* 194
Consanguins, *mariages,* 195
Constipation
symptômes de grossesse, 20
traitement, 86
Consultation
de génétique, 196
de nourrisson, 363
Contagion, 124
Contraception, 291
féminine, 293
masculine, 292
après l'accouchement, 299
en cas d'allaitement, 299
Contractions de l'utérus
en dehors de la grossesse, 145
pendant la grossesse, 202, 214
annonçant l'accouchement, 214 et suiv.
Cordon ombilical
illustration, 155
ligature, 222
rôle, 167
Corps jaune, 145
Courbe thermique, 25
Cours *d'accouchement sans douleur,* 241
Crampes, 94
Crèche, 361
Couveuse, 267
Cycle menstruel, 145
Cystite 121

D

Danse, 45
Date de l'accouchement, 31
de la conception, 32
Déclaration
d'accouchement, 343
de grossesse, 342
de naissance, 363
Délivrance, 223
Démangeaisons, 91
Dents, *soins aux,* 78
Dépression après la naissance, 286
Diabète, 131
Diagnostic de grossesse, 19 et suiv.
Diaphragme, 294
Dilatation, 218
Douches
pendant la grossesse, 40
après l'accouchement, 284
Douleurs, 93
Durée de la grossesse, 30 et suiv., 263 et suiv.

E

Eaux
définition, formation, 167
pertes des, 216
poche des, 203, 209
rupture de la poche, 203, 218
Échographie, 110
Éclampsie, 121
Embryon, 148 et suiv.
Émotions, *influence sur la grossesse,* 193
Envies, 67

Index

Épisiotomie, 222
Équitation, 45
Essoufflement, 93
Estomac, *maux d'*, 85
symptôme de grossesse, 20
traitement, 85
Évanouissement, 92
Examens médicaux
de la future mère, 100 et suiv.
pourquoi sont-ils nécessaires, 99 et suiv.
remboursement, 346
du père, 343
du nouveau-né, 222
de l'enfant, 275, 363
Expulsion
description, 220
Exsanguino-transfusion, 133

F

Facteur Rhésus, 133
Fausse-couche, *voir avortement*
Fécondation, *voir conception*
Fœtus, 157 et suiv.
Folliculine, 144
Fontanelle, 273
Forceps, 228

G

Gène, 188
Génétique, *consultations de*, 196
Glucides, 57
Golf, 45
Grippe, 124
Grossesse
diagnostic, 19 et suiv.
durée, 30 et suiv., 263 et suiv.
extra-utérine, 120
les trois périodes, 83
prochaine grossesse : comment l'éviter, 291 et suiv.
prolongée, 268
signes de la grossesse, 19
à risques, 108
Groupes sanguins, 133
Gymnastique
avant l'accouchement, 44, 249
après l'accouchement, 258

H

Habillement, 74
Hémorragie, 116, 120, 123
Hémorroïdes, 87
Héréditaires, *maladies*, 194
Hérédité, 183 et suiv.
Hôpital, *voir clinique*
Hormones
dosage, 110, 120
évolution en cours de grossesse, 120, 145
rôle, 172
insuffisance, 119
Hydramnios, 167
Hygiène
corporelle, 40
des organes sexuels, 41
Hypotrophique, 264

I

Ictère physiologique
du nouveau-né, 274
Incompatibilité sanguine, 133
Incubateur, 267
Indemnités journalières, 344
Injections vaginales, 41
Insomnie, 95
Intoxication, 68

J

Jumeaux
accouchement, 178
conception, 175
diagnostic, 176
grossesse, 176
hérédité, 175

L

Lanugo, 161
Lait, 66
Laxatifs, 87

Layette, 325
Lever après l'accouchement, 280
Lipides, 57
Liquide amniotique, *voir Eaux*
Listériose, 129
Lit du bébé, 328
Lochies, 281

M

Maladies
particulières à la grossesse, 121
pendant la grossesse, 124
héréditaires, 194
congénitales, 194
Malaises courants, 83 et suiv.
Malformations de l'enfant, 192
Marche, 44
Mariages entre cousins, 195
Masque de grossesse, 77
Maternité, *voir clinique*
Maux
dans le dos, 95
dans les reins, 95
d'estomac, 85
Méconium
formation, 161
rejet, 275
Médecin
quand le voir, 99 et suiv.
Médicaments
précautions à prendre pendant la grossesse, 104 et suiv.
Membranes, *Rupture des,* 218
Mère célibataire, 315, 359
Menus types, 62, 63
Monitoring
accouchement sous, 232
Mongolisme, 193
Montée laiteuse, 282
Mouvements du fœtus, 161
Mutation, 189

N

Naissance
formalités, 363
"Naissance sans violence," 225
Natation, 45
Nausées, cause, 174
signe de grossesse, 20
traitement, 84
Neuro-végétatif, *système,* 173
Nidation, 148
défectueuse, 119
Nouveau-né
aspect général, 273
comportement, 274
poids et taille, 272
premiers soins, 222
besoins, 318

O

Œdèmes, 121
Ongles, *soins des,* 80
Ovaire, ovule, ovulation
illustrations, 150 et suiv.
rôle dans la conception, 144

P

Palpitations
cause, 174
traitement, 92, 93
Patinage, 45
Peau, *soins de la,* 78
Père, *futur*
congé de naissance. 363
conseils pour sa femme, 311
conseils pour son enfant, 317
présence à l'accouchement, 313
Péridurale, 244
Périnatalité, 37, 99
Pertes blanches, 92
Perte des eaux, *voir Eaux*
Perte de sang, 116, 120, 123
Phlébite, 88
Pilule contraceptive, 296
après l'accouchement, 299
Placenta
formation et rôle, 165
fonctionnement, 166
expulsion, 223
placenta praevia, 123
Plongée sous-marine, 45
Poche des eaux, 203, 209
rupture, 203, 218

Index

Index

Poids
de la future mère, 52
augmentation, 52, 121
contrôle, 52
poids excessif, 54
poids du nouveau-né, 272
Prématurité
ses causes, 264
les risques pour l'enfant, 266
comment l'éviter, 267
Présentation
par le sommet, 229
par le siège, 228
Prestations familiales, 349 et suiv.
Progestérone, 145
Prolactine, 171
Protides, 56
Psychologie
de la future mère, 305
du futur père, 309
Ptyalisme, 85
Pyélo-néphrite, 90

Q

Quadruplés, 178
Quintuplés, 178

R

Radiographiques, *examens*, 106, 110
Rame, 45
Rapports sexuels
pendant la grossesse, 40
après l'accouchement, 284, 291 et suiv.
Régime de la femme enceinte, 49 et suiv.
Régime sans sel, 68
Règles
arrêt, 19
retour, 284
rôle, 145
Reins, *mal aux*, 95
exercice contre le, 254
Relaxation, 256 et suiv.
Remboursements, 346
Remèdes, *voir Médicaments*
Repos
pendant la grossesse, 38
après l'accouchement, 284
Respiration
exercices, 251 et suiv.
pendant l'accouchement, 219 et suiv.
Retour à la maison, 284
Retour de couches, 284
petit retour de couches, 281
Retraite de la mère de famille, 364
Rhésus, 133
Robes, 74
Rubéole, 125

S

Sage-femme, 20
Saignements, 116, 120, 123
Salivation excessive, 85
Sciatique, 94
Sécurité Sociale, 338
Seins
modifications, 20, 170
soins pendant la grossesse, 76
soins après l'accouchement, 282
Sel, 60
Sérodiagnostic
pour la rubéole, 125
pour la toxoplasmose, 127
Sexe, détermination, 183
prédiction, 185
choix, 186
Siège, *présentation par le*, 228
Signes de la grossesse, 19 et suiv.
Signes du début de l'accouchement, 214
Ski, 45
Soleil, *bains de*, 46
Sommeil, 39
troubles du, 95
Sommet, *présentation par*, 229
Soutien-gorge, 76
Spermatozoïde
et conception, 146
illustrations, 149 et suiv.
et conception des jumeaux, 175
illustrations, 177
Sports, permis et interdits, 44 et suiv.

Stérilet, 295
Stérilité, 25
Suite de couches, 280
Syphilis
et grossesse, 130
Système nerveux, *influence de la grossesse,* 173

T

Tabac, 41
Température
méthode de la, 23, 25, 293
Tennis, 45
Tests
de grossesse, 22 et suiv.
pour la prédiction du sexe, 185
Toxémie, *gravidique,* 122
Toxoplasmose, 127
Train, *voyages en,* 42
Travail pendant la grossesse 37
« **Travail** » *de l'accouchement,* 201
durée, 223
faux début, 217
symptômes du début, 214
Trichomonas, 92
Triplés, 178
Trompe de Fallope, 143
illustrations, 152
Troubles
digestifs, 85
urinaires, 90
du sommeil, 95
du caractère, 96
Tuberculose
et grossesse, 130

U

Ultra-sons, utilisation au cours de la grossesse, 110, 161
Urinaire (infection, trouble), 90, 121
Urine,
analyses, 102, 103, 121, et 371
comment les faire soi-même, 122
Utérus
anatomie, 169
dilatation du col et accouchement, 170, 206
illustrations, 170, 206
modifications, 21, 169
rôle dans l'accouchement, 202
après l'accouchement, 281

V

Vaccin
contre la rubéole, 126
anti-rhésus, 138
Vaccinations pendant la grossesse, 105
Vacuum extractor 232,
Vaginite, 92
Varices, 87
Varices vulvaires, 89
Vergetures, 91
Vernix caseosa, 274
Vertiges, 92
Vêtements, 74
Visites médicales obligatoires, 100 et suiv., 342, 348
du bébé, 363
Vitamines
besoins pendant la grossesse, 61 et suiv.
teneur des aliments, 58, 59
Voiture, *voyages en,* 42
Vomissements, 84
signe de grossesse, 19 et suiv.
traitement, 84
Voyages, 42

Chère lectrice,

Chaque page de ce livre a été écrite en pensant à vous, à vous deux, à vos questions, à vos soucis, à votre joie, à vos espoirs. J'ai essayé d'être chaque fois claire, utile et près de vous. J'espère avoir réussi.
Avant de vous quitter, je voudrais vous demander une faveur. Vous savez sans doute que chaque année je mets ce livre à jour. J'aimerais connaître vos critiques ou vos suggestions pour en tenir compte dans ma prochaine édition.
Je vous remercie d'avance pour votre réponse.

(à renvoyer à: LAURENCE PERNOUD-EDITIONS PIERRE HORAY
22 bis, Passage Dauphine, 75006 PARIS)

Nom :______________________________

Adresse :______________________________

____

Prénoms de l'enfant :______________________________

Date de naissance .______________________________

Est-ce votre premier enfant ?______________________________

____

____

____

____

____

____

____

____

____

____

____

____

____

____

Edition 1979

Cette nouvelle édition de J'attends un enfant *a été réalisée sous la direction artistique de l'Atelier Pascal Vercken. Typographie de Michel Méline.*
Dessins de François Crozat et de Siudmak pour la gymnastique.
Photographies de : Frieman, 18,72/Fotogram-Farkas, 48,114/Czap, 182 / Guigoz, 262 / F. Miller, 270 / Magnum, 304 / Magnum Eve Arnold, 225, 227, 230, 231, 234 / Vloo-Mery, 290 / Vloo-Warneck, 36, 82, 98, 142, 200, 236, 246, 324.

Achevé d'imprimer
le 1er Octobre 1979
sur les presses de
l'Imprimerie Hérissey à Évreux
pour Pierre Horay éditeur
à Paris

Imprimé en France - Dépôt légal 4e trimestre 1979 - no d'éditeur 707 - no d'imprimeur 24180